WET DREAMS IN
PARADISE

天堂春夢

二十世紀香港電影史論

游靜

著

目次

自序

本書以電影歷史切入，重溯香港上世紀三十至九十年代的文化脈絡，希望藉著重構香港電影文本及文化政治的史觀，對昨日與今日的香港，提供不一樣的理解。

全書維度橫跨近八十年，企圖更有系統地審視香港電影作為上世紀文化生產的重要場域，剖析不同時代階段、電影類型、不同政治背景影人的承傳與參與，並非以整合、誇言全局的視點出發，而是選擇以顯微鏡下的歷史碎片拼湊出，一幅幅既有矛盾糾結也有傳承演化的香港電影圖像，綜述並解讀每一幅的當代政治意涵及之間的關係，從而體味今天華語以致全球流行文化，如何依舊從這份龐大深厚的歷史遺產中取經。本書以文化歷史為經，以論述分析為緯。為避免概論式流於虛泛的敘述，本書著重具體案例細讀，及案例與案例之間的承傳、變異關係，組成的論述與對話。案例涵蓋同時代、跨時代或跨地域不同電影文本之間的對照、文學與電影改編之間的對話，同時不忘討論影星與導演作為電影「作者」的貢獻、電影公司的理念與出品的時代意義，及一些持久的類型電影淵源。書中以不同時期具代表性的實例，粵語、國語片兼論，從而顯現香港電影的多元豐富面向，讓不同種類的資料構成的敘事顯得更具體生動，展現切入與解讀電影歷史的諸種方法、不同方法的組合與相互補足的可能。透過進一步深思香港過去耳熟能詳的電影、人物、文化歷史及其構成，也許能夠加深了解這城走過來的步履，及如何走到今天的過程。

我生於六十年代香港，是戰後的第二或第三代，成長的資源遠比家中姊姊或哥哥充裕。整個童年都在公共屋邨度過，並沒有體驗過父母來港初期住在山邊木屋與板間房的生活。至母親去世前幾年，透過與她斷斷續續的訪談，才發現家人盡經歷過《一板之隔》（一九五二，朱石麟）、《危樓春曉》（一九五三，李鐵）、《木屋沙甸魚》（一九六五，黃鶴聲）中的場景。從中國大陸隻身逃來，熬過最艱難的十多年難民期，他們心中的倖存與危機感，伴隨他們一生。在朝不保夕的環境下求存，並沒有紀錄生活的餘暇與心情，但我父親在抽屜最角落處一直埋藏著一部沉甸甸的照相機，那個黑色皮囊大概包裹著他們在廣州黃金時代的記憶。

電影成為重新認識我出生前的家、我出生前的香港的最重要路徑。據母親憶述，父母在四十年代廣州拍拖時，看的都是國語片。難怪童年僅有幾次看電影的記憶，都是被母親帶去看《蘇小小》（一九六二，李晨風）及《梁山伯與祝英台》（一九六三，李翰祥）等國語片。應該是一個字都聽不懂，但四十多年後，仍然記得銀幕上白茵與江南風光相互映照、凌波與樂蒂服裝相襯的顏色，與母親從戲院內哭到戲院外，半天總是眼眨淚光的無言。看電影是我與她難得獨處的時光，也是她與自己獨處的時光。疑似共同分享了一個不可告人的秘密，不用說破。這便是電影。

童年時模仿黑白電視上的女殺手與黑玫瑰，肯定是我最早的性別教育。戲院放《唐山大兄》（一九七一，羅維、吳家驤）與《精武門》（一九七二，羅維）久不下片，父母在家有事要辦，給哥哥一手零錢，遣散他帶我去看。只看到李小龍真笨。可見我自小便對肌肉男沒好感。初中時迷上的《長腿姐姐》（一九六〇，唐煌）、《星星·月亮·太陽》（一九六一，易文）等，給予最速食的民族意識培訓，想像一個終於脫離苦難期的現代中國。

所以我這一代完全是冷戰的產物。殖民地給現代華人提供了避秦之地。母親以左右兩方建構的前現代中國憶悼她的過去。我被推進殖民地教育機器，迅速學習看外語片；姊姊拍拖看占士邦（臺譯：龐德）帶上我，反正有男的買單。至我賺到自己的零用錢，就一頭栽進歐日藝術電影堆中。抬頭，新浪潮導演出道了，他們的美學與風格，中介的歐美日電影教育，也在書寫我。香港電影新浪潮的集體宣言寫在屏幕上，我們對於這時代，有話要說；七十年代流行的功夫與風月，不足以表達這社會，不足以表達「我」。

八十年代後期，從港大畢業，應金炳興之邀，為香港《電影雙週刊》出任執行編輯，後接任總編輯。當時新浪潮氣勢已過，但影響還在。現在回看，如果不是新浪潮，我大概不會視出國念電影為當時唯一志願。後來在倫敦大學攻博，論文選擇以唐書璇為題，大概也跟十年前的《電影雙週刊》經驗有關。出國前在香港藝術中心電影部負責文宣工作，與電影部主管黃愛玲朝夕相對，孕育了往後三十年，亦師亦友的因緣。

二〇〇二年博士口試剛過，獲愛玲邀稿，參與國泰／電懋專題研究，於是開展了我與香港電影資料館的合作。本書中第八章的初稿，是應愛玲策劃《風花雪月李翰祥》（二〇〇七）

專題而作。第一章及第四章的初稿，寫成後的第一位讀者，也是黃愛玲。若非愛玲持續督促、鼓勵，這個橫跨二十年的計劃，不可能長成今日的面貌。自從她去了不再需要書的地方，雷競璇先生餽贈愛玲珍藏的資料，這些一直貼身陪伴我，彷彿她仍在耳邊叮嚀，必須脫離與超越人云亦云，包括過去的我，各種定見與謬誤。

感謝過去十年來香港電影資料館的夥伴：郭靜寧、吳君玉、陳彩玉、華哥、傅慧儀、吳若琪，惠賜研究及講座上的支援。本書第二章及第十章初稿曾收錄於香港電影資料館《探索一九三〇至一九四〇年代香港電影》（二〇二二）及《創意搖籃——德寶的童話》（二〇二〇）專書中。第三章與第五章中的部分段落，曾於電影資料館出版的《尋存與啟迪：香港早期聲影遺珍》（二〇一五）、《李萍倩》（二〇一八）上發表。謝謝上述刊物的所有編輯及校對付出的心血。

書中的大部分內容，為我在香港嶺南大學文化研究系工作時構思；謝謝九年來關照我的陳清僑、墨美姬（Meaghan Morris）、許寶強與羅永生。此書得以定稿，感激近年在臺給我家的感覺，各兄弟姊妹的扶持：陳若菲、吳靜如、司黛蕊（Teri Silvio）、郭力昕、白瑞梅（Amie Parry）、林建廷、宋玉雯、陳祐禎、黃道明、廖偉棠、曹疏影。特別感恩如天降甘露般、多年來對我不離不棄的（前）學生與助理們：蕭美芳、洪榮杰、陳浩勤、姚偉明、黃誼綝、羅冠杰、鄭晴韻；尤其感謝蕭美芳犧牲一整個暑假，不厭其煩反覆查核勘校書中引述的文字及影像資料；沒她的兩脇插刀，此書面世肯定是綿綿無絕期。

謝謝陳曉婷及蕭淑芳分享香港圖書館資源；雷競斌先生幫忙購書；楊小賢在查找電影資料方面一而再的協助。謝謝Raymond Tsang及Tom Cunliffe對第四章英文稿修訂過程中的支持、匿名評審的寶貴意見。謝謝羅卡叔叔多年前接受我的訪問、上海大學王曉明老師的啟發與提點、劉成漢先生接受我的筆談、小思老師多年來的鼓勵。書中第三、四、五、六、七、九、十一章，以及全書的重新修訂改寫，為過去三年在臺灣與疫情搏鬥下，在病隙及工餘課餘擠出來的成果，在此感謝漢學研究中心及中央研究院文哲所慷慨提供研究資源，尤其是黃文德、陳相因、葉毅均、歐陽及蔣宜芳小姐的真誠協助；王君琦與楊小濱撥冗主持講座。國立中央大學英美語文學系同仁的指正激勵，及《電影研究的方法及議題》、《流動影像中的政治》、《英國殖民現代性》等課上與同學的熱烈討論，為滋養寫作的泉源。

聯經出版公司逸華兄如定海神針般多年來對這計劃的信任、耐心與溫柔的鞭策；主編孟繁珍小姐的鍥而不捨及細緻包容，叫我不得不擠出吃奶的力，為求有所交代。最後得謝謝本書論及的所有導演及作品，是您們對香港奮不顧身的再現與論述，提供給本書反思歷史、反思來路的條件。給最早帶我看電影，讓我陪哭的母親。感謝Polly的照顧、dnf的同行。

本書中提及的電影，在第一次出現時，除非其他背景資料如電影公司或主要工作人員如編劇等為本書討論對象也會一併列出外，基本上資料格式如下：《片名》（出品年分，導演）；引文中提及的電影如資料不全，則儘量在註腳中補遺。礙於篇幅、個人能力與體力，本書只能討論浩如煙海的香港電影歷史中極其微小的部分，必有疏漏，一切文責自負。一如周星馳的至尊寶執意介入歷史又悟其無法逆轉，或李翰祥至尊寶的處變不驚：「操那，嘎小個」①，絕望之為虛妄，正與希望相同。

游靜
二〇二三，炎夏
臺北、香港

作者註

① 參本書第八章〈風花雪月：李翰祥的回眸〉，頁二五五。

天堂春夢

二十世紀香港電影史論

第一章

姊妹家國：雙重現代性[1]

地小人稠的香港早在一九三九年的年度產片就已經超過百部以上。相較之下，這樣的成就不僅多數亞洲國家或地方難以達成，即使大部分西方主要電影生產國家都難望其項背。究其原因，除了它在英國殖民之下的「自由港」地位，主要不外香港與中國電影重鎮上海的密切關係。②

認識香港電影的來路，至少得回到二十年代上海。本書將從多方面探討上海與香港三至五十年代電影製作的互動，其中人才共享及交流最為明顯，另外還有製作方式及動機、電影語言、題材、美學、意識形態，包括資本主義、殖民性、性別關係呈現等各方面的傳承與轉化。國民政府及港英政府對左傾電影的查禁如何製造又改變了電影的風貌？南來文人、影人來到香港，碰上華洋、國粵、左右、文言白話加上不同的現代性，混雜交纏並行不悖的文化，對他們的文藝觀帶來怎樣的衝擊？

本章首先疏理現代中國政治思潮如何透過新興的性／別議題呈現，從中可見不同現代性及政治意識的文化歷史塑造過程。透過重新審視一些影響深遠的電影個案，本章剖析中國二、三十年代上海電影如何深受都會資本主義及社會主義論述潮流所影響；這兩股潮流在電影中再現為一種「同根生」又相互競逐、矛盾糾結的關係。這些不同現代性的打造過程與關係，對於理解往後七十年的香港電影，至為關鍵。

一九二〇年中期，上海有二十多家電影院，約有二萬五千個座位，不亞於當時歐美其他大城市。二十年代的國片多是武俠片及古裝片，電影市場由好萊塢主導。中國電影工作者在二十至三十年代一直企圖改變這局面。一九二二年九月，張石川、鄭正秋、周劍雲等，「因鑒於電影與國民道德實業發展有莫大關係」，在上海創辦明星影片公司。③一九二一至一九二七年，國產電影共計出品三百二十部，是前十年的近十五倍，電影公司發展至一百八十餘家。一九三三年二月，中國電影文化協會在上海成立；洪深稱一九三三年為「國產電影年」。該年出現了中國電影史上「一座偉大的紀念碑」④《小玩意》（一九三三，孫瑜，聯華影業公司出品），一年間長片製作也達到九十二部，但同年共有四百三十一部外國長片輸入中國，其中三百五十三部為美國片。僅是在一九三三年上半年，所有在上海電影院放映的兩百部影片中，有一百三十六部為美國片，占總放映電影數量的百分之六十八；國片三十三部，占比例不足百分之十七。⑤根據《魯迅與電影（資料匯編）》就魯迅關於電影方面的言論、書信、日記、譯文等所作的統計，魯迅在一九一六至一九三六年間，共看了一百四十九部電影，但只有四部是國片。⑥

左翼文藝

二十世紀初，文明戲本身的改變很大，由清末與政治息息相關的創作轉化為家庭倫理劇。鄭正秋的文明戲傳統，尤其是它對城市文化和流行趣味的重新重視，被後來的電影投資者和製片人所採用。因此，它也可以說是二十年代上海電影觀眾和電影工業定型的重要因素。⑦

一九二七年四月十二日，蔣介石以清黨為名，發動史稱「四一二反革命政變」，隨之在廣州、長沙等地對黨內外左傾、進步人士及共產黨員進行大規模抓捕及殲滅。國民黨的轉向，製造了國共分裂。本來共產黨作為國民黨的新生團隊，同享反帝、愛國、平民主義、勞工神聖等意識形態，共同參與推動國民革命。一九二七年四月，共產黨開始在各地從事武裝起義，左翼人士更清楚要強調階級對立，鼓吹用暴力革命快速改變社會，來回應國民黨政權的封殺。當時國共文化版圖、關係的具體情況究竟為何，成為近幾十年文化政治論述搶奪話語權的場域：

自程季華主編《中國電影發展史》（一九六三）以來，一九三〇年代的「左翼電影」便被納入革命史的研究範式內，視為中共試圖借助電影作政治宣傳，以與國民黨作政治文化鬥爭的產物。近來，這種觀點開始遭到學界的質疑。蕭知緯《三十年代「左翼電影」的神話》一文指出，很多後世所謂的經典「左翼電影」，在當時都順利地通過了國民黨電影檢查委員會的審查，甚至獲得國民黨政府的推崇和褒獎。孫健三《中國早期教育電影的輝煌一頁》一文甚至指出，後世所謂的七四部「左翼電影」，其實在一九三〇年代被國民黨視為「正統」的「教育電影」。言下之意，「左翼電影」，是國共兩黨共同合作而非鬥爭的產物，或者說「左翼電影」，其實是由國民黨提倡的一種電影類型。⑧

上世紀三十年代中國左翼電影運動被國內外學者廣泛研究，被視為中國電影史一個重要階段。但近年中國學界對三十年代左翼電影運動也有一些爭議。本章首先整理這些爭議，以重新認識民國電影如何轉化「進步」文藝思想，審視三十年代文人影人如何透過製作一些以家庭倫理為主軸的電影，繼承儒家文以載道及家國同構意識形態傳統，抗戰、反帝之餘糅合當時新興的社會主義、社會運動理想，既受中國早期現代性的西方基督教價值感染，又與資本主義欲望拉扯，至戰後四十年代電影進一步呈現戰爭的傷痕及內鬥的加劇。如果把上世紀三十年代左翼電影運動看成為一次相當「成功」的國族道德文化運動，本章認為它正好回應了當時國民黨推行新生活運動的多種失敗面向，甚至針對其延伸與補足。

《中國電影發展史》稱一九三二至三七年的中國左翼電影為「黨領導了中國電影文化運動」，並把一九三二至三三年視為共產黨電影小組建立的準備階段。這本自一九五〇年開始搜集資料，於一九六三年第一次出版的重要史冊，為中國電影史的開荒之作，但由於當時中國的政治氣候，出版後不久就被批鬥為「大毒草」，「完全是一本資產階級反攻倒算的變天帳」：「竭力宣揚所謂三十年代文藝運動，猖狂地反對毛澤東文藝路線」，為「反動派續家譜」，以致所有印好的書被銷毀、十多年來搜集的歷史資料被掠走、出版人被批等。當年負責出版此書的陳荒煤在一九八〇年回顧，出版後經歷對「我們電影戰線」的迫害，加上文革十年「株連之廣，駭人聽聞，遠遠超過三十年代國民黨法西斯獨裁政權對革命文藝、進步文藝的摧殘」。[9]在這樣的高壓下爬梳史料，造成書中一些資料的紕漏及無法被修正、意識形態框架的高調單一，包括處處強調中共從上而下對當時影人的全盤領導，實在可以理解。

李少白曾經提出以「新興電影運動」取代「左翼電影」的概念[10]，一方面承接三十年代進步文人把自身與工農的連結稱為「新興階級」，另方面又（矛盾地）達到去左的語言效果。以後國內不少電影歷史論述都因循這種方向，主要是減少著眼於左翼電影的階級分析面向，把左翼電影的「反封建反帝反資」重新定位及縮窄聚焦至「反抗日本帝國主義侵略的愛國主義精神」的抗日電影上。[11]這些企圖儘量去左，從而把左翼文化顯得更大眾化、更理所當然（並去妖魔化）的論述方向，在五十年代香港左派影人口中被深度繼承（在本書第四、五章中詳述）。近年又有學者提出國民黨眼中的「左傾色彩影片」僅屬於反資本主義的而已，因為只有這樣才能解釋很多後來被追認為「左翼」的三十年代電影都能通過審查與受到國民黨政府嘉獎這事實。[12]甚至有學者質疑「左翼電影」可能從未存在，認為是「神話」及「至今都懸而未決的問題」。[13]

左翼文藝思潮最初被組織起來、紀錄下來，根據目前能夠看到的原始史料，應該是一九三〇年三月一日《萌芽月刊》第一卷第三期就同年二月十六日舉行「上海新文學運動者底討論會」的報導，與會者有沈瑞先、魯迅等十二人：「中國新興階級文藝運動，在過去都是由小集團或個人的散漫活動（……）同時，過去的文學運動和社會運動不能同步調。」即左翼文藝運動跟不上左翼社會運動的有組織發展。另外特別提出要「注意真正的敵人，即反動的思想集團以及普遍全國的遺老遺少」及「全場認為有將國內左翼作家團結起來，共同運動的必要」⑭；會上成立了「中國左翼作家聯盟」（下稱「左聯」）的籌備委員會。一九三〇年三月十日《拓荒者》第一卷第三期就報導了左聯的成立，選出魯迅、夏衍、田漢等為執行委員，並確定「行動總綱領」為追求「新興階級的解放」，工作方針包括「提拔工農作家」及「確立馬克斯主義的藝術理論及批評理論」，向「進步的方向勇敢邁進，作為解放鬥爭的武器」。⑮

一九三〇年三月二日，左聯成立。一九三〇年八月，「上海戲劇運動聯合會」改組為「中國左翼劇團聯盟」，一九三一年一月再改組為「中國左翼戲劇家聯盟」（「劇聯」），並在各地成立分盟。⑯一九三〇年八月二十六日，這些左翼文化團體聯合組成「中國左翼文化界總同盟」（「文總」）。一九三一年九月，「劇聯」通過了〈中國左翼戲劇家聯盟最近行動綱領〉六條，其中有三條關於電影，特別提到「產生電影劇本供給各製片公司並動員加盟員參加各製片公司活動」及「吸收進步的演員與技術人材（人才），以為中國左翼電影運動的基礎。」⑰這些都標示了中國文化界相當廣泛的向左轉。

一九三一年九月十八日「九一八」事變，日軍攻占東北省。一九三二年一月二十八日「一二八」事變，日軍攻陷上海。二月十三日，魯迅、茅盾、郁達夫、丁玲、田漢等四十三人聯名發表〈上海告文化界告世界書〉，抗議「一二八」侵略。一九三二年五月五日，國民黨與日軍簽《上海停戰協定》，中國教育電影協會頒令禁拍抗日影片。同年，《影視生活》收到超過六百封讀者來信，要求電影公司製作抗日電影。[18]中國民眾抗日情緒高漲，對當時流行的武打片、倫理片逐漸失去興趣。製片商如張石川、鄭正秋等接納他們的智囊洪深的建議，「請幾個左翼作家來當編劇顧問」[19]，於是夏衍、錢杏邨（阿英）等各自化名進入上海明星影片公司，先後參與《狂流》（一九三三，程步高）、《春蠶》（一九三三，程步高；改編自茅盾同名小說）等製作。

根據導演孫瑜回憶，一九三二年，中國電影開始「向左轉」。[20]一九三二年，聯華影業公司出品《續故都春夢》（一九三二，卜萬蒼；朱石麟編劇），被認為中國第一部左翼電影。[21]一九三三年二月九日，中國電影文化協會成立，選出鄭正秋、卜萬蒼、孫瑜、洪深、胡蝶、蔡楚生等二十一名執行委員；夏衍等候補執委。一九三三年三月，中共上海中央局文化工作委員會成立「中國共產黨電影小組」，由夏衍擔任組長，組員有錢杏邨、王塵無、石凌鶴、司徒慧敏。一九三三年三月五日，明星影片公司出品的《狂流》（夏衍編劇，胡蝶主演）寫農村的階級鬥爭；《春蠶》以近似紀錄片的手法表現了蠶農修蠶臺、糊蠶單、窩種、育蠶花等過程，開創了中國左翼寫實主義傳統。

「三反電影」

一九二八年國民政府成立後，一改二十年代電影管理的部門性和地方性特點，內政部公布了《電影檢查片規則》十三條，又與教育部制訂十六條；《檢查電影暫行規則》列明：凡「與公安、風俗、道德、教育及邦交上」有妨礙之影片，得予以「刪改、剪截或發還重製」。㉒一九三〇年再頒布《電影檢查法》，在「妨害善良風俗或公共秩序」大項下有「以不正當的方法表演婦女脫卸衣裳」等細項。㉓一九三一年，國民黨教育部和內政部合組成立電影檢查委員會。一九三三年，電檢會查禁了二十一部國產電影；一九三四年十一月至一九三五年三月五個月間共禁止了八十三個電影劇本拍攝。一九三四年三月及一九三五年四月，國民黨中央宣傳委員會在南京、上海先後召開了兩次「談話會」，「對各電影公司老板（老闆）、經理和主要創作人員進行拉攏、利誘，並威脅不要拍攝鼓吹階級鬥爭的片子。」㉔一九三四年再細化電檢法，宣布查禁和取締「宣傳三民主義及以外之一切主義，對於黨國有所危害」。㉕（另外，也查禁大量神怪武俠片，將在下章論及。）

就今天看到的電影來說，一九三二至一九三七年間的左翼電影，是從來沒有（不能）明顯提出反抗或推翻國民政府，卻挪用並革新了二十年代電影很少提及的，五四「反帝」「反封建」訴求，讓其與階級分析結合起來，如《狂流》、《都會的早晨》（一九三三，蔡楚生）、

《新女性》（一九三五，蔡楚生）等，描寫工人、農民的階級鬥爭，暴露貧富對立，及鼓動團結抗敵，與二十年代的電影有很大的差異。左翼電影的定義，過去大多跟隨鄭正秋在〈如何走上前進之路〉一文中，提出的「三反主義」：反帝、反資、反封建。[26]蔡楚生在一九三四年為「中國電影往何處去」定調，提倡電影「應該反映大眾的痛苦」。[27]一九三六年六月一日《文學叢報》第三期刊有胡風〈人民大眾向文學要求什麼〉一文，開宗明義就提出繼承但必須要革新五四的訴求：「五．四以來，形成了新文學底主流的是現實主義的文學，反映了人民大眾底生活真實（……）然而，在殖民地的中國人民大家底頭上，貫串著一切枷鎖的最大的枷鎖是帝國主義（……）新文學底開始就是被民族解放底熱潮所推動，人民大眾反帝要求是一直流貫在新文學底主題裡面。」[28]左翼文人一方面肯定五四的「反封建」，「有進步的意義」，另方面批評五四精神讓「資產者的文學」抬頭[29]，成為「官僚化了的《新青年》右派」／「國內的布爾喬亞」（以胡適、梁漱溟等作為佼佼者），「鼓吹『好人政府』」。[30]左翼的「反帝」，不單是回應民眾即時強烈的反日本帝國主義侵略訴求，同時也是反對國民黨政權的既得利益者、有產階級及官僚與歐美日等殖民者的合謀。所以「三反主義」中的三反理想，除了是針對帝國及資本主義、封建制度與價值對人民造成的殘害外，更重要的是反三者的裙帶關係與連鎖結構。如在《青年進行曲》（一九三七，史東山；田漢編劇）中，反資、反帝與反封建是明確地被呈現為連成一線。電影先借烈士沈元中（張慧靈）臨終前勉勵青年們的話，道出題旨：「反帝，跟反封建，是不可以分割的」，然後主角伯麟（施超）發現當糧商的父親與日軍勾結，導致民不聊生；他能否割斷與自身資本家（「公子哥兒」，即今富二代）背景及其封建家庭的關係，成為他作為抗日（反帝國主義）義士的考驗。勞動階層女工金帝（胡萍），正是他的啟蒙者。這部為田漢從事左翼電影運動以來第一次在銀幕上公開使用自己名字的作品，為中國左翼電影經典之作，同時值得注意的是，該片是由新華影業公司出品、張善琨監製，其妻童月娟亦在片中飾演小妹。張善琨與童月娟後來成為香港右派電影陣營中舉足輕重的人物；他們的轉身，在本書第五章中會再重點探討。[31]

電影從來是政治文化經濟等眾多因素的合成物，而且在製作人及觀眾眼中必定因人因時而異；世上沒有任何一種電影類型有理所當然、不二、不變的定義，包括「色情電影」、「女性電影」、「言情片」等。一種電影類型難以被界定，不等於它不（曾）存在。近年對左翼電影的質疑，大概跟質疑者的背景、需要，與當代中國文化政策及國際形勢有關，在此不贅。從史料上看來，國民黨確實有查禁左翼電影，單是這一點，就會導致「左翼電影」的產生。蔡楚生提到，在《三個摩登女性》（一九三三，卜萬蒼）中的「罷工鬥爭等場面，和在《新女性》中所演的作反帝鬥爭的『黃浦江歌』等場面，全都被當時反動統治者的電影檢查機關勒令剪去」。[32]在社會租界處處、抗戰及左傾情緒高漲下，或多或少「反映大眾的痛苦」的電影當時如雨後春筍，禁不勝禁。「三反電影」意識批判三位一體，而國民黨只（能）查禁明確具階級或鬥爭意識的題材，那查禁機器的難度也確實極高。一九三三年四月，國民黨浙江省政府主席魯滌平向行政院提交呈文，提及七部「左傾色彩影片」：除前述《續故都春夢》外，聯華的《天明》（一九三三，孫瑜）、《三個摩登女性》（田漢編劇）、《城市之夜》（一九三三，費穆），以及明星影片公司的《失戀》（一九三三，張石川）、《狂流》和天一影片公司的《孽海雙鴛》（一九三三，邵醉翁）也上榜。㉝「浙省密報」將矛頭指向電影檢查委員會，譴責電檢會「姑息養奸」，導致「左翼電影泛濫（氾濫）」，也責怪上海市黨部「玩忽職守」，讓「左翼電影」招搖過市。㉞剛從這片單上可見，「同路人」㉟在不同片廠產生聯合陣線，造成相當寬闊的光譜。電檢會於一九三三年十月至十一月間，禁映了兩部被認定為「完全意義上」的「鼓吹階級鬥爭影片」，並同時修剪了五部蘊含「鼓吹階級鬥爭」情節或字幕的影片。㊱

「姑息養奸」是什麼意思？國民黨黨內本來就有不少左傾人士，否則就不會發生一九二七年的「大清洗」。「清洗」後仍有大量左傾人士「臥底」於黨內，或與黨內不少要員情同手足。以羅明佑創辦的早期中國電影工業最重要旗手之一、浙省密報中七部「左傾色彩影片」中占四部的聯華公司為例，聯華董事會成員包括羅明佑叔父羅文幹，一九三二至一九三四年間擔任國民政府司法行政部長，一九三二至一九三三年兼外交部長等職；董事會成員也有前北京市長熊西齡、中國銀行總經理馮耿光等。「聯華的台（臺）柱子導演之一卜萬蒼，就導演過許多被視為左翼的影片，但他同國民黨中宣部的一些高官關係密切，電影圈裡的人都知道他和中宣部電影股的股長黃英是鐵哥們。」㊲下文我將進一步陳述聯華的經營及政治取態，並討論聯華出品、響應新生活運動的電影。

當然還有國民黨極右派採取非常手段，引發「白色恐怖」範例的「藝華事件」。一九三三年藝華影片公司成立，田漢主持編劇委員會，成員包括夏衍。一九三三年十一月十二日，藝華電影公司遭暴徒襲擊。暴徒留下傳單，上有「剿滅共產黨」和「清除赤禍」的標語，落款是「上海電影界鏟共同志會」。翌日，上海許多電影公司也收到類似的警告信，威脅他們不得再拍「鼓吹階級鬥爭」、「煽動民族情緒」的電影。㊳國民黨極右派採取非常手段，引發「藝華事件」，這正顯示國民黨黨中央不願以官方大動作打壓左翼電影及影人，而以各種威迫利誘的手段企圖收買他們。一九三三年，夏衍加入明星後幾個月，國民政府威脅明星如製片方針不變，則銀行會向他們停止貸款。而這些策略也有阻嚇作用，如藝華後來就轉型製作「軟性電影」。㊴「禁止左翼電影拍攝，更使各大公司無所適從，出現了題材荒、劇本荒」，然而，「由於知識階層在電影反映現實的認識上與政府有一定分歧，因而也無法完全獲得社會的共識。三方力量的分散，是對內電影管理實施效果不佳的重要原因。」㊵一九三五年，國民黨中宣委員會訂明要求所有電影公司須以新生活運動為電影創作的中心題旨㊶，明星於是也製作了一些響應新生活運動的電影。

關乎中國「左翼電影」的論爭，正好說明一九四九年後至今，界定及理解「左」「右」為水火不容的陣營、不變的身分及意識形態對立這種前設，並不足以讓我們釐清中國三十年代電影文化，與當時社會政治意識交纏互動下，極其複雜的人物、情節與情感塑造。電檢會當時特別標明「完全意義」，意味著還有不少非「完全意義」的沒被禁映。哪些是「左傾色彩影片」，左翼的不同路線及崗位也莫衷一是[42]，國民黨內各勢力藉此勾心鬥角[43]；中共的「領導」與黨國的「查禁」，都不是足以全面覆蓋及整合的機器（totalizing apparatus）。國民黨不同勢力如何界定「左翼電影」，跟左翼影人，甚至觀眾如何看，都有差異。不少左翼影人拍的「進步電影」被國民黨某些勢力視為「教育電影」，間或加以提倡，不等於說國民黨中沒有同時企圖查禁／壓制某些被認為「過分」進步電影的舉措。今天細讀這些被提倡的「教育電影」及被查禁的「過分」進步電影，可能有各方面的類近。這些電影的異同，所參與塑造的「左翼電影」類型光譜，也許正共同表達著時代的面貌。光以事件歷史認識文化政治，不足以解讀文化政治的複雜情感糾結面向，也不足以理解有些事件為什麼以某種樣貌發生，以及事件間為什麼看來自相矛盾。這些討論對於認識香港電影歷史久被壓抑的「左翼元素」，及其中文化政治的複雜情感糾結面向，均有莫大幫助。

本章以三部主打女性題材的三十年代中國家庭倫理劇、文藝或言情片[44]：《新女性》、《國風》（一九三五，羅明佑、朱石麟）及《姊妹花》（一九三四，鄭正秋），與香港電影《新姊妹花》（一九六二，胡鵬）對讀，來理解女性身體及情誼——尤其是原生家庭關係，如何成為三十年代描繪與糅合政治及階級矛盾的流行載體，並這種論述與敘述形式，又如何成為香港電影發展的基因。

「新女性」

一九二三年十二月二十六日，魯迅在北京女子高等師範學校文藝會上那有名的演講〈娜拉走後怎樣？〉，在一九二四年北京女子高等師範學校《文藝會刊》第六期上發表，同年八月一日上海《婦女雜誌》第十卷第八號轉載。他說：「然而娜拉既然醒了，是很不容易回到夢境的，因此只得走；可是走了以後，有時卻也免不掉墮落或回來。否則，就得問：她除了覺醒的心以外，還帶了什麼去？倘只有一條像諸君一樣的紫紅的絨繩的圍巾，那可是無論寬到二尺或三尺，也完全是不中用。她還須更富有，提包裡有準備，直白地說，就是要有錢。夢是好的；否則，錢是要緊的。（……）所以為娜拉計『錢』——高雅的〔地〕說罷，就是經濟，是最要緊的了。自由固不是錢所能買到的，但能夠為錢而賣掉。人類有一個大缺點，就是常常要飢餓。為補救這缺點起見，為準備不做傀儡起見，在目下的社會裡，經濟權就見得最要緊了。」

三十年代言情片是女性角色、女性題材的天下，如阮玲玉主演的《三個摩登女性》、《小玩意》、《神女》（一九三四，吳永剛）及《新女性》等，呈現女工、農村婦女、性工作者、作家、教師等不同女性角色塑造。《新女性》一般被視作結合婦女解放與工人革命意識的中國左翼電影經典作；影片廣告揚言：「衝出家庭的樊籠，走向廣大的社會，站在『人』的戰線，為女性而奮鬥」，「為人類，為社會而吶喊出來的呼聲」。[45]它看似是肯定勞動女性的團結、獨立自強，但片中女性參與各種公共領域——從寫作、教學至性工作，即使掌握了經濟權，還是被呈現成凶多吉少。片中一方面強調韋明（阮玲玉飾）的摩登時髦、受過高等教育，不像少奶奶張秀貞一般需要依靠男人；片首韋明大言不慚地說：「結婚！結婚能給我什麼呢？」把「終生的伴侶」翻譯成「終生的奴隸」，彷彿是道出封建家庭及婚姻制度對女性壓迫的中國娜拉，但劇情不久就把這位「獨身主義者」（舞場中追求者語）寫成原來是曾遭男人拋棄、無力照顧女兒及自身，後來只好「淪落風塵」又自殺而死的失敗者，儼然魯迅曾經預言的：「走了以後，有時卻也免不掉墮落」。

片中阿英作為有知識（拿著書）的「進步」女工代表，警惡懲奸，自力更生，鼓吹階級鬥爭（並凸顯韋明的不肯／懂鬥爭），根據夏衍原來的劇本，在片末走到街頭，組織工人罷工，但遭國民政府查禁，要求把結尾改成阿英開店做小買賣。電影三名女性：少奶奶張秀貞、知青韋明及工人阿英猶如女性／社會邁向解放線性進程的三個階段。但同時，電影的凝視、設計及場面調度把韋明塑造成唯一可欲的女性，展現男性文人藉女性角色來投射自身一方面抗拒強權，對革命與（被）解放的渴求，但同時也充滿對資本主義現代性、華麗陰性的依戀。雖然片中有女工代表阿英作為「進步」典範，但觀眾的感情投注都被電影再現導向韋明／阮玲玉身上，然後又被（部分）轉化成對「新女性」的反諷及憐憫；韋明的死確實是電影的高潮。阿英是政治正確，但在片中並不可欲，並非欲望的焦點。阿英的站起來與韋明的倒下來正是民國新人類認同與欲望的一體兩面。

王塵無指片中摩登少奶奶張秀貞「本身的封建臭味，還是十足的」，「是誰也知道資本主義的婦女的特色，是自我和放任」，韋明是五四「出走後的娜拉」，「最苦惱的一群」，工人知識分子阿英「我們算沒有看到她的生身與決定環境和條件（……）並不是一個有血有肉的真實的人物」，所以三位都不是「新女性」。㊻這段話可解讀為阿英「沒有出身所以不夠血肉」，秀貞太有出身所以太有血肉（「自我」「放任」），及韋明受時代與知識所限（「五四」），只能「淪落」在（自我無法掌握的）血肉中，所以三者都不夠格成為「新女性」。如何成為「血肉」剛剛好的「新女性」，是這時代電影的共同關注。

當時上海電影是讓基進政治意識、現代性渴望及資本主義消費文化糅合共存的矛盾空間。電影對女性題材的投注，主要是要借「女性」這場域，提供給知識分子對現代性——即「文明」、「民主」、「自由」這些觀念最便於思考、構築、爭議、投射及消費的空間，並顯現社會需要透過電影這普及媒體，消化及舒緩中國菁英男性主導的國家機器與意識形態，在急劇現代化過程中，受到挑戰所經歷的焦慮及不安；在多重現代性的鬥爭中，如何排除某種不能的現代，而邁向另一種現代。三十年代左翼知識分子普遍認為五四傳統的「新女性」無法在現實社會中生存，容易被城市資本主義及個人主義沖昏頭腦，只會步向墮落、沉淪及自毀，於是提出工廠女工典型——最好是讀過書、有知識的，作為革命的代言，作為解決國家困局的新希望。

然而，電影除了作為知識分子教化大眾的工具外，同時也是資本主義都會的主要欲望製造機器。當時能夠成功製造欲望是由於它們與現實類近，於是顯得寫實、可信，但又建立相當的距離。電影中新女性愈「墮落」愈顯得「可欲」，正指向當時社會現實中龐大的「新女性」人口在依靠欲望工業吃飯，並沒有「墮落」或自毀。電影同時參與製造「新女性」形象，鼓勵消費（她們），藉以寄寓及抒發對國家、對被殖民華人陽性的焦慮，又同時藉著鼓吹救援、淘汰她們，為救國尋求出路。從左翼電影歷史可見，對女性解放或性別革命的命題，是作為解放國家、擁抱及宣揚愛國主義的一個比喻，一道幌子，充其量是總會被淘汰的過程及一種緩衝手段。而這過程——從一種未夠格的新女性至指向未來的新女性——是必須透過去性化來完成。

阮玲玉與「時代」

「《新女性》這一作品中，寫了進步的知識分子和文化工作者，也批判了某些黃色報刊的所謂新聞記者。」㊼

在上面這段引言中，導演蔡楚生當然是在針對新興的八卦媒體對演員（如韋明的原型作家艾霞）的傷害，特別表明要借《新女性》批判黃色報刊，但欲望構築的弔詭之處，正是愈被批判抑壓其影響力愈大愈深。《新女性》上映後，由於電影批評小報記者，受到「上海新聞記者公會」反擊。阮玲玉在事業、愛情雙重不順的壓力下，在一九三五年三月七日，步艾霞的後塵，服毒自殺。

《新女性》導演蔡楚生這樣寫阮玲玉的演技及時代的關係，猶如把阮玲玉寫成整個左翼電影潮流的化身，箇中的（過度）認同與感情抒發好像同時在訴說他自己與時代的關係：「〔……〕『九一八』事變，國民黨反動統治者在一夜間放棄了東三省廣大的國土，使幾千萬人民呻吟於日本軍國主義者的鐵蹄底下；同時，在關內反動統治者對廣大的人民則是橫徵暴歛，無所不用其極，至〔致〕使到處都是兵匪縱橫，災難深重，工廠倒閉，農村破產，而以上海而言，即隨時都可以看到許多失業者和飢民流落街頭，哀哀無告……。所有這些，都使善良的她不能無動於衷，她憎恨那些壓迫者，也對受難者表示著深厚的同情；這種愛憎，這種感情，在她所飾演的人物身上，往往是被表演得十分鮮明而生動的。〔……〕在『九一八』前後，由於國難嚴重，由於共產黨地下組織的領導與影響，也由於蘇聯電影的輸入，直接起著示範性的作用，使中國電影很快就從宣揚封建迷信的神怪武俠片的迷網中解脫了出來，面向著當時殘酷的客觀現實，在反動派的高壓底下，攝製了許多描寫中國人民的苦難，暴露了社會的黑暗，具有反帝反封建的意義的作品，從而形成了一個進步電影的主流。因此，不特生活和時代教育了阮玲玉，而反映那時代和生活的作品，也在她的工作實踐中不斷地在教育著她，策動著她，使她排棄虛假，面向現實，才有可能逐步獲得提高，比較真實地創作出她所表現的人物。」⑱

由此可見，「具有反帝反封建的意義」的左翼電影是當時「電影的主流」，是（弔詭地）「在反動派的高壓底下」產生的，左翼的敵人是「軍國主義者」與「反動統治者」共同製造的「兵匪縱橫」。接著他列出阮玲玉在聯華主演的幾部「較好之作」，也包括她的遺作《國風》。《新女性》及《國風》都由聯華出品。

香港連繫

聯華公司老闆羅明佑在一九四一年曾寫過一篇鮮為人知的奇文〈中國電影與廣東精神〉，做〈作為〉為粵籍人士，他提出一種獨到見解：「廣東人與中國電影是分不開的；自最初的中國電影至最近的中國電影，悉由廣東人領銜演出；支援中國影業的始終是粵人。」為此，羅明佑在文章中如數家珍地報了一長串粵籍影人的名姓，遍及編導、演員、攝影、發行等部門，他將「廣東精神」的內涵概括為創業打先鋒。⑲

歐美發明的電影技術傳入中國，一條主要路線是透過英屬殖民地香港。隨著史上第一部電影在一八九五年面世，早於一八九七年，莫里斯・薩維特（Maurice Charvet）從三藩市到香港舉行盧米埃電影放映會，招待香港新聞界觀看，香港當時兩份英文報章都作了報導。⑳

一八九八年，美國愛迪生公司的遠東攝影隊在香港拍攝紀錄片；一八九六至一九〇三年間，香港放映過不少紀錄短片。一八九九年，香港開始有商業電影放映活動；一九〇三年十月五日，放映劇情片《基督的受難》（一九〇二，Ferdinand Zecca，費迪南．齊卡；法國百代公司出品）。這些與歐美電影科技的接觸，比起一九〇五年北京豐泰照相館拍攝《定軍山》（一九〇五，任慶泰）並在前門大觀樓放映；一九〇五年哈爾濱科勃采夫法國電影院建成；一九〇六年天津權先茶園電影放映；一九〇七年青島水兵俱樂部電影放映；一九〇八年上海虹口活動影戲園電影放映等活動，都要早一些。明顯可見，香港與電影的淵源，跟它的殖民歷史不可分割。而在民國最紅的兩位女明星，阮玲玉與胡蝶（主演中國第一部有聲電影《歌女紅牡丹》，一九三一，張石川、程步高）[51]，都是祖籍廣東。一九三二年，「一二八淞滬抗戰」期間，阮玲玉去香港躲避戰火，還因此碰上決定她餘生命運的富商唐季珊；唐季珊也是聯華公司的股東。羅明佑如此談論的廣東精神或廣東連繫，亦說明了為什麼當上海影圈出現任何問題時，都傾向並能夠移師香港。

羅明佑與「復興國片」

一九三〇年由羅明佑創辦的聯華影業製片印刷公司，其經營方式與眾不同，拍攝和武俠神怪片內容迥異的影片，舉起「復興國片，改造國片」的旗幟，發動中國影業革新運動，頓時受到國內外人士注意，產生「新」的感覺，在電影界引起重大的影響。（……）聯華影業公司的興起，在當時上海電影界，就與明星、天一兩家大公司，鼎足而三，均分天下。[52]

羅明佑（一九〇二－一九六七），廣東番禺人，生於香港，父親羅雪甫是香港德商魯麟洋行買辦，叔父羅文幹是法學家和外交家。羅明佑在北京大學讀書期間，住在叔父家，正值五四運動，羅文幹不讓他參與運動，羅明佑只好以看電影來打發時間。有感於北京只有一家外國人經營的戲院，只放映外國片，且票價昂貴，於是他想創辦一間專攻中國觀眾的影院，囑其父資助，又由羅文幹出面向名流巨紳集資，開辦了「真光影戲院」，自任總經理。真光票價低廉，星期天加映學生早場，生意興隆，「羅明佑仍堅拒不放映誨淫誨盜的影片」。[53]

一九三〇年八月，為了「改變國內製片公司『趨於下流』、『自甘菲薄』，以致（至）於『為觀眾所望而卻步』的狀況，也為了乘有聲電影時代到來之際達到『抵抗外國片商之操縱』的目的」[54]，羅明佑以華北電影公司為基礎，與民新影片公司、大中華百合影片公司、上海影戲公司、聯業編譯廣告公司等合併，聯合香港、廣州、北京、天津、瀋陽和哈爾濱「各界名流」六十多人及電影院六十多家，組成聯華影業公司，在同年十月二十五日在國民政府及香港政府同時登記註冊。聯華運用現代經營管理策略，借鏡好萊塢，每廠獨立製片，同時又是集製片、發行、放映，甚至印刷業一身的一體化電影企業。羅明佑網羅人才，以民新公司為聯華第一製片廠，黎民偉為廠長；中華百合為第二製片廠，廠長陸涵章；聯華香港廠為第二製片廠，廠長黎北海；朱石麟在上海辦聯華第六廠（後改名第三廠）等，成立「中國之好萊塢」。「一九三〇、一九三一年時，聯華一廠出品有進步傾向的新派電影《故都春夢》、《野草閑花》、《戀愛與義務》，聯華二廠仍延續其舊有作風的影片《義雁情鴛》、《愛慾之爭》。一九三三年後，聯華一廠和二廠審美傾向發生了不同變化。」[55]聯華二廠這時聚集了一些年輕知識分子導演，製作了不少思想與視像風格強烈的電影，如《漁光曲》（一九三四，蔡楚生）、《大路》（一九三四，孫瑜）、《新女性》等。一廠更多表現中國固有家庭倫理觀，或回應黨國主調，如：《國風》、《天倫》（一九三五，羅明佑、費穆）、《慈母曲》（一九三七，朱石麟、羅明佑）等。光是在一九三五年，在聯華旗下，就同時推出《神女》、《新女性》等（被認為是）左翼經典，及《國風》這（被認為是）為國民黨新生活運動護航的片子。聯華成功運用旗下幾間姊妹片廠獨立營運又相互補足的優勢，審時度勢調動資源，平衡各方利益，滿足創作人、觀眾、當時政局瞬息萬變又多樣矛盾的走向及需要。

羅明佑把電影定性為替國家教育民眾的事業。聯華以《影戲雜誌》為陣地，發表一系列提倡「國片復興運動」的文章：〈為國片復興問題敬告同業書〉、〈國產影片的復興問題〉、〈國片復興運動中的電影劇本選擇問題〉、〈我國電影觀眾對於國片復興運動應負的責任〉、〈國片復興與電影刊物〉[56]等。羅宣布開展「國片復興運動」：「電影者，實國家社會事業之一種，無定志無宗旨而僅以圖目前近利為目的者，決（絕）不可與言影業，亦絕難持久不敗」[57]，提出「以藝術為前提，以益世為職志」、「啟發民智、挽救影業」的總綱；「復興國片」、「普及社會教育」、「抵抗外片之文化侵略與經濟侵略」、「輔助國營事業」、「打倒非藝術非益世之劣片」、「為國家社會服務」等的「宗旨及工作」。一九三三年更提出「挽救國片，宣揚國粹，提倡國業，服務國家」的「四國主義」，代表聯華與國民黨中央黨部訂立拍攝新聞片合約。[58]

一九三二年，國民黨成立中國教育電影協會，拉攏羅明佑為執行委員。一九三二年十一月提出《中國電影事業新路線》，要「指導今日龐雜的電影界形成一個嚴密的組織（……）」[59]，並委派羅明佑作為歐美考察電影專員。一九三四年十一月，中教會組織第一次全國影片評獎，將一等獎頒給聯華出品的《人道》（一九三二，蔡楚生）。[60]一九三五年，「新生活運動促進會」也向《國風》上映致函鼓勵。然而，一九三五年當聯華陷於財困時，羅明佑與黎民偉去南京向國民黨中央黨部所屬中央攝影場請求財政支援時，卻無功而還。

一九三五年，香港出現第一次電影清潔運動，由香港華僑教育會研究部長何厭發起，針對「誨淫誨盜」、武俠神怪等迎合觀眾趣味的影片，並邀請得許地山、李晨風、劉火子等數百位社會人士簽名贊同。[61]一九三八至一九四〇年間，香港先後有四十家電影公司，平均年產影片八十多部。一九三九年後，由於兩廣失陷，加上東南亞市場政局不穩，交通受到阻塞，香港影片的市場只剩下香港和澳門，市場大幅收窄，於是導致低成本、粗製濫造的電影充斥市場。一九三八年，香港出現第二次電影清潔運動，由香港電影工作者及基督教界人士發起，當中包括了羅明佑和黎民偉、香港聖公會會督何明華，及不同宗派的牧師。一九三九年，重慶中央政府在香港設立由羅明佑負責的「中國電影教育協會香港分會」，「務納華僑電影事業於正軌」，及大地影業公司（實重慶「中國電影製片廠分廠」），網羅了大量流亡影人如蔡楚生、司徒慧敏等，在一九四〇年關閉前拍出了《游擊隊進行曲》（又名《正氣歌》）（一九三九）、《孤島天堂》（一九四〇）、《白雲故鄉》（一九四〇）。[62]自一九三五年香港第一次電影清潔運動開展以後數年，直至香港淪陷，大大小小的電影清潔、教育改進或革新運動，此起彼落。這些運動和倡議對香港電影史，尤其對粵語片類型發展及走向、內容改進或革新的影響為何？多大程度上是響應黨國號召？是否有把戰前粵語片的曖昧及活潑多元（討論詳見第三章），「務納」、「清潔」、純淨為加害與被害的二元塑造，或加強國族主義、階級、政治、反殖意識？這些關鍵問題，仍待更多資料發掘、整理及研究，才能進一步了解。

一九三三年九月，羅在香港基督教合一堂受洗。一九四九年羅明佑在廣州開辦戲院，播放福音電影，並在香港成立「真光基金會」自任主席，在香港第三街再開辦真光戲院，以「服務社會，榮神益人」為宗旨，繼續他的電影事業。[63]一九五〇年在香港攝製《重生》（金擎宇、關文清）（將於第三章詳述），寫了《製片者言》：「此數年來參加教會工作，潛心真理，同仁有《重生》一片工作，以非以役人，乃役於人為該片之中心（……）」。[64]一九六二年，羅明佑成為基督教牧師，晚年主要在港傳道。後來有中國電影史[65]描述聯華採用「壟斷獨佔〔占〕的資本主義經營方式」，把羅明佑寫成「官僚資本家」，又說他集「官僚、政客、財閥、買辦之大成」，一些書也理所當然地把《國風》寫成是一面倒的宣傳片：「通過兩姐〔姊〕妹不同的生活態度，宣傳了中國某些舊倫理道德觀念。」[66]這些歷史的書寫，是用後來的冷戰思維簡化早期現代中國複雜的文化政治。

國風

歐美電影理論通常把通俗情節劇理解為資本主義化社會發展過程中，小資產階級面對的價值及倫理考驗，產生的焦慮不安需要透過言情來疏理、安撫，並收編至社會發展的宏大敘事中。中國姊妹電影寫的卻不是個人與社會的矛盾，而是一些家庭關係（姊妹）與另一些家庭關係（父女、母女、姊夫、妹夫等）之間的矛盾，如何整合這些關係，在於判別哪種／些倫理關係較為合格、正典，也以姊妹比喻不同的現代性之間的矛盾、不同的「新」之間的競逐：如《國風》中勤工儉學、投身新生活運動的姊姊，與摩登奢侈、好逸惡勞的妹妹。

《國風》中兩種現代性的競逐，首先表現在互換情人的情節上。片子開頭，姊姊張蘭（阮玲玉）把愛她的表哥（鄭君里）讓給暗戀表哥的妹妹張桃（黎莉莉），妹妹嫁了姊姊的情人後不滿足，愛上更懂玩的都市男，後來妹夫給妹妹離了婚後回來找姊姊，姊姊又為了教育事業不肯接受前度男友的愛。《國風》中姊姊蘭不斷自我壓抑與犧牲，堅持獨身、克制、勤勞、主張禁慾的身體，與妹妹桃崇尚享樂，愛聽音樂、跳舞、化妝、自由放任的身體，被道德化成「好」、「壞」的兩極。蘭教訓桃：男喜歡女「塗脂抹粉」是把她當「玩物」，是一種「侮辱」；她倆一起在上海念書時，蘭堅持不學城市人，寧願維持農村的樸素。電影把殖民、軍國、城鄉及階級問題都轉移成性別矛盾：只有蘭的優質現代中性（相對與桃的腐敗現代陰性），才足以與農村、民族國家無縫接軌。她教訓桃及她的城市男友，要「做個好公民」：作「不役人而役於人的高等國民」[67]，才能「革除壞習慣」，對抗「奢風浪習，有如洪水猛獸」。最後蘭全身投入新生活運動，電影中呈現她揮著拳頭、激昂地作公開演說，是片中她的身體最活躍的一場。奇怪的是，電影在毫無鋪排的情況下，突然讓桃「痛改前非」，自發往農村當小學教員，猶如浪子回頭。片末蘭對再求婚的表哥說：「家庭之愛外，還有更偉大的愛……這就是我們的教育職責啊。」羅明佑十多年後「非以役人，乃役於人」，投身比家庭之愛更偉大的愛；《國風》這個羅明佑合寫的劇本，已預示了他後來的轉業。當然，諷刺的是，讓羅明佑可以轉業，成就宗教夢的地方，這個香港，也是一個鼓勵如張桃般，追逐物質欲望的地方。

「新」（生活）的感覺

單是以國民黨在長達十五年內，積極推行的新生活運動作為案例，可以瞥見中國三十年代政治版圖的複雜，以及政策理念與實施之間出現的矛盾與龐大落差。一九三四年二月十九日，蔣介石在南昌行營擴大紀念周上，發布《新生活運動之要義》演講，正式發起新運，至四九年國民黨敗退到臺灣止。一九三五年夏天，在廬山休假的英美傳教士與宋美齡共同擬定新運實施細則。一九三六年後，新運領導權逐漸轉移至宋美齡手中，也更依賴西方教會。[68]宋美齡作為新運指導長兼主任委員，特別著意打造新運為群眾運動，以此跟共產黨的群眾運動抗衡：「促進新生活運動的目的及工作，最重要的一點是由人民群眾自發地生長，而不使此一運動成為一個政治機構，附屬於政府」[69]；「剿匪和新運工作，兩者都是掃除愚昧，卑汙，散漫和一切人類敗德的開創工作。」[70]實際操作上她企圖連結國民黨及基督教會、領袖與教徒，以「民間」組織形式推展，經費來源有的來自社會捐款，但政府撥款仍占很大比例：「當撥款餘額不足時，由中央銀行代為發放職員薪津。」[71]

近年研究新生活運動的專書與論文頗多，對運動評價毀譽參半，一般認為新運是國民政府面對內憂外患，採取「江西剿共」的「三分軍事，七分政治」[72]的一種迂迴攻略，挪用民初以來國民改造的論述，製造「復興道德」的藉口，掩飾貧富巨大差距及半殖民社會凸顯的政經結構問題，倡導一種近乎清教徒的生活方式（戒菸戒酒戒賭、儉約儲蓄、講求衛生體育、守時、經常理髮、禁止婦女穿裙子、禁止男女混合游泳、禁止跳舞、實施民眾訓練與編組等），藉以轉移視線，合理化黨國進一步規訓人民的（類）法西斯管治。[73]蔣介石深信「封建倫理道德對於維護其政治統治的重要意義」，「對三民主義進行儒化解釋」，指三民主義「在倫理和政治方面講，就是『忠孝仁愛信義和平』」；「要禦侮圖強，復興中華民族，根本的途徑就是恢復『禮義廉恥』」；「其主要目標就是要把禮義廉恥」之原則應用到人們的衣食住行等日常生活當中，「要求人們做到整齊、清潔、簡單、樸素、迅速、確實」[74]，如一九三七年五月，國際管理委員會中有醫生提出新運開展反吐痰運動等。在南京長大的James C. Thomson Jr.曾譏新運為「建基於牙刷、老鼠夾與蒼蠅拍的民族復興運動」[75]，企圖以此美化中國在國際社會的形象，方便尋求更多美援。

新生活運動可以說是一場國民黨企圖結合中國「復古」與西方現代化的論述組織戰，以從上而下的保黨（愛國）運動來抑制從下而上的反對黨（愛國）運動，藉挪用儒家倫理道德觀（「封建」）來抑壓與取替社會運動，主張工人階級向上認同，並召喚封建及大美國意識（「帝」）來鞏固國民黨的政治經濟資本（「資」），宣揚和諧的黨國民族主義（「信義和平」）。所以左翼的反帝反資反封建，實際上是針對當時國民黨的政經集團及意識形態：「過於不注意真正的敵人，即反動的思想集團以及普遍全國的遺老遺少」。[76]肖三在一封一九三五年給左聯的信中曾這樣描述近年「中國文壇的現象」：「一般知識分子反復古，斥笑『新生活運動』提倡的禮義廉恥及尊孔，念經，拜佛，禁止男女同學同泳，禁女子剪髮，燙髮，開除『娜拉』」，而「一般的讀書界在進步（……）不管如何壓迫，左的書籍還是爭售」[77]，即指新運成效不彰。

在性／別方面，新生活運動推行賢妻良母及禁慾主義，忽略女性自身利益和多元發展，強化女性在社會上的從屬地位，如「《取締婦女奇裝異服辦法》禁令」的出臺及推行等。[78]然而，新運歷時超過十五年，組織架構繁雜，成效也按時地變易，難以被籠統論斷，如有專門研究新生活運動促進總會屬下的婦女指導委員會的論文曾作以下結論：「新運婦指會組織和動員婦女的同時，實際上鼓舞了婦女走出家庭，參加社會各項活動，有利於婦女擺脫家庭的束縛，提高其經濟地位，從而鬆動傳統的性別關係」。[79]在蔣宋理念與口號上，新運是剿共的一種工具，但推動新運的「指導委員會」內有大量的共產黨員。新運婦指會委員鄧穎超[80]說：「婦女工作艱巨複雜，要落實到人，到群眾；團結人，要取其所長，不能強人所難。台〔臺〕面上的事情讓『夫人們』去做；基層的辛苦活，我們來承擔。」[81]「新運婦指會實際上是一個在為抗戰服務所掩蓋下有着〔著〕深厚半官方色彩的為各自政黨服務的婦女組織」。[82]這些為各自政黨／勢力服務的成員包括國民黨政要夫人及幹部、共產黨員、左派進步人士和基督教人士等，也有名流及專家學者。劉清揚[83]被宋美齡聘為婦指會訓練組組長，「先後訓練五班幹部，一千餘人，分散到大後方各地，作鄉村工作」。[84]她在訓練組內安插了不少中共黨員，包括訓練組股長郭見恩、新運婦指會文化事業組組長沈茲九，主編《婦女生活》、主管《婦女新運》月刊和《中央日報》的《婦女新運》周刊。她們利用新運的資源，向人民宣傳「抗戰團結進步」的信息，同時辦女工學校、夜校、訓練班。[85]

由於新運的潛臺詞是與共黨爭天下，中國農村是重大戰場。一九三六年初，宋靄齡請傳教士制定大學生暑期計劃，規範學生從城市回鄉後的紀律。一九三九年十月，新運婦指會增設鄉村服務組。[86]電影《國風》正是寫城市大學生桃回鄉後遇上的文化差異，並把「禮義廉恥」變成母親／校長奉行的校訓，大刺刺地掛在場景正中間。但除了片中出現新生活運動的傳單、有運動徽號的疊影鏡頭，及蘭的家書一而再地申明，她要投身新運云云等特寫鏡頭外，除了這兩三個特寫鏡頭及文字外，這部默片中的場面調度與人物塑造提供的視覺經驗，其實跟同時期的左翼電影非常貼近。《新女性》中韋明與《國風》中的張蘭同由阮玲玉擔演，她的演技、知青造型，在兩片中也酷似。所以前述蔡楚生在追溯阮玲玉參與的「進步電影的主流」時，可以毫不避嫌地把《國風》算進來。韋明一人從教師「墮落」至舞女的經歷，在《國風》中成為好姊姊vs.壞妹妹兩個角色之間的比拚。《國風》中姊姊的歷程可看成是回應了《新女性》中韋明與阿英的對比：教師／知青也可投身慷慨激昂的社會運動，鼓動街頭群眾，在本片中就叫新生活運動。

更重要的是，兩片中的優質／「高等國民」新女性，也是透過去性化來達成；她先把家人（妹妹）欲望替代自身的，片末更把國家的欲望代替一切欲望。然而，一如《新女性》，《國風》讓資本主義女性作為欲望的化身，也在電影的視覺呈現中，多次占去誘人的篇幅；桃的各個身體部分（她的鞋、腿、肩膀、頭髮等），及她與柏楊的偷情，在片中被不斷特寫，強調她如何成為學校中所有學生窺視的對象，讓她的被景觀化、話題化，成為她「縱慾」的「罪」證。片末桃的「反樸歸真」，反而草草交代，完全欠缺說服力。這樣看來，《新女性》與《國風》，這兩部被後人指為一「左」一「右」的電影，也可看成是「姊妹」電影，是否亦如新運婦指會的成員及工作，其實亦親如手足，難分彼此？

《新女性》的去性化來自當時（影人）想像中的社會主義，無產階級女性原型，《國風》的去性化就特別仗倚基督教論述資源：蘭要「役於人」，又說「真理的門是窄的，路是小的」。以電影讀政治，當時中國，有個姓宋的家族中的姊妹，不也是集基督教、國民黨與社會主義的大成？《國風》企圖透過去欲及承擔教育，以為跳過婚家，直接參與國，但當時黨國、儒家、美式宗教、民族主義，及「進步」意識，卻綑綁糾結，不一而足，全國人深陷其中。女性成為「役於人的高等國民」，就意味著成為婚家國治下，同時的加害（高等）與受害者（役於人）。

本是同根生？

> 鄭正秋拍攝的影片，題材基本都與家庭問題有關，敘事方式則汲取話本小說和通俗戲曲的長處，突出人物命運悲喜交加的戲劇性，最後以大團圓結局〔……〕[87]

作為明星電影公司的創辦人之一，跟聯華比較明顯年輕激進的導演不一樣，鄭正秋來自「文明戲傳統」，在「一二八」後向左轉，一九三三年在〈如何走上前進之路〉中提出「三反主義」[88]，被視為「改良派」。《姊妹花》（一九三三）改編自文明戲《貴人與犯人》，電影完成後兩年他便過世。《姊妹花》在新光大戲院首輪上映六十天（一九三四年二月十三日至四月十三日）[89]，創最高賣座紀錄；在二十八個省分、五十三個城市放映，也在香港及東南亞公映。一九三四年六月，這紀錄被聯華蔡楚生導演、描寫漁民苦難的《漁光曲》在上海連映八十四天所打破。

《姊妹花》中父親「販賣洋槍」，拋棄妻子及大女（大寶），帶走二女（二寶），後來藉二寶嫁給軍閥當七姨太來發達；大寶為了生計，到二寶家打工，偷東西入獄，母親為了拯救大寶，與二寶重逢。「失散姊妹」這命題一方面訴說在政局動盪的環境，家庭離散的普遍處境，另方面也彰顯出先天肉身條件與後天社會條件的對比（「同人不同命」），從而凸顯階級差異及衝突。如《姊妹花》中嫁給木匠的大寶，無法照顧自己將滿月的嬰兒，卻要去為當軍閥姨太的二寶當奶媽。大寶向二寶借工錢，卻挨了二寶的耳光。姊妹的尊卑有序倫理在此與階級矛盾重疊，讓觀眾更為大寶叫屈。片末二寶的覺醒正是透過母親勾起她從小受父親虐打的記憶，母女倆同為父親暴力的受害人這連線來開展，讓二寶終能接受大寶的教訓：「倒霉（楣）的是窮人，倒霉（楣）的還是我們女人啊！」父親這角色，在欺壓家中三女性的同時，也靠欺壓國民來發財：「叫帶兵的自個兒打自個兒」（母親罵父親語），明顯在譏諷國民黨。國家壓迫、階級壓迫與性別壓迫在這場重逢戲中重疊，彷彿姊妹與母親連線，對抗父親及軍閥，就能替窮人平反，解決所有矛盾。女人作為國家苦難的代言，男性（通常）要不怯懦無能（《新女性》、《國風》），要不就是加害者，問題的製造者或共謀。只有（男性文人想像的）女性間情誼及連線才能提供救贖、翻身的可能。這種深厚情誼是經常透過怨恨／虐待／自我犧牲等關係來呈現的。左翼評論家一方面理解《姊妹花》宣洩「小市民層」對富人／軍閥（二寶丈夫）／戰爭工業商販（父親）的憤怒，叫當時的觀眾全院「淚崩」，電影非常賣座，但也批評結局呈現出一種看來是達致階級和解的反動保守意識。[90]「當時的新興影評工作者，便大多既肯定了影片所表現的階級衝突內涵，又不滿於影片的所謂『小資產階級』的價值取向。」[91]片末的重逢，是由父親一手安排，二寶能夠拯救大寶出獄，更是倚仗她軍閥丈夫的權力。電影結尾時似乎更暗示三女性共同投靠軍閥，回到婚家國治庇蔭下是她們的唯一出路。

值得一提的是，中國電影也有不少「兄弟」敘事，跟「失散姊妹」命題相似；原生兄弟從小分離，因為際遇不同而產生矛盾，如與《姊妹花》同年推出，跟其橋段也相似，被宣傳為「目前聯華的銳利優秀的作品」的《都會的早晨》（下稱《都》）。《都》片中父親把兒子遺棄，好與富家小姐結婚，發達後生下二子。長子在窮人家長大後成才，二子在原生家庭卻被寵壞，父親重遇長子，想他繼承資產，但被長子拒絕。電影透過家庭人倫關係抒寫階級矛盾，提倡自力更生，歌頌窮人的善，反對繼承父蔭及富人家庭的暴力。電影連映十八天，讓蔡楚生嶄露頭角。蔡楚生說他沒有「把它（《都會的早晨》）拍成一個有產階級範疇內爭奪遺產的家庭悲劇，而是把它放在廣闊的社會現實之中，借（藉）此表現了當時中國都市生活中尖銳的階級對立」。[92]與《姊妹花》相較，《都》片中呈現的階級對立更激進，表達當時左傾電影工作者藉家庭關係刻劃國家民族現實與理想的一個遼闊光譜。

姊妹電影把國族情仇在家庭倫理的框架下呈現，讓男女老幼、來自城鄉、不同階級的觀眾都找到認同與欲望的位置，把極私人與極公共的結合，迴避了／置換掉銀幕上男歡女愛對男性的要求及威脅，擱置處理三十年代中國當時社會氣氛下被認為保守反動的男女「私」情，而聚焦於原生家庭成員關係的私密恩怨，來襯托出個人與社會國家的公共恩怨，同時把對社會關係的想像血緣化及自然化。這樣看來，左翼電影運動可以說是把電影進一步道德國族化的一個機制：以女性的受壓迫及解放作為國家民族受壓迫的比喻，選擇性吸收中國早期現代思想中個體解放的命題，讓新青年男性有逃出被審視、被批判的空間，可選擇成為欲望、認同及救援新舊女性的英雄或／及懦夫。如果過去的「新女性」不能「成功覺醒」，他們可以發明另一種「新女性」，一方面享受沉浸於自憐的快感，一方面想像將來終於能站起來的自我。

三十年代是早期中國電影明星制度發展最蓬勃的時候，胡蝶與阮玲玉紅透半邊天。明星工業的副產品（如胡蝶香菸、胡蝶肥皂等）及廣告把大眾消費打造成現代都市有閒階級的品味象徵，雖然觀眾中包括不少學生及工人。一九三三年，《明星日報》組織讀者觀眾投票選舉最佳電影女演員，胡蝶以兩萬一千三百三十四票當選中國第一位「電影皇后」。一九三五年，中國電影界首次被邀到莫斯科參加國際電影節，胡蝶是代表團的唯一演員代表，參展影片八部，包括《姊妹花》，可見當時——即便凸顯階級差異及衝突的——電影一方面與資本主義，另方面與民族國家共構，相互依存的關係。胡蝶與阮玲玉作為廣東人，民國時期瘋魔華南地區，包括香港。我上世紀九十年代跟父母聊天時，發現已在香港居住超過四十年、八十多歲的老爸仍然對阮玲玉念念不忘，而且還爆料說他娶我母親的其中一個原因，是她長得像阮玲玉，笑起來時酒窩也像。

從上海至香港，有不少開宗明義以姊妹對比及關係作為命題的片子，《姊妹花》後，也有《二姊妹》（一九三四，李萍倩；上海）、《南國姊妹花》（一九三九，黎斌、楊琛；香港）、《情劫姊妹花》（一九五三，秦劍；香港）、《姊妹花》（一九五九，易文；香港）、《新姊妹花》（一九六二，胡鵬；香港）、《四千金》（一九五七，陶秦；香港）等，數不勝數。上海的左翼家庭倫理片類型被香港粵語片在戰後深度繼承。如中聯影業公司（將於第四章詳述其出品特色及理念）負責發行、旗下「中聯小組」的出品《情劫姊妹花》（下稱《情劫》），由年僅二十八歲的青年導演秦劍（同年他還拍了《慈母淚》（一九五三），捧紅了紅線女，將於第六章再論）掌鏡，繼承了《國風》中以低調嫻淑的姊姊（小燕飛飾柳迎春）及任性驕奢的妹妹（梅綺飾柳葉眉）這二元對立，並同時愛上表哥（張瑛飾勁風）的倫理矛盾，比喻對當下資本主義社會風氣的批判；電影借主角的口直白道出：「物質生活是過眼雲煙」。

但與《國風》不同的是，兩姊妹的差異，與其說是來自不同的現代性，《情劫》的迎春與葉眉之間，則更像近現代華南家庭倫理與洋化資本市場現代性兩者之間的矛盾。迎春的善，來自她作為女兒不惜犧牲自我來拯救父親（黃楚山）、作為妻子報答臨終的丈夫（吳回），及作為姊姊守護妹妹與勁風的女兒，而葉眉的惡，除了是她一開始便難以抗拒物欲的誘惑外，更重要的是她不安於室、不願盡妻子或母親的責任。迎春全片穿著唐裝，與葉眉穿著亮眼的、西式襯衫裙子，形成強烈對比，凸顯中國近現代與西方現代性之間的差異。一如上海左翼電影中借女性身體與行為作為符徵教化觀眾，勁風即使全片不斷遊走於唐裝與西裝之間，也不需要承擔觀眾的批判目光。戰後香港粵語片作為華南地區的主流消費媒體，企圖糅合中國左翼文人對社會的理想主義願景及華南地區以家庭倫常為核心的組織架構；迎春在片中自幼喪母的身世，在片末受勁風與葉眉的女兒所繼承，猶如一種破損的，延伸家庭關係，特別需要接受體諒與呵護。上海左翼電影對民族國家的感情投注與抱負，在香港粵語片中全然在家的層面上被消弭，所有的焦慮、盤算、理想都投射在家人關係、家庭的維繫上。前現代的悲劇，由現代人的加倍努力來彌補。對前現代中國的眷戀與不斷回望，對資本主義現代性的不適，是香港電影揮之不去的恆常關注，將在下面的章節中一一申述。

《情劫姊妹花》與《國風》雖然橋段類近，但在再現與認同的建構上，卻有龐大差異。《國風》的男性，只作為女性爭取及表達自我的媒體，電影的焦點都落在女性身上；《情劫》卻不斷強調勁風折損的陽剛性，作為中國大學畢業生在英屬殖民地難民社會尋求存活養家如英雄落難，向下流動成黃包車夫也不敢告訴妻子。病中受葉眉照顧，感動至移情，在茶樓與迎春重逢，悲憤交加喊著要向她買馬票，跟她回家後發現錯怪她並向她道歉，葉眉離家出走後勁風向迎春求婚再遭拒絕。這個看似陳套的故事，因為把重心放在不斷受挫的文人男性身上，追隨他的被擺弄、被開除、被拋棄，工作與愛情雙失，顯得情何以堪。折損的陽剛性，也將是香港電影接下去五十年持續探索的母題。這部一九五三年的電影，片首字幕中有「飛仔」的角色，可能是香港電影中「飛仔」的第一次現身，足見秦劍的時代觸覺。「飛」，作為「青春」的符號，將在第六章中再仔細闡述。

三十年後香港電影再重寫《姊妹花》，《新姊妹花》請來胡蝶任母親一角，也是以從小失散的一對孿生姊妹為題，由賀蘭一人分飾。在中國農村成長的蘭芳自少跟隨養父長大，在新加坡做礦工的爸爸帶著姊姊蘭芬到香港，開礦務公司發跡，蘭芬被養成千金小姐。電影敘事前史是華人男性在亞洲作為早期現代跨國勞工成功奮鬥的故事，結局也是達致階級和解的大和諧。電影作為偵探歌唱喜劇，笑料來自長得一樣的兩姊妹之間的階級矛盾：蘭芳舉止粗魯，穿粗衣布鞋，談吐直率又愛講廣東地道助語詞（「好鬼」），愛吃草根小吃（鹹酸菜炒豬大腸），蘭芬則西化斯文，穿長裙高跟鞋，早上洗澡及喝朱古力奶（巧克力牛奶）。片首一曲中的「香港，香港」，在從鄉下出來的蘭芳眼中，是「水色山光，一帶海灣兩邊岸」，叫人「真美麗心嚮往」；連「樓宇密布」，都被看成是「真偉大真好看」。對資本主義都會的全盤接受，令蘭芳突然意識到自己的「土」：「我心失失慌，滿身鄉里狀」，後來被誤認為蘭芬，才發現當富家小姐的艱難。片中呈現兩女性的階級文化差異，把兩人同時放在被誇大、被異物化的放大鏡下；片末蘭芳與母親及蘭芬相認後，雖然也被和諧化成千金小姐，但卻被蘭芬的男友要求保留她的草根性。六十年代的香港現代性，一方面急不可待擁抱資本主義，另方面繼承了中國左翼電影道德化的文化傳統，對自己之擁抱資本主義，在流行文化中需要不斷展示恐懼與不屑。再一次，姊妹身分成為城鄉、中西、貧富這些看似對立、實質互構關係的比喻。

「女性解放」無關性別

從三十年代上海到香港，曾經有不少電影工作者把政治涵義寄寓於姊妹關係上，顯現中國文化人對於城與鄉、中港關係、家國同構、國共兩黨、「貧」與「富」、好女人與壞女人、腐敗／封建與進步、落後與現代等概念構築，透過敘事與影像提出各種陳述、分析或重構。過去一般論者傾向認為「女性解放」是中國自十八世紀末思考現代性、五四以降追求個體解放革命工程的其中一項議題，而且一直占著相當重要的位置。三十年代左翼電影就常被引以為例。本章卻要闡述，這時期能見度極高、比例上相當多的女性／姊妹電影，目的是要抒發一連串與性別無關的議題，如國共、家國、宗教、階級等，並非性別。表面上以女性解放／現代女性為題，實際上把「性／別」隔離在（只能）作為比喻的層次，讓性／別永遠處於一個不需要被問題化、異議化的位置。正是這樣一個特殊位置，才能夠同時把女性（即革命）

去性、去欲、去身體。左翼電影對資本主義的批判，是一方面透過批判女性作為欲望的化身來批判欲望，另方面誘導及景觀化大家消費女性身體的欲望，雙軌進行。這種道德化的，禁慾式社會主義批判，使資本主義與她成為一種永恆的共構關係，看似失散了，實際上不斷尋覓、渴望親近對方的孿生姊妹。

我在本書中說明，正是這種矛盾關係，讓香港電影既承繼又轉化了民國電影的複雜政治視野，並進而成為主導華語電影市場的欲望製造與外銷中心。以家庭暗喻國家民族，以性／別角色及關係呈現封建價值與現代性的矛盾，在女性身體上投射資本主義與多重欲望的心結，這些都成為往後大半個世紀香港電影取之不盡的論述資源，在以下的章節中將一一闡述。

註釋

① 本章部分內容初稿為〈本是同根生：一九三〇年代中國電影的「姊妹」家國〉，《性／別二〇》，何春蕤編，臺灣中壢：國立中央大學性／別研究室，二〇一六年，頁一八三—二〇七。現經作者大幅改寫修訂。

② 廖金鳳：〈妥協的認同——文革時期邵氏兄弟電影的香港性〉，《邵氏影視帝國：文化中國的想像》，廖金鳳、卓伯棠、傅葆石、容世誠編，臺北：麥田出版，二〇〇三年，頁二三九。一九三九年，港片產量一一

七部。參余慕雲：《香港電影八十年》，邱松鶴編，香港：區域市政局，一九九七年，頁一九。

③汪朝光：〈中國早期電影的發展歷程與近代中國的民族主義——以一九二〇年代中國電影為中心的研究〉，黃愛玲編，《中國電影溯源》，香港：香港電影資料館，二〇一一年，頁一五七。

④孫紹誼：〈影畫都市：銀幕內外的上海想像〉，《想像的城市——文學、電影和視覺上海（一九二七—一九三七）》，上海：復旦大學出版社，二〇〇九年，頁一二七。

⑤姚蘇鳳：〈一九三三年上半年度在滬開映的英美影片概觀〉，《明星月報》二卷二期，一九三三年十二月，頁二。

⑥劉思平、邢祖文選編：〈魯迅歷年所看電影統計表〉，《魯迅與電影（資料匯編）》，北京：中國電影出版社，一九八一年，頁二二一—二三〇。當然，魯迅也可能看了一些其他國片，但沒有選擇談論它們。

⑦汪朝光：〈中國早期電影的發展歷程與近代中國的民族主義——以一九二〇年代中國電影為中心的研究〉，黃愛玲編，《中國電影溯源》，香港：香港電影資料館，二〇一一年，頁一五五。

⑧松丹鈴：〈中共與一九三〇年代「左翼電影」的關係〉，《黨史研究與教學》，二〇一四年第三期，總第二三九期，頁六九。下載自：https://www.g3mv.com/thesis/detail/1460919。

⑨陳荒煤：〈重版序言〉，程季華、李少白、刑祖文編：《中國電影發展史》（第一卷），北京：中國電影出版社，一九九七年，頁一—一三。這序言的下款是「紀念『左翼作家聯盟』成立五十周年時」。

⑩李少白：〈簡論中國三〇年代「電影文化運動」的興起〉，《當代電影》，一九九四年第三期，頁七七—八四。

⑪ 高小健：〈二〇世紀三〇年代的中國電影〉，《新興電影：一次劃時代的運動》，北京：中國電影出版社，二〇〇五年，頁一七；也可參陸弘石：《中國電影史一九〇五—一九四九——早期中國電影的敘述與記憶》，北京，文化藝術出版社，二〇〇五年。

⑫ 松丹鈴：〈教育電影還是左翼電影：二〇世紀三〇年代「左翼電影」研究再反思〉，《近代史研究》，二〇一四年第一期，頁一二六—一四二。

⑬ 蕭知緯：〈三十年代「左翼電影」的神話〉，《二十一世紀雙月刊》網絡版，總第一〇三期，二〇〇七年十月，頁四二—五一。

⑭ 〈國內外文壇消息四則〉，《萌芽月刊》，第一卷第三期，一九三〇年三月，頁二七五。

⑮ 《拓荒者》，第一卷第三期，頁一一二九—一一三〇。

⑯ 陳播：〈中國左翼電影運動的誕生、成長與發展〉，《中國左翼電影運動》，陳播編，北京：中國電影出版社，一九九三年，頁一一一—一一一二。參程季華、李少白、刑祖文編：《中國電影發展史》（第一卷），北京：中國電影出版社，一九九七年，頁一七三—一七四。

⑰ 〈中國左翼戲劇家聯盟最近行動綱領：一九三一年九月通過〉，《文學導報》第一卷第六、七期合刊，一九三一年十月二十三日，頁三二。

⑱ 程季華、李少白、刑祖文編：《中國電影發展史》（第一卷），北京：中國電影出版社，一九九七年，頁一八〇。

⑲ 李以莊、周承人：〈序論〉，《香港銀幕左方》，黃愛玲、李焯桃編，香港：雙原子創意及製作室，二〇二

一年，頁三。

⑳ 孫瑜：〈回憶『五四』運動影響下的三十年代電影〉，《電影藝術》一九七九年第三期，頁八。

㉑ 這是出現在「浙省密報」中最早的影片，討論「浙省密報」見下文。關於聯華影業公司的討論亦見下文。

㉒ 汪朝光：〈中國早期電影的發展歷程與近代中國的民族主義——以一九二〇年代中國電影為中心的研究〉，黃愛玲編，《中國電影溯源》，香港：香港電影資料館，二〇一一年，頁一五四。

㉓ 舒湮：〈中國的電影檢查〉，《影迷周報》第一卷第四期，一九三四年十月十七日，頁六八。

㉔ 高小健：〈二〇世紀三〇年代的中國電影〉，《新興電影：一次劃時代的運動》，北京：中國電影出版社，二〇〇五年，頁一二一一三。

㉕ 舒湮：〈中國的電影檢查〉，《影迷周報》第一卷第四期，一九三四年十月十七日，頁六八。

㉖ 鄭正秋：〈如何走上前進之路〉，《明星月報》第一卷第一期，一九三三年五月，頁三。《中國電影發展史》定義「左翼電影」為反帝、反封建、反資本主義的「三反電影」（二〇一二）。

㉗ 蔡楚生：〈中國電影往何處去——應該反映大眾的痛苦〉，《電聲周刊》三卷三十二期，一九三四年八月十七日，頁六一一。

㉘ 〈人民大眾向文學要求什麼〉，《文學叢報》，第三期，一九三六年六月一日，頁二二三。

㉙ 立波：〈中國新文學的一個發展〉，《光明》創刊號，一九三六年六月十日，頁三一。

㉚ 李初梨：〈怎樣地建設革命文學？〉，《文化批判》第二號，一九二八年二月十五日，頁一一。

㉛ 參https://baike.baidu.com/item/%E9%9D%92%E5%B9%B4%E8%BF%9B%E8%A1%8C%E6%9B

%B2/10313909。

㉜ 蔡楚生：〈戲如人生〉，《中國電影》一九五七年第二期，轉引自舒琪等：《阮玲玉神話》，香港：創建出版公司，一九九二年，頁五七。

㉝ 松丹鈴：〈中共與一九三〇年代「左翼電影」的關係〉，《黨史研究與教學》，二〇一四年第三期，總第二三九期，頁七〇。

㉞ 蕭知緯：〈三十年代「左翼電影」的神話〉，《二十一世紀雙月刊》網絡版，總第一〇三期，二〇〇七年十月，頁四四。

㉟ 「同路人」的說法，可參松丹鈴：〈中共與一九三〇年代「左翼電影」的關係〉，《黨史研究與教學》，二〇一四年第三期，總第二三九期，頁七〇。

㊱ 松丹鈴：〈中共與一九三〇年代「左翼電影」的關係〉，《黨史研究與教學》，二〇一四年第三期，總第二三九期，頁七〇。

㊲ 蕭知緯：〈三十年代「左翼電影」的神話〉，《二十一世紀雙月刊》網絡版，總第一〇三期，二〇〇七年十月，頁四五。

㊳ 蕭知緯：〈三十年代「左翼電影」的神話〉，《二十一世紀雙月刊》網絡版，總第一〇三期，二〇〇七年十月，頁四三。「藝華事件」廣被陳述，可參程季華等。

㊴ Frederic Jr. Wakeman, *Policing Shanghai, 1927-1937* (Berkeley: University of California Press, 1996), 239.

㊵ 顧倩：〈以推行國語之名禁攝方言電影〉，《國民政府電影管理體制（一九二七—一九三七）》，北京：中

國廣播電視出版社，二〇一〇年，頁三〇一—三〇二。

㊶〈五月大事記〉，《聯華畫報》一九三五年第五卷第一二期，頁二〇。下文對新生活運動會有進一步闡述。

㊷如左翼編導及影評人之間常有爭論。當時「左翼電影批評家」頗有影響力，導致各電影公司「惑其批評，於不知不覺中轉變其『出品主旨』，而漸有『左傾傾向』」，可見製作左翼電影的動力，部分也來自輿論壓力，而「左翼電影批評家」，部分來自一九三二年七月成立的「左翼劇聯」影評小組。見松丹鈴：〈中共與一九三〇年代「左翼電影」的關係〉，《黨史研究與教學》，二〇一四年第三期，總第二三九期，頁七四。

㊸郭緒印主編：《國民黨派系鬥爭史》（上），臺灣：桂冠圖書，一九九三年。

㊹我在本書中並不執著於倫理劇、文藝、言情、通俗或情節劇的定義與稱呼問題，因為不同文本、不同創作團隊的內容與風格側重或略有不同，但從市場策略及觀眾接收的角度，或與其他類型電影的對比來看，倫理劇、文藝、言情片、通俗、情節劇實屬同一主類型，市場定位也與歐美通俗情節劇類近。梁秉鈞曾借歐美電影研究中對通俗情節劇的討論，對照華語文藝片的類型特色。梁秉鈞：〈從國族到私情——華語通俗情節劇的變化：《藍與黑》的例子〉，《邵氏影視帝國：文化中國的想像》，廖金鳳、卓伯棠、傅葆石、容世誠編，臺北：麥田出版，二〇〇三年，頁二九五—三〇六。

㊺《聯華畫報》第五卷第三期，一九三五年，無頁碼。

㊻塵無（王塵無當時筆名）：〈關於《新女性》的影片．批評．及其他〉，《王塵無電影評論集》，北京：中國電影出版社，一九九四年，頁九八—九九。原載《中華日報．電影藝術》，一九三五年三月二日。

㊼蔡楚生：〈戲如人生〉，《中國電影》一九五七年第二期，轉引自舒琪等：《阮玲玉神話》，香港：創建出

版公司，一九九二年，頁五九。

㊽ 蔡楚生：〈戲如人生〉，《中國電影》一九五七年第二期，轉引自舒琪等：《阮玲玉神話》，香港：創建出版公司，一九九二年，頁五四—五五。

㊾ 李亦中：〈天一公司經營特點初探〉，《邵氏影視帝國：文化中國的想像》，廖金鳳、卓伯棠、傅葆石、容世誠編，臺北：麥田出版，二〇〇三年，頁二三一—二二六。

㊿ 另一說法為香港最早的電影活動是在一八九六年。根據一八九六年一月十八日洋人爹士威利在《華字日報》上發布的一則廣告，內容是：「茲由各西國帶來各國戰爭形圖，令看者儼然隨營觀戰，及各國奇巧故事數百套，無不具備，每日擺列陸十套，日夜更換。」但廣告中描述的是否為電影，至今存疑。

51 「中國第一部蠟盤發音的有聲故事片，是明星公司出品的《歌女紅牡丹》（胡蝶、王獻齋等主演，張石川導演），一九三一年三月十五日在上海新光大戲院首映」。胡平生：〈十年間上海娛樂社會的概況〉，《抗戰前十年間的上海娛樂社會（一九二七—一九三七）——以影劇為中心的探索》，臺北市：臺灣學生書局，二〇〇二年，頁二九。

52 胡平生：〈十年間上海娛樂社會的概況〉，《抗戰前十年間的上海娛樂社會（一九二七—一九三七）——以影劇為中心的探索》，臺北市：臺灣學生書局，二〇〇二年，頁二八—二九。

53 周承人、李以莊：《早期香港電影史（一八七七—一九四五）》，香港：三聯書店，二〇〇五年，頁一五三。

54 李道新：〈商業競爭的嚴酷環境與電影新路的努力追尋〉，《中國電影文化史》，北京：北京大學出版社，二〇〇四年，頁九九。

㊺ 周承人、李以莊：《早期香港電影史（一八七七—一九四五）》，香港：三聯書店，二〇〇五年，頁一六五。電影資料：《故都春夢》（一九三〇，孫瑜）；《野草閑花》（一九三〇，孫瑜）；《戀愛與義務》（一九三一，卜萬蒼）；《義雁情鴛》（一九三〇，王次龍）；《愛慾之爭》（一九三一，史東山）。

㊻ 第一篇發表於《影戲雜誌》第一卷第九期；第二、三篇於《影戲雜誌》第一卷七—八期；最後一篇於《影戲雜誌》第二卷第一號。

㊼ 羅明佑：〈為影難〉，轉引自李道新：〈商業競爭的嚴酷環境與電影新路的努力追尋〉，《中國電影文化史》，北京：北京大學出版社，二〇〇四年，頁九九。

㊽ 李道新：〈商業競爭的嚴酷環境與電影新路的努力追尋〉，《中國電影文化史》，北京：北京大學出版社，二〇〇四年，頁九九—一〇〇。

㊾ 陳立夫：《中國電影事業新路線》，南京：中國教育電影協會，一九三三年，頁二九。

㊿ 之前國民黨幾份黑名單中，已有蔡楚生導演的電影。

(61) 參鄭政恆：〈教育、藝術、娛樂、商業？——第一次電影清潔運動的史料發掘與闡述〉，《香港文學與電影》，梁秉鈞、黃淑嫻、沈海燕、鄭政恆編，香港：香港公開大學出版社與香港大學出版社，二〇一二年，頁十六—二八。

(62) 參傅葆石：〈歌頌邊緣——三〇年代香港電影的文化政治〉，《香港文學與電影》，梁秉鈞、黃淑嫻、沈海燕、鄭政恆編，香港：香港公開大學出版社與香港大學出版社，二〇一二年，頁一—十五。

㊸ 見〈中國電影企業鉅子羅明佑熱心事主〉，《基督教週報》第二四九四期，http://www.christianweekly.net/2012/ta2017889.htm。

㊹ 轉引自周承人、李以莊：《早期香港電影史（一八七七—一九四五）》，香港：三聯書店，二〇〇五年，頁一七四—一七六。

㊺ 如《中國電影發展史》。

㊻ 舒琪等：《阮玲玉神話》，香港：創建出版公司，一九九二年，頁一六〇。

㊼ 作為「高等國民」是新生活運動的目標，「禮義廉恥」是達到目標的途徑：「〔……〕改進社會，復興國家和民族的責任，在事實上絕不能希望全體國民都能盡到，完全要靠我們一般有知識的做各界民眾之領袖的人能夠將這個重任一肩擔負起來！〔……〕第一就是要使一般國民具備國民道德，第二就是要使一般國民具備國民知識。道德愈高知識愈好的國民，就愈容易使社會一天比一天有進步，愈容易復興他們的國家和民族！〔……〕外國人無論吃飯，穿衣，住房子，走路，和一切行動，統統合乎現代國民的要求，表現愛國家和忠於民族的精神，總而言之，統統合乎禮義廉恥！不合廉恥的飯他們不吃，不合廉恥的衣他們不穿，不合禮義的事情他們不做。他們無論起居食息，一言一動，統統有規律，合乎做人的道理，表現有現代文明國家的國民之知識道德。」蔣介石：〈新生活運動之要義（民國二十三年二月十九日在南昌行營擴大紀念周講）〉，《總統蔣公思想言論總集》卷十二，演講，頁七一—七四。下載自：http://www.ccfd.org.tw/ccef001/index.php?option=com_content&view=article&id=1415:-0008-10&catid=134&Itemid=256&limitstart=0。

(68) 張慶軍、孟國祥：〈蔣介石與基督教〉，《民國檔案》，一九九七年，第一期，頁七九。

(69) 鄧述堃：〈宋美齡—基督教—新生活運動〉，《文史資料選輯》第三二卷第九三輯，文史資料研究委員會《文史資料選輯》編輯部編，北京：中國文史出版社，二〇〇〇年，頁六五。

(70) 宋美齡：〈中國的新生活〉，《蔣夫人言論集》，國民出版社編譯，重慶：國民出版社，一九三九年，頁三九九。原文發表於美國論壇雜誌一九三五年六月號。

(71) 宋青紅：〈中文摘要〉，《新生活運動促進總會婦女指導委員會研究（一九三八—一九四六年）》，上海復旦大學博士論文，二〇一二年，頁I。

(72) 行易：〈蔣先生的生活和新生活運動〉，《黃花崗雜誌》總第三四期，二〇一〇年第四期，十二月三十一日，頁六九。

(73) 參黃金麟：〈醜怪的裝扮：新生活運動的政略分析〉，《台灣社會研究季刊》，一九九八年第三十期，頁一六三—二〇三。

(74) 江進春：《基督教與新生活運動》，華中師範大學碩士論文，二〇〇七年，頁一〇、三二。

(75) James C. Thomson Jr., *While China Faced West: American Reformers in Nationalist China, 1989-1937* (Cambridge, MA: Harvard University Press, 1969), 158.

(76) 前引自〈國內外文壇消息四則〉，《萌芽月刊》，第一卷第三期，一九三〇年三月，頁二七五。

(77) 〈肖三給左聯的信〉（一九三五），引自《左翼十年——中國左翼文學文獻史料輯》，賈振勇編，北京：人民出版社，二〇一五年，頁二三—二六。

⑱ 夏蓉：〈新生活運動與取締婦女奇裝異服〉，《社會科學研究》，二〇〇四年第六期，頁一一四—一二一；洪宜嫃：〈新生活運動與婦女組織（一九三四—一九三八）〉，《政大史粹》，二〇〇七年十三期，頁一〇五—一四五。

⑲ 宋青紅：〈中文摘要〉，《新生活運動促進總會婦女指導委員會研究（一九三八—一九四六年）》，上海復旦大學博士論文，二〇一二年，頁I。

⑳ 周恩來夫人、北伐時期曾領導上海女工進行五卅流血鬥爭，曾任國民黨第二屆候補中央委員，國共分裂後脫離國民黨。一九三七年十二月任中共中央長江局婦女工作委員會委員，一九三八年七月任新運婦指會委員。

㉑ 郭建：〈不該被歷史遺忘的往事〉，《鄧穎超——一代偉大的女性》，金瑞英編，大原：山西人民出版社，一九八九年，頁二六四。

㉒ 宋青紅：〈中文摘要〉，《新生活運動促進總會婦女指導委員會研究（一九三八—一九四六年）》，上海復旦大學博士論文，二〇一二年，頁一二。

㉓ 五四健將、周恩來入共產黨的介紹人之一。

㉔ 嵐英：〈依然挺立著的劉清揚女士〉，《職業婦女》，一九四六年第二卷第四期，頁一四。

㉕ 羅瓊：〈沈茲九在上海和武漢的日子裡〉，《女界文化戰士沈茲九》，董邊編，北京：中國婦女出版社，一九九一年，頁三九。

㉖ 參宋青紅：〈中文摘要〉，《新生活運動促進總會婦女指導委員會研究（一九三八—一九四六年）》，上海

復旦大學博士論文，二〇一二年，頁二一。

87 汪朝光：〈中國早期電影的發展歷程與近代中國的民族主義——以一九二〇年代中國電影為中心的研究〉，黃愛玲編，《中國電影溯源》，香港：香港電影資料館，二〇一一年，頁一五八。

88 鄭正秋：〈如何走上前進之路〉，《明星月報》第一卷第一期，一九三三年五月，頁三五—三七。

89 《申報》，一九三四年二月十三日，號外本埠增刊（六）及同年四月十三日，本埠增刊（十）。

90 如唐納：〈小市民層與中國電影〉，《馬季良（唐納）文集》，上海：華東師範大學出版社，一九八四年，頁三五〇。亦參http://www.yuanxian1.com/m/view.php?aid=4088。

91 李道新：《中國電影文化史（一九〇五—二〇〇四）》，北京：北京大學出版社，二〇〇四年，頁一五三。

92 蔡洪聲：〈走上現實主義之路〉，《蔡楚生的創作道路》，北京：文化藝術出版社，一九八二年，頁一九。

第二章

荒江女俠：江湖的南遷[1]

「女士對於武俠片的感想如何。」

「現今武俠片的產量減少。是事實。同時武俠片絕對不能消滅。也是顯明的事實。銀幕上得到點刺激緊張。而這尚武精神對他們也毫無毒害。不過為了隨著時代的進展，〔……〕因為武俠片所表示的是尚武精神。而它所表示的意義。只是反抗。觀眾不僅在武俠片著實也有需要改進的地方。我最感到需要改進的一點，是要有意義而有時代性的劇本。這種需要，外國的武俠片也當有著。一般外國武俠偵探片，多是殺人擒兇。打殺完事。無多大意義。」

〔……〕「那麼女士最愛讀那〔哪〕幾位作家的作品。」

「中國作家。我常讀魯迅、巴金、茅盾、沈從文等位的作品。我以為魯迅先生的雜文最有力。茅盾的生活經驗充足。所以他的小說不錯。《子夜》要算是他最成功的作品。」②

本章追溯上海與香港電影血緣關係的另一面向：武俠片；武俠片一直被認為是華語電影最有特色的類型。武俠電影傳統與上一章討論的左翼電影傳統兩者之間，通常被認為交集不大，或甚至相互矛盾。但在上面援引與在上海時期的鄔麗珠訪談中可窺見，三十年代活躍於上海的武俠電影創作人雖然在作品中不一定流露明顯的階級意識，但也有不少深受時下流行的左翼文學思潮洗禮。本章借中國第一代武俠電影作者任彭年與鄔麗珠作為案例，疏理香港三至四十年代武術片如何承繼武俠論述傳統與早期上海電影工業的歷史淵源，及其與民國現代性的關係，從而探究香港電影發展一方面延伸上海既有市場上的類型，加深早期中國電影中就國族與性別想像提出的詰問。另一方面，上章所疏理的「姊妹」關係與對比，即都會洋化資本欲望與愛國反抗行動，在上海南遷的文化大軍中帶來的武俠電影類型，也可以說是名符其實地「集於一身」；兩者間的矛盾張力與互相召喚，也成為往後幾十年香港電影持續發展的底色，走下去的動力與養分。光是在這些南來影人身上，更可見把中國政治意識形態描述為二元對立之不足。

研究香港「武術／武俠／功夫片」的學者常著眼於六、七十年代或以後，並含橫向（與歐美動作片）的比較，導致武俠片與功夫片常被視為不同類型。本書特意不按照這種既定分類，視武術、俠義、神怪／誌怪、刀劍、功夫、間諜等為同一源流下的變奏。這裡就香港電影類型邊界的再定位，一方面是對長久以來傾向去脈絡化的香港類型電影（含武俠及功夫片）研究方法提出異見，另一方面或可對現存研究方法因碎片化而無法審視的脈絡意涵作初步的補充。

「武」「俠」

《左氏春秋・宣公十二年》上記：楚莊王曰，夫文止戈為武。《說文解字》引《左氏春秋》，亦有：「楚莊王曰，夫武，定功戢兵。故止戈為武。」近代有對《說文解字》的質疑，指武字乃象形文字，不應作此解。但《說文解字》確實標示了文人主導的傳統下對武德的要求。《韓非子・五蠹》更反對所有危害法家社會的行為，點名警戒統治者要特別提防這五類人：儒、游俠、商人、縱橫家、門客；「儒以文亂法，俠以武犯禁」；「德不厚而行武」。「武」，與「文」相對，從屬於文，又互相補足：武林、武壇、武生、武旦、武醜、武教、武弁、文才武略，等。劉勰《文心雕龍》：「文既有之，武亦宜然。」武，也是量度半步的單位。古代六尺為步，半步為武。把這些說法放一起看，很明白地凸顯了，中國文化傳統中對武的想像，是當被制約的行動與身分。

「俠」作為一種社會道德符像，至少可以追溯至司馬遷《史記》的《刺客列傳》和《游俠列傳》。司馬遷列舉著名游俠的事跡，反駁了韓子的觀點，對俠士給予正面的評價：「今游俠，其行雖不軌於正義，然其言必信，其行必果，已諾必誠，不愛其軀，赴士之厄困，既已存亡死生矣，而不矜其能。羞伐其德。蓋亦有足多者焉。」唐代李德裕《豪俠》亦云：「義非俠不立，俠非義不成」。「俠」是一類身分特殊的人物，民間傳說中受讚揚的英雄形象，中國小說的重要主題，反映人們對彰顯正義的期望。

戰國時代列強割據，人們嚮往一個獨立的武士群體來主持公義，照顧弱勢。俠客離家遠遊，周遊各國，稱為游俠。俠客跟權貴之間，在歷史上有一種微妙的，時而從屬相容，時而矛盾鬥爭的關係。俠客可以是一種維持秩序，穩定社會，也可以是一種鎮壓人民的力量。人們期待俠客保護弱者，維持公義，但顯貴為了鞏固權力，也常積極收編俠士或門客來保護自己，如信陵君魏無忌就收容許多游俠。漢太祖為游俠出身，特別敬重俠客。西漢初年，朝廷招納豪俠為官，如西漢時的灌夫、陳遵，官拜太守。豪俠與官員結交，成為地方官府的吏役，甚至做地方官的爪牙。從漢景帝開始，勢力特別強大的豪俠，朝廷視為對皇權和秩序的嚴重威脅，設法打擊，誅殺豪俠，漢武帝更大規模有系統地加以翦除。東漢班固《漢書．游俠傳》紀述了王莽攝政時「誅鋤豪俠」的暴行。

三國時期曹植〈白馬篇〉把浪漫愛國情懷寄託於策馬飛馳、武藝精湛、重義輕生、捨命救國的俠士身上：「白馬飾金羈，連翩西北馳。借問誰家子？幽并游俠兒。少小去鄉邑，揚聲沙漠垂。〔……〕仰手接飛猱，俯身散馬蹄。狡捷過猴猿，勇剽若豹螭。〔……〕長驅蹈匈奴，左顧凌鮮卑。棄身鋒刃端，性命安可懷？父母且不顧，何言子與妻？名編壯士籍，不得中顧私。捐軀赴國難，視死忽如歸。」唐朝讚揚俠客的詩歌多至數百首，如王維〈少年行〉、李白〈俠客行〉和〈少年行〉、孟郊〈游俠行〉等。唐代後期俠客傳奇小說興起，在藩鎮割據下，人們期望俠客出來撥亂反正，如杜光庭《虬髯客傳》、裴鉶《崑崙奴傳》和《聶隱娘》、袁郊《紅線傳》等。《虬髯客傳》寫隋末張虬髯「其行若飛」，「化清風明月而去」；唐傳奇中俠客往往懂得道教法術，如紅線女和聶隱娘。不少俠客敘事發展成的小說，最著名的自是明代《水滸傳》。清朝初年，鏢局出現，負責押運和護衛，一些鏢師亦是俠客，如大刀王五；一些教授武術的拳師，亦被視為俠士，如清末霍元甲。這些都成為中國現代文學

（及以後武術電影）反覆傳頌創作的材料。

清代武俠小說可以分為三個不同流向[3]，這些已預示了民國武俠電影的不同路向：一為神魔武俠小說，如《濟公傳》、《綠野仙蹤》等；二有兒女俠情小說，如《好逑傳》（又名《俠義風月傳》）、《兒女英雄傳》等；其三是「俠義公案小說」，寫俠客保護清官儆惡鋤奸，如石玉昆《三俠五義》中南俠展昭和白玉堂等「五鼠」保衛包公對付壞人，同時糅合了俠客作為被期許彰顯正義的載體，與作為官府爪牙（「俠以武執法」）這兩種矛盾身分。從晚清起，俠客小說特別渲染和誇張武藝，反映面對家國衰落時瀰漫改革自身、振興民族感情的期望，如向愷然《俠義英雄傳》，渲染賣藝拳師霍元甲的生平故事，聲稱有事實根據來增強小說的寫實意味。而「飛仙劍俠小說」中的俠客則精通武功與法術，可以把劍化為寒光成為飛劍，或馭鳥飛升等，如民國還珠樓主的《蜀山劍俠傳》。

「武俠」作為一個複合詞，據考是日本人的創舉。日本明治時代後期的通俗小說家押川春浪曾經有三部以武俠為名而風行一時的小說：《武俠艦隊》（一九〇〇）、《武俠之日本》（一九〇二）、《東洋武俠團》（一九〇七），還創辦了《武俠世界》雜誌（一九一二）。一九〇三年，梁啟超在橫濱辦《新小說》月報的〈小說叢話〉專欄中，有署名「定一」的作者評論《水滸》：「《水滸》一書為中國小說中錚錚者，遺武俠之模範」，這可能是在中文世界中首次借用「武俠」這個外來語。[4]二十世紀中國可以說是武俠小說的世紀。俠作為與當權者對抗的異見分子，被賦予濃厚的、在現代社會日漸被壓抑睨視的浪漫主義情懷；不少俠客專門劫富濟貧，稱為「俠盜」。張恨水在《武俠小說在下層社會》中說：「中國下層社會，對於章回小說，能感興趣的，第一是武俠小說。」[5]現代武俠小說，是在強烈不公政治與經濟現實下，人民無力改變或逃逸，需要藉此消費的欲望感情投射場域。

去性之道德要求

James Liu曾經這樣整合了中國「俠」傳統中具備的素質：無私（altruism）、維護公義（justice）、注重個體的逍遙自在（individual freedom）、忠（personal loyalty）、勇（courage）、講求真誠互信（truthfulness and mutual faith）、信譽／名譽（honor and fame）、寬容大度／慷慨／不計較錢財（generosity and contempt for wealth）。[6]在傳說與想像中，俠被要求道德與體能高尚，奉行超然道德律，足以與神界／大自然／超自然力量接軌，提供逃逸於官宦、城市、家族規範以外的自由想像與快感，協助建立更平等、互信的人際關係，延伸家庭的烏托邦想像，致力於錢財與社會權力的再分布。俠客是把習武之人的道德，發展至最高水平，是習武之人中的菁英。

「俠」雖看似中性，卻並非一種去性別的，反而可以說是一種傾向去性的想像。李華比較唐傳奇小說中女俠與男性豪俠兩者最大的差異，在於女俠雖走出家庭，但其行為大多受家族限制，甚少出現豪俠彰顯義氣，為友仗義、兩脇插刀之舉。清代女俠雖然繼承了唐代女俠奇幻的行俠手段，但顯現出世俗化、人間化的特質，加上清代是封建統治的高峰，藉程朱理學來監控性相及倫理，故清女俠身上的道德枷鎖加劇，貞潔觀念強烈；電影以「忠」「貞」觀念勸世教化。⑦陳樂在討論民國「舊派武俠小說」中女俠的「情感世界」時，也指出民國武俠小說殿堂作家如「平江不肖生和還珠樓主的創作重點不在『情』上，『紅顏禍水』、『俠不近色』的寫作模式仍佔〔占〕主流。」⑧石曉楓在論及二十世紀三十年代前後鴛鴦蝴蝶派小說家「於傳統言情、武俠的套式上，敏銳配合當時婦女解放的語言，將時代對婦女體魄的期許，以武術高強加以投射，並結合愛國觀念」，成就一種「形式上多元雜交」的文體；以茅盾《蝕》三部曲中描寫女性肉感與健美，張春帆《紫蘭女俠》鋪陳女性習武可防身救國的理論，來闡述民國文人以強身救國傳種作為「進步」、「現代」話語如何塑造小說中對女性的審美要求。⑨

第一代

根據《中國電影總目錄》，一九一七年上海商務印書館購買了一批美國人來華拍片的電影器材，在其印刷廠蓋了一間玻璃攝影房，這是中國電影史上第一座攝影棚。一九一九至一九二〇年間在這座攝影棚內拍攝劇情短片《車中盜》，改編自美國偵探小說《焦頭爛額》中〈火車行動〉，寫車中強盜橫行，義士路見不平，挺身而出；當中穿插雙方追逐、打鬥的場面，被稱為「武俠打鬥片」，可見中國早期電影對「武俠片」的定位並不限於古裝片；中國「武俠片」定義大概是動作打鬥與義士元素的結合。觀乎文首引鄔麗珠訪問，更可見在中國早期武俠片創作人眼中，外國的偵探片也被視為武俠片之一種，亦為他們的參考對象。

《車中盜》導演為任彭年（一八九四—一九六八），商務印書館活動影戲部出品，一九二一年在上海愛倫影戲院首映。[10]一九二一年七月一日，由中國影戲研究社出品的中國第一部長「故事片」《閻瑞生》在上海夏令配克影戲院首映，編導亦為任彭年。電影根據真人真事改編，寫上海洋行職員閻瑞生勒死妓女王蓮英，畏罪潛逃最後被處死刑。案件發生後被改成文明戲再被改成電影，公映後「贏利甚豐」。[11]任彭年十六歲進上海商務印書館，一九一八年起在該館的活動影戲部工作。在一九二八至一九三四年間，任彭年導演了《豹子頭林沖》（一九二八）、《狄青大鬧萬花樓》（一九二八）、《女大力士》（一九二九）、《大鬧五台〔臺〕山》（一九二九）、《關東大俠》（十三集）（一九二八—一九三一）、《女俠黑牡丹》（一九三一）、《女鏢師》（一九三二）、《大破惡虎鎮》（一九三二）等。抗戰爆發後移師香港並導演了《怪俠一枝梅》（一九四〇）、《永春三娘》（一九四一）、《女鏢師》（一九四一）、《女鏢師續集》（一九四七）、《七六號女間諜》（一九四七）、《女羅賓漢》（一九四七）、《女勇士》（一九四八）、《萬眾一心》（又名《血染孤城》，一九四八）、《神秘女俠》（一九四九）等。一九四九年以前，他共編導了七十三部電影。[12]一九二九年《大亞畫報》上有一整版報導及宣傳《關東大俠》的專刊，其中寫導演任彭年一段，特別強調他是「精武體育會會員。練習頗有心得」；「君乃開導演武術片之先河。歷時九年。出品數十種。不僅在國內資格最老。即南洋亦負盛名。」[13]他於一九二七年創辦月明影片公司，其妻鄔麗珠成了月明電影出品的主角，也是《關東大俠》十三集的主角。從這位第一代（或第一位）中國武術片導演的片單中或可窺見，女俠的身影在早期中國武俠片中從未缺席，更經常作為主導角色出現。

據一九四〇年《青青電影》報導，以「月明公司在港復活」為題，指「月明港廠」從南洋抵港後籌拍有聲之《關東大俠》一片，指的應該是一九四一年六月在上海首映的《無雙女俠》。[14]這裡提到任的武術片在南洋亦負盛名，並指鄔麗珠在南洋極受歡迎，這些解釋了一九四〇年「月明港廠」的出現。中國早期電影的南洋市場，是指在南洋群島（新加坡、馬來西亞、印尼等）、越南、泰國及菲律賓等地，有大量來自廣東、福建的華人／華僑，對故鄉的文化產品需求甚殷，致星馬甚至有「粵劇第二故鄉」之稱。早於一九三三年，上海天一公司（邵氏前身）與粵劇名伶薛覺先合作，把覺先聲劇團戲寶《白金龍》拍成電影，在南洋非常賣座，於是天一公司在一九三四年在香港成立天一影片公司香港分廠，生產粵語片，目標觀眾是東南亞華僑市場。「香港地理位置較上海更靠近南洋，而且是免稅自由港，這對製片廠家和片商均十分有利。」[15]因此，不少資金及電影工作人員紛紛從上海來港，藉香港的地理及政經優勢打入南洋市場。南洋市場的觀眾特別鍾情武俠動作片，所以香港在第一代中國武俠片出現的時候已經在扮演作為中國與南洋華僑溝通的橋梁。「這個時期，香港已經成為華南一隅的電影生產工廠，供應『南洋四屬』海外華人的方言電影消費，也編織了香港——新馬電影文化網絡的第一波。」⑯

巾幗英雄

中國電影特技技術的發展猶賴武俠類型片的推動。據載當時《火燒紅蓮寺》（一九二八，張石川）為了占領市場：「製作人員鑽研土法特技，發明了被武俠電影沿用至今的借助鋼絲飛簷走壁的特技，以及劍俠騰雲駕霧、御風而行、隱身復現等特技攝影」，配合「放飛劍、鬥掌風」等動畫特技。放飛劍的「黃氣一道」、《火燒紅蓮寺》中胡蝶演的紅姑「全身衣服亦呈紅色」，乃是在膠片上逐格填上色彩的效果，是中國電影人手加色的開端。⑰曾主演《紅俠》（一九二九，文逸民）的范雪朋回憶道，她的角色在膠片上用墨水染成紅色，並要求明星公司在塑造《火燒紅蓮寺》中的紅姑時也仿效。這些電影特技的發展，一方面繼承中國女俠作為「巾幗英雄」常以紅頭巾裹髮來標誌女性「本色」／「陰性」傳統，另方面使女俠形象更鮮明突出，加強商業元素，更（矛盾地）強調女俠超然於現實血肉之軀的位置，並深深地影響了香港武俠片的風格與選材，包括其中的女俠、誌怪傳統，為戰後香港商業類型電影的發展奠下基礎。如現在還可以看到、戰後在香港出品的三集《江湖奇俠》（一九四八，陳煥文、但杜宇）就明顯繼承了這傳統，雖然片中紅姑的角色不算突出，但上片時廣告卻標榜由「稽璐璐飾演紅姑／飛簷走壁／大顯身手」，同時又以「紅姑為救失子夜探虎穴」作招俠。一直到一九六五年，邵氏推出「彩色武俠世紀」計劃，由張徹策劃，首作《江湖奇俠》（一九六五，徐增宏）也是選取改編《江湖奇俠傳》中的「火燒紅蓮寺」情節，並由凌波飾演紅姑，也是一身紅衣紅巾打扮。

武打明星的誕生更進一步促進了早期中國電影市場的建立。這些有市場號召力的武打明星（或「打星」）不限男女，如友聯的范雪明、徐琴芳；慧沖的張慧沖；月明的鄔麗珠等，共同參與製造新的性別話語及欲望。「『女俠片』這個亞類型造就了一大批女明星，她們靈活而健美的身體大大改變了上一代女演員塑造的形象。早期女演員們儘管裝扮摩登，卻保留著傳統女性殘留下來的特質和受壓抑的身體語言。新一代女星吳素馨（《夜明珠》）、鄔麗珠（一九一〇—一九七八，綽號『東方女范朋克』）、范雪明（一九〇八—一九七四）、夏佩珍（一九〇八—？）、徐琴芳和胡蝶，在觀眾心目中經常跟她們在電影中扮演的劍俠畫上等號。」[18]在中國第一代女俠片《女俠李飛飛》（邵邨人、高梨痕編劇，一九二五年十二月十七日在上海中央大戲院首映）中，李飛飛作為女英雄飛簷走壁，武藝高強，以劫富濟貧贏得百姓的擁護。在目前可看到的三部早期女俠片中，包括《紅俠》、《女俠白玫瑰》（一九二九，張惠民）缺本與《荒江女俠》第六集（一九三〇，陳鏗然、尚冠武）缺本，可見有幾點共通：家族男性要不缺席要不體弱；族群面對危機時，女性必須肩負復仇或抵禦外敵的重任。在鍛鍊的過程中，她重塑自身及裝扮，學習武功，變得中性、性別曖昧，或如在《紅俠》中必須放棄男女私情。這些都呼應了「俠」的去性論述傳統。女俠在這些電影中既陰且陽，神人合一，充分利用電影這新興媒體售賣景觀的可能性，讓（各種性別的）觀眾盡情投射想望。

一九二九年《大亞畫報》上《關東大俠》專刊宣傳鄔麗珠為扛起全片的主角（並沒有介紹男主角查瑞龍），電影主要以她作為賣點。幾張劇照分別題為：「迷離撲朔莫辨雌雄」、「英雄兒女原來一樣心思」、「這賣花女正是女專諸」、「鍛鍊成鐵漢身軀」、「矯若游龍翩若驚鴻」等，可見鄔麗珠當時的身材矯健、臉形瘦削但滿身肌肉、裝扮忽男忽女，演賣花女也是劇情需要的喬裝。文字部分有副標題為「紀鄔麗珠」一段，尤其強調她的陽剛及武功的鍛鍊：「以鄔麗珠女士為主角。女士浙江四明人。即任愛珠之令妹也。天資聰慧。貌尤冰雪〔……〕一技一藝。均能發揮無遺。表情細膩。舉動活潑。不僅天才獨鍾。工〔功〕夫亦有深造。今為新生活公司主演關東大俠。飾劇中之盜首窈娘。英氣勃勃。萃於眉宇。身段矯捷。武工勇邁。較諸往昔。大有進境。聲名日以鵲起。女明星中以武術鳴者。當以鄔女士為首屈一指。」[19]

武俠現代性

中華武術學校的發展與中國革命淵源甚深。精武體育會創辦於一九一〇年，當時同盟會元老、孫中山的股肱之臣陳其美從日本回國，在浙江、上海等地從事革命活動。他考慮到武裝起義，推翻帝制，建立共和，需要大批軍事人員，便打算創辦學校，培養軍事人才。於是，陳其美找來當時已頗有俠名的霍元甲，一起創辦「精武體操學校」，計劃挑選志向堅定、體格強壯的年輕人，希望十年內訓練出千名有強健體魄的青年，以適應革命需要。一九一九年，孫中山受邀參加精武會成立十周年慶典，親筆為精武會題寫了「尚武精神」四個大字；精武會可以說是孫中山革命與體育思想結合的具體實現。孫中山為《精武本紀》所作序文中道：「精武體育會成立既十年，其成績甚多，識者稱為體魄修養術專門研究之學會，蓋以振起從來體育之技擊術為務，于〔於〕強種保國有莫大之關係。推而言之，則吾民族所以致力于〔於〕世界和平之一基礎。」[20]於是，民間習武之風盛行，北京、天津、上海、南京等地均成立「精武會」、「國術館」等，製造了武術話語流行的社會環境。所以，前文提到一九二九年《大亞畫報》上介紹《關東大俠》任彭年為「精武體育會會員。練習頗有心得」，除了是加強他所拍的武術片的可信度，也暗示他是一位具有愛國品德的現代男兒。「精武」，亦成為在二十世紀香港電影中不斷出現的符號。

中國武俠片是一種最被海外市場接受的華語電影類型；在華語電影研究中，也是最被外語電影研究學界廣泛論述的類型。武俠片匯聚舞蹈、戲曲、神怪、魔幻元素，把俠義、武打、傳奇、動作結合而自成一類型，把觀眾抽離現實，把武力非暴力化，提倡符合儒家道德的俠義倫理，忠奸分明、善惡有報、鋤強扶弱，並繼承中國傳奇、章回及武俠小說的傳統，在動盪不安的時代賦予人逢凶化吉、伸張正義的感情及道德慰藉。武俠片類型滿足了公眾求存與向上流動的欲望，讓某一個政治經濟脈絡中的不同身分符號（如種族、國家、性別）顯得更容易流動，更適合（半／後）殖民全球化的語境。張真認為中國武俠片展示的「白話現代主義」，融合了古代俠客及現代超人，加上「在技術和社會層面的越界」，衍生一種通俗魅力，也結合了「現代渴望、通俗趣味和先鋒實踐的烏托邦民間文化」。[21]一方面它發揮早期「新奇電影」（cinema of attractions）的特質，在攝影、特效、運鏡和剪接上進行實驗，推進中國電影語言現代化，敘事節奏也超過倫理劇及愛情片，較貼近現代視覺刺激及城市步伐對現代人身體感知的衝擊。

作為現代性的中介，無獨有偶，中國現代武俠文學、白話文運動與中國敘事電影同期興起。報紙雜誌的廣泛普及，加上印刷業的勃興，為武俠小說提供了向大眾傳播的條件，成為消遣娛樂的最佳讀物。五四以後不少報紙雜誌都連載白話新派武俠小說，如一九二三年在《紅雜誌》上《江湖奇俠傳》開始連載，共一百五十章，被認為是現代武俠小說浪潮的「揭幕」之作。一九二八年，明星公司把其中一部分情節改編成電影。[22]張真指出，武俠片特色為強調身體、尚武精神與自然風土三者間的關係，讓觀眾享受超出肉身能量或力量的想像（在第七章中會進一步討論），如武術類型電影的其中一大特色為呈現飛天。飛天的意象，是中國早期電影挑戰及呈現身體極限的重要賣點，與中國現代性緊緊扣連。它弔詭地衝破過去與現代經驗作為一持續整體的直線關係，讓觀眾同時召喚過去又體驗現代。武俠電影中的飛天，需要仰賴攝影技術的精準設計、現場及後製特技、剪接及沖洗科技的改良等組合，製造視覺幻象，可以說是一種完全依賴現代科技的產物，但又同時需要透過吸取中國前現代武功及俠客敘事來加強寫實與感染力。武俠片可以說是一個糅合了前現代倫理與身體觀、魔幻神靈的宗教觀、現代欲望及前衛藝術形式的場域。

在中國電影歷史的脈絡中，武術電影也是一個非常多元的領域，並非單一類型。[23]其中女俠電影作為一種副類型，凸顯電影作為視覺景觀及製造劇戲之間的張力；武術電影中女俠數量及比例之多，也許一方面表現女性在公共空間的出現與流動作為新興階層的吸引力，另方面也顯示社會權貴及父權勢力對公共女性日益壯大的存在及能動力感到焦慮，需要在銀幕上消費她們以舒緩焦慮，如上一章論及的「新女性」。也許這也（部分）解釋了女俠電影中的性別模糊／中性／非性化傾向。無論如何，武術電影吸收了中國現代武俠小說的資源，並造就提供了一個前所未見的嶄新平臺，呈現及探討現代社會中所謂低俗流行文化與高檔文化之間；科學技術與魔幻神鬼之間；女性能動力、自主意識與消費女體之間的矛盾；身體與性別越軌（transgression）及逸出（excess）的美學政治、草根公民社會與無政府主義等議題的可能性。包未鴻更指出中國女俠片淵源不單來自既有的文化形式，也借鏡當時統占上海市場的好萊塢連續片（serials）中歐美動作女星粗壯的體魄。[24]女性身體的自主、中性化及在不同公共空間的流動，這些都協助建構了中國電影中所呈現的現代性。[25]

武俠類型片的建立與南遷

一九二八年至一九三二年間，湧現了第一個「（中國）武俠電影創作浪潮」。㉖中國武術電影類型迅速冒起與衰落；這幾年間上海大約有五十家電影公司拍攝了約二百四十部武俠片和所謂「武俠神怪片」，占同期總電影數量之六成；光一九二九年就有八十五部，可見武俠片製作一時之盛。㉗當時上海不少電影公司都積極參與武俠片類型的製作及開發，如一九二五年陳鏗然創辦的友聯影片公司出品《荒江女俠》（一九三〇－一九三一，陳鏗然、鄭逸生、尚冠武），共十三集。被指為掀起中國武俠片第一次浪潮的《火燒紅蓮寺》（第一集）（改編自平江不肖生的《江湖奇俠傳》），一九二八年五月十三日於上海中央大戲院首映之前，有文字記載的武打俠義類電影至少有三十多部，包括寫江湖女藝人援助苦難貧民的《女俠李飛飛》、有俠女替父報仇的《兒女英雄》（第一集）（又名《十三妹大破能仁寺》）（一九二六，文逸民）、有男女二劍俠共同鏟除惡霸的俠義故事《雙劍俠》（一九二八，陳鏗然）等。

當時有電影雜誌報導觀眾在戲院燒香供奉銀幕上出現的神仙，可見觀眾對於（即便非寫實）電影的投入，及電影如何作為現代觀眾欲望與前現代宗教想像之間的橋梁，同時具有政治及美學上的解放潛能。中國早期武俠片被國民政府及文化菁英視為低俗，粗製濫造、封建迷信等。一九三〇年十一月三日，《電影檢查法》經立法院通過；一九三一年二月，國民黨電影檢查委員會成立，開始要求對電影發放許可證。《火燒紅蓮寺》在一九三一年六月二十七日取得許可證，七月二十一日被撤回。[28]國民政府電影審查官員尤其著眼於此類型電影及整體電影工業蘊含（或鼓動的）的無政府傾向，批評電影鼓吹迷信、性濫交及欺詐觀眾等；一九三一年始，武俠片遭到嚴厲審禁，導致很多本來靠製作低成本武俠片維生的小公司被迫關門大吉。三年之內，六十多部武俠神怪片被禁，占所有被禁國片的百分之七十。[29]一九三七年鄔麗珠藉接受訪問的機會，談到武俠片的產量雖然減少，但武俠片絕對不能消滅，因為武俠片所表示的是「尚武精神」；「這尚武精神對觀眾毫無毒害」；「而它所表示的意義，只是反抗」（見本章開端引文），正是要與這樣的時勢對話。[30]國民政府對武俠片的打壓，加上日本侵華，導致電影製作資源南移，造就了香港武俠片的出現。

據《香港影片大全第一卷增訂本（一九一四—一九四一）》中資料顯示，一九一四至一九三五年間，香港的主要電影類型是時裝倫理與愛情片，間或有一些喜劇、鬧劇，幾乎沒有武俠片的文字記載。據周承人、李以莊對早期香港電影史的研究，首開香港功夫片的是蘇怡導演、關德興主演的《神鞭俠》（一九三六），結合習武與族人聯手抗日。[31]在一九三八至一九四一年間，上海進入孤島時期，從上海遷港的創作人如洪仲豪、任彭年等，拍了不少功夫片，「基本上是上海被禁影片的翻版」。[32]而中國境內武俠片的製作與消費也沒完全停頓。當中有翻炒舊橋，如藝華影業公司一九四〇年出品的《火燒紅蓮寺》（吳文超）、一九四一年出品的《紅蝴蝶》（吳文超、文逸民）等。也有模仿西方類型片，如一九四一年藝華《中國羅賓漢》（吳文超）等，表現上海作為半殖民地的文化處境。同時也有以歷史題材借古喻今的古裝武俠片，如《木蘭從軍》（一九三九，卜萬蒼）。這些皆成為香港武俠類型電影發展的基石。

女性陽剛與殖民現代

三十年代末，香港繼承上海成為冒險家的樂園。自四十年代以降，香港武術片數量劇增，很大程度上是上海武俠類型片的延伸。其中常見的「女俠」角色，常被論者以歐美女性主義的標準評價，在挑戰或重新肯定二元性別分工之間擺盪。徐克曾經公開指出，香港電影的特色，正在於性別再現；好萊塢電影中的女性「不論性格多剛強而獨特，到頭來總是掉進某種傳統、保守的浪漫關係中。我們從不視香港電影中的女性為一種威脅，對於選擇用哪一種性別使故事更有趣也沒偏見」。[33] 在中國重文輕武、性別不一定二元的歷史傳統中，陽剛與男性幾乎沒有必然連繫；民國武俠片中第一男主角的不陽剛反而會刻意被強調（或自嘲／調侃），如《紅俠》中體弱怯懦的書生表哥文仲哲，由導演文逸民飾演。至於「俠」則不論性別，都可以在陽剛與陰柔之間來去自若，像前文提到中國第一代女俠片中的「巾幗英雄」。

「女俠」，同時作為一種現代女性模範及現代女性的欲望投射對象，在二戰後香港任彭年／鄔麗珠打造的作品中尤其明顯。一九三五年《影壇》雜誌第五期第二頁更以全版報導「有男子氣概的鄔麗珠小姐」，刊登了她騎著摩托車又吸菸斗的照片。《七六號女間諜》廣告也以她忽男忽女作招徠。電影中第一場，側鏡特寫七六號女間諜（穿女裝的鄔麗珠飾）開車時的面部及半身[34]，接下來的廣角鏡頭凝視她在沒有助手或高臺的輔助下，自己一步步游繩爬上高牆圍欄，顯現身手。

接下來她至死不屈成功通過黨國考驗，被派往「H島」對付川島芳子。片中餘下的大部分場面，七六號均以男裝出現，連在酒店房間看來獨自一人或只有同夥如任意之飾的六號女間諜在時，她一概穿著（男）西裝打領帶。還有不少特寫呈現她脫衣服、穿衣服、戴帽、對錶等凸顯她（掌握資本、洋化）陽剛性的鏡頭。《女羅賓漢》的敘事可能有參照《中國羅賓漢》，但女羅賓漢的角色扮相及服裝造型卻跟《女俠白玫瑰》中的白玫瑰相當接近，只是在身段、身體語言及氣質上，演羅賓漢的鄔麗珠比演白玫瑰的吳素馨都要陽剛得多。《女羅賓漢》中鄔麗珠大多是打扮成男裝羅賓漢，至最後一場才撕去鬍子。與手足們開會，大家說：「他們都想見見羅大哥」，正道出了觀眾的凝視與欲望。在這些電影中，鄔麗珠的性別易裝已經溢出劇情或角色的要求，只為了不斷向鏡頭及觀眾展演她／他的帥氣。

以鄔麗珠的性別易裝作為電影的招徠，對三十年代中國女俠片的觀眾早已不陌生。一九三一年上海《影戲生活》雜誌封面上便是鄔麗珠的西洋劍俠易裝照，扮相除鬍子外也預告了《女羅賓漢》中的造型，圖旁還附打油詩一首：「雄糾糾，氣昂昂，舞起劍來窈牢窈。撐柳腰，挺胸膛，不識誰家好女郎。雄不雄，雌不雌，原來是，女星隊裡的鄔麗珠。」[35]猶堪玩味的是，雖然鄔麗珠在電影中不斷展示男子氣概（或陽剛性），但以性別易裝馳名野史的川島芳子，在《七六號女間諜》中反而完全沒有易裝的呈現，可見易裝在此是作為一種勾引認同／欲望的話語，須與電影的意識形態題旨（愛國抗日）配合；只有正面角色——女俠——如七六號、女羅賓漢等，才能易裝。（同樣，川島芳子穿梭於中日之間的現代流動性也在電影一開場就轉移到「從日本回來三年」的七六號女間諜身上。）

性別流動從來是古代中國士商階層男性的特權，唯在現代武俠的想像世界中，女性可以透過成為俠（具備高尚愛國情操），享有最大的性別及文化流動性，並成為現代性的符徵。這個女俠論述傳統，將在往後三十年的香港電影中，持續發酵，得待導演張徹及後李小龍的出現，才受到挑戰。而武俠與國族主義的掛鉤，則更在李小龍身上發揚光大，詳見本書第七章的討論。

真正功夫

比李小龍早三十年就打開功夫市場的鄔麗珠已經堅持呈現拳腳搏鬥的寫實性，奠定了香港武術片一種寫實路線傳統，包括隨後不久便出現的黃飛鴻電影，後來成為香港最長壽電影系列。[36]就目前可以看到的一些任彭年與鄔麗珠電影，如香港時期的《萬眾一心》、《七六號女間諜》、《女羅賓漢》等，均有相當大篇幅、無對白，強調鄔麗珠「真正功夫」的打鬥場面。七六號女間諜經常赤手空拳，把男性一一擊敗，男性唯一可以制伏她的時候就是持槍指著她，但縱使這樣也常常不是她的對手而讓她溜走。一九三一年上海出版的電影雜誌《影戲生活》第一卷中，當時評論尤其讚賞月明公司旗下的鄔麗珠，指其「矯捷如飛。腳步穩健。與人相搏時。速而不亂。可知具有真正功夫。〔……〕為其他武俠女星所不能望其項背」，並從而作出「國產武俠片之前途，實未可限量也」的結論。㊲可見這些電影中強調「真正功夫」的場面設計，正是月明公司和鄔麗珠的招牌，也為早期中國武術電影及往後的香港功夫片樹立了榜樣。所謂「真正功夫」，即重視拳腳而非槍械等武器，也同時顛覆科學與魔術、自然與文化、幻想與欲望的界線，糅合舞蹈、功夫、戲曲傳統與電影科技的探索，迫使現代觀眾重新想像身體可塑性，與作為一種改變現實工具的媒體／中介。

《七六號女間諜》在電影開始後約十八分鐘有一段長約兩分鐘、跟著兩位女間諜來到所謂「H島」（明顯指香港）的外景場面，以空鏡凝視維多利亞港、天星小輪、中環電車、淺水灣酒店等。這段對香港街景的紀錄片式特寫，加上片中大量出現的香港地名，如沙田、淺水灣、金馬倫山；地圖上堅尼地城、香港仔、牛池灣、九龍城等㊳，建立這城作為一種奇觀式的、處於歷史中心的存在，並強調其作為繁華大都會的殖民現代性，正如片中川島芳子對「H島」的描述，它是「遠東的軍事瞭望台（臺）」，它和星洲是帝國的一對眼睛」。身負國家級任務的特工從黨國中心遷至海島的旅程，猶如任彭年與鄔麗珠這些上海舉足輕重的影人南移到香港，重新打造讓他們可以一展身手的舞臺。《七六號女間諜》與《女羅賓漢》等電影，一方面召喚著民國上海半殖民現代的跨文化特色，另方面對「真正功夫」的追溯也可看成是對二、三十年代上海武俠神怪片高潮的回應，刻意召喚肉體上的觸感想像而非視覺快感帶來的迅速宣洩或昇華，並利用鄔麗珠的獨特身體技能來破除迷信、重新強調武俠動作片的寫實，從而回應更深度的香港殖民現代性。

家國團圓

一九二九年《大亞畫報》上《關東大俠》專刊中提到任彭年喜用「演員多半自家人。極富有團結性也」。[39]他自資創立東方第一公司，由妻愛珠當主角，其弟彭壽飾要角，後來愛珠過世後任彭年娶其妹，鄔麗珠成了任彭年電影中的主角。《女羅賓漢》中任彭年的女兒任意之演漁家女小蘭，救了羅賓漢的性命並帶他回家，可算是片中的女主角，與「羅大哥」的關係也相當曖昧；在《七六號女間諜》中任意之飾六號女間諜，為七六號女間諜的得力副手。對武俠的鍾情及想像，與對家的關愛團結，兩者之間的關係在哪？

女性因為報效國家武裝自身而被冠以女俠之名，清末最有名的莫過於「鑑湖女俠」秋瑾。二十年代曾拍《大義滅親》（一九二四）及《愛國傘》（一九二四）等片的任彭年[40]，在《萬眾一心》、《七六號女間諜》等片中加入「愛國」作為「女俠」的變種主題，從而把「女俠」題旨當代化，來回應維護「忠貞」的傳統；面對日本侵華，女俠作為一種愛國間諜的角色塑造，也可看成是糅合了中國傳統女俠報恩（報國）和復仇（反侵略）的情感結構。「俠」講求的「江湖」規矩，作為一種儒家倫理（禁慾修身）的延伸，為超越個人的原因／目的而動武，強調用武的理性與感性，在《萬眾一心》、《七六號女間諜》的愛國題旨中找到當代的政治歸屬。

甚至「羅賓漢」這個寫俠盜劫富濟貧的英國民間傳說，也被挪用及儒家化為一個重新肯定家國天下，反對官民奪權的愛國文本。[41]《女羅賓漢》的敘事是：國王病危，臨終前立下詔書，委託政務大臣羅正卿輔助年幼的太子登基。軍機大臣司徒揚明待國王駕崩後，軟禁太子，繼而獨攬大權。羅正卿不滿司徒大臣導致民不聊生，決定辭官歸隱。羅大臣的女兒瞞著父親，女扮男裝，以俠盜羅賓漢的身分，四出劫官濟民。期間，太子不允讓位予司徒大臣，司徒一怒之下，命御林軍長張忠耿殺死太子。張為忠臣，不忍加害太子，於是與羅賓漢合力將太子救離宮中。司徒乘太子不在，偽做詔書，自立為王。幸羅賓漢盜回國王遺詔，揭發司徒的陰謀並將他殺死，最後太子成功登位。電影最後一場，正是羅賓漢在年幼的太子皇座前低頭鞠躬受勳，赫然撕掉臉上的鬍子，讓羅大臣發現羅賓漢原來就是自己的女兒，於是家國大團圓。

這樣看來，電影中容易被看成所謂顛覆性別規範的部分，如《女羅賓漢》中的「羅大哥」被呈現為有勇有謀、統籌大局（帶領一眾猛男）、力挽狂瀾的幕後首領；在《七六號女間諜》中偷了敵方男人腰間的手榴彈、拾起地上磚頭砸敵方男人的腳、阻止我方男人開槍、指示眾多男人蹲下列隊布陣；這些也可讀成是在國家崩壞，中國男性受到史無前例挑戰的年代，女俠代替生理男重整陽剛性，好讓生理男重新回到皇座，叫大家重新擁抱家國。（導演／忠臣的）「家人」，在這些電影中，賦予救國唯一的希望。還是，在無法救國的時代，只能透過強化及團結家，才能在電影中重建對國的想像與希望？

對於這個家是否能重建，如何重建，個人小宇宙與大環境之間的矛盾張弛如何協商，戰後南來影人的作品中充滿各種寄寓。五十年代中任彭年重拍《永春三娘與洪熙官》（一九五六）的故事，描述永春三娘（鄔麗珠）離鄉多年後回鄉，發現人面全非，父親被人謀害，小妹遭人擄掠，鄉民飢寒交迫、苦不堪言，於是邀約異地師弟洪熙官（曹達華），協助殲滅強搶土地、統治農民的惡霸李蓋世（劉克宣）。電影籠罩著濃厚的失落情懷，故事在國仇家恨已成為既有現實的基礎下展開，把為父報仇與復興家國的題旨重疊；兩者均需要群眾團結動員，才能有扭轉局勢的希望。當時報上有評論讚賞久違了的鄔麗珠，指她雖然身材有變但身手依然：「雖然近數年來很少見到鄔麗珠這個名字，但觀眾對她精彩的武俠演技是不會忘記的。她身段似乎比以前稍稍胖了些，但是矯捷未減，動作仍然那樣清脆、敏捷」，更特別指出「這是部較為新穎的武俠片。不但打得精彩、逼真，最主要還有一個好的故事」[42]；電影開場安排永春三娘替農婦接生等文戲，是為了讓這位女俠的仁與義更女／人性化，強調戲劇與武俠的糅合，為往後的武俠片開創更多新鮮的可能。在《七六號女間諜》與《永春三娘》

中均演鄔麗珠得力助手的曹達華，自十五歲在上海參演《關東大俠》出道，成為任彭年固定班底之一員，來港後出演《黃飛鴻》系列，從第一集始演最重要的主線貫穿人物（除黃飛鴻外）大弟子梁寬。曹達華同時亦以《如來神掌》（一九六四—一九六五，凌雲；共五集）中的龍劍飛，與眾多偵探及間諜電影中的角色「華探長」深得民心。

南北匯聚的江湖

任彭年、鄔麗珠與曹達華這一批於上海出道的武俠電影創作者南遷，對香港電影工業造成非常深遠的影響，從此香港電影再不一樣。他們帶來了武俠片作為一系列開放多元的類型，含功夫、誌怪、間諜、偵探、古裝、洋裝、民初及時裝等，其中對於身體政治、拳腳武打、性別（尤其女性）角色塑造、殖民現代、去國情懷、復仇與俠義精神等的探索，為往後幾十年的香港電影提供了豐富的文化資源，過去在滬港兩地的電影研究中卻仍被相對忽視。

作為中國第一代武俠女星的鄔麗珠，來港後奠定了香港武俠片中喜用非廣東（廣東人稱「外省」）女星演女俠的傳統，如北平人于素秋、湖北人雪妮等，讓香港武俠片成為一個南北匯聚的場域。任彭年在一九六三年退出影壇前執導（由鄔麗珠任製片）的最後一個電影系列[43]，是改編自上海作家小平原著的《女飛賊黃鶯》[44]：《女俠黃鶯擒兇記》（一九五九）、

《女俠黃鶯夜破三屍案》（一九五九）、《女飛俠黃鶯巧破鑽石黨》（一九六〇）、《秘密三女探／秘密三女將》（一九六〇）。此系列中鄔麗珠演的「鄔雅」（與「烏鴉」同音）為于素秋演的黃鶯的助手，可以說是延續又轉化了中國（男）文人在武俠片中的自我調侃傳統，並協助把香港電影推上仗義女俠與時尚現代女性結合之路，幫忙造就了六十年代所謂「珍姐邦」電影潮流的出現。[45]于素秋演的黃鶯深入人心，六十年代她在超過一百部電影中出演女俠、間諜、偵探等俠女型角色，古今皆宜。在《女羅賓漢》及《七六號女間諜》中初登銀幕的任彭年女兒任意之[46]，五十年代加入鳳凰影業公司，任副導演與編劇，後來成為香港電影史上少數的女導演之一，且創作甚豐，導演及編劇作品不少於二十部。

本章企圖了解中國在面對西方文化輸入（包括電影科技），與自身現代化過程中產生的焦慮不安、新的欲望製造與牽引，如何透過電影消化、抵抗，及移置這些現代情感，過程中當然也需要挪用中國既有的文化資源及道德意涵，並重新打造合乎現代國家與性別等框架的身分再現。香港四十年代歷經磨難，由於天時地利成為南北匯聚的江湖，吸收了戰前民國電影製作的人力及文化資源，糅合上海與香港在地的殖民現代性，改變了三十年代香港類型電影的發展與風格，為戰後香港電影開創多種重新出發的可能。

註釋

① 本章部分內容初稿為〈香港女俠電影溯源——試論任彭年與鄔麗珠在四十年代香港〉，《探索一九三〇至一九四〇年代香港電影下篇：類型．地域．文化》，郭靜寧、吳君玉編，香港：香港電影資料館，二〇二二年，頁二八〇—二九一。

② 甘草：〈鄔麗珠訪問記〉，《新聞報．本埠附刊》，上海，一九三七年七月一日，頁二。

③ 賈磊磊：〈緣起——中國武俠電影的歷史溯源〉，《武舞神話：中國武俠電影縱橫》，北京：中國人民大學出版社，二〇一四年，頁二六。

④ 賈磊磊：〈緣起——中國武俠電影的歷史溯源〉，《武舞神話：中國武俠電影縱橫》，北京：中國人民大學出版社，二〇一四年，頁二九—三〇。

⑤ 羅立群：〈武俠小說的狂潮期（一九一一—一九四九）〉，《中國武俠小說史》，瀋陽：遼寧人民出版社，一九九〇年，頁一九四。

⑥ James J. Y. Liu, *The Chinese Knight-Errant* (Chicago: University of Chicago Press, 1967), -4-6.

⑦ 李華：〈唐代、清代女俠形象對比研究〉，《忻州師範學院學報》，第三一卷第一期，二〇一五年二月，頁四—六。

⑧ 陳樂：〈女俠之情——論民國舊派武俠小說中女俠的情感世界〉，《蘭州教育學院學報》，二〇一八年〇七期，頁二。

⑨ 石曉楓：〈茅盾《蝕》三部曲中的身體想像與敘述——兼及與張春帆《紫蘭女俠》之比較〉，《政大中文

學報》，第二十五期，二〇一六年六月，頁二六八—二七一。

⑩《中國電影總目錄》，北京：中國電影資料館，一九六〇年，頁七。

⑪黃志偉編：〈上海老電影〉，《老上海電影》，上海：文滙出版社，一九九八年，頁四。

⑫黃志偉編：〈導演與演員〉，《老上海電影》，上海：文滙出版社，一九九八年，頁一四七。

⑬一得：〈電影《關東大俠》專刊：任彭年君畧歷〉，《大亞畫報》，第一七七期，一九二九年八月三十日，頁三。

⑭〈大力士彭飛將主演：關東大俠〉，《青青電影》，上海，第五年十期，一九四〇年三月十二日；〈月明公司在港復活〉，《青青電影》第五年第一七期，一九四〇年四月三十日；〈任彭年「關東大俠」在港活動〉，《青青電影》第五年第一八期，一九四〇年五月七日。

⑮周承人、李以莊：《早期香港電影史（一八七七—一九四五）》，香港：三聯書店，二〇〇五年，頁九六。

⑯麥欣恩：〈序〉，《香港電影與新加坡——冷戰時代星港文化連繫一九五〇—一九六五》，香港：香港大學出版社，二〇一八年，頁VII-VIII。

⑰賈磊磊：〈形成（一九二八—一九三一）〉，《中國武俠電影史》，北京：文化藝術出版社，二〇〇五年，頁五二。

⑱張真：〈武俠電影：恣越的身體語言〉，《銀幕艷史：都市文化與上海電影一八九六—一九三七》增訂版，沙丹、趙曉蘭、高丹譯，上海：上海書店出版社，二〇一九年，頁三〇三—三〇六。

⑲影痴：〈電影《關東大俠》專刊：紀鄔麗珠〉，《大亞畫報》，第一七七期，一九二九年八月三十日，頁三。

⑳ 引自國立國父紀念館中山學術資料庫國父全集全文檢索系統〈《精武本紀》序〉https://sunology.culture.tw/cgi-bin/gs32/s1gsweb.cgi?o=dcorpus&s=id=%22EY0000003737%22.&searchmode=basic。原文為孫文：〈《精武本紀》序〉（一九一九年十月二十日），《國父全集》第九冊，臺北：國父全集編輯委員會，一九六五年，頁五九四—五九五。

㉑ 張真：〈武俠電影：忞越的身體語言〉，《銀幕艷史：都市文化與上海電影一八九六—一九三七》增訂版，沙丹、趙曉蘭、高丹譯，上海：上海書店出版社，二〇一九年，頁三〇六—三〇八。

㉒ 賈磊磊：〈中國武俠電影：源流論〉，《電影藝術》，一九九三年第三期，頁二八。

㉓ 根據賈磊磊的研究，中國武俠電影的主要敘事類型，包括神怪傳奇、人物傳奇、古裝刀劍、功夫技擊、諧趣喜劇、魔幻神話六種。（賈磊磊：〈鼎立——中國武俠電影的主要類型〉，《武舞神話：中國武俠電影縱橫》，北京：中國人民大學出版社，二〇一四年，頁四一。）

㉔ Weihong Bao, "From Pearl White to White Rose Woo: Tracing the Vernacular Body of Nüxia in Chinese Silent Cinema, 1927–1931," *Camera Obscura* 20, no. 3(60) (2005): 193-231.

㉕ 包末鴻更提出《白毛女》（一九五一，王濱、水華）、《紅色娘子軍》（一九六一，謝晉）等為新中國成立後對女俠片傳統的繼承與變奏，顛覆了過去中國電影研究對類型電影的既定論述框架，以致一直以來假設內地並沒有武俠片製作的盲點。參考Weihong Bao, *Fiery Cinema: The Emergence of an Affective Medium* in *China, 1915-1945*. Minneapolis: University of Minnesota Press, 2015。

㉖ 賈磊磊：《中國武俠電影史》，北京：文化藝術出版社，二〇〇五年，頁五三一。

㉗ 張真：〈武俠電影：恣越的身體語言〉，《銀幕艷史：都市文化與上海電影一八九六—一九三七》增訂版，沙丹、趙曉蘭、高丹譯，上海：上海書店出版社，二〇一九年，頁三〇一。

㉘ 汪朝光：〈三十年代初期的國民黨電影檢查制度〉，《電影藝術》第三期，一九九七年，頁六三。

㉙ 張真：〈武俠電影：恣越的身體語言〉，《銀幕艷史：都市文化與上海電影一八九六—一九三七》增訂版，沙丹、趙曉蘭、高丹譯，上海：上海書店出版社，二〇一九年，頁三五一—三五二。

㉚ 鄔麗珠認為武俠片所表示的意義「只是反抗」一點，與她訪問中提到喜歡的作家，在本書中其他章節中會再論及。

㉛ 這可能為關德興鋪墊了在戰後香港主演拳腳功夫片黃飛鴻電影系列（一九四九—一九六一）的道路。第一部黃飛鴻電影拍攝於一九四九年，名為《黃飛鴻傳》，分上下兩集，改編自朱愚齋原著《黃飛鴻別傳》，由吳一嘯編劇、胡鵬導演、關德興演黃飛鴻。上集又名〈鞭風滅燭〉，取其最後一幕黃飛鴻與黃貔貅比武，用鞭滅燭火示威得名，有可能是繼承《神鞭俠》的功架設計，但由於目前無法看到《神鞭俠》，未能引證。可參連民安、吳貴龍編：〈關德興的「黃飛鴻」電影傳奇〉，《星光大道——五六十年代香港影壇風貌》，香港：中華書局，二〇一六年，頁六四。

㉜ 周承人、李以莊：《早期香港電影史（一八七七—一九四五）》，香港：三聯書店，二〇〇五年，頁二四九。

㉝ Tsui Hark says, "no matter how unique and strong their [Hollywood women] characters, usually end up falling into some kind of conservative, traditional romance. In Hong Kong, we are never 'threatened' by the females in our films and there is no bias in choosing which gender is making the interesting things in the story." Quoted in Lisa Odham Stokes and Michael Hoover, *City on Fire: Hong Kong Cinema* (New York: Verso. 1999), 28.

㉞ 三十年代上海報刊中有大量報導鄔麗珠跟一般女明星不同，因為她「擅駕駛汽車」，且「取得工部局的執照」，可見女性開車並獲駕照當時仍被看成是新奇的事物。如：〈鄔麗珠的嗜好〉，《上海商報》，一九三四年十二月二十五日，頁二；〈鄔麗珠擅駕車〉，《上海商報》，一九三五年一月二十日，頁二；〈鄔麗珠馳騁郊外〉，《新聞報本埠附刊》，一九三五年五月七日，頁五等。

㉟ 玉風（戲題）：《影戲生活》，上海，第一卷十四號，一九三一年，封面。

㊱ 一九四九至二〇一八年間，以黃飛鴻為主題拍攝的電影達一〇五部。

㊲ 「中國武俠片能提倡尚武精神。及女子體育者。當首推月明公司所出之諸影片。如鄔麗珠，查瑞龍主演之關東大俠，女鏢師，飛將軍，東方四俠，七星刀等片。其武功可謂已臻上乘。後起之秀。美麗武俠女星鄔麗珠。〔……〕其身段短小精悍。矯捷如飛。腳步穩健。與人相搏時。速而不亂。可知具有真正功夫。尤以飾東方四俠之唐雪姑。與賊人惡鬥時之身手矯捷。步法最妙。為其他武俠女星所不能望其項背。故有東方女范朋克之稱。在飛將軍反串貞靜幽雅之大家閨秀。其容貌之艷麗。姿勢之婀娜。令人羨慕。惜表情欠佳。引為憾事。然其武藝之驚人。可謂女星中之翹楚矣。」韓潮（自廈門寄）：《談國產武俠片》，《影戲生活》，上海，第一卷二九號，一九三一年，頁二一—三。

㊳ 特別鳴謝劉嶔協助提供資料。

㊴ 一得：〈電影《關東大俠》專刊：任彭年君畧歷〉，《大亞畫報》，第一七七期，一九二九年八月三十日，

頁三。

㊵ 「《大義滅親》（一九二四，知白子編劇、任彭年導演）、《愛國傘》（一九二四，「鄭某」編劇、任彭年導演）等片，通過對個人英雄主義的刺殺行為的敘述，鋒芒直接帝國主義及其走狗〔……〕」，見弘石：〈無聲的存在——《中國無聲電影》前言〉，《電影史學的建構與現代化——李少白與影視所的中國電影史研究》，丁亞平主編，北京：中國電影出版社，二〇一二年，頁三〇七。

㊶ 雖然近代流通的版本因為受一八二〇年Sir Walter Scott寫的小說*Ivanhoe*所影響，有時會強調羅賓漢效忠理查一世（King Richard/Richard I），但在現存自十三世紀以降的各種記載中，羅賓漢作為一個在武士與農民之間出身（"yeoman"），並親近底層人民的法外之徒或罪犯（"fugitive", "member of a band of outlaws", "imprisoned man"），並從十五世紀始對抗統治階層，這些才是民間傳說的一貫敘事，他是否擁戴皇權並非重點。可參https://www.nationalgeographic.com/history/magazine/2019/01-02/origins-of-england-folk-lore-robin-hood/。

㊷ 林冬兒：〈《永春三娘與洪熙官》〉，《文匯報》，一九五六年八月二十一日。

㊸ 就目前可見的資料，《女飛賊黃鶯》系列後，任彭年還至少執導了四部電影，為：《崑崙三女俠夜盜香魂帕／崑崙三女俠夜盜香羅帕》（一九六一，同時為編劇）、《關東三女俠》（一九六一，同時為監製）、《蛇女飛魔》（一九六二，同時為編劇）、《雌虎闖京華》（一九六三）。

㊹ 「五、六十年代在香港出版的『女飛賊黃鶯故事』是當時最流行的偵探俠盜小說，它繼承上海《藍皮書》中『女飛賊黃鶯』的故事，由環球圖書雜誌出版社以單行本的形式發行〔……〕小平，是上海作家，羅斌

來港時把小平的手稿一併帶到香港出版，五十年代初期小平也曾以郵寄方式為香港的環球圖書雜誌出版社續寫黃鶯故事，後來無法繼續供稿，羅斌於是改請他人繼續撰寫同系列的小說。」引自香港中文大學香港文學資料庫。https://hklit.lib.cuhk.edu.hk/newsletters/%E9%A4%A8%E8%97%8F%E7%B2%BE%E7%B2%B9%EF%BC%9A%E5%B0%8F%E5%B9%B3%E7%9A%84%E3%80%8C%E9%BB%83%E9%B6%AF%E6%95%85%E4%BA%8B%E7%B3%BB%E5%88%97%E3%80%8D/。

㊺ 一九六〇年可能是女俠開始成為時尚的一年。這一年內，計有：《脂粉間諜網》（羅維）、《黑蝴蝶》（羅維）、《玉女追蹤》（周詩祿、陳雲）、《風塵奇女子》（袁秋楓）、《女俠文婷玉》（王天林）、《女黑俠飛鵝嶺救夫》（黃鶴聲）、《女飛俠黃鶯》（王鏗）等。我參考了楊小賢整理的資料，謹此致謝。「珍姐邦」電影分析參看，何思穎：〈珍姐邦：奉旨打男人的女人〉，《第二十屆香港國際電影節——躁動的一代：六十年代粵片新星》，羅卡編，香港：市政局，一九九六年，頁三四—三九。

㊻ 任意之也曾在《神秘女俠》中演小鳳及當副導演。

第三章

孤島天堂：人間的重生

如前述，香港電影製作的出現，跟上海與香港同作為外國人遠東交會地的身分密不可分。一九〇九年美籍俄裔猶太人布拉斯基抵達上海，創辦亞細亞電影公司。一九一二年，布拉斯基把亞細亞電影公司轉讓後，南來香港成立華美公司，專門拍攝新聞紀錄片，期間認識了黎民偉。一九一三年，黎民偉說服華美出資製作《莊子試妻》，編劇黎民偉，導演黎北海，黎北海飾演莊周，黎民偉反串莊妻。同一時期，布拉斯基亦拍攝了《偷燒鴨》[1]，由黎北海扮演警察。這些都是香港最早的電影製作。近年面世幾本整理及討論香港早期電影史料的專書[2]，讓我們窺見在一九四九年前香港電影已有的豐富面貌，也可見早期香港電影除與上海外，亦與廣州有難以切割的緊密互動。長久以來，香港與廣東省的經濟、人流、貨運的交流緊密。[3]一九三〇年代港英政府甚至承認香港的經濟價值必須與南中國緊密相連，而香港的工業化亦必須放在南中國的整體發展上一併考慮。一九三七至一九三八年的中日戰爭初期，香港人口從一百萬升至一百六十五萬，增長大多來自廣東省。在一九五〇年前，廣東省人民大量使用香港紙幣，甚至對香港貨幣的信心超於對當地的通用貨幣。[4]

本章追溯三十至四十年代粵語電影在香港的發展，其與「南來影人」的關係，也會論及香港的「國防電影」，及這時期香港新文學與電影在情感與人事資源的交疊。

大發現

一九三〇年，明星、友聯等影片公司開始進行國產有聲電影的攝製。⑤在一九三一至一九三五年間，中國電影由默片逐漸轉型為有聲電影。根據不少歷史資料顯示，三十年代是粵語片的盛產期，以致國民政府感到國語片受威脅而需要在一九三七年頒令禁拍粵片。⑥但由於日占時期日軍在港以菲林（膠片）作燃料⑦（另一說是日軍占據香港電影片廠後把膠片運至大陸作軍用），導致過去研究二十至四十年代港產電影，只能靠報刊廣告、文宣等，而無法接觸電影文本。戰時拷貝方面，香港電影資料館本來就藏有《貂蟬》（一九三八，卜萬蒼）及《民族的吼聲》（一九四一，湯曉丹）兩部重要的香港電影。前者因為戰事而被迫從上海移師香港拍攝，成為香港首部國語片；後者尖銳刻劃戰時香港作為難民社會的各種搗騰、拜金活動，包括一大早排隊炒鴉片，及慈善團體如何剝削勞動階層等，更反思小資文人與草根文盲的矛盾、革命願景與社會現實改變的龐大落差等問題，也奠定了張瑛、吳回、馮峰等四、五十年代粵語片骨幹創作人的位置。

過去十年間，資料館從三藩市戲院地庫發現一批上世紀三、四十年代的拷貝並陸續修復。⑧光是三十年代末至一九四一年底香港被日軍攻占淪陷前出品的電影就有接近二十部，最早的是粵語片《女性之光》（一九三七，高梨痕；李綺年、鄺山笑主演），其中亦有不少愛情家庭倫理劇如《續白金龍》（一九三七，薛覺先、高梨痕）、《銷魂大姐》（一九三八，汪福慶）、《竹織鴨》（一九三九，洪仲豪）等，看來是當時華南粵語片主流的縮影。並有「國防電影」如《太平洋上的風雲》（一九三八，侯曜）、《血肉長城》（一九三八，侯曜）等，更有盧敦編導、寫香港「大雜院」式難民生活的《天上人間》（一九四一），預示了往後五十年同類題材的反覆出現，成為港產片的標誌式場景。⑨《天上人間》出土的其中一層意義，是加深了香港電影研究者對於盧敦作為粵語片最重要的電影作者之一的認識，比之前我們看到盧敦在五十年代參與中聯與新聯（兩家公司的背景與結構會在下兩章細述）時期的作品，足足提早了十多年。雖然以當時香港電影整體產量來說，這份片目只能反映鳳毛麟角，難窺全貌，但卻已經足以叫人驚嘆，香港早期電影曾經如此豐盛活潑的風景。

《天上人間》可說是香港早期粵語電影的遺珠，在八十年後的今天依然光芒不褪，為把國防電影的愛國抗日母題、華南擅長的愛情倫理片元素，與草根階層在同一屋簷下圍爐取暖、甘苦共知的生活趣味，共冶一爐的經典示範。⑩電影開頭不久，在縐縐的「聚義堂」紙條橫幅下掛著蔣公肖像，鏡頭向後拉看到公寓天臺的場景，進行曲音樂響起，原來是天臺居民在進行青天白日旗升旗儀式；一個在吹嗩吶，三個對升旗行敬禮。禮成。眾人立刻回到自己擅長的表演段子，有人反串扭著屁股唱女聲，有人哼著南音。剛與母親搬來樓下的住客潔玲（微風）在樓梯間帶上來給自清（張瑛）的信，兩人從此結識。從她在眾人目光前出現的這一刻，各人對她色相之欣羨，溢於言表（伸長脖子、目不轉睛、嘻笑、舔舌頭、耍猴子等），跟這些鄰居對樓下另一位任職舞女的住客珍妮（林妹妹）一視同仁，活潑生動地表達出草根階層男女互動調侃的生活趣味。潔玲與自清結識後，兩人被眾人發現他們一起睡在天臺被窩中，眾人起哄，活靈活現地構築出這個延伸家庭的親密、不避嫌，也為三、四十年代中國流亡中男女的開放關係畫龍點睛。

更厲害的是，當潔玲對於在人地生疏的香港入不敷出、無法尋親又無法為母看病的困境擔憂不已時，聽到鄰居小孩一句：「有人說，賣身很值錢的！」她毅然跑到在床上哼著小調、一副泰然自若樣子的舞女珍妮姑娘房間，尋求協助。珍妮二話不說，非常豪爽地，自願借錢給她帶母親去看病，更向她告白（一面穿著絲襪），自己便是透過性工作養活一大家子人（「兩張大桌子的人吃飯，都是靠我一個人出來撈」），潔玲在鏡中苦著臉回：「是呀，珍妮姑娘，但我怎可以拋頭露臉出去做呢？」珍妮：「我知妳是書香世家，以前有妳父賺錢不用擔憂……我也知道所謂道德，女子要注重貞操……但這又怎樣呢？……一個人要吃飯的……輪不到妳脖子硬。妳認真想一下，女人出來最容易的，隨身行李，像妳這樣的，如果妳肯那個，好容易的。」她親切地推了此時站起來的潔玲肩膀一下，趕緊出門上班去。不久，潔玲穿上花花的衣服，聽從珍妮的勸告，也出門上班，回來在母親的床前高興地顯示賺到的鈔票，可惜已經太晚。

這段女主角「賣身／墮落」的橋段在粵語片中並不稀奇，但電影中的呈現卻深具多方面的進步意義。首先，勸她「賣身」的性工作者是正面角色，可說是潔玲的恩人，並非立心不良，要把她推進火坑的惡棍或扯皮條（如上海經典左翼電影《神女》）。而且，珍妮自身的敘事亦並非誤信歹徒，一失足成千古恨，反而是相當理性地陳述，如何在蒼茫的亂世中開墾出一條雖不合乎正典道德律（「女子要注重貞操」），卻能讓自己活下去，又滿足養活一家老幼，合乎倫理要求的窄路，更與潔玲具體描述她的處境與選項，衡量得失利弊，還協助潔玲反省她的出身學識，如何成為她求生的障礙，可見三十年代華南左翼電影中文人自我反思儒家正統對女性身體的規訓及其階級偏見，已相當成熟。珍妮從打工女郎的立場出發，對於把自己身體工具化（「隨身行李」）的坦然與不卑不亢，是華語電影中罕見，草根女性主體性的呈現；潔玲成功「賣身」後，也沒覺得愧對男友，要向他交代或撇清，反而成為她能夠繼續留在香港這大後方，承諾照顧男友家人的資源。相較數年後、同樣是盧敦導演、張瑛主演的《此恨綿綿無絕期》（一九四八；小說家黃谷柳編劇），《天上人間》顯得大膽敏銳、不落俗套。

語言的運用是在香港權力鬥爭的重要場域。港英政府重英輕中的政策讓英語成為現代華人知識及創意生產的優越平臺，導致香港菁英階層新一代的產生，及其成為殖民地中間人的角色定位。《天上人間》對殖民地教育文化及語言運用的批判在不同角色上呈現出來。珍妮在報上刊登廣告，在照片兩旁寫著「靚通全港／語通中西」，英語（在美貌外）成為她求生技能的重要招徠，以致眾人又胡亂拼湊英語來與之調侃。半唐番、主要講英語的Johnny（馮應湘）被潔玲問：「你是中國人嗎？」他答：「噢Never Mind，幾咁閒！」（噢無所謂啦，不重要！）強調他與國族的距離；他在片中的衣著、家中陳設與傭人等，具體呈現在香港親英階層作為殖民地中間人的優越物質條件（也暗示他的道德敗壞），並輕鬆成為珍妮與潔玲的恩客。Johnny透過學習粵語（也有教國語、教英文的不同小姐們在門外等候）來對落魄閨秀潔玲別有用心，潔玲卻借用這機會來擱下閨秀包袱，在學習謀求生計的過程中，還能支持窮作家男友自清回國抗戰、實現理想。電影把香港如何提供各種交換條件給各式人等，求存、投機或作為跳板，非常寫實地呈現出來。

住在天臺的愛國窮光蛋們一心追求理想，但電影也沒有落入脫離現實、空想主義的桎梏。電影中段寫包租公（吳回）以為內地已安定，從香港回去可以把廣州的店重開，唸著會回來時手攜一隻自清想念的手撕雞款客，豈料再回港時已被驚嚇成了瘋子。電影沒細訴他途上及在廣州的經歷，但他出門與進門時判若兩人，只懂說：「沒了，什麼都沒了。」彷彿經歷了絕大的創傷而無以言說。包租婆見他如此，只能大叫：「嗟！又話好好嘅！原來都係呃我地嘅！」（呸，不是說好得不得了，原來都是騙我們的！）他的瘋與難言正好躲過了港英政府對電影的政治審查，叫觀眾心領神會，讓電影做到既深刻又舉重若輕。

華南現代

在《女性之光》與這批電影出土之前，偶爾在香港深宵電視臺播放的另一部粵語片《南國姊妹花》，就是最久遠的香港電影憑記。一如上章所述，這些電影以女性角色主導，男性文人藉女性寄寓現代中國改革圖強的盼望與願景。上世紀二十年代是中國婦女解放、平權運動風起雲湧的時代；民國政府成立後不久，早於一九一二年，蔡元培任民國南京臨時政府教育總長期間，已經實行小學男女同校。一九一四年共有十名女生官費赴美留學；一九二〇年北京大學已有女學生入學。五四運動期間，開始有半工半讀的婦女，組織女子工讀互助團及婦女補習學校，一九一九年在北京、上海、廣東、天津都有類似組織。同年，天津女界愛國同志會組織免學費的「平民女校」；一九二二年中華婦女聯合會在上海開辦的「平民女校」，一方面設學科如英文、數學、國文、經濟學、社會學等，另方面學生從事製衣，以資助學校伙食。同時期也提倡女子接受職業專科教育（女子職業學校加設醫學、農業、工業、商科等）。當時婦女團體除辦學也參政，如女子尚武會、天津女界愛國同志會、北京女子參政協進會、廣東婦女解放協會、湖南女子留法勤工儉學會等。一九一九年赴法留學、一九二二年加入中國共產黨的向警予，一九二三年在上海創辦三十間絲廠女工夜校，一九二四年組織十四間絲廠共一萬多名女工罷工。早期中國及香港電影雖然是女性角色、女性題材的天下，但與社會政治脈絡相比起來，卻甚少見有女性主動推動社會及國家改革的角色。在《女性之光》中，卻可見女性積極推動社會教育，作為組織者的形象。

《女性之光》可以說是對默片《新女性》的粵語片回應，也是把改革社會、構築中國現代性的欲望投射在女性身上，男性成了封建社會的代言，現代性的敵人。據說主演《女性之光》的李綺年一九三二年為了見偶像阮玲玉，曾隻身到上海生活一年，每天看阮玲玉及聯華公司的電影；《女性之光》中慕貞（李綺年）的造型也酷似《新女性》中的韋明，但比韋明更純粹地禁慾。《女性之光》當年的報紙廣告上特別強調：「替二萬萬女同胞吶喊！愛國非獨男兒，保土豈止執戈！二萬萬女同胞，急速拋棄鉛華！為厚自己國力，社會事業參加！爭取最後勝利，分工合作堪誇！發揚新女性之光榮！」⑪李綺年曾與吳楚帆主演香港大觀影片公司的《生命線》（一九三五，關文清），寫一名年輕的工程師，為了抗日救國，不顧個人安危，去參加建築一條有利於國計民生的鐵路（本章中下文再述）。李綺年《生命線》中飾演工程師的妻子廖夫人，使李綺年獲得「愛國影星」美譽，也是戰前香港影壇片酬最高的「第一影后」。這些電影中呈現與售賣的現代性，是以服務社會、愛國抗日為大前提的。

片中唯一較有「平等」、「自強」氣息的「疑似現代」男性、穿西裝打領帶、鄺山笑飾的富家少爺，原來也充滿封建羈絆，不足以滿足慕貞對他的現代要求：「你對以前的夫人手續完全辦妥了嗎？」即使他如何跟母親辯論：「現在沒有皇帝了！」以凸顯他的現代性，但他跟前妻及她的外家鄉里的情感人倫糾葛，及他的「冇（沒）骨氣、冇（沒）主見」（前妻語），與他講求門當戶對的母親等，都成了慕貞在追求作為獨立自主新女性過程中的牽絆。與慕貞分手一場戲中，他希望自己的女兒秀華能作為慕貞的「妹仔」，與慕貞要養育秀華作為一個「有用的人」，兩者之間存在龐大差異，正彰顯了封建與現代的矛盾，及電影要製造的認同與欲望。在慕貞追求現代性的過程中，周圍窺視慕貞的「姑太」們（自梳女）成了她的同行者，一方面協助她衝破婚姻枷鎖，也教育、庇蔭她「為社會做點事」（姑太言）。自梳傳統，成為電影想像及企圖繼承與開拓的早期華南現代性的基石。《女性之光》中的慕貞比《新女性》中的韋明能夠更成功地邁向獨立自強的路，《女性之光》又比《新女性》更傾向於教條式的禁慾主義，正是來自華南自梳提供的文化資源。

自梳

從有限的已發掘年長自梳女及不落夫家婦女口述史的深入訪問和實地考察報告中可見，在個人層面上，自梳主要是女子本身自由、主動和有意識的決定。不落夫家也可說是婦女抗拒婚姻生活的一種策略。在女性群體的層面上，自梳女和許多不落夫家的婦女也能以其姊妹群組織，強化自身的力量，並利用家庭、宗族和社區對他（她）們特殊生活方式和姊妹群組織的容忍，取得社會的支持。⑫

自梳是一種怎樣的文化？現代抑傳統？肯定、鞏固宗族還是挑戰婚姻霸權？對這習俗詮釋話語權的爭奪也展現了現代國家權力及文人欲望的變遷。自梳究竟始於何時至今無定論，早於明萬曆十三年《順德縣誌》，就已有女子終身不嫁的記載。番禺一地女子不嫁，於清乾隆年間（約一七七四年），已蔚然成風。在光緒、宣統年間（一九〇八年前後），在人口多達數千人的番禺南村，一年之中，女子出嫁者不過數人，至一九〇九年，甚至無人出嫁。「自梳女是珠江三角洲歷史上一種特殊的社會想像。十八世紀起，因受桑基魚塘和繅絲業發展等因素的影響，珠江三角洲產生了一群相約不嫁的自梳女子，以後此風逐漸興盛，直至二十世紀中期，自梳女經過特定儀式，自行易辮梳髻，誓言獨身終老，並衍生出一系列特殊習俗」，如「契相知」、「金蘭契」等。[13]「這種風氣，只盛行於珠江三角洲一帶，其他地區殊罕見。珠江三角洲經濟作物繁富，手工業發達，婦女謀生門徑較多。順德蠶絲業隆盛時，繅絲女特多，『自梳』與『不落家』之風亦特熾。」[14]文史學者鄔慶時說他兩個胞妹都是自梳。「二妹亦在廣州自設永華織襪廠，織生數百人，無一非同鄉的『自梳女』；三妹在鄉開設瑞初私塾，學生也有數百人，其在年稍長者，後來皆『自梳』，其職業一如她們的先輩。」[15]番禺、中山的自梳及不落家婦女，多以織布、織毛巾、刺繡等為生，而順德、南海等大都在絲廠及蠶絲業中工作。不過自梳風俗源自傳統蠶絲業依靠女工手藝，為宗族帶來大量資本，讓女工換來罕有的社會位置，於是被容許在不脫離宗族關係的情況下享有對自己婚配安排的發言權，可以說是傳統宗族組織自我調節的一種非正典／另類安排。至中國二十世紀二十年代末開始遇到現代國際市場的競爭，順德生絲敵不過日本的人造絲，於是自梳女被迫轉投各種針織業，也有不少跑到廣州、香港等城市轉型作家務勞動，或曰「媽姐」。

清代陳坤《嶺南雜事詩抄》詩云：「自家梳起古今無，眉黛風流與眾殊」；「香閨結友倍情癡，盟重金蘭信不疑。翻手作雲覆手雨，芳心從此薄男兒。」自梳女作為自十八世紀以來華南地區的獨身女性集體傳統，容易被中原正典[16]文化視為一種不倫，甚至「革命」，如道光五至八年在廣東官任學政的翁公存《勸戒二十四條》中：「粵東地方，地處邊隅，尤失交道。其男子以奸邪相誘，至有添弟會之名；其女子以生死相要，亦有十姊妹之拜。維爾生童，固不容有此敗類。」金蘭姊妹結拜，被視為能與反清復明、搞革命的天地（「添弟」）會類比，等同「奸邪」、「敗類」，更鞏固粵文化作為難以管治的「邊隅」地區概念。清咸豐三年（一八五三）彭昌祚於《恐自逸軒瑣錄》卷三《粵東三異》中，直斥金蘭姊妹同性間的「情濃意密」為「淫亂」，還深表憤慨：「吾聞廉恥之喪，莫甚於淫亂。自古桑間濮上及龍陽董賢之屬，縱乖於正，猶在人情之中。今之為桑間濮上、龍陽董賢者，吾不謂無獨粵東以女悅女，稱為拜相知。竟有處女相守不嫁，其情濃意密倍於夫婦床笫之穢褻者，不更可大異乎！」[17]

由於二戰前華南電影拷貝倖存者稀，我們無法看見同期其他電影——如一九三七年公映、與《女性之光》同為李綺年主演的《自梳女》（魯司；同樣由南洋公司出品）——對自梳的詮釋。《女性之光》中有不少對自梳文化的側寫，比如看到不落家風氣與自梳女開辦女子學校、織造廠之間等的淵源（「織生」），也看到「姑婆屋」、「師太」及女學生、紡織廠之間親密的距離（「姑婆屋」為自梳女共同出資，或由年長有錢的自梳女捐資興建，也有的是宗族出資修建）。片中想像與追溯自梳文化透過教育，協助推動女性獨立自主，傳承知識及技能，在華南地區製造了屬於自身的傳統與文化記憶，我想對於三十年代的粵語片觀眾，對這些影像與敘事，大概不會陌生。片末兩代的被迫出走，也可見這傳統的被迫轉型及衰落。今天的我們隔著歷史的塵埃回溯，會發現不到二十年後，至中聯電影《金蘭姊妹》（一九五四，吳回）中，自梳卻儼然成為一種象徵前現代，需要被再教育，以適應香港新社會的符號；跟在《女性之光》中作為孕育現代女性自強不息、讓女性有一片獨立自由空間的華南傳統，迥然不同，可見香港殖民文化如何在十來年間，對社會集體想像的現代性內涵，曾經作出翻天覆地的成功打造。

《女性之光》對自梳文化的選擇性挪用也相當微妙。大概為了與三十年代的正典社會風氣、市場渴求更接軌，它刻意抹掉女子間的親密（年輕的慕貞拋棄了跟女友的情誼才能離家）、不呈現自梳的各種儀式與誓言（容易被看成「過於傳統」、不夠現代？），又把自梳女一般對原生家庭部落、宗族的「孝義」觀念淡化，並改寫成（片中一再強調）努力奮鬥耐勞以報效社會，最後服務國家的民族主義。片末兩母女倉卒模糊的乘船出走，是延續自梳從二十年代後常見的出洋（到南洋如新加坡等地）打工，還是響應抗日戰爭爆發的當下國家召喚，向一閃而過的青天白日旗邁進，成全作為「國防電影」的號召？目前可見的這版本結尾的含糊性，正好體現了這一代文人在個體追求獨立自強的現代之路，及向民族國家奮然獻身，兩者之間看似無縫結合，實則進退維谷的心理糾結。

「國防電影」

想當日書劍飄零，正值國家多難，故效班超投筆，奮然入伍從軍，祇望鞏固中華國土，爭回民族嘅〔的〕光榮，豈料今日壯志未酬，已身先殘廢，枉我雄心一片，盡地消磨，每念及此，真正不堪重睹，呢〔這〕件舊征袍呀！⑱

民國上海的「摩登」現代性⑲及其與電影的關係⑳已被深入探討，其與香港互為鏡像的歷史亦有論述，多著眼於香港與上海的雙城故事，包括人才的流動與共享、兩地政治文化的類近與跟國家的歪離等，但關注戰後香港對上海左翼「現代性」的承傳研究依然非常不足。如傅葆石提出兩地都是「特殊的」、「他者的中國」㉑；殖民色彩、資本主義兩大因素成為兩地文化不能被公正、全面認識的障礙；李歐梵則指上海與香港有互為「他者」的關係。㉒如果看「進步」的互動，三十年代，不少華南地區有志文藝的青年到上海學習及工作，抗戰時期回流香港成為香港親左電影的核心成員，如盧敦、李鐵、吳楚帆、黎灼灼等。說「華南地區」，因為五十年代以前，省（廣州）港（香港）澳（澳門）一家，三地居民、官員往來不絕，像廣東淪陷時，國民政府索性把中央電檢委廣州辦事處移設香港。㉓除了三、四十年代很多商業機構、資產階級、報刊等因為戰亂南移，也有左翼文人因為逃避國民黨迫害來到香港，三、四十年代在香港寫作。有的參與香港五十年代電影製作，並成為香港文壇最要一員，如曾替長城電影公司編劇及導演至少七部電影的查良鏞（電影編導筆名為林歡，作家筆名為金庸）。有的在上海生活過的進步青年把他們的左翼文藝經驗帶來香港，如五十年代為香港左派電影公司任編劇的胡小峰（一九二五—二〇〇九），在上海曾經參加《雷雨》的舞臺劇演出，在香港編導了《日出》（一九五六，胡小峰、蘇誠壽）等國語電影。[24]四九年後不少文化工作者回國，也有一些留下來。即使在新中國成立後，仍然有上海左翼作家被邀來港加入電影業。這些在下一章中進一步闡述。

一九二七年魯迅應邀來香港演講，分別以〈無聲的中國〉和〈老調子已經唱完〉為題發表演說，似乎對香港文藝界頗有衝擊。一九二〇年代後期至三十年代中，青年作者在香港創辦不少文藝刊物，如《島上》、《南風》等，也有的投稿至上海的《現代》等。三十年代的香港文學一方面受上海象徵主義或現代派影響，另一方面是華南左翼文學運動的一翼。[25]一九三七年十一月上海淪陷，進入「孤島時期」；三八年武漢、廣州等地也相繼失守後，大量人口播遷香港。

一九二九年，中國戲劇家歐陽予倩，在廣州開辦廣東戲劇研究所及其附屬戲劇學校，學生有盧敦、李晨風、吳回、李月清、羅品超等。這些人於一九三〇年代先後進入香港戲劇電影界。[26]盧敦憶述他青少年時代（二十年代）深受廣州作為革命發源地的思潮影響。在「火紅的年代」省港大罷工（一九二五—一九二六）廣州遊行示威期間，英軍一見黃埔學生就開槍：「學生即時打橫一字排開，保護人民，叫我們走」。「當年的省一中，有不少傾向革命、共產思想的青年學生」，中學宿舍也會被搜，凡是搜得共產書籍，就被拉走。幸好搜到他時，天色已晚，軍隊放棄，「我也因此大難不死」。㉗「其實我有什麼黨派呀？不過之前在廣州受到革命思想的影響，總覺得文藝應為政治服務，文人不能離開政治。」㉘一九三二年一二八事變後，香港國聯公司出品《戰地歸來》（一九三四，黃岱；黃曼梨、吳楚帆主演），改編舞臺劇《不堪重睹舊征袍》，寫愛國青年張志強與未婚妻別離，走上戰場。電影於一九三四年二月六日在香港首映，為中國影史上首部抗日題材電影。一九三五年，關文清編導了《生命線》，成為首部被港英政府禁映的抗日電影；片中一首粵曲《不堪重睹舊征袍》亦被禁播。關文清提出上訴，由倫敦派員來港會審，結果一致通過解禁。電影全片在新世界戲院上映，場場滿座，插曲《不堪重睹舊征袍》街知巷聞，在廣州放映也盛況空前。隨後關文清拍攝了抗戰三部曲《抵抗》（一九三六）、《邊防血淚》（一九三七）、《公敵》（一九三八），人稱愛國導演。一九三六年二月，上海左翼文人提出「國防文學」口號，一九三六年五月，提出後續的「國防電影」口號。

七七事變後不足一個月，一九三七年八月四日，由大觀、啟明、南粵、南洋、全球等電影公司聯手製作，全體工作人員在香港義務拍攝了《最後關頭》（一九三八，陳皮、李芝清、南海十三郎、蘇怡、趙樹燊、高梨痕等）。關文清在《中國銀壇外史》中敘述《最後關頭》的拍攝：「提出『電影界共赴國難』的口號，徵集工作人員，被徵用者不獨沒有怨言，反覺得榮幸！全行的大製片、大導演、大明星，而至各部門的工作者，奔走數月，遂把《最後關頭》那部集體巨製完成，以表示華南電影界愛國的熱忱。」[29]一九三七年十一月，歐陽予倩、司徒慧敏、譚友六、夏衍等先後到港，得盧敦等人協助，與吳楚帆、白燕等香港影人聯手製作，號召香港電影界參與拍攝國防電影，並身體力行，創立「大地影業公司」，編導了《孤島天堂》（一九三九，蔡楚生）與《前程萬里》（一九四一，蔡楚生）兩部立場鮮明的抗戰電影。

《最後關頭》在一九三八年三月二日在港首映。吳楚帆在自傳中寫：「反帝的怒潮到底堵塞不住，全國都在動員」[30]，放映《最後關頭》時，「四座掌聲震動，影片振奮人心〔……〕分享了最高無上的光榮，禁不住激動得流淚。」[31]

> 香港國防電影的題材，基本是選擇東北和上海兩地為銀幕時空背景，相當多的影片故事，將香港影界所熟悉的情愛、三角戀、倫理糾葛等情節，與燈紅酒綠、紙醉金迷的公共空間，及其場面諸般元素，納入抗戰歷史的時空框架。[32]

抗戰初期，國防電影甚受香港觀眾歡迎。一九三八年生產了十八部粵語國防電影，成為電影市場的主流類型之一。「抗戰」這個歷史情景，成為推動戲劇矛盾發展的底色。但此時英國並沒有正式與日本宣戰。一九三八年十二月出版第十五期《電影》雜誌上報導，香港華文政務司召集電影製片公司，指電影中均不能以文字或服裝指明敵人是誰，否則恐有被剪或禁演的制裁。於是，國防電影不正面暴露敵人，只能歌頌愛國者。一九三九年五月，蔡楚生編導的國語片《孤島天堂》正式開拍，講述在上海孤島時期，年輕人（李清）與舞女（黎莉莉）深入敵陣，與漢奸鬥爭的故事。市場上的國防電影很快變得公式化、概念化；一九三九年比一九三八年減產一半，僅有九部。一九三九年，鬼怪片重新盛行。

破銅爛鐵

一九三九年六月，吳楚帆夫婦投資拍攝《銀海鴛鴦》（蘇怡、李芝清；吳楚帆、李綺年主演），敘述一對從影的夫婦面對投機製片商嫌國防電影不賺錢而改拍其他商業電影，夫婦二人在接片態度上產生分歧，丈夫拒絕接拍「有毒素」的電影，但妻子不計較，結果大紅大紫，丈夫卻決意離開她，最後妻子覺悟了，並在「電影皇后」加冕大會上痛斥電影界「敗類」。

> 有不少的人千方百計想把這部片子弄得胎死腹中〔……〕片子出來了，四面八方射來的冷箭也就更厲害了〔……〕結果一如對方所預期的，《銀海鴛鴦》垮了。㉝

吳楚帆深受三十年代末上海左翼影人如蔡楚生、司徒慧敏的價值觀影響：「電影不單是一種新興企業，而且是一種教育工具、一種對社會人生影響極大的藝術。因此從事電影工作的人，都會感到自己責任不輕〔……〕」。[34]二十八年後（一九六七），廖一原被港英政府通緝期間（於下章詳述），正是躲在時任中聯董事長吳楚帆的家。

港英政府的查禁仍然對國防電影構成致命傷，如攝於一九三八年、原名《游擊進行曲》（司徒慧敏；蔡楚生、司徒慧敏編劇，李清、容小意、張瑛等主演）的粵語片，片主袁耀鴻因不滿當局要求刪剪二千多呎菲林而將映期押後，一九四一年六月終以《正氣歌》（一九四一，司徒慧敏）之名正式上映，唯公映版本仍遭刪剪。一九四〇年雖然僅生產了四部國防電影，但在一九四〇年八月一日公映的國語片《白雲故鄉》（一九四〇，蔡楚生；夏衍編劇，鳳子、盧敦主演），寫南來青年如何加入敢死隊，炸毀敵方軍火庫；電影連映十八天，成為當年賣座冠軍。香港電影業界經過一番鬥爭與調整後，國防電影在一九四一年又上升至十四部。這些國防電影在香港的曇花一現，可以說是為戰後香港左翼電影的綻放埋下了種子。

一九四一年一月一日公映、蔡楚生編導的《前程萬里》，是要嘲諷時下「愛國」符號被利用為一種賣座噱頭，「愛國歌舞團」的「國防歌舞」自詡為「意識偉大」，實在是為了包裝「玉腿齊飛」、「曲線畢露」的艷舞。不過《前程萬里》自己作為一部國防電影在華南的示範作，卻正暴露了南來左翼文人眼中的政治正確所遮蔽的各種盲點。電影的人物塑造可謂集所有城市刻板形象之大成：片首是璀璨繁華的香港夜景，街上行人熙來攘往，站在街頭的妓女小鳳（容小意）正被鴇母（陶三姑）當眾虐待，強迫她賣淫。司機老高（李清）拒絕替奸商運送敵軍軍火而被捕。老高的夥伴小張失業後替靈魂電影公司的《百萬陰魂》鬼怪片在街上扮鬼做活廣告。老高出獄後阻止了小張「蒙屈受辱」的工作，又協助小鳳「逃出火坑」。後來小鳳考入歌舞團，豈料原來是要表演「裸體艷舞」等節目。小鳳迫於合同問題，無法辭職。老高和小張大鬧歌舞廳，導演被脫衣登場。臺上打成一團，臺下觀眾歡呼拍手。最後大家組織「海外回國救亡演劇隊」，一起唱：「再會吧，香港！我可受夠了！……我們都是中華民族優秀的子弟，我們受盡了顛連困苦，我們看不慣紙醉金迷，看祖國山河，烽煙遍地，四萬萬五千萬同胞，慘遭殘殺流離，誰無心肝，誰無血氣，而今我們穿上征衣……為民族的解放，爭取最後的勝利！」電影以左翼南來文人俯瞰式的視角，睥睨香港這個集資本主義、色情氾濫、賣國漢奸於一身的萬惡之都，用以反襯出北方故鄉的美善，失落的哀愁，如電影中東北人小鳳含著淚唱著：「萬里長城萬里長，長城外面是故鄉，高粱肥大豆香，遍地黃金少災殃，自從大難平地起，奸淫擄掠苦難當，苦難當奔他方，骨肉離散父母喪。」

過去vs.現在、北vs.南、正義vs.腐敗、貞操vs.墮落、自由vs.性工作、國防vs.色情等二元對立，到頭來是為了製造自我感覺良好的愛國男性民族英雄——如從內地空降來的「優秀同志」劉大哥及受他教育的老高等vs.其他所有人——包括善惡不分、只懂起哄的觀眾——兩端之間的反差，即劉大哥口中「鍛鍊成金鋼」vs.「被淘汰的破銅爛鐵」。諷刺的是，這種把人民以民族主義的道德標準來分等級的論述，與國民黨要求以「禮義廉恥」來打造「高等國民」的新生活運動政宣，不無相似。結果當然是一眾主角無法忍受香港破銅爛鐵般的現實，一起回內地投身抗戰。這些在香港「受夠了」的勞動群眾，殷切期待劉大哥南來指導他們的樣子，不得不讓人懷疑那是蔡楚生對於自己南來指導香港影人的自我想像。階級分析在《前程萬里》中顯得軟弱無力，充滿各種對草根階層（包括妓女、鴇母、電影宣傳工人等）的刻板想像；這部國防電影暴露的問題，一方面來自上海小資文人的族群及階級優越感，另方面也具體呈現了中國式社會主義論述被迫盲從於國家民族主義發展框架下，必然出現的挫敗，更揭示了香港親左影人二十年後將要面對的桎梏。

如何面對各種破銅爛鐵，及破銅爛鐵的欲望；如何消化與處理不政治正確的「毒素」，包括面對香港文化長期作為華人各種多元欲望，最主要的表達、建構與消費場所，正是香港文化工作者與中國左派活動家及建制在整個二十世紀磨合不斷的關節點，也是香港受左翼思潮影響的影人們投身香港社會的過程中需要學習的功課。粵語片繼承上海左翼運動中欲望與愛國的二元對立，雖然以市場類型來說，大多是橋段劇的風格，並以家庭倫理劇的題材為主，但不少的潛文本都是道德教化敘事，偶爾甚至可見文本中推崇清教徒式的禁慾，並把龐大的壓抑與悲鬱，移置到女性在電影中不斷地受懲罰，不斷地哀嚎與吶喊。

重生

第一章論及，羅明佑管理下的聯華影業公司，與上海左翼電影發展及新生活運動的關係。抗戰勝利後，羅明佑在香港成立「真光基金會」並自任主席，一九五〇年在香港攝製了《重生》。電影寫南村農民白馨（紫羅蓮）有老母及幼子，家境貧困。丈夫因協助堵塞堤壩受傷，白馨為負擔龐大醫藥費往廣州當女招待，被惡霸胡尚武（陳天縱）陷害，險遭闊少經理朱芳堂（馮應湘）強姦，馨出於自衛擊傷了朱經理。她以為朱已死，欲投海自盡，被漁人所救，送往附近的桃源醫院。院長謝榮光（吳楚帆）為虔誠基督教徒，他教導醫護人員說：「我們本著乃役於人，要愛人如己，尤其在這個新時代，各盡所能，為人民服務，這是每個人應有的責任」，然後鏡頭向上望，特寫掛在牆上的院訓：「乃役於人」。馨本來覺得自己無路可走，因為：「我有不可告人的苦衷。如果我偷生這世上，不但汙〔侮〕辱了我丈夫的名譽，而且毀壞我兒子的前途。我有家歸不得……我只有一條死路。」但她聽到謝姑娘為她祈禱，於是被感動留院學習當護士，後來從報上得悉朱已痊癒。尚武因犯案負傷潛逃到桃源醫院，勒索馨幫他偷錢讓他逃亡。馨寧願被捕也不屈從。馨的堅決與作為醫護人員的犧牲精神感染了尚武，使他認罪自首。最後院長決定在南村興建貧民醫院。

一如戰後不少電影，《重生》把現代中國的戰爭與流離創傷翻譯為女性所經歷接二連三的苦難，讓觀眾深藏的痛苦回憶得到發洩，在戲院盡情同聲一哭，最後再藉團圓美滿結局確認戰爭已經過去，安撫大家生活可以重新出發。這部電影挪用的「重生」有多重意義，一方面是對戰後社會的勉勵，但更具體是指基督教義中的「reborn」，像白馨在片中從一名艱難求存，歷經磨練的貧民，重生成為一位本著基督精神，服務貧民的護士；基督教讓中國草根人民獲得參與西方現代性的門票。亦如羅明佑自己曾在三十年代中國電影業界舉足輕重，戰後他對於電影作為一種工商業，似乎愈來愈幻滅，轉而在廣州開辦戲院，播放福音電影，一九五〇年在香港投入基督教會工作，後來成為牧師，在他個人看來，大概也是一種重生。演白馨的紫羅蓮在日軍占領香港期間，曾被「大日本映畫製作株式會社」逼迫在《香港攻略戰》（一九四二，田中重雄）一片中擔任配角，還被脅持往日本，被指她將主演兩部宣傳「大東亞共榮圈」的影片。她回港後伺機潛逃到內地抗戰區，為免背負「漢奸」罪名，找律師澄清她是被迫接拍。抗戰勝利後，重返香港，首演《含笑飲砒霜》（一九四七，陸邦）。在這層外文本的意義上，一九五〇年的《重生》，未嘗不可以看成是紫羅蓮的自況明志。現實中，紫羅蓮亦成為一位基督徒，六十年代退出影壇後在教會當義工。（下一章討論中聯的出品時會再談及紫羅蓮的中聯時期。）

片中白馨遇到的，在農村放高利貸的親戚、在城市收留她的富商，及奉承討好她的富二代，都成為她的壓迫者。電影對（廣州）城市及所有男女公共關係，作出強烈的道德鞭撻。中國前現代的集體社會，與民國都會的現代化、個人化之路，皆被電影呈現為困境、劫難的來源；片中謝院長把白馨的遭遇，立刻歸咎於「萬惡的社會」。香港作為最接近西方現代性（包括基督教）的中國城市，正好為這種充滿自恨又道德至上的意識發展與消費提供了平臺。國民政府在中國未能成功達標的新生活運動，南來影人在香港借殖民地社會的土壤，讓其中一支分流重生。猶堪玩味的是，謝院長的「新時代」訓話，似乎是要點出全片的題旨，但那番話其實糅合了基督教與中國共產黨政治話語，在企圖替宗教宣道的同時，也暴露了這些影人（包括演院長的吳楚帆）自己受民國左翼文化影響之深，更可見戰後香港電影，內化了的不同現代性中，意識的矛盾與分裂。

《重生》中的白馨在學習當女招待時拒絕笑臉迎人，把陰柔的展露想像成人格墮落的符徵。電影批判都會的聲色，但又以城市知識分子與有閒階級的目光，對農村的習俗標準投以各種想像。白馨受騙與自衛的悲慘經歷，反而成為她有家歸不得的原因，好像農村就是純潔守貞之地；農村的草根貧民社群比城市人口，對於性接觸與家族名譽，被呈現為有更嚴苛的道德規範要求。電影同時把「女招待」，呈現為讓農家女含冤受屈，隨時面臨被賣身、被性侵的，一個象徵城市墮落現代性的符號。

女招待

女招待，是民國時期中國城市打工女郎一項相當時髦的工種，作為城市現代化過程中，讓女性相對容易地獲得經濟獨立，與男性爭取一席平權之地的一個（過渡）場域，更是二十至五十年代華南公共女性一個重要的符號。當女招待作為一種新興行業出現時，在媒體上引起過不少爭論，也爆發過工潮。㉟在華南地區，尤其在繅絲、棉紡等產業，早已大量使用女工，但並沒直接影響男性的飯碗。一九一六年，廣州洪德街三巷一茶樓率先僱用女性做「堂面」（侍應／招待），引起轟動，一方面是市民對女招待頗感新鮮，茶客不僅有來飲茶的，還有來看熱鬧的，茶樓生意好了許多；另一方面女工薪水較低，月薪八元的工資令老闆一舉兩得。㊱一九二五年五月十三日廣州《民國日報》阿翔的〈廿年來廣州茶樓進化小史〉：「民國九年，各茶樓多用女招待。」表明二十年代開始女招待已盛行。但至三十年代中期，以男性員工為主的廣州酒樓茶室工會，因為酒樓茶室大量僱用女招待，向當局大聲疾呼，認為這樣影響（男）員工的生計。

女性雜誌《玲瓏》一九三四年第八期陳碧霞〈關於取締女招待〉提出與其取締女招待，不如「嚴厲對付僱主」。《玲瓏》一九三四年第三十六期則以讀者黃蔓雲來信的形式，提出〈女招待是卑賤的職業嗎？〉，認為活要有人幹，做女招待是天經地義。《女聲》一九三四年第五期署名萍的作者在〈取締歌舞團與女招待〉一文中說：「在大學生尚且失業的北平社會，（取締女招待）叫她們白白地餓死嗎？」《玲瓏》一九三五年第三十二期上，何麟鳳以〈一個（北平）女招待的自述〉提出同樣的問題，認為自己的能力止於此，受社會卑視，實不公平。《市政評論》一九三五年第十五期〈廣州女招待的職業慌〉談到男工的反撲：「廣州全市各酒樓茶室，近數月來，因營業清淡，先後僱傭女招待，但原有男茶役工友，竟被淘汰，生活頓受影響。」男工會向當局呈文中云：「本行工友當此不景氣影響，失業人數已日見增加，倘再經攙奪，則更不堪設想矣。」《旅行雜誌》一九三七年第二期有一篇〈粵漢鐵路旅行記〉概括社會狀況：「廣州市男女職業的糾紛，現在還是個難以解決的社會問題，其中尤以茶樓酒肆的招待一職，紛擾最大。原因是都市上集中的人口本來已經很多，欲謀一業，頗不輕易；近年以來，茶樓酒肆，多雇〔僱〕用女子充當招待以廣招徠，群見女子招待，果然顧客有如逐臭之蠅，生意頓然興盛，於是群起效尤，將男子紛紛解僱，另擇年青〔輕〕女性充任。」於是社會局公布手令：「為救濟失業男工及維持風化起見，決定取締女工，嗣後酒樓茶室僱用工人，其僱用名額，以男女工為比例，規定男工佔〔占〕百分至八十，女工佔〔占〕百分至二十。」但男工會仍不滿意，女工也認為政策不公平。廣州女招待於是自我組織起來，反對公布的手令，「至社會局時，逕入會客室，要求局長出為接見，當由秘書鄺承澤代表局長向全體女招待解釋〔……〕語未終了，當時呼打之聲不絕〔……〕拍台〔臺〕敲窗，一場大鬧，並提出口頭請願之兩種要求，第一取銷〔消〕訂各酒樓茶室雇〔僱〕用男女工役之辦法，第二力爭男女平權，並予特殊之保障，否則仍有手段對付。」僵持兩個多小時之後，驚動了國民黨「廣州市委」，「特派委員會黎醒亞至該局調處，女招待始退出，一場風波，方告平息。」[37]「現在茶樓酒肆中，男女招待均有，即是那時規定的結果。」[38]至四十年代，報刊上仍可見有關該議題的論述，可見爭議尚未平息。唯討論的方向開始改變，由勞工失業、待遇、男女平權等漸次轉移至道德面向。如一九四〇年在廣州創辦的婦女刊物《婦女世界》，在四月一號出刊的第一卷第一期中，有署名若冰的〈婦女的職業和婦女的墮落〉一文，開宗明義指：「二十世紀以後，婦女在社會上已佔〔占〕有相當的位置。他〔她〕們都能夠獨立謀生，這是值得人欣幸的，然而她們的職業也許就是她們陷於墮落的原動力！何以言之？」然後文中列出「店員」、「女伶」及「女侍」三種職業，指出「女店員常露面於男經理及顧客之前」，由於「一切主權仍操於男子手裡〔……〕倘若遇到不良男子，乘此權威便發生種種的要求和壓力，任意所為，雖能自愛的女子亦易陷於引誘」，「不得不忍辱以圖存」，或因為常「同貴族婦女接觸」，「以求美觀」，「願意去作墮落的生涯」。女伶則被認為「與娼妓很有關係」；「凡舞台〔臺〕或銀幕上的職業，都是不甚清白的，所以受過高等教育的女子，多數不願加入的」；「被引誘的危機更多，公子哥兒的觀眾們都是帶她們下墮落之網。」至於「充當茶樓酒館的女侍，可說是男顧客的消遣品」、「算是招徠生意的方法」、「可說是酒樓茶室的粧〔裝〕飾品」。文中看似支持女性獨立謀生，但對女性在公共空間的出現，仍持相當封建的看法，對資本主義社會加劇階級流動的現象流露龐大焦慮，於是以草根階層女性作為代罪羔羊，假設她們毫無個人思考、選擇能力及意志力，隨時任人擺布或落入被引誘的圈套。這種對女招待的想像，相當接近《重生》中白馨的墮落敘事。

華南新女性

但當時社會上的聲音並非一言堂。一九四三年《婦女世界》第四卷第二期頁十一全版刊有署名嚴勵生〈女招待自述〉一文。文中以第一人稱向泛道德化傾向的論述提出相反觀點。作者自稱來自「貧苦的家庭，祇有高小教育的程度」，急於「找飯吃」，得朋友介紹作女招待，雖然「工資微薄得可憐」，但「這時酒樓業務，非常發達」，先後到香港及澳門等地的大酒樓工作，「我在這數年中糊糊塗塗地倒也享著溫飽的生活」。她回顧：「我由二十歲做了酒樓的女招待，一直到去年二十六歲才離開這種職業，我把這數年中所經過的職業回憶一下，感覺無限的興趣，這並不是好慕虛榮、崇尚物質等，不良的浪漫志趣。不過我在找到『女招待』這職業後，便能援救淪於苦困的家庭，為年老的父母，幼稚的弟妹在社會上掙扎，就這種興奮的心理，使我對於職業發生很大的興趣。」全文結論是：「婦女欲解決一切問題，排除一切苦痛只有找尋得職業，用不屈不撓的精神，沉毅地來激奮改造自己環境的障礙，洗清數千年來的陋習思想，更要具備豐富的學識技能，強健的體魄，勤苦忍耐的精神，以鞏固我們職業的基礎，以適應社會的需要，叫自己不必依附男子而生存，以粉碎桎梏和暗黑的生活。」

如果把目前可看到的四十年代粵語片，重置於三、四十年代華南社會文化中對女招待的論述這脈絡中審視，也許可以幫助我們更了解電影的敘事與角色設定。《魂斷歸家娘》（一九四九，胡鵬）白燕飾演的陳佩娥作女招待時受人輕薄，要她「承認出來撈的」，她立刻反駁道：「先生請你尊重點」；「我們大家都是人」；「我們做這種職業也是為了生活」；「請先生不要當我們是不三不四的女人」。於是她贏得客人鄭鍾堅的欣賞：「我也很願意有這誠實的朋友。」佩娥作為女招待遇到的差別待遇，具體呈現了當時社會上對打工女郎的意識矛盾、期待與壓力。

鍾堅出國後，佩娥遭老闆解僱，適逢陳父欠下賭債，危急之際只好答應下嫁已婚富商劉紹基為妾侍，唯受元配迫害，後來鍾堅回國，紹基最後同意撮合二人。《相逢未晚》（一九四九，珠璣）中白燕演的窮家女楚芬，為了供養母親生活和妹妹麗絲讀書作女招待，被妹妹鄙視，要在別人面前佯裝同屋住客，隱瞞姊妹關係。她更把愛情讓給妹妹，後來自己下嫁恩客富翁何德甫為妾，最終德甫覺悟妾侍制度之不公，讓楚芬投入「婦女會」的工作，回到自由獨立的生活。這些電影中的女招待是草根女性企圖離開封建社會框限，謀求生存及承擔家庭責任的一種求生途徑及過渡策略，也是充滿艱苦奮鬥，女性彰顯個人意志與毅力的場域；電影以她們的掙扎、不斷作出各種選擇又被迫不斷流動的位置為主軸，觀眾的認同、體恤與欲望都在打工女郎（而非在坐享其成、充滿階級歧視的現代女學生妹妹麗絲，或封建家庭的既得利益者及加害者元配等）身上，可謂華南左翼都會現代性的一種示範。這些電影也替華南現代男性提供培訓，教育他們敢於挑戰封建，尊重打工女郎的主體性，體諒她們的艱難處境，並從旁協助她們獨立自強。

戰後粵語片是前現代與（洋化）現代性／別關係爭持不下的場域。與第一章討論的《國風》、《姊妹花》、《情劫姊妹花》相似，《歸來燕》（一九四八，馮志剛、馮一葦）也寫性格不同的姊妹同愛一夫，姊姊的自我犧牲、顧全大局與妹妹堅持己見、爭取個人欲望實踐的性格形成對比，但有趣的是，《歸來燕》中是後者得到獎賞鼓勵，並讓充滿前現代記憶的華男男性享受平妻福分[39]，自由遊走於前現代封建特權、五四進步話語權，與洋化資本（穿著西方禮服、打領帶等）之間，如魚得水。羅佩瓊（白燕）在《難測婦人心》（一九四七，畢虎）中則為奪回早已金屋藏嬌的丈夫楊超然（白雲）的歡心，先同意讓他娶其歌女情人陸可卿（小燕飛）為平妻，後又難抑妒火而動殺機。再一次教育華南男性，平妻之危險。

改編自怡紅生的報章連載小說，《辣手碎情花》（一九四九，珠璣）中白燕飾演的朱子瑛，為了醫治突然失明的繪圖師丈夫（張活游飾文靜波），把愛情讓渡給妹妹子玲（曾藍施）；她既培訓子玲作各種家務勞動，包括充滿性意味地為靜波點菸斗，同時透過舊同學風月舞場大班的人脈，半被迫地向「色藝俱全」的方向發展。片中提到她曾於學校《雷雨》話劇中演四鳳，暗喻她作為知識青年的軌跡。待靜波康復後，子瑛留書：「不忍以不潔之身而再侍君，別矣，此後當遠走天涯，子玲若我也，期珍視之，臨書未盡，幸鑑我心，復為自愛。」贏得靜波「子瑛真是偉大」的嘆謂。靜波的失明，把戰後男性創傷具象化；子瑛自我犧牲來成全子玲，不但在敘事中摒棄兼祧平妻的可能，更把女性在公共空間的流動，看成男性殘缺的延伸。

戰爭讓前現代性關係受到挑戰，封建家庭與兩性關係的不穩定性衍生莫大焦慮，這些都形塑了戰後電影中一些相當特異的女性角色。白燕作為「華南影后」，在五十年代中以後的粵語片中被定型為「不幸女性」、「賢妻良母」、「端莊嫻淑」[40]的代表，但在過去十年重新出土多部四十年代的粵語片中，卻發現她作為廣東都會現代女性的符徵，曾經演繹非常多元的角色。戰後香港，開啟了報章連載小說的黃金時代；這些流行文學中的女性角色變化多端，跳脫成規，一方面對儒家道統作出反叛，另方面亦不忘向中國五四菁英政治打臉。《青衫紅淚》（一九四八，高梨痕）改編自望雲的小說，片中賈醉鳳（白燕）不但自己逃出妓院，隻身到織造廠打工，更利用工廠大班黃仲文的追求，成為掛名書記，從而訛騙進出口商人陳清志，最後成功賺取大量現金，與女友乘船往澳門。

> 把電影與望雲的原著對讀，才發現前者已經「淨化」了很多，小說不少性愛場面也沒有照搬到電影。而原著另一樣有趣的地方，是對女主角物質追求的描寫，其中一段寫道：「她一個月中的收入，大部分也花在打扮上。你問旁的女工不知道的，賈醉鳳卻連密斯佛陀的唇膏共分幾種顏色都曉。」真的堪稱港女先鋒！[41]

片中她一屁股坐在黃大班辦公室桌上的架式，層出不窮的謀算把各式男性玩弄於掌心而毫不愧怯，又見風使舵、適時抽身，表明自己「不相信愛情」，在兩性關係中彰顯驚人的報復式能動力，形象鮮明突出，可謂上海新女性的華南更新版。

《百變婦人心》（一九五四，吳回）中新寡少婦顧虹影（白燕）見妹妹（小燕飛）帶回來的未婚夫汪洋（吳楚帆）酷似自己的舊情郎秦世傑，遂起橫刀奪愛之心。片中顧虹影乘著與汪洋獨處大宅，利用充滿誘惑的眉目與醉顏，風情萬種又假裝柔弱，把他直接騙上床。這些女性主角，顛覆了現存粵語片中絕大部分女性的呈現。她們要不狠心手辣，不惜遊走於各種道德位置，要不承受靈活的自我改造或犧牲，反照出男性的懦弱無能或傷殘固執，猶如美國在二戰後興起的一系列黑色電影中的蛇蠍美人，體現著華南地區飽歷戰爭的傷痛滄桑，需要移嫁至性別鬥爭、權力顛倒的想像中，但也同時對四十年代華文文字媒體中經常纏繞女性社會性別角色，以男性本位主導的泛道德論述，回敬響亮的巴掌，並為粵語文藝片的大量女性觀眾提供感情宣洩及撫慰的出口。這些相對逸出單元成規的家庭、性／別關係，及越軌的女性角色塑造，在五十年代中以後的香港電影中，將變得難以想像，漸趨枯竭。

島上

> 一九三七年是抗戰爆發的一年，〔……〕同時我的生命也轉進了新的境界。至少我覺到自己是堅強起來了。㊷

時代在進展之中，許多事情都成為陳述了。然而我相信，在地面的某種角落裡，像這裡所記錄著的社會現象，是依然存在的。㊸

許多在當日認為值得留下的東西，很快都變成了沒有用處〔……〕但是無論如何，我在這本小書裡所寫的人物或是我們所宣洩的情感，在社會或個人任何一方面的意義說，都是不中用的東西：這便是我所以拿「殘渣」作為題名的緣故。㊹

近年出土電影中另一大發現，是改編自香港早期新文學最有成就的作家侶倫，其代表作小說《黑麗拉》㊺的電影《蓬門碧玉》（一九四二，洪叔雲）。侶倫，原名李觀林又名李霖，出生於一九一一年九龍，為香港第一代新文學作家（與平可、傑克、谷柳等同代）。一九二六年，十五歲時以組詩〈睡獅集〉投稿《大光報》副刊出道，至一九八八年去世時，出版近二十部小說及散文集，從事文學創作超過六十年。

一九二八年始，侶倫在有香港「文壇第一燕」之稱的《伴侶》發表多篇短篇小說；一九二八年投小說〈以麗沙白〉到上海《現代小說》（葉靈鳳編）。一九二九年與謝晨光等組織「島上社」，小說〈爐邊〉發表於該社出版的文藝期刊《鐵馬》第一卷第一期；同年創辦文藝雜誌《島上》。侶倫曾經提到，當時在香港從事新文學的多是青年人，有些還是中學生，只是為了愛好新文學而業餘寫作，但互相之間並不認識，也沒有什麼組織。《大光報》邀請它的副刊投稿者進行一次聯誼性的聚會，才使得這一群人有了第一次見面的機會，聚會的時間侶倫還準確地記得，是一九二八年元旦。這次聚會後，香港的新文學作家彼此有了來往，這些志趣相投的青年人後來成立了「紅社」，但沒什麼活動，後來又有了「島上社」。㊻一九三一年侶倫任香港《南華日報》副刊《勁草》主任編輯，一九三七年發表早期代表作《黑麗拉》，同年進入香港大觀聲片影片公司、合眾影業公司擔任編劇。一九三八年入香港南洋影片公司，任編劇並在宣傳部工作，至一九四一年香港淪陷為止。期間編了電影劇本《大俠一枝梅》、《強盜孝子》（一九四〇，仰天樂）、《弦斷曲終》（一九四三，高梨痕）、《蓬門碧玉》、《如意吉祥》（一九三八，李化）、《大地兒女》（一九四五，楊工良）等；還為香港志華影業公司編《民族罪人》（一九四一，黃達才；後改名《烽火鴛鴦》）。一九四六年從內地回港後，侶倫應友人之約，編寫電影劇本《情深恨更深》（一九四七，洪叔雲）、《喜事重重》、《諜網恩仇》（一九四八，任彭年）等。在談到他的編劇生涯時，提到自一九三七年起，侶倫對電影產生興趣，曾參加香港電影界座談會，參加香港話劇界籌組「華南戲劇研究會」，並在幾家電影公司任編劇，侶倫戲稱此舉為「越界築路」。從侶倫生平與他的半自傳式電影《蓬門碧玉》中亦會發現，此時香港文人的最重要收入來源，是替電影公司工作；這種「越界」，是文人為自己築路。所以香港電影歷史，實在跟文學史息息相關。

侶倫中後期的長篇力作《窮巷》於一九四八年開始撰寫，在夏衍主編的《華商報》副刊連載，凡二十萬字，於一九五二年出版單行本。電影劇本《窮巷》則「完成於一九四八．五月十日晚」，取名為《人間何世》。小說與電影劇本都是寫高懷、杜全、莫輪（劇本內叫莫林）和羅建四個年輕窮人，在戰後香港掙扎求存的故事。最近出土的《窮巷》劇本手稿，人物簡介部分是寫在一張印有「李鐵稿紙」字樣的紙張上，也許是替導演李鐵而寫的劇本。雖然電影《窮巷》似乎並沒拍成，但從劇本中的人物與敘事可見，《窮巷》對李鐵導演隨後的名作《危樓春曉》（見下章中聯影業公司討論），也影響不淺。㊼

從侶倫這個例子大概可以瞥見，在上世紀三十年代，已經有年輕一代的香港文藝工作者視香港這「島上」，作為他們創作的本位與基地。侶倫又曾以貝茜為筆名，在香港《工商日報．文藝副刊》上發表〈香港新文壇的演進與展望〉一文，是最早以香港文化作為主體的論述之一：

> 自然，香港正如別個地方的人所認定的香港一樣——一個商埠，而不是一個文化地點。但是文化這個東西並不是規定某種地方可以生存或滋長，某種地方就不能夠。文化究竟是一件人為的事業，一個分析者只能說某種地方文化發達與不發達而已。香港，跟著它所以成為世界商場樞紐的優越的地位，因為交通便利，一切的物質文明也佔〔占〕了優越的方便，隨著全世界潮流的總匯而輸進了來。文化方面也是一樣。㊽

這種本土身分認同的萌芽，與對上海文壇的嚮往及與其親密互動（如侶倫深深受葉靈鳳影響；謝晨光更說《島上》的內容多少是模仿《幻洲》的㊾）、同時又自覺於香港作為「華南」文化一員的地理位置[50]，這三種認同情感之間沒有牴觸，反而互相滋養。這時期的香港文人對自身文化構成的思考，一方面吸收著中國左翼文學的養分[51]，另方面與半殖民地上海「洋場現代派」[52]互通聲氣，並非建基於與大陸的文化差異或意識形態上的左右對立，反而是同時透過與中國及海外的連繫，成就了一種兼收並蓄、多元開放的文化。

不為所悅的殘渣

在〈不算自傳——致答四川大學一講師〉一文中，侶倫說：「以整個創作過程來說，大致也可劃分兩個階段：初期我是比較傾向感傷主義，……隨著個人視野的擴大，後期作風便有所演變，題材傾向於社會範圍」。[53]在四十年代末期，採取左派文藝觀的評論者認為侶倫：

> 缺乏尋求集體力量的勇氣，缺乏反抗他所不滿的社會而奮鬥的熱力。[54]

至八十年代末仍有人認為侶倫作品：

> 畢竟只是小資產階級知識分子心靈上的脆弱和空虛的表現。[55]

小思指出，這些評論「未免脫離了一個特定的社會背景，孤立地、一廂情願地去評論香港文學，那必然看不出屬於這個地方的文學特色來，失諸片面的評論，也是不公允的。」[56]侶倫作品最有趣，也有別於歐美主流現代主義作品的地方，正是能夠不避嫌地真摯表達洋化華人知識分子的浪漫，流露在不重視文人文化的殖民地香港懷才不遇的感傷，然又不失對社會與民族議題熱情的投注。這些看似矛盾的情懷，理所當然地在改編自侶倫小說《黑麗拉》的電影《蓬門碧玉》中糅合著。寫於一九三七年、約二萬字的中篇小說《黑麗拉》中，窮作家由憐惜自身開始，繼而愛上在俄國人開的孔雀咖啡室當女招待、在菲律賓人圈子中打滾的女郎黑麗拉，其間黑麗拉又與有財有勢的嘉蓮奴形成三角戀。

小說經侶倫本人改編成電影，在香港淪陷前拍攝完成，淪陷後才獲公映。女主角是來自上海、有「南國情人」之稱的路明，是戰前活躍於粵語、國語影壇的雙棲明星，戰後的代表作是國語的《天堂春夢》（一九四七，湯曉丹）（下述）。雖然電影《蓬門碧玉》把小說的女主人公外籍少女「Clara」改成「阿麗」[57]，刪減了不少小說中特有的殖民元素，如菲律賓樂師、尖鼻婆子老闆娘管的ＡＢＣ咖啡店、傳道老婦等，但仍一定程度上保存了小說的洋化氣息：有西洋樂隊表演的咖啡廳、外賣是西化的罐頭塗麵包、在家煮咖啡和牛奶，表現出粵語片中罕見的、早期香港華洋雜處的獨特風情。這些並非「小資產階級知識分子心靈上的脆弱和空虛的表現」，剛相反，在電影中這些是草根文人面對實際上生存條件朝不保夕、在茫茫大都會中不斷拖欠房租之餘，依然戮力分享生活情趣與品味，保持樂觀積極的心情，相濡以沫的體現。他們的生活中所親近的「洋」，並非殖民者歐洲白人，而是同樣在三、四十年代因為戰亂或被殖民而流離的民族，如白俄、猶太、菲律賓人等。

我知道，假如你們是有錢人的話，決〔絕〕不會同情我，不是嗎？不過，我恐怕你們的生活多了我一個人之後，你們會更苦。

但是我們會更快樂，你信不信？[58]

侶倫小說與電影中對在地文化與種族關係的再現，確實是當時的中國左翼文藝觀，以致六十年代去政治化的香港現代主義文學潮流都難以消化的。像侶倫這樣越界（跨電影與文學、跨多文化、跨多政治認同）的實驗者，在華人社會也只有當時的香港可以生產並容納；不完全順應政治趨勢，勇於不為所悅的大膽實驗，可能也是香港在被日軍侵占前的電影文化特色。像他這樣的作者，一定程度上解釋了在華文世界中，香港三十至六十年代文化身分構成與認同之長期被忽視或誤解的原因，像「粵語長片」日漸被嘲笑為「粵語殘片」，成為社會發展巨輪下的「殘渣」。

香港，迅速地復員了繁榮，也迅速地復員了醜惡！〔……〕在抗戰中獻出良心也獻出一切卻光著身子復員的人，一直是光著身子。曾經出賣民族利益的販子，搖身一變之後卻重新有了後台〔臺〕，招搖過市；把日子打發得舒舒服服。(59)

侶倫是中立者，但不表示沒有立場。〔……〕

在文學發展中，侶倫又是「被遺棄者」。六十年代開始，侶倫致力於報社編輯的工作，很少發表作品。香港六十年代純文學勃興，尤其是以現代主義文學為純文學的潮流。在這方面，侶倫已跟不上文學發展的節奏而被人忽略。(60)

天堂春夢(61)

戰後至五十年代香港粵語片充滿了對三、四十年代上海電影或明或暗的緬懷與回應。像一九四七年上海國語片《天堂春夢》，電影在戰時的重慶展開，年輕有為的工程師丁建華（石羽）興匆匆趕回家，興高采烈告訴妻子漱蘭（路明）：「日本投降了！」漱蘭說：「你開玩笑！」此時背景響起街上遊行的敲鼓樂聲。丁建華特別為將來「一個溫暖的家」設計了花園洋房；此時電影呈現二人夢想中的新生活：穿著筆挺西裝下班回家、帶著大包小包禮物的建華迎向可愛的兒子，又對母親說：「現在國家上了軌道，工作合理，回到家裡又有很好的休息。我真恨不得能多替國家人民出點力……現在東西便宜，為什麼不買呢。」漱蘭彈著鋼琴，唱著：「幸福世界，美麗的天堂，青年在工作，主婦有新房……」然後電影的氣氛急轉直下，他們回到歌舞昇平的上海，面對現實與預想之間的落差，原來母親投靠的好友在淪陷區上海替日本人蓋飛機場，需要建華替他拉攏重慶政府的關係，以「地下工作者」的名義掩飾他曾經作為漢奸的證據。建華一步步發現，自身耿直的性格、毫無人脈的背景、沒有在戰爭中發災難財於是身無分文，叫他在戰後腐敗不堪、百物騰貴、民不聊生的社會根本無法存活；戰前設計的大廈內刻有自己的名字，但租金卻成了無法負擔的天價。為了付妻子的產費，把為自己房子設計的圖賣給了朋友；兒子「勝利」出生後，甚至要把兒子也送給朋友。最後一家人終於看到建華設計的屋子，裡頭有自己的孩子在別人的懷抱裡。電影遭到中央電檢會要求八處刪剪，原來的結局是建華跳樓而亡，後來改為一家三口茫茫不知去向。電影當時被評論高度讚揚，認為主人公的遭遇令人感到無限親切，是中國「慘勝」後社會大悲劇的縮影。「勝利」及其帶來的反諷，帶來更多的顛沛流離；「一切都只講金條」的拜金社會；自己蓋的房子自己住不起，「起碼的生活條件都不能解決」；「賣骨肉」等等；這些都將成為往後三十年香港電影的常見母題。

福建人湯曉丹一九三三年以薛覺先主演的《白金龍》出道，為第一部在粵、港、滬均賣座的香港粵語（有聲）片；在當時上海製片人大多維持默片製作的三十年代，非常轟動。四〇年用黃曼梨、紫羅蓮、伊秋水等拍國防電影《小廣東》（一九四〇，湯曉丹、羅志雄），一年後又用張瑛、吳回等拍出《民族的吼聲》，對香港電影的發展影響深遠。一九五一年香港粵語片《天堂春夢》（蘇怡、左几、朱克、李亨、盧敦、譚新風；吳楚帆及周坤玲主演），正是對湯曉丹的上海《天堂春夢》敏銳深邃的回應。電影敘述內戰期間國民黨高官陳伯豪等逃至香港，眾人各懷鬼胎，生活豪奢。伯豪除一妻一妾再在外金屋藏嬌，其子家蓀亦好嫖好賭，寵妾蘭娜又與伯豪秘書梁一山相好。伯豪的表親楊雨亭自金山歸來，伯豪知雨亭帶回巨款，騙其合作投資。伯豪把公款用作個人投資炒賣，囤積居奇，後被發現虧空公款，家蓀亦盜用公司支票在外欠下巨債。此時蘭娜與一山準備夾帶私逃，被伯豪抓姦，最後伯豪打傷雨亭，槍殺一山，被眾人追趕至天臺，終於走投無路跳樓身亡。劇情千迴百轉，全部負面人物之間勾心鬥角，看似跟描繪有志氣青年理想幻滅的上海《天堂春夢》毫不相干，但巧妙的是，兩者同樣是寫妻離子散、最後無法存活的故事；前者的悲劇發展，正是源自有後者這樣的人物、家庭、組織與行為。

英治下的香港電影描寫政治，避重就輕，但以一個父權家庭暗喻黨國的全面墮落，剛好向上海的《天堂春夢》行了一次集體的敬禮，彷彿還了它一個公道，把戰後中國人民的顛沛流離，以倫理反諷劇的形式，作了一次深度的剖析；猶如在訴說，是粵語片《天堂春夢》中的這些人這些事，讓上海國語片《天堂春夢》中這樣的人無法存活，但真正應該走投無路的是誰呢；誰的天堂，誰的夢。這天堂製造了誰的地獄，這春夢鋪墊了誰的噩夢。天堂與地獄，春夢與噩夢，兩者的互為鏡像，在接下來的三章，探討冷戰布局下香港電影的親左與親右政治光譜中反覆浮現。

註釋

① 《偷燒鴨》的攝製年份一直備受香港電影研究者爭議，余慕雲曾對該片拍成於一九〇九年存疑。二〇〇九年十二月香港電影資料館召開的「中國早期電影歷史再探討研討會」上，羅卡和法蘭賓（Frank Bren）發表的研究文章中，提出文獻資料論證《偷燒鴨》和《莊子試妻》都拍製於一九一四年春。見羅卡：〈百年孤寂：靜悄悄渡〔度〕過了的香港電影百歲壽辰〉，《HKinema》第二九期，二〇一五年。https://www.filmcritics.org.hk/film-review/node/2015/07/04/%E7%99%BE%E5%B9%B4%E5%AD%A4%E5%AF%82%EF%BC%9A%E9%9D%9C%E6%82%84%E6%82%84%E6%B8%A1%E9%81%8E%E4%BA%86%E7%9A%84%E9%A6%99%E6%B8%AF%E9%9B%BB%E5%BD%B1%E7%99%BE%E6%AD%B2%E5%A3%BD%E8%BE%B0；亦參黃愛玲、藍天雲：〈《偷燒鴨》：傳說與考證〉，《中國電影溯源》，黃愛玲編，香港：香港電影資料館，二〇一一年，頁六九—八〇。

② 郭靜寧、吳君玉編：《探索一九三〇至一九四〇年代香港電影上篇：時代與影史》，香港：香港電影資料館，二〇二二年；郭靜寧、吳君玉編：《探索一九三〇至一九四〇年代香港電影下篇：類型・地域・文化》，香港：香港電影資料館，二〇二三；Emilie Yueh-yu Yeh, ed., *Early Film Culture in Hong Kong, Taiwan, and Republican China* (Ann Arbor: University of Michigan Press, 2018)；周承人、李以莊：《早期香港電影史（一八九七—一九四五）》，香港：三聯書店，二〇〇五年。

③ 參黃愛玲編：《粵港電影因緣》，香港：香港電影資料館，二〇〇五年。

④ Ming K. Chan, "All in the Family: The Hong Kong Guangdong Link in Historical Perspective," in *The Hong Kong-*

Guangdong Link: Partnership in Flux, ed. Reginald Yin-Wang Kwok and Alvin Y. So, (Hong Kong: Hong Kong University Press, 1995), 38。亦參麥欣恩：〈總有親屬在「唐山」：光藝「南洋三部曲」所展現的海外廣東文化樞紐〉，《香港電影與新加坡——冷戰時代星港文化連繫一九五〇—一九六五》，香港：香港大學出版社，二〇一八年，頁一三四。

⑤ 參程季華、李少白、刑祖文編：〈有聲電影在中國〉，《中國電影發展史》（第一卷），北京：中國電影出版社，一九九七年，頁一五六—一六八。

⑥ 何思穎：〈慕貞——一窺三十年代香港電影中的女性意識〉，《通訊》，第六六期，香港，香港電影資料館，二〇一三年十一月，頁六。

⑦ “One of the most destructive actions by the Japanese against the Hong Kong film industry was to melt down a large number of the pre-war films to use the silver nitrate for military purposes.” David Carter, “Hong Kong Cinema in Hong Kong: A Little History,” *East Asian Cinema*, Harpenden, UK: Kamera/ Oldcastle Books, 2010 (Kindle Edition).

⑧ 陳彩玉：〈方創傑先生與他的時間囊〉，《通訊》，第六六期，香港，香港電影資料館，二〇一三年十一月，頁四—六。

⑨ 《天上人間》的難民生活描繪，跟同年公映的《民族的吼聲》相當類近。

⑩ 「這一代知識青年的左翼關懷，愛國卻不硬銷救國，戲劇依人世情理發展，善惡並存不諱，沒有道德潔癖，更不妄做定論。已故電影學者黃愛玲譽之為具有理想主義色彩，卻不落意識形態窠臼，乃早期香港左翼電影高水準之典範。」〈《天上人間》（修復版本）〉介紹：https://www.filmarchive.gov.hk/tc/web/hkfa/peevent-2019-11-1-17.html。

⑪《工商晚報》，香港，一九三七年九月十二日，第一版頁一。

⑫葉漢明：〈妥協與要求：華南特殊婚俗形成假說〉，《禮教與情慾：前近代中國文化中的後／現代性》，熊秉真、呂妙芬編，臺北：中央研究院近代史研究所，一九九九年，頁二五七。

⑬郭盛暉：〈珠江三角洲的自梳女習俗及其演化與成因〉，《神州民俗》，二〇〇九年第六期，總一一六期，二〇〇九年六月，頁三一。

⑭陳遹曾、黎思復、鄔慶時：〈「自梳女」與「不落家」〉，《文史春秋》，一九九四年三期，頁四一。

⑮陳遹曾、黎思復、鄔慶時：〈「自梳女」與「不落家」〉，《文史春秋》，一九九四年三期，頁四四。

⑯「正典」（normative），跟「正常」、「主流」類近但意思不同，比較強調其作為典範，具有規範、約束的特質。

⑰轉引自張杰：〈金蘭契研究〉，《中國社會歷史評論》，二〇〇五年第三期，頁一一一一三。

⑱《不堪重睹舊征袍》歌詞，由吳楚帆主唱。

⑲如Christian Henriot, *Shanghai, 1927-1937: Municipal Power, Locality, and Modernization*, trans. Noël Castelino (Berkeley: University of California Press. 1993); Leo Ou-fan Lee, *Shanghai Modern: The Flowering of a New Urban Culture in China,1930-1945* (Cambridge, MA: Harvard University Press, 1999); Frederic Jr. Wakeman, *Policing Shanghai,1927-1937* (Berkeley: University of California Press, 1996); Wen-hsin Yeh, "Shanghai Modernity: Commerce and Culture in a Republican City," *The China Quarterly*, no. 150, Special Issue: "Reappraising Republic China" (June

1997): 375-394; Wen-hsin Yeh, *Shanghai Splendor: Economic Sentiments and the Making of Modern China,1843-1949* (Berkeley: University of California Press, 2007)，等。

⑳ 如Sheldon Hsiao-peng Lu, ed., *Transnational Chinese Cinemas: Identity, Nationhood, Gender* (Honolulu: University of Hawaii Press, 1997); Yingjin Zhang, *The City in Modern Chinese Literature and Film: Configurations of Space, Time, and Gender* (Stanford, California: Stanford University Press, 1996); Yingjin Zhang, ed., *Cinema and Urban Culture in Shanghai,1922-1943* (Stanford, California: Stanford University Press, 1999); Miriam Bratu Hansen, "Fallen Women, Rising Stars, New Horizons: Shanghai Silent Film As Vernacular Modernism," *Film Quarterly* (2000) 54 (1): 10–22; Zhen Zhang, *An Amorous History of the Silver Screen: Shanghai Cinema 1896-1937* (Chicago: University of Chicago Press, 2005)，等。

㉑ Poshek Fu, *Between Shanghai and Hong Kong:The Politics of Chinese Cinemas* (Stanford, California: Stanford University Press. 2003).

㉒ Leo Ou-fan Lee, *Shanghai Modern: The Flowering of a New Urban Culture in China,1930-1945* (Cambridge, MA: Harvard University Press, 1999).

㉓ 顧倩：〈以推行國語之名禁攝方言電影〉，《國民政府電影管理體制（一九二七—一九三七）》，北京：中國廣播電視出版社，二〇一〇年，頁二九八。

㉔ 李晨風亦曾改編《日出》為粵語片（一九五三）。更多關於胡小峰作品的討論，可見第五章。

㉕ 陳智德：〈導言——香港新詩與「無名詩人」〉，《三、四〇年代香港詩選》，陳智德編，香港：嶺南大學

人文學科研究中心，二〇〇三年，頁XXVIII-XXX。

㉖ 李以莊、周承人：〈序論〉，《香港銀幕左方》，黃愛玲、李焯桃編，香港：雙原子創意及製作室，二〇二一年，頁三。

㉗ 郭靜寧：〈盧敦：我那時代的影戲〉，《香港影人口述歷史叢書之一：南來香港》，郭靜寧編，香港：香港電影資料館，二〇〇〇年，頁一二一。

㉘ 周承人：〈冷戰背景下的香港左派電影〉，《冷戰與香港電影》，黃愛玲、李培德編，香港：香港電影資料館，二〇〇九年，頁二九。

㉙ 關文清：《中國銀壇外史》，香港：廣角鏡出版社，一九七六年，頁二二六—二二七。

㉚ 吳楚帆：《吳楚帆自傳》（上冊），香港：香港偉青書店，一九五六年，頁五一。

㉛ 吳楚帆：《吳楚帆自傳》（上冊），香港：香港偉青書店，一九五六年，頁五七。

㉜ 李以莊、周承人：〈民族危機催生左派電影〉，《香港銀幕左方》，黃愛玲、李焯桃編，香港：雙原子創意及製作室，二〇二一年，頁一九。

㉝ 吳楚帆：《吳楚帆自傳》（上冊），香港：香港偉青書店，一九五六年，頁六九—七一。

㉞ 〈吳楚帆的中聯抱負〉，引自《我為人人——中聯的時代印記》，藍天雲編，香港：香港電影資料館，二〇一一年，頁一七二。原刊於《中聯畫報》第四期，一九五五年十二月。

㉟ 參Angelina Chin, *Bound to Emancipate: Working Women and Urban Citizenship in Early Twentieth-Century China and Hong Kong*. Lanham, MD: Rowman and Littlefield, 2012。

㊱〈一九三五年廣州茶樓男女爭職風波〉，https://kknews.cc/society/6ke3pq3.html 。

㊲引自〈廣州女招待的職業慌〉一文，轉載自https://kknews.cc/society/68alen3.html。

㊳引自〈粵漢鐵路旅行記〉一文，轉載自https://kknews.cc/society/68alen3.html。

㊴清朝中後期，先後發生了遍及大江南北的太平天國起義、捻軍起義和西北回民起義，大量平民死於戰火，兼祧在各地普及開來。熱河、綏遠將兼祧列為「全省習慣」和「全區習慣」。民國十六年（一九二七）整理的《民事習慣調查報告錄》中記載的兼祧習俗，每省都有紀錄，且都認為兼祧子之兩妻地位平等，均為正室，沒有任何差別。作為民間習慣，兼祧久已存在，但官府對這一習慣的態度，經歷了從不承認到承認，再到納入制定法的過程。（徐進：〈論清代民事習慣中的兼祧規則——以《民事習慣調查報告錄》為基礎的考察〉，《甘肅政法學院學報》，二〇一三年第五期，頁二八。）香港沿襲舊律，兼祧婚制度曾長期存在。於一九七〇年七月十日頒布的《修訂婚姻制度條例》中才予以廢除：「任何人均不得締結兼祧婚姻。」

㊵可參維基百科：https://zh.wikipedia.org/zh-tw/%E7%99%BD%E7%87%95。

㊶曾肇弘：〈早期電影回眸〉，原載《星島日報》，二〇一九年六月三日。https://www.filmcritics.org.hk/film-review/node/2022/02/04/%E6%97%A9%E6%9C%9F%E9%9B%BB%E5%BD%B1%E5%9B%9E%E7%9C%B8。

㊷侶倫：《無名草》，香港：虹運出版社，一九五〇年，頁四四七—四四八。

㊸侶倫：《窮巷．初版後記》，寫於一九五二年一月，https://www.hetubook.com/book2/1220/34505.html。

㊹侶倫：〈代序〉，《殘渣》，香港：星榮出版社，一九五二年，頁三。

㊺〈黑麗拉〉最早發表於香港《朝野公論》上。一九四一年秋，小說集《黑麗拉》由上海中國圖書公司初版，收短篇小說〈黑麗拉〉、〈迷霧〉、〈絨線衫〉、〈鬼火〉、〈西班牙小姐〉、〈永久之歌〉和〈母親說的故事〉等。

㊻在香港新文學拓荒期，這些互相砥礪的青年人包括黃天石、謝晨光、龍實秀、張吻冰、岑卓雲（平可）、黃谷柳、杜格靈、張稚廬、葉苗秀等。趙稀方：〈《伴侶》之前的香港白話文學〉https://www.hongkongliterary.com/dzdetail.jsp?id=9674&pid=34463282&dzid=50447928&nav=1。

㊼《危樓春曉》電影劇本由陳雲及盧敦合寫，原故事結構出自望雲的小說《人海淚痕》，戰前曾被改編成電影《人海淚痕》（一九四〇，李鐵）。參陳樹貞、羅卡：〈陳雲暢談六十年代粵語片界〉，《第二十屆香港國際電影節——躁動的一代：六十年代粵片新星》，羅卡編，香港：市政局，一九九六年，頁一〇七—一一三。

㊽貝茜：〈香港新文壇的演進與展望〉，《早期香港新文學資料選（一九二七—一九四一年）》，鄭樹森、黃繼持、盧瑋鑾編，香港：天地圖書，一九九八年，頁二四。原載《香港工商日報．文藝副刊》，一九三六年八月十八日—九月十五日。

㊾侶倫：《島上草及其他》，載《大公報》，一九八三年三月十九日。引自小思：〈侶倫早期小說初探〉，《香港故事》，濟南：山東友誼出版社，一九九八年，頁二二一。

㊿侶倫與廣東的連帶一直沒斷。一九二七年侶倫赴廣東參加國民革命軍北伐；一九四二年五月，侶倫逃出日占香港，到廣東東江上游偏僻的紫金縣黃砂鄉一小學任教導主任。電影《蓬門碧玉》中的男主角也是往來

於粵港兩地。

⑤① 侶倫說《母親說的故事》受巴金《洛伯爾先生》的影響。引自小思：〈侶倫早期小說初探〉，《香港故事》，濟南：山東友誼出版社，一九九八年，頁二一九。

⑤② 小思在〈侶倫早期小說初探〉中自創的新詞，藉此與寫實主義及新感覺派以資識別。

⑤③ 載《大公報》，一九八三年一月二十二日，四張一版《大公園》，第十六版第四張。

⑤④ 引自小思：〈侶倫早期小說初探〉，《香港故事》，濟南：山東友誼出版社，一九九八年，頁二二一。

⑤⑤ 雁楓：〈談談侶倫的早期散文〉，《讀者良友》第一卷第一期，一九八四年七月，頁七六。

⑤⑥ 小思：〈侶倫早期小說初探〉，《香港故事》，濟南：山東友誼出版社，一九九八年，頁二二二。

⑤⑦ 小說這樣描繪Clara：「永遠穿著黑色的洋服，加上一雙龍眼菓子核似的黑亮的眼睛，和一頭披在肩上的野蠻風味的長髮，那麼柔軟那麼漆黑地，把她白皙的臉孔和兩條手腕，都顯得更蒼白起來；假如面上沒有那兩瓣像楓葉似的嘴唇，好容易就看出一副貧血的顏色」，跟在片中穿著套裝裙或旗袍的阿麗，相差甚遠。侶倫：《黑麗拉》，上海、香港：中國圖書出版公司，一九四三年，頁二。

⑤⑧ 摘自小說《窮巷》，香港：三聯書店，二〇一九年，頁六二。

⑤⑨ 摘自小說《窮巷》，香港：三聯書店，二〇一九年，頁一七。

⑥⓪ 潘錦麟：〈侶倫與香港文學〉，《考功集（畢業論文選粹）》，香港：嶺南大學，一九九六年，頁二五九。

⑥① 同名的電影《天堂春夢》至少有三部。除本章討論的兩部外，還有一九六六年龍華公司出品的國語片《天堂春夢》，任意之、唐龍導演；任彭年監製；高遠、韓瑛主演。但至今無法看到該片。

第四章

南國人情：中聯的多快好省

不少香港人聞「左」色變，卻忘記了在歷史的大洪流中，左的思潮曾經寄託了那一代人對家國和人類社會發展的理想與憧憬。當年他們及其他同輩影人以他們的修養、熱情和風采，豐富了我們的影像世界。①

本章與下一章爬梳戰後香港電影漸次進入文化冷戰的一些形勢，及南來進步影人的回應對策。本章先聚焦於四、五十年代在香港集結的一批創作粵語片的菁英華南影人，目標觀眾為華南及東南亞草根階層龐大人口的「中聯電影企業有限公司」，其理念、組織特色及出品、周邊等，如何改寫了香港電影歷史，從而重新認識五十年代粵語片的一些政治面向，與戰後社會二十年急速變遷的關係，並論及香港文化論述中本土主體性的構成與蛻變。

避難所、試練場

三、四十年代，幾份從國內遷到香港復刊的報紙，聘用知名作家為副刊編輯，如蕭乾、楊剛先後主編《大公報．文藝》、茅盾、葉靈鳳先後主編《立報．言林》等，也有三八年創刊，戴望舒主編的《星島日報．星座》；四一年創刊，陸浮、夏衍主編的《華商報．燈塔》等，香港當時提供了給文人一個相當廣闊的左翼及現代派文藝光譜熱烈討論的平臺。一九三八年從上海來港的徐遲，在戴望舒主編的《星島日報．星座》副刊曾發表〈抒情的放逐〉一文，就引發了陳殘雲以〈抒情的時代性〉、胡風〈今天，我們的中心問題是什麼？——其一：關於創作與生活的小感〉、穆旦〈《慰勞詩集》——從《魚目集》說起〉、艾青《詩論》等多篇回應。②一九三九年，中華全國文藝界抗敵協會香港分會及中國文化協進會成立。一九四〇年香港文壇另有一波由楊剛發動的「反新式風花雪月」論爭，批判個人主義的感傷作品。③一九四一年十二月，日本發動太平洋戰爭，至十二月底攻占香港。一九四二年初，三百多名文化界人士，包括茅盾、鄒韜奮、金仲華等，在中共策劃下，由東江縱隊經水陸兩路護送離港，史稱「秘密大營救」。一九四二年六月〈周恩來關於香港文藝運動情況向中央宣傳部和文委的報告〉特別提到香港政府本來「不很注意檢查」，但「後來華商報發現左傾，特別是茅盾、韜奮的文章登過後，引起很大注意，檢查也就嚴格起來了」。④

抗戰勝利後，蔡楚生回到上海，積極投入左翼電影陣營的重建工作，包括「崑崙影業公司」的創建；並與陽翰笙、史東山成為崑崙的藝術領導，拍攝了著名的《一江春水向東流》（上、下集，一九四七，蔡楚生、鄭君里）。一九四八年底，蔡楚生再次南下香港。根據導演王為一的憶述，蔡楚生以及陽翰笙、史東山等人是次南來的背後原因是：「一九四八年，上海解放戰爭的形勢很緊張，國民黨特務的白色恐怖也很厲害，當時很多進步人士都到香港去了。〔……〕周恩來總理考慮到『三老』有生命危險——『三老』就是蔡老〔蔡楚生〕、東老〔史東山〕、翰老〔陽翰笙〕——他們是崑崙的藝術領導，於是讓『三老』先到香港，建立一個製片機構，將來上海還安全的話，香港也可以拍片；萬一上海不行，崑崙公司垮了，就撤退到香港去」。⑤

一九四六至四九國共內戰白熱化期間，香港成為不少親共產黨人的避難所，與保全後備實力的避風港。中華全國文藝協會香港分會於一九四八年五月四日舉行的第四屆文藝節席上大會主席黃藥眠致詞，指五四運動頗為分歧，分成資產階級民主及人民的民主，但「如今前者已沒落，只有後者在迅速發展」，「故今日紀念五四，實在已是新五四了」。茅盾稱香港文協「有會員九十餘人，是文協各分會人數最多的一個，當年在重慶，也不過如此」⑥，可見四十年代香港是匯集中國左翼文人影人的重要基地。自一九四八年起，《華商報》首先開設了「七人影評」，初期的成員由夏衍等人組成。其後，《大公報》與《文匯報》先後出現了「粵片集評」專欄。⑦這些影評以新上映的粵語片為主要對象，對意識守舊、荒誕，以致色情的「毒素」電影大力鞭撻，而對具教育意義的作品則加以鼓勵。一九四九年二月十五日發表在香港《文藝生活》總第四十五期的〈文壇一年間〉十位作家的筆談中，顧仲彝就提到去年「環境廹我離開上海，而踏入這完全生疏的香港電影界來」，為協助建立起「真正的新民主主義的戲劇電影事業」。⑧

新中國成立後，「南來」文人影人大多回國，中共呼召另一批文人及影人來港，計劃在香港製作「新民主主義」的電影，作為「無產階級革命電影」的側翼。同時香港受左翼文藝感染的電影工作者也響應號召，成立電影公司，分別製作粵語片、國語片來迎合不同觀眾的口味，造就了五十年代成為香港親左電影的黃金時代。香港親左電影可以說是中國左翼「新民主主義思想啟蒙運動」最重要的繼承與推動者。[9]五十年代中以後的中港政治斷裂如何干擾這道承傳的脈絡？香港親左電影跟上海左翼電影傳統兩者的城鄉及國族論述，與對仁義博愛、封建階序等倫理道德觀的理解、呈現、繼承或批判，有何異同？兩地電影的寫實／現實主義手法及通俗言情倫理戲劇類型是否切合或歪離於當時歐美相關論述？

匯聚八方的「異地」

在異地，與及在戰爭不同的謠言中，
　我們的徬徨早已經成為了習慣，
不記得或甚至嘲笑它；每個夜晚
人人同夢著廉價的馬票的美夢——
唯一的寄托（託），縱然還有著其他
　已經不足掛齒了；一年復一年
　沖掉了多少信仰，而除了金錢
沒有什麼能支持此地的生涯。
悲哀使許多事情無法再熱心，
　空見到理想墮落了，終歸無望，

而河山依舊，我們也徒然惆悵；
但知道自己已歸根的〔地〕成為公民
在這種生活的形式中：日出而作，
我們在高高的建築夾縫間經過。⑩

四十年代，中國大量人口經歷了「理想墮落」、無家可歸的失落，讓「徬徨早已經成為了習慣」，信仰「沖掉」後，昔日的家驟然成了「異地」，只好在香港這半下流社會重新尋找安穩的生活，「支持此地的生涯」。踏進五十年代，「南來文人」對於這個充滿階級與種族不平等的社會，即使透過文學及電影創作批判與流露不滿，但同時也開始懷抱「歸根」及眷戀的心情。無邪（王無邪）〈一九五七年春：香港〉這首關於此時此地的詩中，香港「為物質的寒流所包圍」，「我們的一生」被「日趨偉大」、「築起了」的「文明」所統治，在一種「知道自己已歸根的〔地〕成為公民」生活「形式」中，「徒然惆悵」，只能「在高高的建築夾縫間經過」，因為「我們已不為自己所佔〔占〕有」；唯一的「權利」，是「流落在無人注意的角落裡」，「閉目而又注視這狹小的土地」，「慌張而蜷縮」。二十世紀末香港人琅琅上口的所謂「地產霸權」，這狹小的土地上充滿壓迫感的過度發展，在上世紀五十年代，已經在文人的視線中，清楚呈現。

一九五〇年四月，相較一九四九年五月，香港人口又多了接近一百萬人，流亡人口占總人口百分之四十。港英政府壟斷土地供應，以最小支出換取最大利益，以低稅籠絡英國商人及買辦階層，透過買辦集團壟斷經濟，迴避保障勞工的政策，不提供公共房屋與足夠普及的公共醫療設施。[11]突然大量南來的難民，在一個種族階級資源分布於戰前已經極其懸殊的地方，戰後你死我活、互相踐踏的道德危機成了常態。在文化方面，中國左翼文藝的傳入成為一種抗衡的力量。四九年前後，香港影人成立「國語片」及「粵語片」兩大學習組／讀書會，讀馬列毛著作。粵語片組成員包括吳楚帆、盧敦、李清、容小意、張活游、秦劍、高魯泉等[12]，就是後來「中聯影業公司」的班底。五十年代左翼電影口徑一致地要「提倡健康，導人向善」[13]，企圖以此回應當時香港現實的社會問題。

八十年代以後出現的香港文化論述，或多或少把港人敘述成一種有強烈主體性，在中英兩大政權之間夾縫中求存及斡旋的族群。夾縫的意象在無邪這首一九五七年的詩中早已出現，但這道夾縫的構築，卻是來自「高高的」資本主義（「除了金錢沒有什麼」）、過度的都市化、賭博心態（「馬票的美夢」），及西方殖民輸出的「文明」及「公民」意識，叫人感到身不由己（「我們已不為自己所佔（占）有」）；徬徨惆悵的港人活在被資本城市壓迫的現實與歐洲高調提倡想像的法治文明論述的夾縫中。上世紀末常被引以為香港人的核心價值：勤奮拚搏、唯錢至上、公民認同等觀念與生活方式，原來在五十年代，是讓不少香港人感到相當不適的。

針對、中介、糅合

不論在質或量來說，五十年代都可謂香港電影的黃金時代。以全球電影製作量來算，香港多年排名第三，僅次於美國和印度；印度電影大多以內銷為主，所以香港是當時全球第二位的電影出口中心，有幾年甚至超越好萊塢。⑭根據I. C. Jarvie提供的官方數字，香港電影產量在一九五六年達三百一十一部之多。⑮

> 一九五一年，粵語片空前熱鬧，產量驚人。以我所知：這一年共拍了二百多、三百部粵片，而我也演出了廿一部。⑯

以質來說，五十年代香港電影的優秀，一方面來自不少上海電影藝術工作者四十年代的南移，帶來了視野與技術的提升，另方面是戰後華南親左文人與華僑文化資源的配合，讓粵語電影以香港作為基地得到空前的發展，不但題材、類型非常多元，對香港社會議題的關注、討論與視野也尖銳深刻。蔡楚生等在香港成立「南國影業有限公司」，並在一九四九年一月的電影座談會後，提出「要改進粵語電影，首先要從劇本入手，要方言文學的創作工作者來創作電影的『文學劇本』」底主張」。⑰一九四九年四月八日，華南電影工作者發起了粵語片電影清潔運動，為香港影史上第三次清潔運動，由一百六十四名粵語片電影工作者簽名發起，鼓吹「停止拍攝違背國家民族利益，危害社會，毒化人心的影片」，聲言「加倍努力緊守崗位團結一致」、「停拍毒化影片不再負人負己」。⑱不久後成立「華南電影工作者聯誼會」。這次運動導致一九五二年的「伶星分家」事件，催生了由影人組成的「粵語片四大公司」：新聯、中聯、光藝、華僑，「成了一面進步的旗幟」。⑲這四間公司的人脈有不少重疊。中聯及華僑是由新聯發展出來，創辦光藝（由南洋何氏家族投資）的秦劍也是中聯的股東之一，光藝繼承了中聯的傳統並將之更現代化（「摩登」）及都市化。⑳中聯的四大導演即李晨風、吳回、秦劍、李鐵常幫新聯拍片（包括一九五二—一九五四年新聯頭四部創業作）；「中聯為新聯拍片，九折支薪」。㉑秦劍也為新聯導演過《家家戶戶》（一九五四）、《新婚夫婦》（一九五六）。本章將以討論中聯的一些經典出品作為案例，了解香港五十年代親左粵語片陣營倡議的價值與政治。

粵語片清潔運動的「奠基作」《珠江淚》（一九五〇，王為一）原定由蔡楚生、王為一聯合導演，四九年年底，廣州解放，蔡楚生要進京負責全國電影局的工作，於是把在廣州拍攝《珠江淚》的任務留給王為一。隨後，廣州要建電影製片廠，王為一被任命為廠長。王為一（一九一二—二〇一三）原籍江蘇吳縣，三十年代先後入讀上海藝專及上海美專，並在學校內外排演左翼話劇。他在一九三四年進入電影界，其間曾因被國民黨通緝而暫留香港。《珠江淚》雖然在廣州拍攝，但起用不少香港演員，如張瑛、李清等，他們在五十年代成了香港親左電影的中堅，共同創辦中聯影業公司。

導演費穆曾在香港《文匯報》（一九五〇）撰文：「我不知應該如何來讚揚演員。〔……〕《珠江淚》裡面就沒有概念化的人物。〔……〕一部影片之中集合了這麼多的演員而使你不覺得銀幕上的人物是假的，那決〔絕〕不僅是語言生動了，人物才是生動的；那是表現了演員的學養和生活體驗到了如何的程度。〔……〕我希望這部影片不要改配國語，華南演員可以用《珠江淚》做〔作〕代表，給內地朋友們認識一下。你們將受到尊敬。」上海與華南影人合作，視嘗試拍攝在地題材為一種政治使命。費穆認為《珠江淚》散發「中國電影前說〔所〕未有的光彩」，反對電影改配國語（他稱為「官話」），不應被局限標籤為「方言電影」，因為中國的語言本來就不統一，不應放棄「人民自己的語言」，「生活的語言」，「一律硬生生地採用國語」。他希望保留片中的粵語演出，並綜論粵語片特別「生動、活潑、有生命力」，「群眾演員的演技水準平均又比國語片演員為高」。[22]

林年同把五十年代粵語電影在香港的興起，定位為五四中國新文學運動其中的一個環節，承繼了新文學運動重視方言，提倡接近大眾，跟徐志摩用陝北土話寫詩、老舍用舊京土白寫小說、郁達夫用江南方言寫小說對白等是一脈相承，也是一場在「半封建半殖民地國家知識分子的文化覺醒運動」，開創出「一個具有勞動人民的文化傳統的藝術樣式」。[23]據一九五六年三月二十五日《華僑日報》上報導，吳楚帆受「聯國港協會」主辦之青年知識講座邀請，主講「粵語片演進史」，副題為「不限方言應該力求進步／希望今後大家努力改善」。

他指出有聲粵語電影，在港已有二十六年歷史（即從一九三〇年開始算），鼓勵大家不要看輕粵語片未來的發展價值，更以捷克電影作為例子，雖為「一歐洲小國的出品」，卻「能達世界水準」，而捷克人口只有廣東人口的一半。[24]從這段活動報導中可窺見，粵語片在五十年代香港流行及受重視的程度，並從吳楚帆口中明確表達，當時以他為首的這些親左粵語片影人矢志立足地區（廣東），發展方言電影藝術及社會價值的抱負。

一九五二年成立的中聯電影企業有限公司（簡稱中聯），也是響應粵語片清潔運動的延伸，及影人自我覺醒和團結的成果。為了擺脫「剝削階層」，中聯是一間「合作制」公司，由二十一位導演及演員合資作為股東，不受片商約束，並認為演員（「明星」）片酬過高，影響製作素質，集體減薪。薪酬也集體議定，製片、導演議定演員的，演員議定編導製的薪金。[25]中聯仿效三間左派電影公司長城、鳳凰、新聯（下章討論這三間公司）的集體創作方式，成立編導委員會，劇本要經過委員會討論方能開拍。吳楚帆在自傳中以《苦海明燈》（一九五三，秦劍）的修改經過來闡述中聯團隊的創作氣氛與要求：

> 大夥抱著興奮，緊張的情緒去看A拷貝的試映，因為人人都期望它好，都認為中聯的出品必需（須）好，所持的尺寸可能較高，希望可能較奢較大，要求也可能較苛較嚴，我們看了，覺得還不是十分滿足，跟我們想望中的，還保有一定的距離，於是我們開會「轟炸」了，秦劍也歡迎及接納我們的「轟炸」，大家都坦誠、傾懷地把意見說出

來，這裡應該這樣才好，那裡應該怎麼樣才更好，人人都不保留，實行知無不言，言無不盡，秦劍一一把意見記〔紀〕錄了，做出了總結，然後就埋頭去修改，應該刪的，不吝惜地剪，應該增的，不憚煩地補，我們預訂出來的補拍戲場分量多到幾乎跟原作相埒，補拍日數也多到幾乎跟拍攝原片的時間差不了多少。一次修改之不足，再來一次，緊張起來時，導演剪輯一本，我們就反復〔覆〕研討一本，一直到大家都滿足了，這才讓導演有個喘息的時間。㉖

當時這些親左的香港電影陣營對製作模式的要求與革新，已經預警了香港電影工業往後五十年發展潛藏的危機：明星制的過大、仰仗虛榮、依靠包裝的特質；劇本薄弱並不受重視等，可見他們對電影業的洞見與遠見。中聯頭炮《家》（一九五三，吳回）（改編巴金）獲各方好評，票房熱賣；《苦海明燈》及《千萬人家》（一九五三，珠璣）也轟動；第四部《危樓春曉》，口碑與票房更成為里程碑。在意識形態上，「中聯精神」秉承五四及新民主主義的反封建腐化、提倡情感自由、主張獨立自強〔《家》、《春》（一九五三，李晨風）、《秋》（一九五四，秦劍）、《紫薇園的秋天》（一九五八，秦劍）、《人倫》（一九五九，李晨風）〕，批判封建家庭〔《苦海明燈》、《孤星血淚》（一九五五，珠璣）〕，批判貧富不均、基層勞工受壓迫〔《危樓春曉》、《金蘭姊妹》、《父母心》（一九五五，秦劍）、《兒女債》（一九五五，秦劍）〕，反帝反殖反貪官〔《血染黃金》（一九五七，珠璣）、《水滸傳：智取生辰綱》（一九五七，吳回）」，歌頌團結愛國（《路》（一九五九，吳回）、《海》（一九六三，吳回）」，反迷信（《金蘭姊妹》、《艷屍還魂記》（一九五六，李晨風）、《鬼屋疑魂》（一九六三，王鏗））」。

《危樓春曉》如中聯作品一貫強調集體性，抗拒個人主義，肯定自建社區的互助人倫關係，不但批判封建家庭階序（如大班黃強姦姨仔新移民阿芳後迫她做侍妾、黃太作下馬威用針插她的頭，以突顯元配的管治權），也暴露殖民社會鼓勵以資本邏輯來丈量及工具化人際關係的價值觀念，更把殖民地官商合謀的階級特權壟斷一針見血地呈現。第一場大班黃的對白：「You know, it's criminal」，恃著向包租婆三姑放高利貸的特權身分及在洋行打過工的買辦優勢，挪用特權語言及殖民地法律「用得久就有權處置」來合理化自己霸占床位，並指三姑租給二叔是「侵權行為」。[27]片末四叔迫羅明三天內收齊「危樓」住客租金，因為政府十天後便會將之清拆，還叫羅明切勿告訴租客。「權利」、「刑法」，這些與歐洲現代主體共榮共生的制度與信念，及地產商勾結政府、黑廂操作式的「土地發展」、「舊樓拆建」，在片中都被呈現成用來壓迫生活得「愈來愈艱難」（二叔語）市民的技藝。[28]

《危樓春曉》電影中廣為人知至成為中聯招牌的「人人為我、我為人人」對白[29]，被呈現為計程車司機威哥引以為傲、掛在牆上、反覆強調的座右銘，正顯示自私自利行為在當時大概相當普遍，這些受歡迎的電影滿足了觀眾的一些道德想像與需求。這一代文人不但承傳與轉化現代中國五四救國、讓文化貼近群眾的思想，自身也經歷八年抗戰／日，習慣為愛國主義賦予高度的道德意涵，加上儒家賦予文人的道德責任和優越感，他們參與電影創作是為了「文以載道」，動之以情。電影在香港資本主義制度下作為一種新興行業，必須面向大眾才能生存，寫實、抒寫人情（味），是讓這些電影能持續普及、發揮影響力的主因。寫實又流行、緊貼難民社會脈搏的文化產品如電影，與這些文人的抱負及使命感一拍即合，所以香港五十年代親左電影是倫理劇的天下。掌管中聯編導委員會的李晨風在筆記〈人情味是什麼？〉一文中：「人到底是自私的，先為自己，後及親疏，這是人性。但是到了利己損人之後，慢慢地覺得不安而良心發現，寧願犧牲自己，成全他人，這叫人情。反方面的，被損害的人一旦覺得損害者良心發現，而甘願吃虧，也叫人情。」[30]在德行與私欲之間產生的矛盾，就是戲劇所在。

一九五八年中共中央在成都召開工作會議，毛澤東在會上提出「多快好省，鼓足幹勁，力爭上游」為「社會主義建設總路線」，拉開了「大躍進」的序幕。同年，中國共產黨在第八次全國代表大會第二次會議上，提出「鼓足幹勁、力爭上游、多快好省地建設社會主義」。一九五八年十二月出版的《中聯畫報》第三十八期中，有慶祝中聯成立六周年的圖文報導。其中可見慶祝表演、電影放映舞臺右側高高懸著「多快好省」，左側懸著「衷誠合作」。慶祝活動的重頭戲，是大家重溫中聯改編巴金的頭炮《家》。圖中見吳楚帆在臺上致辭，雙語圖片說明寫著：「吳楚帆勉勵大家把中聯做得更好。President Ng Cho-fan delivers a pep talk to all UNIONists」。其他圖片除了呈現個人的臺上演出（張瑛與梅綺合唱、吳楚帆唱

《岳飛》等）、臺下祝酒外，更有不少強調中聯成員與家人一起出席的照片，如「王鏗表演：哺女」；「楚帆太太和她的女兒」等；文中特別提到王鏗帶了兩個女兒同來、李晨風和李月清一家、劉芳和吳楚帆兩家人、吳回和葉萍帶著女兒、張活游父子等。整篇報導呈現中聯不但著重成員間的參與及互動，更看重成員的家庭生活，視成員的家人為中聯大家庭成員的一部分。英文的圖片說明稱中聯成員為中聯人（UNIONists），鼓勵強烈的團體意識。從這篇報導中可見，中聯一方面高度認同中共政權的合理性、當下政策方向（「多快好省」），以達成被統戰及積極統戰各方的期許（「衷誠合作」），另方面把對中共的親左認同與愛國情懷，和五十年代華南社會強調原生家庭的前現代價值緊緊扣連，並以這兩種價值的結合，為團結中聯內部的核心價值。

兩期後（第四十期）的《中聯畫報》第六頁上，也有整版對中聯電影《錢》（一九五九，吳回）的報導，標題為：「諷刺世俗大喜劇／中聯總動員攝製」。文中指：「由籌拍到完成，到獻映於觀眾之前，只是一個月內的事。這樣的製作速度，是史無前例的。這是在又多又快拍好片的方針指導下製片工作上的一個飛躍，拍攝過程，幾乎是日以計〔繼〕夜地進行。」再一次，明顯是在響應中共當時的政宣口號（多、快、好、躍）。中聯作為扎根香港、當時罕有地能夠成為中國華南與海外華人中介、文化橋梁的電影公司，同時承擔著把中國特色社會主義向外推銷與翻譯的重擔；在這中介、翻譯的過程中，中聯巧妙地重寫了中國特色社會主義與儒家倫理價值（如「人情」、家庭親情等）結合的可能性，探索著如何在反資、反帝、反封建的同時，重新肯定與修補被冷熱戰摧殘的人倫關係。在冷戰壓境的英屬殖民地，中聯雖然不會敲鑼打鼓地張揚自己的親左取向，但卻仍然在對外的公共刊物上展現了鮮明、不畏縮的政治取態，並同時深思熟慮地在不同的價值系統中作出取捨、糅合與重組，這些亦反映在他們集體創作的電影中。這些糅合與重組，也只有在電影中（而非在論述上）能夠實現，這也是香港電影對華語電影作出的獨特貢獻。

倫理價值與文化資本

> 二十世紀的五、六十年代，難民湧入香港，舉目無親，只能依靠鄉里、工友及鄰居。〔……〕農民靠的是田地和親族，田地是祖傳的，可靠穩妥，親族是世代血親，都有互相照顧的義務。因逃避戰亂和共黨統治而離棄鄉土，遽然進入半新不舊的戰後香港社會，只能以傳統的道義和人情來互相扶持，將鄉下親族之間的感情轉移到新相識和陌生人身上。〔……〕要簡單分析這些現象，不須什麼大道理，只須借助社會學的綜合資本概念：經濟資本、社會資本和文化資本。[31]

因為是糅合與重組，固然會有被誤讀的可能。陳雲以《危樓春曉》中同住在一座危樓的板間房住客之間雖無血緣關係，但都以「二叔」、「大家姐〔姊〕」、「三姑」等互稱，來說明貧民由於缺乏經濟資本（祖傳田地、親族家產），只好把親情轉移至近鄰，依靠從「舊社會」學來「張羅應付」的「社會資本」，「即使近鄰只是給予心理和感情上的支援」。㉜陳雲的跨時代翻譯（用二十世紀初的語言讀六十年前的文本）是為了要批判九七後特區政府要港人忍受「財閥」宰制，欠缺「經濟資本」仍被迫要同舟共濟，硬啃「香港精神」。他把《危》中鄰里關係讀成為情感支援只是欠缺經濟支援時的勉強補償，其實是故意漠視電影的中心情節：近鄰的情感及心理支援是透過經濟上的互相扶持來表達及維繫的。片首二叔一家因欠租被迫遷，是做計程車司機的威哥（吳楚帆）及當舞女的「大家姐〔姊〕」白瑩（紫羅蓮）來幫他付租金讓他們留下來。片中租房吃飯開生日會以至買棺材進醫院生小孩，都是鄰里之間一起掏腰包互相支援的。片末威嫂失血過多，瀕臨難產，也是羅明（張瑛）不惜冒著「對健康造成很大的影響」（醫生語）的危險，也要主動捐血給她；在血可以賣錢的年代（二叔就是因為兩度賣血虛弱至死），這是最後的經濟資本了。更重要的是，當醫生知道他捐血是為了幫朋友，醫生一點都沒感到意外，反而說「這就是朋友最可貴的地方」，是「患難見真情」。反而電影中呈現的大部分血緣親族關係，如黃太太對她從鄉下來的表妹阿芳（梅綺）刻薄至近乎虐待，或認錢不認親、迫羅明在大風雨中收租的置業公司（地產商？）老闆（親）四叔。片中呈現的羅明這窮教員承傳儒家文人傲氣，本來就看不起四叔的經濟資本，給收租佬歐陽爆料指他原來是業主的侄子，他才不好意思地說：「我都很少見他的。」

「文化資本」呢？羅明雖然有足以當教員的文化條件，但這社會不重視教育，「不窮不教學」（羅明語）。白瑩雖然高中畢業，但那時的香港剛從轉口港貿易模式轉型至工業生產，又遇上國內大量移民湧入導致失業嚴重，她除了當舞女沒其他工作選擇。大班不讓她挑客，生日想預支薪水也被罵。白瑩及羅明同樣有一定的文化資本，但在這只講求經濟效益的社會（「什麼也是錢」），只能本著「習慣吃苦」（白瑩語）的精神。儒家價值在這社會中只能在談情求偶時派點用場，而且還成為理解階級壓迫的障礙。羅明想跟白瑩一起慶生，但收了鄰里的賀禮後突然失業，沒錢設宴，基於「讀書人的面子」，感到「失禮」。威哥仗義張羅，但只能把乳豬鮑翅換成魚蛋粉麵。羅明又認為這樣叫他蒙羞。白瑩希望幫助羅明，透過夜總會同事介紹認識報刊編輯，編輯為了巴結白瑩，騙羅明說讓他寫專欄，羅明徹夜不眠等待第一篇稿子面世，結果希望落空，卻反過來怪白瑩讓他丟盡「男人大丈夫的面子」。儒家文人陽剛性被呈現成前現代、鞏固性別／階級不平等的封建構築。《危樓春曉》寫一個知識分子「異化」後再接受改造[33]，呈現了在重商輕文的殖民社會中知識分子的道德鬥爭和恥感；文人賣身給資本家欺壓工人，然後發現自己錯了（文人對工人：「希望大家原諒我。」），顯現儒家及五四文人主導救國的傳統在香港的失落及崩潰。[34]

「入水能游出水能跳」

相反，性工作者的角色，作為香港當時婦女的最普遍職業之一，雖然「搵錢好淒涼」（賺錢很辛苦），但「又摩登又靚」，多才多藝（羅明形容白瑩：「入水能游出水能跳」），仗義敢言，「力求向上」，敢於與基層工人同進退，反而是電影中最可欲的「現代性」體現（對立面是「欺貧重富」的法制、資本家等）。同在《危》、《牆》（一九五六，王鏗）及《金蘭姊妹》當女主角的紫羅蓮，演的角色多是能言善辯、敢愛敢恨、理智敢言、富正義感及行動力，儼然是現代華南女性的典範（而五十年代中以後的白燕日益被分派糾纏在前現代人倫關係中不能自拔，也許是她比較古典及成熟的外型讓她常被安排為代言前現代的反教材）。紫羅蓮演的職業，不論是教師、舞女、歌女或者家傭，都被呈現成一種求生策略、際遇與個人選擇的交錯，而不是一項道德議題。抗拒個人主義、批判資本家，甚至中間的買辦階層與法制的合謀，不以貧窮（包括基層婦女如性工作者，只要不「貪慕虛榮」）為恥，反而認為損人利己的囤積資本行為才是值得羞恥的，這是在香港五十年代電影文本中常見的道德觀，跟七十年代後新自由主義化的大部分香港敘述不太一樣。

中聯電影企圖形塑人情世界的理想關係；反封建禮教，宣揚對「幸福」的追求，而「幸福」是自願和反占有的。雖然這些粵語片主打家庭倫理，但基層疾苦、階級及性別不公、朋友互信（義氣）、婆媳糾紛、代際親情及矛盾，這些是道德母題；核心家庭與所謂「性倫理」不是電影的中心關注。如在《金蘭姊妹》中，壞人是對打住家工的勞工婦女諸多挑剔的醫生太太，及誘騙阿彩上床的雜貨店太子爺。中產及資本階層是壓迫者；愛情、婚姻不是兩人的事，而是由金蘭姊妹們互相監察、互相扶持來成就或破壞的。這種理想主義，透過勇於批判不公、自主互助來成就接近烏托邦的人際及社區關係。《牆》寫一對夫妻因為老公不贊成老婆出外工作而要鬧離婚，不論老婆當的是歌女抑或教師，老公一概反對，以顯示男權家庭價值的保守，男女的不平等。紫羅蓮飾演的角色，時而是歌女、孤兒院教師，時而是盡責的母親，電影並沒特別把她妖魔化或悲情化。婚外情都被賦予相當同情的目光，但不讓老婆外出的老公卻應受責難。

「中聯小組」

中聯的股東，在「中聯小組」旗下出品的，更是百花齊放，描寫各種情愛模式。《往事知多少》（一九五三，珠璣）中，有婦之夫（張活游）愛上有夫之婦（白燕），後來又與其妹（梅綺）結合，最後張活游還是受白燕打救，召喚了戰前粵語片中白燕演的比較辛辣、還沒有完全被苦情化，或良家婦女化時期，比較多元的角色，與片中比較複雜的家庭倫理與姊妹關係。電影開頭十分鐘寫有婦之夫與有夫之婦的邂逅，對白不多，極其浪漫，場面調度如行雲流水。《春殘夢斷》（一九五五，李晨風）改編自托爾斯泰的《安娜．卡列尼娜》（*Anna Karenina*），寫上層社會的婚外情，由當時最紅的白燕（演有夫之婦潘安娜）與張活游（飾小三王基樹）主演，票房卻慘敗。導演李晨風在〈筆記〉中說：「固然，《春殘夢斷》之基樹哭安娜之愛有違舊道德之處，強作同情，觀眾不能接受，因而種種痛苦，觀眾不同意，此外無別了。」[35]言下之意，是他雖然不認同這種「舊」道德觀，但也能理解戰後華南觀眾傾向持守核心家庭倫理的感受。

《寒夜》（一九五五）是吳楚帆與李晨風合組中聯子公司華聯公司後的創業作，由李晨風編導、吳楚帆主演。這是繼李晨風改編巴金的《春》，獲中華人民共和國文化部頒發「一九四九—一九五五年優秀影片榮譽獎」後，再次改編巴金的小說。《寒夜》與《春殘夢斷》雖然改編自一中一西的原著小說，但可以說是錢幣的兩面：前者在物資極其貧乏的環境下，女性拋頭露臉養家活兒，面對物質的誘惑，如何或會否維繫她與丈夫的恩情；後者在物質過剩的條件下，同樣地，如何抗拒愛情的誘惑，守住她作為良家婦女的名聲。看似是兩部視覺風格與人物關係迥異的電影，但兩位女性都處於封建家庭制度與作為現代個體的矛盾中掙扎；一個是已經出走但千絲萬縷被來時路牽扯回去的娜拉[36]，另一個是充滿了出走渴望但插翼難飛，很想成為又無法成為娜拉，卻不斷被誤會被辱罵為娜拉，娜拉的暗影。

封建家庭vs.自由戀愛是五四一代的經典母題，但把《春殘夢斷》與《寒夜》並置，便清楚可見李晨風作為後五四文人更在思考自由與戀愛的不一定互換或相連。這也是巴金《寒夜》原著已經犀利提出的詰問：汪文宣與曾樹生是所謂自由戀愛結合的，但這段婚姻有帶給樹生自由嗎？李晨風的《寒夜》比原著更強調樹生對文宣、樹生對小宣的愛，但不論她有多（不）愛，這些都成為她的束縛。如果《寒夜》中的樹生要的是自由，《春殘夢斷》中的安娜要的正是戀愛，雖然讀者／觀眾很容易就看到，那份她渴望的戀愛，也不見得會帶給她多少自由。高思雅亦曾把《寒夜》與《春殘夢斷》並置，認為兩片中的男性都千瘡百孔，唯兩位女性堅毅剛強。「後來吳楚帆終於重病去世，白燕重返家園，與家姑重修舊好。在這方面，《寒夜》比起其他家庭通俗劇，還多了一個喜劇收場。」㊲

有趣的是，把《寒夜》與《春殘夢斷》並置，可見李晨風同時在敲問另一個問題；物質過剩與貧乏，同樣會帶來束縛。樹生透過物質表達她的主體性，最具體見於片中對咖啡、蛋糕的依戀，從而讓她精神上逃離與抵抗封建傳統對女性既定角色的要求，甚至最後在汪文宣的墳前，都是以她為文宣買的戒指，表達忠誠與愛。安娜之被綑綁，尤其體現於物質如耳環加於她身上的煎熬。

巴金的意見

但電影中曾樹生真的有逸出封建家庭對女性的規範嗎？巴金對李晨風的改編頗有微言。在完稿日期標示為一九六一年十一月二十日、為《寒夜》再版寫的〈附錄 談《寒夜》〉（下稱〈附錄〉）一文中，巴金用了不下四千字的篇幅，描述四年前吳楚帆來到上海，讓他看帶來的香港粵語片《寒夜》時的感受。

客氣地稱讚了吳楚帆的演技後，巴金開始提出他的異議。首先，他一再聲明，這三個主角，「我全同情」㊳；「他們都有缺點，當然也有好處。」㊴電影把黃曼梨飾的汪母寫成罪魁禍首；因為她對樹生的種種不合理指責與要求，致使文宣左右做人難、病情惡化至無可挽回。「不，三個人都沒有發狂。他們都是不由自主的。他們的一舉一動都不是出於本心，快要崩潰的舊社會、舊制度、舊勢力在後面指揮他們。」[40]對人吃人的舊社會，「他們中間有的完全忍受，像汪文宣和他的母親」[41]，而曾樹生並不甘心屈服，還在另找出路，但「她那些追求也不過是一種逃避」。[42]巴金把電影與小說人物的差異一語道破：「只是她有一點跟我的人物不同。影片裡的曾樹生害怕她的婆母。」[43]換句話說，巴金的曾樹生比李晨風的曾樹生更接近出走的娜拉，更自覺無懼挑戰汪母象徵的舊社會。巴金筆下曾樹生是一個「愛動，愛熱鬧，我需要過熱情的生活」[44]的女人。這跟電影中穿戴華麗但卻整天眉頭深鎖、強忍著眼淚的貴婦型白燕實在有一段距離。電影把汪母與樹生寫成正邪對立的人物，把作者對民國政府（及其對封建價值的維護）的控訴淡化，又把樹生的角色大大馴化，小心翼翼地把她重新納入賢妻良母的典範軌跡中，不惜冒著犧牲劇本完整性、劇情合理性的危險。電影（按小說）開頭，曾樹生已經拋夫棄子、離家出走，這是典型的娜拉，小說中後來她還要寫信給文宣，再一次重申出走的主體性。但電影結尾時，在文宣已逝的情況下，樹生竟然會因為小宣而與汪母和解，還一起回鄉「團聚」。

巴金說他的曾樹生不會向汪母低頭認錯，不會放棄她的「追求」。曾樹生在小說尾聲時甚至不願意去找她自己的兒子，因為她跟他根本不熟。巴金筆下的小宣十三歲，樹生送他去貴族學校，在小說中很少出現，即使出現，也甚少介入家人的互動，樹生也「不像一般母親關心兒子那樣地關心他」。㊺電影《寒夜》把小宣的年齡降低，從而方便片中樹生向小宣時刻表達她熱情澎湃的母愛，最後在文宣的墳前重遇也是以母子的擁抱相認為戲肉。電影中的樹生可以說是一個久經波折但最後完全失敗的新女性，她花了整部電影要逃離這個家，卻在最後一場完全地背叛了自己。所以巴金說：「這絕不是我寫的曾樹生。」㊻「絕」字可圈可點。

華南家庭中心

如前所述，李晨風曾在筆記中把《春殘夢斷》票房的失利，歸咎於香港當時粵語片的觀眾無法接受「基樹哭安娜之愛有遺舊道德之處」㊼；觀眾不能接受已婚女性企圖出軌，即使懸崖勒馬也不行。也許是基於類似的市場考量，曾樹生在電影中顯得步步為營，最後甚至主動擁抱她曾經選擇唾棄的家庭。巴金想像的樹生卻剛相反，「她丈夫一死，她在感情上更『自由』了。她很有可能在陳經理的愛情裡尋找安慰和陶醉。」㊽這樣看來，一九五五年香港（華南）女性當時在社會上所遭受的道德壓力、性別角色的選項，比巴金來自的四十年代上海要保守得多。

巴金的另一項批評，是電影於他而言不夠寫實。片中汪母與樹生的最大隔閡是樹生與文宣並沒有正式舉行婚禮，汪母屢次以此質疑樹生在他們家的合法地位。這點巴金認為不合理，因為「在一九四四年，已經沒有人計較什麼『結婚儀式』了。兒子連家都養不活，做母親的哪裡還會念念不忘那種奢侈的儀式？」[49]李晨風卻利用這點作為婆媳關係的導火線。如果這種情節與價值衝突仍然能夠取得五十年代香港觀眾的認同，與大眾對婚姻道德律的認知並未相差太遠，也許這再一次顯示，五十年代華南社會（包括香港）對於宗族儀式及倫理階序的重視遠超於巴金內化了的三、四十年代華東社會文化；民國戰爭經驗對華南倫理階序的衝擊也相對較弱。籠統地說，把四十年代中國左翼文學與五十年代（即使改編中國左翼文學作品）的華南親左電影比較起來，在女性性別角色與家族婚姻規範方面，後者都要比前者更充斥封建遺緒。雖然滿清治下的廣州最早並長期為少數開放給洋人通商的口岸，較早接觸歐美思潮（包括「民主」），民國以來甚至常自詡為「革命的發源地」，但弔詭的是，以廣州為商業中心的華南地區面對二十世紀初中國文化的巨變，在宗族家庭倫理規範的維繫上，卻似乎比中國一些其他大城市——尤其是摩登上海——抓得更寸步不讓。而且巴金繼承的五四文人菁英傳統，與香港戰後粵語片主要面向的草根難民群體，也有龐大的階級與知識差異，這亦是解讀香港粵語片如何挪用及改編新文化運動資源一個必須理解的條件。

走向滅亡

李焯桃多年前論電影《寒夜》相當銳利：「影片無論演員、劇本、調度都是粵語片的最高水準，最難得的是把情節劇的處境與戰亂的時代背景結合得天衣無縫，既有對歷史的抒懷寄喻，也有一定的存在主義式悲觀色彩。」[50]不過今天重讀原著，仍驚嘆小說對家庭倫理與戰亂處境、歷史與存在悲劇之間早已蘊含的睿智思考。汪文宣作為國統區受苦受難知識分子的典型，巴金自然是深度認同。害肺病至喉結核最後喪失聲音痛苦死去都是巴金親眼見過的朋友與親人，包括他友人范予（巴金曾寫過一篇〈憶范兄〉）和小說家魯彥（〈寫給彥兄〉），還有巴金的表弟。作者在〈關於《寒夜》〉一文中仔細地描述了這些親友的經歷，如何成為《寒夜》的底色。在寫《寒夜》期間，一九四五年十一月，巴金的三哥在上海患肺病時沒錢住院，巴金從重慶趕回去把他送院，此時他已經垂危，不到三周即死於身心衰竭，那是孤島時期「幾年集中營似的生活」[51]磨難所致，死時只有四十歲。《寒夜》大部分是在「抗戰勝利」後，一九四六年下半年寫成。「我鑽進了小說裡面生活下去，死去的親人交替地來找我，我和他們混合在一起。」[52]

電影中以大量汪文宣的特寫鏡頭，替代小說中直寫汪文宣心理掙扎的獨白；吳楚帆抑鬱病態的臉、吳楚帆的咳與喘、吳楚帆弓著背蜷縮身子蹣跚爬行，猶如一個掛在觀眾心眼上，半人半鬼，在霧中孤城陰魂不散的夢魘。大量的特寫鏡頭，一方面精準地製造了汪文宣家中空間的侷促，也渲染了戰時重慶山城的封閉與壓迫感。巴金小說中重慶的霧源於寫實主義，電影更營造出猶如鬼域的氣氛，跟汪文宣的病與家形成一個裡外呼應的連續體，構成對天地不仁的吶喊與拷問，把文宣的存在焦慮與當時中國國情無縫結合。[53]巴金在〈關於《寒夜》〉

最後一段說：「我是一個無神論者。我絕不相信神和鬼。但是在結束這篇《回憶》時，我真希望有神，有鬼。」[54]電影在掌鏡、場面調度與整體氣氛營造上，正替作者進一步具體化並圓滿了對生的悲憫與渴望。

我以為小說《寒夜》最成功的地方，是不單汪文宣足以作為巴金的代言，作者更高度代入曾樹生的感情與渴望；實際上整本小說都充滿作者對樹生的深情與共感。〈附錄〉中寫道：「我自己常常在民國路一帶散步，曾樹生所見的也就是我目睹的。」[55]〈關於《寒夜》〉中巴金坦白承認在曾樹生身上有朋友太太加上他自己太太蕭珊的投影。巴金與蕭珊一九三六年在上海認識，當時蕭珊只有十九歲。一九四四年五月，四十歲的巴金與二十七歲的蕭珊結婚，一九四五年，長女出生於重慶。巴金在一九四四年開始寫《寒夜》，正是二人新婚不久，蕭珊獨自從重慶往巴金成都老家替他探望家人。巴金筆下熱情、好動的樹生被電影中端莊、華麗的白燕取代。文革期間，巴金被關進「牛棚」，一九七二年蕭珊罹患直腸癌去世，終年五十五歲。〈關於《寒夜》〉中巴金多次緬懷他與蕭珊在重慶的生活，並再次重申他對曾樹生的理解與同情。「所以我並不認為她不是好人，我去年寫第四篇《回憶》時還說：『我同情她和同情她的丈夫一樣。』」[56]行文中巴金不忘對「三年自然災害」[57]及「十年浩劫」[58]提出批判與抗辯，因為他很清楚，汪文宣的悲劇還未完結。他說：「我國的知識分子從來就是十分善良」[59]；「知識分子長時期的悲劇必須終止了」。[60]

把小說《寒夜》與電影《寒夜》並置，可見小說在《文藝復興》連載時原版本的最後一句：「夜的確太冷了。」[61]或甚至作者在單行本面世前才加的：「她需要溫暖。」[62]兩者都要比電影中被迫／必須的「喜劇收場」來得寫實且高明太多。電影末段樹生在老家撲個空後，一個人挽著行李走在霧霾滿布的昏黯巷里間，鏡頭凝視她孤單的背影遠去，氣韻非常貼近小說的結尾。只可惜電影沒有在這裡收場。但這亦是電影《寒夜》更接近香港，而非上海或重慶的地方。

苦情戲

> [……]it is possible for a female spectator to be addressed, as it were, 'in the masculine', and the converse is presumably also true. Nevertheless, in a culturally pervasive operation of ideology, femininity is routinely identified with femaleness and masculinity with maleness.[63]

五十年代粵語片是苦情戲的天下。苦情戲，以家庭倫理、煽情哀怨的音樂為主要素材，也是戰後好萊塢電影的主要類型，被英美電影研究學者論為「女性電影」，或曰「哭戲」（"weepies"），或肥皂劇（"soap operas"）。Tania Modleski指出這些「女性電影」被如此命名，不但是因為大多以女性角色為主軸，更是因為電影觀眾被預設為女性。片中敘述的欲望，與欲望朝向被滿足之路上總要碰到千迴百轉的阻礙與逆轉，讓角色與觀眾被置於無盡的等待與被動處境中，觀眾也被帶至陷入對各種艱難情景與人物的軟弱，也賦予同情包容，一種類近典型「理想母親」的感情，而以上這些主體位置，Modleski認為，正是「女性」位置。[64] Annette Kuhn 補充，當然女性位置不一定以生理性別來決定，不過，「在我們的文化」（“In our culture”），陰柔（femininity）通常被認為是女性的特質，一如陽剛被認為是屬於男性的。[65]

上述《寒夜》的例子正好說明，五十年代的港式苦情戲，其苦不一定只集中在女性身上，無盡的等待、被動、軟弱、欲望的無法舒伸更非女性專利；片中汪文宣的男性角色無助感之不斷展演，叫不論哪樣生理性別的觀眾，都被誘導要占據「理想母親」的位置，從而理解、包容或認同片中的生理男一號。香港五十年代倫理言情電影繼承的前現代中國文人傳統，本來就並非如英美的現代社會一般，有如此明顯、固定的男女、陰陽性別位置，而十九至二十世紀中國被推進現代化的過程中，一連串經歷的戰敗、殖民與帝國資本主義、八年抗戰加上國共內戰的挫敗，自詡為家國代言的男性文人每每首當其衝。在《春殘夢斷》中，新一代男性，跟女性一樣軟弱被動與身不由己。片中唯一擁有權力的，是極權專制代表的舊一代男性，但他除了錢，美貌與智慧皆從缺，是片中最不可欲的角色。在這些電影中，男性愈現代，愈陰柔，也愈無能為力。現代，對於中國／香港文人男來說，彷彿是一場災難。

「香港人」

不論影人如何不斷回望過去，香港粵語片的文化傳承來自華南，影人面對與想像的現況，在香港。五十年代香港親左粵語片宣揚（向下流動的）基層應透過團結互助，同甘共苦來建立一個理想環境，而在這些文本中對這切身環境的刻劃及打拚，不是在大陸或臺灣，而是在香港。前述他們對香港電影工業的艱苦革新，也來自他們對此情此景的感情投注。五十年代香港電影片首工作人員字幕背景常出現香港街景及霓虹招牌，表現出製作團隊（與觀眾）對自身生活環境的凝視及尋找認同的需要；這些都是對香港本土特色的體會，最明顯的莫如在《火樹銀花相映紅》（一九五三，吳回、珠璣、程剛）中，一方面紀錄了大量英女皇伊利沙伯二世（又譯作伊麗莎白二世）加冕的慶祝活動，但同時在這些歌舞昇平的場面前後都插入作為珠寶行小職員的主角張立民（張瑛）不滿現狀，盤算如何「撈偏門」，又對彌敦道上的花車匯演現出一派不耐煩的樣子，成為對香港官方標榜的都會繁華（「火樹銀花」）潛藏的反諷，叫人思考這些官方繁華與偏門之間的關係。《火樹銀花相映紅》一方面嘲弄歌功頌德的收編政策，另方面把殖民都會的繁華，成為兩位主角拉扯協商的景觀化背景，更借女主角紫羅蓮的口，對整天想著要去新加坡的丈夫張瑛說：「你要我走，我真是捨不得。」在此道出香港與華僑脈絡的關係，也可見五十年代的香港，已經孕育了一種對香港的內在凝視與眷戀。

我認為仔細看這些文本足以推翻過去，一般把香港本土意識的崛起追溯至六十年代末至七十年代的社運：中文運動、反貪汙、金禧事件等，又或七十年代一系列政策的「成功」實施，如興建公屋、免費教育等，來描述「香港人的誕生」：「勇於行動、極具競爭力、適應力強，反應敏銳，隨機應變。他們穿的是洋裝，講英文。不會講的也期待自己的孩子會講英文」。[66]這些今天變得非常普遍的說法，問題不單是沒足夠認真對待香港文化歷史的傳承，更重要的是，它們鞏固了對香港文化本土性的某種詮釋，有系統地忽視與埋沒香港文化中的一些其他元素，並將之排除在被重新界定的「香港本土」以外。

五十年代粵語片中可見，對那些「勇於行動、極具競爭力（……）不會講的也期待自己的孩子會講英文」的「香港人」，尤其批判得仔細有力。《父與子》（一九五四，吳回）寫小職員父親（張活游）千方百計（「勇於行動」？）要把從鄉下來到城市的兒子催迫教化成有競爭力的「香港人」：穿西裝吃西餅、「洗底」（蝦仔改名「貴生」）、念貴族學校、結交上流社會等，最後受盡白眼與委屈，兩面不討好。片中那所不斷強迫學生必須穿校服（還指定獨市的特貴校服店：這些在今天看來都如此「合理」）的名校，被呈現成行政官僚、道德虛偽，與草根家庭條件完全脫節。蝦仔把自己替學校以幫助失學兒童為名賣花募得的錢，直接替他所認得的失學兒童朋友交學費，卻被指偷用「公款」。電影藉著對一個小人物在香港渴望向上流動遇到的困境（包租公語：「大人想發達」）及要付出的龐大身心代價，來暴露殖民資本主義企圖打造的「香港性」中潛藏的，對馴化身體、階級認同與自我想像的規訓暴力，及對公與私的重新組織，還批判到菁英教育與慈善工業對善／道德的合謀壟斷這「香港特色」，今天看來實在勇敢精準。《父與子》中蝦仔開生日會一場，一眾富家少爺同學每名都挾著白衣黑褲媽姐、黑色轎車來訪，貧民窟街童鄰居一排站在木橋上與之對望，猶如兩個世界即使相遇也無法溝通，把階級矛盾異常尖銳地視像化。從今天看來，更諷刺的是，那所在片中被小白領看扁、指為沒出息的街坊義學，讓孩子不用穿制服、自由玩耍，還在花園學習耕種，這不是跟今日最潮的自然／另類學校世界趨勢相當接軌？一九五四年中聯為成立一周年推出紀念特輯，正是把這部《父與子》與當年石硤尾火災的新聞紀錄片同場放映，可見這些影人對於他們拍攝的劇情片寫實性的自信，及期待觀眾接收時對香港在地民生的互文思考。

當時關注香港的社會生態、在香港叫好叫座，與獲取中共中央肯定三者之間並無衝突。不少改編自中國左翼經典文學的五十年代香港電影都在華南地區叫好叫座。一九五三年中聯創業作、改編自巴金「激流三部曲」的《家》獲中華人民共和國文化部頒發優秀影片獎；《春》獲中華人民共和國文化部頒一等獎。而《秋》是五四年港產電影的票房冠軍，收入高達二十五萬港元。

去道德

過去對六七騷動後港英政策的轉變如興建公共房屋、醫療、教育及社會服務、「清潔香港運動」（一九七二）、「撲滅暴力罪行運動」（一九七三）及在七十年代中後期開始建立互助委員會、街坊福利會等，一般被論述為（成功或失敗則在乎論者觀點）企圖回應社會問題或收編民心的策略。近年學者研究英國國家檔案及港英時期香港政府檔案中發現，七十年代港督麥理浩（任期為一九七一年十一月—一九八二年五月）想盡辦法抗拒接受來自倫敦（工黨政府一九七四—一九七九）的社會福利政策建議。[67]當時港督施政的最大宗旨是要加強英國面對九七租約期滿時的談判籌碼，「打造香港為一個達國際地位、具備高質素（素質）的教育、科技與文化，以及有高水平的工業、商業、財經設備的模範城市」，「盡（儘）量發展得繁榮、團結、（民眾）滿足」，而且必須「步伐急趕」，以致跟中國的條件最不同，中國可以從中得益，就不想收回。[68]七十年代中期開始，曾經普及但頓感失落的愛國民族主義，反殖反資情緒被一步步轉化成對香港殖民資本主義的認同和「自豪」；重視人倫公共化的道德價值被移置到對財產私有化的打拚、法制的維護以及對階級向上流動的認同。香港七十年代中後期的急劇資本主義發展及新自由主義化，早在英國戴卓爾夫人（臺譯：柴契爾夫人）上臺前就因為要維持殖民特權的戰略理由而在香港全面開展，香港也成了英國新自由主義的實驗場。港人在上世紀中後期被新自由主義化的程度，也遠遠超於英國：

> 講到身份〔分〕認同，香港人倒是從上世紀七十年代開始，作為崛起的亞洲四小龍之一，逐漸生長出一種對香港的自豪感、認同感。比較中國大陸，香港更現代化、也富裕得多；比較英國，香港的經濟也強得多，也是那時候，香港人嘲諷英國「個個揸住個兜」的〔……〕全港市民就在公平的法律制度下各顯神通。這種法律保護下創造的繁榮，不僅中國大陸幾十年所沒有，而且是曾經實行過度的福利主義的英國所稍為〔微〕欠缺的。[69]

這工程的其中一項翻天覆地體現在港人身上的「成就」是形塑了風靡香港不下二十年，鼓吹大家為資本主義賣命的「獅子山下精神」[70]，即使「賣命」的部分在九七後逐漸破產，但投射在「我們的」資本主義上的道德感情卻未被動搖，也成為香港難以人心回歸的其中一大障礙。[71]這「新」道德工程的定位可說是製造了往後香港社會上不少似乎顯而易見的問題：「這種發展不鼓勵人問『我認為什麼重要』、『我做人的方向為何』，而是問『什麼地方有得走位』、『我要怎樣使自己fit入這些位』。所以當制度對他們不再有利、經濟不再增長、專業不再是護身符、世界不再是無限『開位』、大學畢業後沒有一份好工等著他們之時，他們會非常困惑不知所措了。」[72]

上世紀五十年代，中聯電影對當時香港社會的批判，不但暴露了香港長期的政經結構問題，如官商勾結、土地資源的炒賣及高度集中、貧富不均，及與種族差異掛鉤的階級壓迫，並同時預警了香港殖民資本主義現代性，在往後四十年進行的，一籃子看似非關道德的道德打造工程，箇中牽涉重新界定國族認同、生命價值、善惡、公私、家庭、性等範疇。這段天翻地覆的文化改造讓今天的我們幾近無法回答一些（只是數十年前的）歷史問題。如果是在香港土生土長的一代因為未經戰亂所以「較為理想主義」、「對社會公義問題特別敏感」[73]，那為什麼在五十年代的香港粵國語片洋溢理想主義：《危樓春曉》中白瑩唱「在黑暗中求光亮，人生要力求向上」；反而到了八十年代以後港產片興起，主角卻變得自嘲及犬儒：經典莫如周星馳及劉德華在《整蠱專家》（一九九一，王晶）中改編《彩色青春》（一九六六，余河）的插曲：「我要努力向上」成調侃版，然後滾下樓梯？如果香港人的「普遍道德觀」是支持透過個人競爭來贏取向上流動，「相信法治」、「要求階級利益獲得注重」，那為什麼《危》的大班黃引用法律來捍衛自身的階級利益卻成了在片中最受批判的道德位置？羅明為啥不抓緊唯一的出路，靠著他四叔的經濟資本「搏殺」來進身中產？這些電影中角色從不在職業上積極進取，只要能存活，安分守己、樂於助人才是善。不鼓勵人向上流動，因為那等於同資本家同流合汙。我們是如何消滅了在五十年代曾經深刻呈現，對向上認同、向上流動的批判性距離的？

五十年代反右開始，至四人幫倒臺後，香港親左陣營漸被國內的「左」打為「右」，在香港也隨之被妖魔化、邊緣化成少數的「激進」主義，兩邊不是人。在七十年代以後成長的香港人已難以想像，成長過程中每天（在電視上）消費著的殘餘文化（粵語「殘」片），其中不少是香港親左文化歷史中重要的組成部分。而五十年代這些曾經如此深入民心的流行文化，漸被邊緣化成一種道德濫調：「香港經濟起飛，不斷建高樓。香港一繁榮，人的生活亦不同了〔……〕現在獨立自主，不看我們這些古老戲了。」[74]

一篇刊於一九七七年《大特寫》的吳回導演訪談中，提到：「他（吳回）的家裡，經常食客很多，大部分都是電影工作者，其中有許多是落魄的退職員工。」隨訪談刊登、他的社交照片中，是吳回、葉萍夫婦與容小意、紫羅蓮、張活游和白燕的親切互動；吳回導演電影共二百多部，在此訪談時已經轉型為麗的電視臺編導，但他與記者分享的「珍貴照片」，卻是來自二十年前（攝於一九五七年）中聯時期的歲月。[75]這篇罕有的吳回訪談，出現在七十年代由藝術片導演唐書璇創辦、推廣先鋒電影文化及香港新導演的電影雜誌《大特寫》上，占據兩大版篇幅，隱約揭示香港電影從親左到新浪潮的某一種傳承關係，在本書第九章中將進一步追溯這歷史牽連。下一章聚焦於五至七十年代，跟中聯關係密切的，人稱「左派」電影公司的長城、鳳凰、新聯，及其滋養的電影作者。

註釋

① 黃愛玲：〈銀幕左方〉，《通訊》第一七期，二〇〇一年八月號，香港：香港電影資料館，https://www.filmarchive.gov.hk/documents/6.-Research-and-Publication/06-03_newsletter/newsletter17_c.pdf。

② 陳國球：〈放逐抒情：從徐遲的抒情論說起〉，《清華中文學報》，二〇一二年，第八期，頁二四二。

③ 陳國球：〈文學評論與「畸形香港」的文化空間——《香港文學大系一九一九—一九四九．評論卷一導言〉，香港：香港中文大學出版社，二〇一六年，頁一五九。

④ 〈周恩來關於香港文藝運動情況向中央宣傳部和文委的報告（一九四二年六月二十一日）〉，收於陳智德編：《香港文學大系一九一九—一九四九．文學史料卷》，香港：商務印書館，二〇一六年，頁四五三。選自南局黨史資料徵集小組編《南方局黨史資料．文化工作》（重慶：重慶出版社，一九九〇）。

⑤ 趙嘉薇整理：〈口述歷史之三：訪問王為一〉，《粵港電影因緣》，黃愛玲編，香港：香港電影資料館，二〇〇五年，頁一八〇—一八一。

⑥ 林煥平：〈文藝節在香港〉，《香港文學大系一九一九—一九四九．文學史料卷》，陳智德編，香港：商務印書館，二〇一六年，頁四六五。選自一九四八年五月十五日南京《展望》第二卷第三期。

⑦ 吳詠恩：〈南來影人與粵語電影評論〉，《冷戰與香港電影》，黃愛玲、李培德編，香港：香港電影資料館，二〇〇九年，頁一〇四。

⑧ 顧仲彝：〈文壇一年間〉（原題：〈一九四九年，戲劇電影專業的展望〉），《香港文學大系一九一九—一九四九．文學史料卷》，陳智德編，香港：商務印書館，二〇一六年，頁四八二—四八三。

⑨ 參陳智德：〈新民主主義文藝與戰後香港的文化轉折——從小說《人海淚痕》到電影《危樓春曉》〉，《香港文學與電影》，梁秉鈞、黃淑嫻、沈海燕、鄭政恆編，香港：香港公開大學出版社與香港大學出版社，二〇一二年，頁一〇四—一一〇。

⑩ 無邪：〈一九五七年春：香港〉，《五〇年代香港詩選》，鄭政恆編，香港：中華書局，二〇一三年，頁二一九—二二〇。原載於《文藝新潮》第十三期（一九五七年十月），頁三一。

⑪ 在五十年代的電影中經常有角色缺錢看病至無法活下去的情節，即使有罕見的公立醫療服務的出現，如在《金蘭姊妹》中，也被再現為不是片中角色容易接觸到的資源。

⑫ 顧也魯：〈追記香港「影學」活動〉，《藝海滄桑五十年》，上海：學林出版社，一九八九年，頁一〇〇。

⑬ 郭靜寧：〈盧敦：我那時代的影戲〉，《香港影人口述歷史叢書之一：南來香港》，郭靜寧編，香港：香港電影資料館，二〇〇〇年，頁一三二。

⑭ 麥欣恩：〈導言：「香港電影」與冷戰舞台（臺）〉，《香港電影與新加坡——冷戰時代星港文化連繫一九五〇—一九六五》，香港：香港大學出版社，二〇一八年，頁七。

⑮ I.C. Jarvie, *Window on Hong Kong: A Sociological Study of the Hong Kong Film Industry and Its Audience* (Hong Kong: Centre of Asian Studies, University of Hong Kong, 1977), 129.

⑯ 黃曼梨口述、占夢筆記：〈黃曼梨自傳（節錄）〉，《我為人人——中聯的時代印記》，藍天雲編，香港：香港電影資料館，二〇一一年，頁一八一。

⑰ 蔡楚生：〈「珠江淚」和華南電影〉，《文匯報》（香港），一九五〇年二月一日。原文寫於一九四九年十

一月二十七日。

⑱ 全文見《大公報》，一九四九年四月八日。亦參鄭政恆：〈教育、藝術、娛樂、商業？——第一次電影清潔運動的史料發掘與闡述〉，《香港文學與電影》，梁秉鈞、黃淑嫻、沈海燕、鄭政恆編，香港：香港公開大學出版社與香港大學出版社，二〇一二年，頁一六—二八。

⑲ https://zh.wikipedia.org/wiki/中聯影業公司。

⑳ 黃愛玲：〈從中聯到光藝〉，《現代萬歲——光藝的都市風華》，黃愛玲編，香港：香港電影資料館，二〇〇六年，頁九〇—一〇〇。

㉑ 何思穎、劉嶔訪：〈黃憶〉，《文藝任務　新聯求索》，何思穎編，香港：香港電影資料館，二〇一一年，頁一六八。

㉒ 費穆：〈《珠江淚》的光彩〉，《文匯報》（香港），一九五〇年二月五日，收於黃愛玲編：《詩人導演費穆》，香港：香港電影評論學會，一九九八年，頁一〇六—一一一。

㉓ 林年同：〈五十年代粵語電影研究中的幾個問題〉，《鏡游》，香港：素葉出版社，一九八五年，頁七四—七五。

㉔ 《華僑日報》，一九五六年三月二十五日，第三張第二頁。

㉕ 周承人：〈光榮與粵語片同在——吳楚帆與「中聯」〉，《我為人人——中聯的時代印記》，藍天雲編，香港：香港電影資料館，二〇一一年，頁三一。

㉖ 吳楚帆：〈中聯的榮譽〉，《吳楚帆自傳》，下冊，香港偉青書店，一九五六年，頁一三八—一三九。

㉗ 參香港法例《逆權管有》（Adverse Possession）條文，《時效條例》第三四七章：收回土地財產的訴訟，不得在訴訟權產生的日期起計滿十二年後提出，http://www.hkreform.gov.hk/tc/publications/adversepossession.htm。

㉘ 《危樓春曉》中對地產政治的思考，很可能是承繼上海左翼經典《烏鴉與麻雀》（一九四九，鄭君里）；《危樓春曉》中「快富巷」這極具反諷意味的取名與鏡頭呈現，大概師承《烏鴉與麻雀》中的「仁康里」。這一點來自我的一篇英文論文投稿*Journal of Chinese Cinemas*時獲得一位匿名評審的回饋，謹此致謝。

㉙ 出自大仲馬（Alexandre Dumas）小說《三劍客》（*Les Trois Mousquetaires*）中的「Un pour tous! Tous pour un!」，由林紓翻譯成「人人為我、我為人人」。這句話在二十世紀中國經常被社會及政治運動挪用，以致中國作家韓少功在描述文革「全民聖徒化」與「全民警察化」等社會關係的轉向時也有「人人盯我、我盯人人」的說法（韓少功：《革命後記》，香港：牛津大學出版社，二〇一四年，頁八一—一一二）。

㉚ 李晨風：〈人情味是什麼？〉，《李晨風——評論．導演筆記》，黃愛玲編，香港：香港電影資料館，二〇〇四年，頁一二三。

㉛ 陳雲：〈中聯影業的寫實主義與官方編造的「香港精神」〉，《我為人人——中聯的時代印記》，藍天雲編，香港：香港電影資料館，二〇一一年，頁一五六。

㉜ 陳雲：〈中聯影業的寫實主義與官方編造的「香港精神」〉，《我為人人——中聯的時代印記》，藍天雲編，香港：香港電影資料館，二〇一一年，頁一五九。

㉝ 陳智德：〈新民主主義文藝與戰後香港的文化轉折——從小說《人海淚痕》到電影《危樓春曉》〉，《香港

文學與電影》，梁秉鈞、黃淑嫻、沈海燕、鄭政恆編，香港：香港公開大學出版社與香港大學出版社，二〇一二年，頁一〇八。

㉞ 然而，寄望文人主導、文人救國的精神在中聯電影中還是經常冒現，如在《金蘭姊妹》中，最後救眾人出困境的就是唯一識字的阿英（紫羅蓮），片末更有邀請觀眾判斷家傭們行事對錯的男性畫外音。

㉟ 李晨風：〈從《春》到《發達之人》的總檢討〉，《李晨風——評論．導演筆記》，黃愛玲編，香港：香港電影資料館，二〇〇四年，頁一三三。

㊱ 娜拉是易卜生名劇《玩偶之家》的主人翁，被民國新青年認定為爭取婦女解放的文學典型人物，見第一章討論。

㊲ 高思雅：〈社會通俗劇概觀〉，《第二屆香港國際電影節——五十年代粵語電影回顧展》，林年同、楊裕平編，香港：市政局，一九七八年，頁二〇。

㊳ 巴金：〈談《寒夜》〉，《寒夜》，北京：人民文學出版社，二〇〇五年，頁二九三。

㊴ 巴金：〈談《寒夜》〉，《寒夜》，北京：人民文學出版社，二〇〇五年，頁二九六。

㊵ 巴金：〈談《寒夜》〉，《寒夜》，北京：人民文學出版社，二〇〇五年，頁二九六。

㊶ 巴金：〈談《寒夜》〉，《寒夜》，北京：人民文學出版社，二〇〇五年，頁二九七。

㊷ 巴金：〈談《寒夜》〉，《寒夜》，北京：人民文學出版社，二〇〇五年，頁二九九。

㊸ 巴金：〈談《寒夜》〉，《寒夜》，北京：人民文學出版社，二〇〇五年，頁二九七。

㊹ 巴金：〈談《寒夜》〉，《寒夜》，北京：人民文學出版社，二〇〇五年，頁二九九。

㊺ 巴金：〈談《寒夜》〉，《寒夜》，北京：人民文學出版社，二〇〇五年，頁三〇〇。

㊻ 巴金：〈談《寒夜》〉，《寒夜》，北京：人民文學出版社，二〇〇五年，頁三〇〇。

㊼ 李晨風：〈從《春》到《發達之人》的總檢討〉，《李晨風——評論・導演筆記》，黃愛玲編，香港：香港電影資料館，二〇〇四年，頁一三三。

㊽ 巴金：〈談《寒夜》〉，《寒夜》，北京：人民文學出版社，二〇〇五年，頁二九九。

㊾ 巴金：〈談《寒夜》〉，《寒夜》，北京：人民文學出版社，二〇〇五年，頁二九七。

㊿ 李焯桃：〈初論李晨風〉，《第十屆香港國際電影節——粵語文藝片回顧一九五〇—一九六九》修訂版，李焯桃編，香港：市政局，一九九七年，頁七一。

(51) 巴金：〈關於《寒夜》〉，《寒夜》，北京：人民文學出版社，二〇〇五年，頁三一〇。

(52) 巴金：〈關於《寒夜》〉，《寒夜》，北京：人民文學出版社，二〇〇五年，頁三一〇。

(53) 《寒夜》小說中對寫實主義的運用、當時中國國情及主人公存在焦慮描寫的分析，見Xiaobing Tang, "The Last Tubercular in Modern Chinese Literature: On Ba Jin's *Cold Nights*." *Chinese Modern: The Heroic and the Quotidian.* Durham: Duke University Press, 2000, 131-160。

(54) 巴金：〈關於《寒夜》〉，《寒夜》，北京：人民文學出版社，二〇〇五，頁三一五—三一六。

(55) 巴金：〈談《寒夜》〉，《寒夜》，北京：人民文學出版社，二〇〇五，頁三〇一。

(56) 巴金：〈關於《寒夜》〉，《寒夜》，北京：人民文學出版社，二〇〇五年，頁三〇九。

(57) 巴金：〈關於《寒夜》〉，《寒夜》，北京：人民文學出版社，二〇〇五年，頁三一三。

58 巴金：〈關於《寒夜》〉，《寒夜》，北京：人民文學出版社，二〇〇五年，頁三一二。

59 巴金：〈關於《寒夜》〉，《寒夜》，北京：人民文學出版社，二〇〇五年，頁三一三。

60 巴金：〈關於《寒夜》〉，《寒夜》，北京：人民文學出版社，二〇〇五年，頁三一五。

61 巴金：〈關於《寒夜》〉，《寒夜》，北京：人民文學出版社，二〇〇五年，頁三一一。

62 巴金：〈關於《寒夜》〉，《寒夜》，北京：人民文學出版社，二〇〇五年，頁三一一。

63 Annette Kuhn, "Women's Genres," in *The Film Cultures Reader*, ed. Graeme Turner (London & New York: Routledge, 2002), 24.

64 Tania Modleski, *Loving with a Vengenance: Mass Produced Fantasies for Women* (Hamden Connecticut: Shoe Strong Press, 1982), 11-34.

65 Annette Kuhn, "Women's Genres," in *The Film Cultures Reader*, ed. Graeme Turner (London & New York: Routledge, 2002), 24.

66 Hugh D.R. Baker, "Life in the Cifies: The Emergence of Hong Kong man," *The China Quarterly* 95 (1983): 478.

67 呂大樂：《那似曾相識的七十年代》，香港：中華書局，二〇一二年；Ray Yep and Tai-lok Lui. "Revisiting the golden era of MacLehose and the dynamics of social reforms," *China Information* 24, no. 3 (2010): 249-272。

68 呂大樂：〈「麥理浩時代」的殖民性〉，《那似曾相識的七十年代》，香港：中華書局，二〇一二年，頁一五二。

69 李怡：〈回歸十年，港人自豪感在消滅〉，《香港思潮——本土意識的興起與爭議》，林玉儀編，香港：廣宇出版社，二〇一三年，頁三一。

⑦0 「許多香港人擁有獅子山下精神，香港人勤奮刻苦，大眾自發地造就了香港經濟的發展，而免費教育將香港人的教育水平不斷提升，有利法治精神的發展，但卻不可以說全是殖民地政府的功勞。」吳偉光：〈反思香港的文化身份理論〉，http://2020b.pbworks.com/w/file/fetch/139441524/05-%E5%8F%8D%E6%80%9D%E9%A6%99%E6%B8%AF%E7%9A%84%E6%96%87%E5%8C%96%E8%BA%AB%E4%BB%BD%E7%90%86%E8%AB%96%20.pdf。原文刊於《文化研究 @嶺南》，第三十五期，二〇一三年七月。

⑦1 「香港內部有著一股強烈反對中國社會主義政權的情緒，這股情緒自然成為香港華人身份認同的一個核心部分。〔……〕香港與內地在發展程度與生活水平上的巨大差距，香港華人因而產生了優越感。」廖國雄：〈應有促進國民身份認同的文化政策〉（嶺南大學文化研究碩士講座論文），https://wenku.baidu.com/view/8278948884868762caaed507?_wkts_=1704083349748。

⑦2 劉紹麟：〈香港意識五十年之二：去權社會〉，《香港的殖民地幽靈——從殖民地經驗看今天的香港處境》，香港：守冲社，二〇〇五年，頁一三一。

⑦3 張炳良：〈新中產階級的冒起與政治影響〉，《階級分析與香港》（九八增訂版），呂大樂、黃偉邦編，香港：青文書屋，一九九八年，頁五八—五九。

⑦4 郭靜寧：〈盧敦：我那時代的影戲〉，《香港影人口述歷史叢書之一：南來香港》，郭靜寧編，香港：香港電影資料館，二〇〇〇年，頁一三三。

⑦5 梁燦：〈我所知道的吳回二三事〉，《大特寫》第三八期，一九七七年七月，頁三〇—三一。

第五章

進退兩難：愛國的黑線

易文與臺灣的關係很密切。任港九電影戲劇事業自由總會執行委員。五七年六月《空中小姐》開拍，赴台〔臺〕及新馬取景。他又改編趙滋蕃的小說《半下流社會》（一九五三），後由屠光啟執導。電影一開始，拍攝飛機場、火車站，成千上萬從國內湧到香港生活的難民，特別是在調景嶺生活的一群人，有從大學生變成喇叭手謀生、富甲一方的大商家變得只靠冷飯殘羹度日，寫他們生活艱苦，面對種種天災人禍的打擊。電影中把原著的聖誕節改成本應是共慶一家團圓而未得的中秋節：鄉里共聚在調景嶺，合唱「思故鄉、念故鄉，故鄉有豺狼！」。

易文曾述及在吉隆坡見數千中小學生慶祝雙十國慶覺感動。私底下，右派的易文亦有幫左派的電影編劇，如長城公司的《蘗海花》（一九五三），雖然沒用他的名字。最近出版的日記才透露了這秘密！在表面的冷戰底下，左與右的關係，比想像中複雜。①

一九五六年雙十節前後，九龍李鄭屋徙置大厦及荃灣寶星紗廠員工宿舍都因為懸掛青天白日旗引起了衝突。事件擴大後發生動亂，民眾死傷多人。十月十一日晚英軍由新界進入九龍市區。②一九五六年十月，匈牙利十月事件發生，毛澤東對於政權不穩感到極大憂慮；十一月十日至十五日在北京舉行中共八屆二中全會，宣布於一九五七年全黨開展整風運動，隨後開始「反右運動」。香港社會雖仰賴殖民庇蔭，暫且倖免於難，但左右對壘的政治立場仍常釀衝突。唯雙方的「悲哀」共感卻親如姊妹，同樣需要在高高的建築夾縫間經過，同樣慨嘆河山的失去，「空見到理想墮落了，終歸無望」。③

本章延續並補充上章就親左影人的討論，並進一步闡述六十年代中後期，香港進入一連串的反殖運動，導致美臺主導的冷戰在香港白熱化，對香港電影文化歷史的影響。本章主要討論由中共領導及資助，在香港曾經吒叱一時的三間「左派」電影公司，人稱「長鳳新」的長城電影製片有限公司、鳳凰影業公司及新聯影業公司；前兩者主要吸納非廣東的南來影人，製作國語片。本章審視文化冷戰對這些親左影人的影響，及作品中如何思考、批判、消化冷戰中的香港社會。一九六七年的「反英抗暴」工人及民眾騷亂後，左派在香港往後三十年被港英政府全面妖魔化，曾經輝煌一時的親左翼文藝活動要不移向地下，要不也不再似往昔得到主流大眾的支持。文革開始後，港人對中共政權的恐懼更使香港左派陣營的報刊、文學與電影漸次失去市場，或研讀興趣。「過去就此論題，左右兩邊的討論慣於揚友抑敵，或簡化地認為與政治相涉便無足觀。其實當中有不少歷史發展的細節與美學上的嘗試，對我們認識當代文藝大有幫助」。④

殖民收割紅利

日占時期，英軍借中共之力在港抗日，戰後英女皇授予中共東江縱隊駐港辦事處主任黃作梅勳章。抗戰後的一九四五年九月上旬至十月中旬間，中共廣東區委與港英政府在香港談判，同意九項條款，包括同意中共在港建立半公開工作機構；中共人員在港居住、往來、從業自由及募捐；同意中共在港出版刊物；同意並幫助中共在港設立秘密電臺；港九人民有武裝自己和維持社會治安的權利等；非經中共同意英軍不進入中方控制地區等。後來中方也向英方承諾，不論是秘密或公開活動均不以共產黨名義出現；中共在香港活動也不以推翻港英政府為目的。從此中共在香港擁有活動空間，並維持代辦級的外交關係。⑤同時期港英政府對中共在港的活動採取半打壓政策，在一九四六年至一九四九年間，中共在港建立的大專學府，位於屯門的達德學院，曾於國共內戰期間匯集大量左翼知識分子，包括千家駒、鄧初民、鍾敬文、夏衍等；茅盾、曹禺、葉聖陶、歐陽予倩、郭沫若等曾到校演講。四九年港英政府以「訓練學生搗亂治安」及「政黨集會之所」為由關閉該校，然後把校舍賣給倫敦傳道會，為紀念香港首位華人牧師命名為何福堂會所，達德主樓改稱為馬禮遜樓。⑥雖然自四九年起美蘇冷戰表面化，但一九五〇年一月六日，英國為了保住自身在亞洲的殖民地利益（包括香港），率先承認中共政權。「在整個冷戰期間，不論是在內部還是國際關係上，如果（英國）想維持現狀，在港英人就要小心翼翼，採取兼顧方方面面的平衡舉措。」⑦

中國變天後形式化的文藝政策，使上海三、四十年代左翼電影對文化政治的複雜探索變得不再可能，反而香港成為延續中國左翼電影傳統的一大舞臺，對香港以及華南地區的文化影響深遠。四九年前後亦有大量難民因為逃避共黨統治由中國湧入，香港電影如何回應當時的社會狀況、多元的政治光譜及觀眾的感情需要，如何面對香港作為殖民地商業社會，所承受的矛盾與轉化？四十年代活躍於上海的小說家沈寂（一九二四—二〇一六），在口述歷史中追述四九年不少影人的回國導致香港電影創作出現人手短缺的情況，「永華影業公司」就請他去香港當編劇，雖然之前他還沒寫過劇本，但「解放之後搞創作的人都回來了，沒有人寫劇本了」。[8]一九五一年年底，永華影業公司鬧工潮，沈寂作為職工代表與老闆交涉。一九五二年聯合國對中國實施禁運，同年一月一日港英政府把十位左派影人包括司馬文森、舒適[9]、沈寂、劉瓊、楊華等遞解出境，秘密驅逐去廣州。[10]同年五月宣布實施《一九五一年邊境封閉區域命令》，切斷香港與華南地區之間的人口流動。「我們這些人被驅逐，到哪裡去啊？當時上影廠還未成立，上海都是私人公司，我們也不好進去。」[11]於是沈寂仍然「暗地裡」替香港當時朱石麟成立的鳳凰影業公司寫劇本，包括鳳凰的創業作《中秋月》（一九五三，朱石麟）、《一年之計》（一九五五，朱石麟、姜明、文逸民）等，但因為政治原因，「編劇」一欄不能夠正式寫他的名字。（《中秋月》一九八六年由香港影評人評選為「中國十大名片之一」；《一年之計》獲中共文化部一九四九—一九五五年優秀影片「榮譽獎」。）一九五三年港英政府頒布電影檢查管制條例，對於中國大陸製作的電影實施更嚴格的管制，導致大部分國產影片不能再在港上映。[12]

踏入五十年代，除少數較明顯的左翼電影外，香港電影基本上喪失了中國大陸市場，轉為面向東南亞。一九五〇年代東南亞戲院商以「買片花」形式（電影開拍前先付訂金予製作人），資助香港電影製作；這些訂金可以高至電影製作成本的百分之三十至五十，所謂「成也片花，敗也片花」。⑬從麥欣恩在英國殖民地檔案中發現的兩封葛量洪（一九四七－一九五七年出任香港總督）的信中可見，香港電影市場在二戰後的轉移，除了與國共內戰、中國政權易手、冷戰圍堵有關外，也是港英政府與中國（南京與中共）政府角力的結果。⑭一九四八年十一月二日，葛量洪去信英國駐廣東領事，抗議一九四八年十月四日及五日南京政府在《華僑日報》上刊登啟事，要求所有在香港製作的中文電影必須送到中國領事館審查，若不送檢將不准在大陸及香港放映。葛量洪這封信的目的，是在中國動盪不穩之時，一方面重申英國在港的主權（中國無權過問哪些電影能在香港上映），另方面安撫中國政權，港英政府審查所有香港電影，確保電影不會對與英國友好的邦國作出不友善的呈現，鼓動不良情緒（只要中英保持友好關係，港英政府自會把關，不讓香港電影得罪中國）。⑮一九五〇年六月七日，葛量洪向新加坡總督發了一封電報，題為「香港製造的中文電影」（Chinese Films Made in Hong Kong），目的是期與新加坡政府連成一線，以發行網絡來抵制含共產意識的電影。信中先聲明會向香港的中文電影從業員發出非正式警告，除非他們製作的電影含有較少共產主義思想傾向，否則劇本必須送審；所有電影拍完後當然再須送審。但，考慮到缺乏共產思想的影片無法在中國大陸發行，港英政府會盡力協助他們在馬來亞、新加坡、砂撈越、英屬婆羅洲等有華人社區的英國領土上發行。信中特別提到，「香港製片廠應是在上海以外最優秀的中文電影工場」，但「共產黨在香港電影業界的影響根深蒂固」，所以希望新加坡政府「放寬香港電影入口配額及限制」，並向當地發行商進言，「為香港中文電影設立全國發行網路（網絡）」，為新加坡提供（非共產主義的）「真正的娛樂」，以「幫助我們對抗共產主義的影響」，也讓日後有機會提供「有明確反共路線」的電影。⑯從這兩封信上可見，一方面英國非常顧忌香港以北僅一河之隔且無險可守的中國政權，小心翼翼不會給它任何奪回香港主權的藉口，但明裡暗裡卻用盡辦法抑左揚右，壓制香港親左翼言論的生存空間。從信中迂迴的言辭也可窺見，五十年代香港親左翼電影的強勢是教港英政府大為頭痛的。同時，五十年代馬來西亞等地的「馬來亞化」政策更嚴厲打擊左翼思想的流播；星馬華人在一九五五年的印尼萬隆會議後，不能再維持雙重國籍，必須做出身分抉擇。

自此，香港親左影人非常清楚，不能在電影中硬銷政治，只能摸索其他的呈現方法。本章及下一章爬溯南來影人異常複雜及流動的背景、組織，電影中呈現的意識形態、道德價值觀及感情。當中國大陸政權不再容許探討資本主義社會人際關係，而臺灣影人正經歷被要求文化去政治化的「健康寫實」時期，五、六十年代的香港電影，其所探索的社會及階級議題、倫理價值、性／別關係等，為華語電影世界開拓了難能可貴的空間，而且對香港電影未來幾十年的發展影響至鉅。

「附逆影人」

這批電影工作者在香港成立公司，原因也不盡相同，如大光明等是為了保證內戰期間依然能生產左派思想影片而設，也讓他們避免在內地受國民黨的迫害，後來隨著一眾影人被召回內地（或被港英政府驅逐出境），這些公司也陸續結束；而大中華、永華等的誕生，是因蔣伯英、李祖永等人將香港視為一個新的電影生產基地，加上他們本身在上海也有固定資產，兩者並無衝突，他們攜帶大量資金南下，對戰後香港電影工業也起著重要的推動作用；至於舊長城，一方面固然是張善琨與李祖永的理念不合，但更重要的是，它強化了張氏以香港作為重振電影事業舞台〔臺〕的理想，後因他曾被控「附逆影人」，導致其在上海的大部分財產都被國民黨特務控制，所以選擇南下發展，而這可視作是一種迫於身份〔分〕與政治壓力的流亡。⑰

「附逆影人」這標籤促使一批曾於上海淪陷時在（上海）中聯、華影等工作過的影人，如朱石麟、卜萬蒼、李麗華、陳燕燕、陳雲裳、張石川、岳楓、梅熹、胡心靈、袁美雲等，在飽受輿論指責的情況下南來香港。後來內戰白熱化，對「附逆影人」的指控開始淡化，一些影人得以往返香港及上海，如李麗華及周璇。另外，四九年江山變色後，上海影人的家族產業也被充公（如李祖永），於是只能留港。

一九四七年，身家雄厚的李祖永便在「製片大王」張善琨的協助下在香港創辦永華影業公司，開業之作《國魂》（卜萬蒼導演，一九四八）投資百萬，聲勢浩大，緊接著拍攝的《清宮秘史》(朱石麟導演,一九四八)亦製作嚴謹,展現了過人的氣魄。與此同時,因時局關係而南來香港的一批親左影人亦各自乘勢建了幾家有進步傾向的公司,互相串連,共同發展他們的抱負和事業,其中包括大光明、南群、南國、大江、民生等電影公司。

到了一九四九年,李、張意見不合,張善琨另起爐灶,組織長城影業公司,主要人事安排如下:總經理袁仰安、經理胡晉康、廠長沈天蔭,而張善琨則一如永華時期,仍居幕後策劃。〔……〕短短一年半內,長城出品了《蕩婦心》(一九四九)、《血染海棠紅》(一九四九)、《瓊樓恨》(一九四九)、《王氏四俠》(一九五〇)、《一代妖姬》(一九五〇)等影片,聲勢不凡,但此時國內形勢已大變,長城市場失據,財政失控,人事上的矛盾更日見尖銳化。一九五〇年張善琨退出長城、公司改組,名稱改為長城電影製片有限公司。〔……〕改組後的公司仍由袁仰安出任總經理之職,拉上香港《大公報》的經理費彝民參佐戎機,得到以航運業起家的呂建康全力支持,又羅致司馬文森為挑選劇本的顧問,也就是說,打從開始,新長城的左派背景已很清晰。

另一方面,永華既讓張善琨這個靈魂人物走掉,經濟上又不穩定,其後更因勞資糾紛發生了一次工潮,不少影人不得不另謀出路。這種艱難的處境,再加上那時候追求進步思想的社會氣候,便促成了五十年代影業公司的誕生〔……〕。但它跟大光明、南群、南國等公司有所不同,它不是由老闆投資,而是一家合作社式的公司,以員工們的勞動力作為資本。〔……〕其經營模式和成功經驗對後來的「兄弟班」公司如鳳凰及中聯電影企業有限公司，相信也起了很大的啟發作用；但一如其他幾家帶進步思想色彩的小公司，五十年代也沒有維持長久，新中國成立後的頭兩、三年裡，許多影人北上歸國，而留港的不少成員如程步高、劉瓊、舒適、李麗華、韓雄飛、胡小峰、白沉、韓非等，也轉到改組後的長城和稍後成立的鳳凰去了。⑱

張善琨畢業於上海南洋大學，一九三四年創辦新華影業公司，出品過《長恨歌》（一九三六，史東山）、《青年進行曲》等一批左翼進步影片，有「上海電影大王」之稱。一九三七年十一月底，上海被日本占領，他在租界內首先恢復製片，在孤島時期及日偽時期依然維持出品。日本投降後，由於國民黨政府以漢奸罪通緝他，輾轉由上海逃至香港。一九四七年，張善琨遇上在上海光華大學教過書的李祖永（一九〇三—一九五九），創辦了永華影業公司，是香港第一家規模較大、設備較現代化的電影公司，為當時擁有全中國最先進技術的製片機構。永華當時可說是網羅了四十年代大量電影菁英，旗下導演朱石麟、卜萬蒼、程步高、費穆、李萍倩、岳楓；編劇歐陽予倩；演員周璇、李麗華、舒適等，都曾參與上海左翼或進步文藝及電影運動。首部影片是吳祖光創作的話劇《正氣歌》改編而來的《國魂》；第二部《清宮秘史》改編自姚克的話劇《清宮怨》，由朱石麟導演。張善琨離開永華後，又創辦了長城影業公司，永華公司的部分電影人才隨張善琨跳槽，張又從上海請來了嚴俊、白光、王丹鳳與方沛霖等人。長城的創業作是姚克編劇、由托爾斯泰小說《復活》改編的《蕩婦心》，白光和韓非主演。四九年後，張善琨與合作人袁仰安產生矛盾，最終五〇年長城改組，張善琨離去；新長城向左轉，張善琨積極投靠臺灣，向右轉。

「長鳳新」

上海三十年代左翼電影的經驗對五十年代香港電影的發展影響非淺。如在本書第一章中提到，一九三〇年中國共產黨組織的中國左翼作家聯盟在上海成立。一二八事變後，由夏衍領導的電影小組，向電影公司提供具有「進步」意識的劇本，也介紹了以「左翼劇盟」為主的文藝工作者到各家影片公司，更在報刊上建立評論陣地。三十年代文人參加明星影片公司，以編劇委員會形式負責劇本的創作與修改；五十年代香港的長城、鳳凰及中聯等公司都參照了這種集體創作模式。「由中共指示左派影人成立的大光明影業公司、南群影業公司、民生影業公司、大江影業公司」[19]，皆於一九四八年建立；一九四九年舊長城成立。

舊長城改組而來的新長城從一九五〇年始，掌舵人是袁仰安。改組後成立了編導委員會，由馬國亮、岳楓、李萍倩、劉瓊、顧而已、陶秦等任委員，討論劇本內容和演員分配。後來成立的鳳凰亦有藝術委員會，由導演朱石麟主持。曾在長城任編劇的朱克在訪談中說：「在左派公司，編劇的地位很高（……）有『人民劇作家』之稱，回到國內，非常受尊重。」

他提到當時有所謂「九稿十三綱」，是故事稿及大綱經常經過反覆討論一改再改。[20]「長鳳新的資金不充裕，職工薪水很低，但大家不計較。因為大家有個認識，要為華人社會拍一些有益世道人心的戲。」[21]

盧敦回顧，一九四八至一九五二年間，南來文人挪用及重新詮釋五四（香港親中報紙在一九四九後響應批判胡適、傅斯年、陳獨秀等），在香港「反對外來殖民地意識，也反對封建迷信，提出和推動了新民主主義的思想，給予傾向進步」。[22]這運動包括奉行「四不主張」：「不請客、不送禮、不狂飲、不賭錢」；「生活運動公約」：不應酬、不做不正當娛樂、不拍無聊有毒素的電影、不做反人民的工作、守時間守信用、實行簡單樸素的生活、建立批評討論制度及發揚團結互助精神。[23]這些主張跟長鳳新甚至中聯員工自述的風氣很接近。一九五〇年簽約長城、一九五六年加盟鳳凰，至一九六六年息影的夏夢曾說：「好像我簽的第一個合約，就說明不用參加任何宴會。」[24]夏夢在八十年代將再現幕後，在本書第九章論及。

一九五二年，香港首輪上映國語片票房排行前十名，光是長城出品就占了六部，並包括前三甲。他們在中國被圍堵時，以香港作為缺口，突圍而出，向全球華僑尤其是東南亞輸出中文電影；一九五六年起先後出任新聯、鳳凰、長城公司董事長的廖一原曾經提及他們主要的市場是新加坡與馬來西亞。國泰、邵氏與光藝是新加坡最重要的三大院線，在東南亞需要龐大持續的片源；一九五七年邵氏在香港組公司以前，邵氏每年買十部長城及鳳凰出品的電影到東南亞發行，每部十二萬。文革之前，國泰機構也購買長城作品，光藝則多買新聯出品。光從這點來看，在香港五十至六十年代中，所謂左派與右派的電影公司，是表面上爭逐卻實際上依存合作的關係。一方面左右陣營都自我期許／述說成五四繼承者來取得話語權；另方面左派提倡的價值觀及寫實手法，對右派的邵氏、電懋也影響不少；他們還成立粵語片組，向中聯學習。「事實上，國際（電懋前身）開始參與製作時的投石問路之作，就是左几編導、中聯班底演出的粵語片《余之妻》（一九五五），接著左几為電懋拍了《魂歸離恨天》（一九五七）、《琵琶怨》（一九五七）、《美人春夢》（一九五八）等十多部作品，顯示出他貫徹而紮〔扎〕實的編導風格。邵氏則於一九五七年正式成立粵語片組，由周詩祿主持大局，起用了林鳳、歐嘉慧、張英才、龍剛等一批年輕新演員，題材開始西化和青春化，完全市場導向。」㉕

根據近年陸續面世的史料中可見，香港左派電影是五十年代華南電影的主流。事實上，當時香港電影界中有左翼背景的影人比例之多，不但讓港英政府頭痛，也讓處於白色恐怖時期、追求純淨化的臺灣政權相當困擾。如傅葆石曾分析，一九五〇年代，臺灣政府曾保證對香港反共影人提供支援，包括「會給予津貼，以及准許影片進入膨脹中的臺灣市場」。㉖但，《秋瑾》（一九五三，屠光啟；新華影業出品）與《半下流社會》等幾部呈現反共思想的「自由電影」面世後，又因為發現部分影人屬於左派，在一九五六年連同其他六十部電影遭臺灣禁映。這例子正好說明，香港的文化冷戰狀況，遠遠比臺灣所希望、想像參與製造的左右對壘要複雜得多。

革命側翼

香港影人的「左派」背景是什麼意思呢？最想知道的是港英政府：新聯及長城都「有港英政府的臥底」。[27]當時這些親左影人在香港殖民政府監視下，也如臥底一樣的存在。但亦是這種存在，賦予了這些團隊大量的創作資源與自由，讓他們運用電影這大眾媒體，正視、剖析與暴露香港被英國作為殖民資本主義現代性的實驗場，各種制度上的不公，及在地人民生存與生活遇到的各項難題，如何共同克服的希望與願景。這些內化了左翼思潮、大多以寫實主義手法關切與探究在資本主義社會生活的人民思想感情的電影，是香港與華語電影歷史中珍貴的一大爿。而這些電影在六十年代中以後的香港被迫退潮，乃中共文化政策的失誤，加上港英與（受美國撐腰的）臺灣政權乘勢狙擊的結果。以香港電影歷史閱讀香港文化，也許可以說，在多方權力比拚下，香港文化工作者常常伺機利用一些暫時釋出的空間，作出在其他單方權力比較統合的地方無法容許的出產，但當某些權力突然下錯了棋子，誤判布局，失去了棋盤上暫時的權力制衡，讓權力突然倒向某一方，香港文化空間就會被立刻收緊，也許這是香港這小地方必須經歷的宿命。

不同於長城和鳳凰拍國語片，新聯宣揚提高粵語片水準，主要以通俗倫理劇詮釋左翼意識形態價值觀，增強與海外廣東族群的文化連繫。新聯的創業作《敗家仔》（一九五二，吳回）中父親（盧敦）是從金山（美國）回港的華僑，兒子（張瑛）從未見過父親，以為父親在美國賺大錢，把美國想像成富人與資本家的天堂，所以他好吃懶做、好高騖遠，與妻子的勤奮上進剛好相反。豈料父親只是在美國的洗衣店打工，回港後還需要繼續經營洗衣店。《敗家仔》以一個植根華南華僑的故事，批評男主角懶惰成性的封建遺習，揭露資本家的虛偽，更重要的是，戳穿美國夢的泡沫。《少小離家老大回》（一九六一，盧敦）進一步以賣豬仔為題材，以史詩式格局寫清末民初幾十年來華僑在異鄉的經歷。據盧敦口述：「『新聯』是國家直接投資的。解放後，中國被全世界帝國包圍，唯一缺口就是香港，所以要在香港搞電影，用這個渠道將要說的話說出來。新聯的創業作《敗家仔》（一九五二），及之後的《夜夜念奴嬌》（一九五六）等都是掩飾來的，不能太左。最初全是中國官方資本，負責領導的是周總理（即周恩來），後來交到陳毅手上，再交給廖承志管理。在香港負責的是廖一原。當年有個口號：『背靠祖國，面向海外』，祖國遭封鎖，只有我們能面向海外。」[28]這些新聯的製作當時票房相當成功，可以說是同時滿足了政治與市場需要。

新長城創業作為一九五〇年六月完成的《說謊世界》（李萍倩）。今天看來，《說謊世界》編劇陶秦後來轉投右派陣營的事實，絲毫沒有減弱《說謊世界》電影中尖銳的批判力度。片末所有角色戴上手鐐、手扣著手如被綁上刑場的犯人，與商人及警察同被清道夫掃進路旁的垃圾堆裡——這些視覺意象的運用，一方面跳出寫實敘事的框架，另方面在結構上畫龍點睛，把電影中川流不息憑藉無盡謊言才能生存的人物串連起來，並具象地勾勒出一九四九年新中國成立，讓勞動人民把官商勾結的舊社會掃入歷史的塵埃這願景。牆上「抗戰勝利」四個大字在一九四八年的上海是諷刺也是寫實：日本侵略者終於走了，上場的卻是國民政府推出金圓券導致國家經濟崩潰，特權階級如「特派員」及其「乾兒子」等橫行霸道；窮人「孩子死了」、「老婆也死了」卻換來總經理「死了省開銷」的冷血回饋；「抗戰」也許「勝利」了，人吃人卻從未歇息。七個人作為社會百態的代表——老闆王元龍、太太劉戀、交際花李麗華、情郎平凡、打字員韓非、偽特派員嚴俊及賽神仙蘇秦——圍著七條金條團團轉，最後被警局刮得一乾二淨。沈鑒治這樣說：「它（長城）的出品可以在剛解放不久的中國放映，第一炮《說謊世界》（一九五〇）是大堆頭製作，接下來的幾部影片都是主題正確，暴露舊社會的腐朽或黑暗，引起了當時嚮往中國擺脫以前的苦難而走上富強的海外僑胞的共鳴。」㉙

鍾寶賢指出，一九五九年底，中國文化部向全國電影部門發表文件，闡述發展影業之六大方針，表明將全力支持香港輸入和輸出更多電影，以及支持跟香港親中的電影公司合作，開發拍片計劃。中國文化部亦調動資金，協助親中製片公司在香港拓展製作及發行工作。㉚廖承志在一九六四年北京召開的「香港電影工作會議」上，定性香港電影「和內地不同，應有區別」；「我以為香港的電影，要面向華僑，面向亞洲、非洲的人民」，「藝術思想應該是屬於資產階級性質的革命的電影」，反帝國、反封建主義、新民主主義革命的電影，「祖國社會主義革命、無產階級革命電影的側翼」。[31]正是由於這些電影被北京定位為「屬於資產階級性質的」，於是給予它們相當大的肯定與自主，不需要跟著國內的階級鬥爭路線走，反而能以寫實言情作為分析階級矛盾、家庭關係與現代性的工具，不少作品更對當時香港社會作深刻細緻的呈現及反思，跟後來邵氏售賣的，與現實儘量脫軌的夢工廠有非常大的差異。廖承志作為中共的開明派，確實為當時香港親左電影文化打開了一片異常難得的空間，不過所謂「側翼」，當然也是作為輔助或附庸，隨時可以被切割的意思。問題當然是：當中國不再需要香港作為通往世界的窗口，或統戰的形式改變，那這些在香港的左派代言人，會怎樣被看待？

朱石麟

> 我等欣然自命為地下工作者，參加了華影的組織〔……〕勝利之後〔……〕誰知國民黨內部傾軋，把我等凍結起來，置之不理〔……〕被人目為落水影人〔……〕這是我上了國民黨一個大當〔……〕[32]。
>
> 新中國救了我，讓我從喝酒賭錢的糜爛生活中自拔出來，社會主義鼓舞了我，使我一天天過著身心愉快的生活。當然，我中舊社會的毒甚深，但，思想認識在不斷提高中〔……〕我滿懷歡暢地迎接一個一個的任務，我永遠不會老的。[33]

一九二三年，朱石麟加入了羅明佑的華北電影公司，任編譯主任，從此加入了電影界。朱石麟在聯華影業公司上海分廠擔任廠長兼導演時期，已經創作了《慈母曲》和《新舊時代》（一九三七）等表現中國現代化激烈變動中新舊文化矛盾衝突的作品，寄託一個既嚮往現代社會價值，同時眷戀中國儒家人倫傳統的知識分子內心掙扎。一九三七年十一月，日軍攻陷上海，形成孤島局面，朱石麟由於身患殘疾，選擇和家人留守上海。一九四一年十二月，太平洋戰爭爆發，孤島陷落，張善琨與日本代表「中國通」川喜多長政合作創辦「華影」（原名「中聯」），網羅滯留上海的電影人才。據說張善琨是透過國民黨負責人蔣伯誠與吳開先等與重慶當局協定，為了抵制日本宣傳戰，及保護上海的電影業，在淪陷上海與日本人合作成立電影公司。朱石麟多次與張善琨一起秘密會見國民黨人，報告淪陷區製片的進展。但戰後他被控為「附逆影人」，有「通謀敵國」嫌疑。於是，一九四六年，朱石麟應邵氏南洋影業公司之邀，南來香港拍攝《同病不相憐》，然後匆匆返回上海。兩個月後帶著一家老少搬來香港，受聘蔣伯英及邵邨人等創辦的大中華電影公司，拍攝迎合觀眾口味的小成本國語片。一九四七至四八年，香港電影業蓬勃復甦，從美國及新加坡海外華僑的資金不斷湧入，張善琨說服上海巨富李祖永投資三百萬美元，在香港九龍塘的片場建立一個匯集最先進科技設備及最頂尖人才，足以挑戰好萊塢的華語電影王國，成為永華影業公司。四八年初，朱石麟聯同其他「附逆影人」如周璇、李麗華、李萍倩等，加入永華，執導永華的第二部創業作《清宮秘史》（緊接開業作《國魂》）。

跟香港不少「進步」影人相似，曾經自以為報效國家所以一心一意服務國民黨，結果被迫見識國民黨的翻臉不認人，朱石麟於是經歷了思想上的向左轉。一九四九年初，當時負責組織「讀書會」的洪遒談朱石麟：「我們的工作之一，是組織讀書會，它是外圍組織，一般人都可以參加，但也不是人人都可以。像朱石麟在上海孤島時期，拍了一部鴉片戰爭的片子（指《萬世流芳》），當時就沒有邀他參加。〔……〕他後來找我，要求參加讀書會〔……〕表示要跟共產黨。」[34]朱石麟當時是赫赫有名的導演，對運鏡、布局與敘事語言的掌握，啟發了不少後輩；後來加入鳳凰公司，頓成為香港左派電影的美學與道德支柱。影人鮑方回憶：

鳳凰是一間苦公司，等於大鍋飯，沒什麼錢。那時我受了很大感染，覺得一個藝術工作者，一個電影工作者，要是為錢的話，搞別的生意好了，何必拍片，我喜歡的電影是傾向文化知識的。鳳凰成立以後，朱石麟找我，說：「你到我這兒來吧。」那時外頭找我拍戲是多少錢呢？想起來相等於現在的天文數字——找我拍一部戲是四萬塊，每年四部，那就是十六萬，不得了——那年頭，一間房子才賣三千多塊。〔……〕當時在鳳凰大概一個月一千塊不到，那時就是可以放棄金錢。當年拍那種賺錢的戲是很痛苦的，那些錢像是不義之財，不能要。〔……〕

朱石麟是個很了不起的藝術家，如果說不要錢的話，他比我更厲害，如果他那時不

搞鳳凰，在外頭的話，賺的錢是天文數字，他不要，他就是要搞進步電影——比較愛國的電影。我們都受到他的薰陶〔……〕㉟

清宮秘史

《清宮秘史》作為香港電影上的最大冤案，大概最能說明「愛國」影人的愛，旦夕間會成為對他們殺傷力最大的痛。

朱石麟的名作《清宮秘史》改編自姚克的話劇；話劇在淪陷上海時期，曾經風靡一時。電影《清宮秘史》以深焦鏡頭呈現豪華布景，加上最先進的美國米切爾攝像機和當時全亞洲唯一的背景放映機，在永華片場營建出一座宏偉壯觀、幾乎以假亂真的紫禁城宮殿，以完全不同於當時流行的「戲曲宮廷片」的一種嶄新古裝表現手法，首次把清宮的形象帶回（中共建國後）中國觀眾的視野與想像中。片中呈現光緒帝（舒適）先在慈禧太后（唐若菁）慶祝自己七十大壽挪用軍費修建頤和園一事上，母子不和，致中國海軍缺乏軍費，在甲午戰爭中慘敗。然後光緒接受康有為的建議變法維新，又遭逢慈禧的強烈反彈。最後光緒甚至無力保住自己深愛的珍妃（周璇）的性命。傅葆石認為《清宮秘史》的潛主題，是戰後華人的男性危機：「戰爭帶來的煎熬與侮辱在他的心靈留下了傷痕。他痛恨自己（和與他一樣的知識分子）的軟弱、陰柔、消極、容易妥協，缺乏雷厲風行的勇氣，他把這一切歸咎於身上的殘疾

和『士大夫氣太重』。他不正是在反思自己的男性身份〔分〕？事實上，男性危機正是《清宮秘史》的潛在主題」。㊱

誠然，光緒在電影中對珍妃說：「妳知道我是身不由主的。」又說：「有時候我自個兒想想：這掛名皇帝活著又有什麼意思？倒不如死了乾淨。」電影最後一場，光緒甚至沒有勇氣，在愛戴他的百姓面前，承認他就是皇帝。男性危機，或在本書中稱為折損的陽剛性，是戰後香港華語電影的常見母題，在國語及粵語片中亦然。《清宮秘史》比較獨特的，是電影的灰暗，不單來自文人男性軟弱無能的自況，也來自對中國作為一個正在進入現代的國家，希望徹底地遭逢幻滅；這跟朱石麟初來港後拍的幾部電影，包括《同病不相憐》、《春之夢》（一九四七）、《各有千秋》（一九四七），片中人物相互攻訐、有口難辯、充滿不忿委屈，可說是一脈相承。（朱石麟在五十年代加入左派陣營鳳凰後，倒見他在處理小人物之間的人倫關懷與體貼上，重拾希望，五十年代中後期更創作出難得的城市喜劇色彩。）

《清宮秘史》是一部描述亡國的電影，而且是一個不得不亡的國。電影的敘事結局，選擇放在庚子事變爆發，八國聯軍入京，光緒與珍妃本來想好：「我決定不走，我們寧死不走。」但慈禧哄騙光緒說珍妃已經上車，然後趁光緒還沒發現被騙的一刻，以慈禧安排珍妃跳井自盡作為高潮；慈禧與光緒倉皇西逃，電影便戛然而止。片中寫慈禧的封建、弄權與奸詐，不惜廢掉自己一手提拔培養的光緒，無疑是一個過分扁平、單向的角色，但電影對她猙獰嘴臉的投注，盡情表達編導對拒絕面對人民要求改革的欲望、哄騙人民又嗜血的政權之深惡痛絕，對往後香港電影（包括李翰祥）對清末亡國的理解亦影響深遠。朱石麟在一九四八年十二月攝製《清宮秘史》，寓意相當明顯；國共內戰進入尾聲，失去民心的政權也將失去天下。《清宮秘史》在北京、上海等城市上映時反應相當不俗。一九五〇年，《清宮秘史》參加羅卡諾影展，據說被評為當年最重要的影片。[37]

一九五一年三月十七日，《清宮秘史》於北京上映，三月二十一日，《人民日報》第六版頭條位置，發表亞群〈對《清宮秘史》的看法〉一文，評論相當中肯：「當時，中國在各帝國主義不斷的侵略下，封建統治內部分成了兩派：一派以慈禧為代表，反映了地主官僚的思想，頑固地以封建主義的保守和自大來維持現狀；一派以光緒為代表，反映了當時新興的，萌芽期資產階級思想，在一定限度內接受了資本主義的所謂『文明』，想迎頭趕上，以圖自強。兩派雖同是為了鞏固本階級的統治而鬥爭，但在歷史發展的意義上說，光緒是有他一定限度的進步性的。他是一個有愛國思想的皇帝，但他只單純地倚靠幾個本階級的子弟（康有為等）和投機的官僚（如袁世凱），所以他是如此軟弱無力，毫無成就地被反對派壓下去了。今天，我們只能以這個觀點去看這部影片，才有意義，才不會被劇作者過分地肯定光緒的描寫所迷惑，而認為光緒是個了不起的皇帝，把他的失敗簡單地歸咎于（於）袁世凱的出賣。」[38]不論是否同意文中把電影呈現的家國與代際矛盾寫成階級鬥爭，但評論肯定了電影企圖處理晚清內憂外亂的複雜局面，並非一面倒地歌頌光緒。電影下畫後，時任中共中央宣傳部電影處副處長的江青，卻對影片提出了嚴厲的指責，說「這部電影很壞，應該公開批判」。一九五四年十月十六日，毛澤東給中央政治局等寫了〈關於《紅樓夢研究》問題的一封信〉，信中提到「被人稱為愛國主義影片而實際是賣國主義影片的《清宮秘史》，在全國放映之後，至今沒有被批判」。[39]一九六三年，程季華等主編《中國電影發展史》出版，終於執行了江青與毛澤東渴望已久的、二元對立式、上綱上線批判：

> 《清宮秘史》同《國魂》一樣，也是用唯心主義的歷史觀來表現歷史的。〔……〕更為荒謬的是，他以光緒皇帝、改良派和帝國主義為矛盾衝突的一方，而以慈禧和義和團為矛盾衝突的另一方，這樣，就一方面美化了帝國主義對中國侵略的本質，同時也誇大了資產階級改良派變法運動的進步、意義；而另一方面，則歪曲和醜化了義和團的反帝運動，把義和團和慈禧、保守派等同起來，把義和團的反對帝國主義侵略的愛國行動寫成一種野蠻排外運動。這顯然是對義和團的汙蔑，對中國人民革命傳統的汙蔑，對中國歷史的汙蔑。[40]

從這批評正正可以瞥見《清宮秘史》的歷史意義。電影對義和團的刻劃一方面來自五四文人的反封建迷信傳統，另方面也藉慈禧與義和團來批評現代中國愛國主義的民粹傾向，慈禧在最後關頭還咬牙切齒地吐出：「我已經打定主意跟洋人拚了」。五十至六十年代中國拒絕面對與消化《清宮秘史》對歷史的詮釋，利用它作為一個以言入罪的先例，於是也把就中國現代性與殖民主義的討論冰封起來，讓去脈絡化的民粹式愛國不斷滋長。

更大的鬥爭還要來。文革開展後，一九六七年一月一日，《紅旗》雜誌第一期，發表了姚文元〈評反革命兩面派周揚一文〉，該文公開發布了十七年前毛澤東說的「《清宮秘史》實際是賣國主義影片」但影片還未被全面批判的問題，並批註：「鼓吹《清宮秘史》的大人物當中，就包括有在當前這場無產階級文化大革命中提出資產階級反動路線的人，他們反毛澤東思想的反動資產階級世界觀，他們保護剝削階級，仇恨革命的群眾運動的本質，早在建國初期吹捧《清宮秘史》時就表現出來了。」姚文元的重點，在於批評當時國家主席劉少奇。

一九六七年一月四日，香港《文匯報》轉載了姚文元一文。五日，朱石麟在家中讀報後，腦溢血倒下，當晚在醫院去世。一九六七年四月一日，《紅旗》雜誌第五期，發表了戚本禹〈愛國主義還是賣國主義？——評反動影片《清宮秘史》〉，指責電影「大肆宣揚崇帝、親帝思想，極力散佈（布）對帝國主義的幻想，公開販賣賣國主義理論」。戚文的最大依據，是話劇本中珍妃的一句對白：「我相信各國非但不會傷害皇上，還會幫助皇上恢復皇位，重振朝綱。」但片中並沒有這句對白。朱石麟在拍攝《清宮秘史》期間，與男女主角及兩位副導（白沉、岑範）商量，把該段改為：

珍妃：只要太后一走，這天下不又是您的了？

光緒：不過，要是洋人不分青紅皂白那怎麼辦？
珍妃：大不了，一個死罷了。

戚文發表當天，同時在全國派發《清宮秘史》的話劇本，「供批判用」。

李萍倩

在波濤洶湧的中港政治關係籠罩下，可貴的是，長城的主將李萍倩，跟鳳凰的主將朱石麟，藝術成就各有千秋；與同期的粵語片親左影人相比起來，兩者的作品尤其掌握複雜的視覺語言，毫不說教。朱石麟愛用推拉鏡頭緩慢展現層次豐厚的場面調度，在古裝劇善於用人物與布景的關係暗喻個人面對歷史與時勢的無助，在時裝劇中又以人物細緻的互動扣連小市民悲喜交集的日常。李萍倩對社會的批判，則更多透過具體的諷喻與抽象的蒙太奇呈現。他擅用短鏡（fixed focus shots）及跳接，節奏明快，寓悲憫於娛樂，使他成為中國文人電影傳統中的一個異數，而且，出奇地「現代」，這也是我以為李萍倩一直受中國電影研究冷待的原因之一。

寫實敘事，尤其以倫理通俗的類型出現，是老中國電影的主旋律，這與歐美電影持續地對各種電影視像語言的探索大相逕庭，只要把《柏林：都會交響曲》（*Berlin: Die Sinfonie der*

Großstadt，一九二七，Walther Ruttmann 瓦爾特·魯特曼）與《都會交響曲》（一九五四，李萍倩）並置就一目了然。前者是一部像散文詩式的紀錄片，歌頌德國的工業革命及城市文化帶來的繁華與便捷，捕捉都會生活各種視覺及速度上的刺激，充滿各種象徵「現代」的符號，如機器零件組裝、火車、報紙、時鐘等的大特寫及跳接，也有貧富、人獸間的對比，暗喻資源的不均；整體並沒有連貫的敘事。李萍倩的《都會交響曲》所指的「交響曲」卻並非來自線條與節奏，而是人物的多元及處境的起伏。但與同樣是批判香港資本主義現代性、同期的電影如中聯的《危樓春曉》、《父與子》、《金蘭姊妹》等相比，《都會交響曲》的處理手法顯得相對抽象及超現實。主人翁「余也人」（傅奇），開宗明義是一個代表「普通人」的符號，故意強調角色的普遍性；一來就坐在宴會的餐桌轉盤上，顛覆了中國人「桌子不能坐」的基本禮儀，於是也叫敘事跳出了寫實的框架，鋪陳了片中接踵而來誇張得近乎「無厘頭」的人物塑造及情節；角色間如流水帳式的環環相扣，也繼承了《說謊世界》的結構。

以不寫實來批判現實、讓悲情盡付笑談的格調與胸懷，在《笑笑笑》（一九六〇，李萍倩）中可謂發揮到淋漓盡致，也大大開展了中國喜劇類型片的論述格局。羅卡曾說：「中國電影中這樣一個結合儒、道精神而能適應社會轉變以求存的父親形象，實在少見。這是頗能體現李萍倩後期樂天知命，出世又能入世的生命哲學的圓通成熟之作。」㊶儒與道、出世與入世的結合，在電影中是透過對喜劇的自我反身性（self-reflexivity）來完成的，這大概也是李萍倩最夫子自道的地方，就是用他最擅長的類型來論述這類型面對政治及商業壓迫下，特有的民主化意涵。

我讓人在苦悶中樂了我犯罪了？

《笑笑笑》主人翁沈子均（鮑方）做了一輩子的銀行小職員卻因為年邁被突然辭退，只能唱道：「恨只恨日本人來把仗打，恨只恨這個世界全不顧窮人」，對帝國主義及資本主義的合流不無批判。但更獨特的，是他同時在電影中不斷反省「喜劇」的社會功能及將之論述化：「昨天死來今日生，人說生活苦，又說生活難，我說苦不苦來難不難，全瞧你把生活怎麼看？」、「一定要把醜變成美，一定要把苦的變成甜」、「給生活迫得緊的輕鬆一下」、「我讓人在苦悶中樂了我犯罪了?!」他反串演滑稽相聲，挑戰了中國電影以沉鬱悲情主導的文人傳統、家庭中的尊卑有序，更同時顛覆了女兒期待父親任商行白領，好加強她的相親籌碼，切合一家人講求面子、向上認同的都會現代性形象。最後女兒醒覺父親「比我們誰都勇敢，您沒有老！」來回應貪新忘舊、重利輕義的一九六〇年香港。「我自己都不明白我愛你我愛你們每一個人我從何說起，我受得住你應該也受得住！」——這闋寫給喜劇悲欣交集的情詩，大概要再等三十多年，在周星馳及李力持的《喜劇之王》（一九九九）中才看到續篇。

《寸草心》（一九五三，李萍倩）可以說是《笑笑笑》的香港本地版。廣東「鄉下仔」朱克[42]的劇本被朱石麟認為「沒什麼好拍」，李萍倩卻獨具慧眼，拍出了香港電影中罕見的新界生活質感。電影本來以女兒光明（石慧）在初中畢業禮上發言的倒敘為結構，但前段三十多分鐘完全是生活瑣事的描寫：農田、火車的空鏡；鄰居幫忙把木瓜帶到市場去賣；姊姊替弟弟在屋外洗澡，洗至一半弟弟赤裸裸地跳到剛下班回家的爸爸（李次玉）身上；豬肉的價錢又漲了；叫鄰居同事一起來在屋外吃飯、拉二胡、唱曲；張伯伯帶來不倒翁，孩子沒見過，張伯伯扮不倒翁給孩子推倒；爸爸撥扇，孩子翻過身去睡，爸爸含笑抽菸……直至片長約三十八分鐘，父親從褲袋掏出銀行發的薪資才展開電影的敘事命題：入不敷出，是否要犧牲女兒的學業？這樣的敘事風格直叫人想到戰後的義大利新寫實主義；鮑方曾在訪問中提過他受《單車竊賊》（*Ladri di biciclette*，一九四八，第昔加，〔臺譯：單車失竊記〕）的影響。[43]片中有不少蒙太奇的運用，把一個本來在粵語片中常見的故事拍得相當風格化。如中段火車齒輪、遊樂場、飛船與光明在遊樂場做「睡美人」等相互溶鏡組成蒙太奇，把城市機械化與資本主義的階級壓迫直接扣連，跟對白上的吶喊：「為什麼妳不能讀書？為什麼爸爸不能供妳讀書？」「都是我們這種人的錯！」呼應。根據朱克的回憶，片中關於車輪的視覺實驗，得朱克相助；雖說技巧借鏡粵語片，卻拍出另一種味道。[44]

下一代「新女性」

希望都在下一代。上一代犧牲了，讓下一代的路更光明，可能是李萍倩大部分電影的題旨。而下一代的「新」，往往是以女性作為典範（《寸草心》中女兒的名字就是光明），這也繼承了中國左翼電影一直以女性作為中國現代性實驗場域的傳統。但在李萍倩的理想願景中，新女性的美善勇敢，往往超越自視過高、難以自控的男性形象。《我是一個女人》（一九五五，李萍倩）中愛面子的丈夫（傅奇）不讓大學畢業不久即結婚生子的太太（紅線女）出去當記者，說：「我不能給人笑話！」太太立即反駁：「你才是笑話！」《寸草心》片末女兒體會到爸爸太頑固，以為「單靠個人的力量」，結果適得其反，她卻憑藉親友街坊、老師同學的群策群力度過難關，意味著以社會主義現代性來克服資本主義個體落單的困境，也把希望寄託在新一代（「新女性」）的領悟上。翻看史料明確可見早期長城的成功有賴群策群力，不但得力於如岳楓、陶秦、李萍倩、朱克等一眾編導人才，連袁仰安次女毛妹也立一大功。她在學校發現有位「高班姊姊驚為天人」，「就回家向爸爸媽媽報告」，從此發掘了「長城大公主」夏夢。㊺

毛妹拍處女作《三戀》（一九五六，李萍倩）（也是她替長城拍的唯一一部電影）時年僅十六歲，與當時三十四歲的鮑方在片中談婚論嫁。跟小說《羅莉塔》（*Lolita*，納博科夫，一九五五年在巴黎出版；電影改編譯為《一樹梨花壓海棠》，一九六二年，史丹利．庫柏力克）相比，納博科夫把主人公亨伯特寫成像魔鬼一樣的人物，不惜在養女的飲料中下藥，要全盤操控羅莉塔以滿足一己的欲望，《三戀》中的殷兆宗（鮑方）卻是婉華的恩人，而且一直處於被動。最後因誤解而鬧翻後更深深懊悔自己酒後的魯莽。難得的是電影在處理這段跨代戀情時，不像小說《羅莉塔》般配以道德譴責的目光，反把二人的情感寫得相當可信，甚至肯定未成年少女婉華離家出走，追求自由幸福的勇氣和成熟，一曲〈哥哥你好胡塗〉盡訴「殷叔叔」這些成年男的愚蠢不濟。編劇林歡（即金庸）的貢獻自然功不可沒，但放在長城的整體作品脈絡中看，《三戀》貫徹了長城早期作品願意呈現對人性深度的出格理解，挑戰西方現代框架的規範，冀望另一種現代性的勇氣與視野。

你中有我、我中有你

電影公司屬左派的是一回事，而作品屬左派的又是另一回事。香港的某些電影出品何以會被稱為左派呢？原因主要在于〔於〕製片公司的後台〔臺〕屬於左派，而非所製的作品內容甚富共產主義精神。〔……〕因為這些左派電影根本無從談到積極的思想性。㊻

張徹說：「實際上，它們並無什麼意識形態之『左』『右』可分，基本上都拍商業電影」。㊼此話出自曾為邵氏打下大片江山，成功壟斷華語商業電影市場的張徹導演口中，饒具深意，尤見當時存在於香港影圈中，不受意識形態、社會願景或組織模式所規範，拒絕被二元對立的想像所囿困，願意把彼此看成同儕並惺惺相惜的一種香港電影生態，也可見港英及臺灣政府對香港「左派」影人的標籤化、邊緣化，來自一些不顧情理，把在地電影生產去脈絡化、極端化的空降暴力。誠然，左右派不但共用資源，演員、導演、編劇也時左時右，如在《危樓春曉》、《羊城恨史》（一九五一，盧敦）中，知識分子透過反思自身與資本主義的合謀來「覺悟」；諷刺的是，這些「覺悟」反資的知識分子，跟在《半下流社會》中的反共文人都是由張瑛飾演。

但，香港左派電影是否欠缺積極的思想性？一九四八至一九五三年間，長城、鳳凰、新聯三家公司先後成立，至一九六六年六月文革前共拍了二百二十六部電影。這些電影大都蘊含「在道德層面上對資本主義社會生活的批判，批判為富不仁、欺騙榨取的行為，批判愛慕虛榮、貪圖享受的生活方式」，「提倡（尤其是女性）自強自立、奮鬥求存的獨立人格」。[48]廖一原說：「我們不自認是左派」，「不反共不反華便是（我們的）朋友，因此團結面很廣」[49]；「我們什麼黨都不是，只是愛國派，抗日派」[50]；他稱左派電影為「愛國進步電影」。廖一原在香港出生，一九三九年赴粵北抗日前線任戰地記者。一九三一年五月國民政府軍方為「剿匪行動」，在南昌創辦《掃蕩三日刊》，為《掃蕩報》的前身。創辦人賀衷寒稱：「我們就用掃蕩二字，掃是掃除匪賊，蕩是蕩平匪巢。」[51]抗戰期間，《掃蕩報》成為國統區具有重要影響力的報紙，隸屬國民黨政府軍事委員會。一九四〇年代國共矛盾加劇，國民黨到處掃蕩共產黨員。一九四六年，廖一原在昆明《掃蕩報》工作期間，經歷友人李公樸及聞一多被暗殺，於是毅然回港（下章中可見廖一原與易文的背景其實十分相似）。一九五一年任香港《文匯報》編輯主任。一九六七年五月六七騷動期間，廖一原當選「港九各界同胞反對港英迫害鬥爭委員會」常務委員，同年十一月被港英政治部逮捕，關進集中營，至翌年十二月獲釋。單從廖一原與張善琨這兩位曾經主導香港左、右派電影業的影人「身世」，反而可以窺見香港作為左右背景混雜交纏，以避亂求存為主軸的社會文化特色。透過閱讀個體的（微）歷史，可以讓我們窺見集體（大）歷史敘述的簡化與不近人情，及大敘述如何無助於我們認識更複雜曖昧的文化底蘊。

香港電影中可見的文化冷戰經驗，遠比已有論述傾向把五十年代香港簡約為左右爭逐對壘的形勢來得複雜曖昧。香港的所謂左派與右派影人，繼承民國時期國共兩黨的同源與糾結（可參考本書第一章），因為個人家庭與教育背景、性格志趣、工作經驗與同儕際遇之異同，來到殖民地香港或有不同的政治偏向與認同。在香港電影資料館出版的口述歷史中發現，戰後來到香港的影人不少是無黨派的愛國者，與受晚清、民國文人論述影響、追求社會改革的進步之士，希望在個人求生並參與創作的過程中探索與抒發對社會現實、理想與求變的不同看法與期待，對跟誰打工基本上持開放態度，也不會主動製造你死我活的二元對立局面（廖一原說：「團結面很廣」；「我們什麼黨都不是，只是愛國派，抗日派」）。而且，如果工作人員的薪資高低是當時左、右陣營的一大差別的話，在迅速發展、物價飛漲的香港五、六十年代，由左轉右大概是求存之道的常態，不足為奇。如，當時八卦新聞追蹤洪叔雲與歐陽莎菲的緋聞時，就順便報導洪叔雲為了擺平妻子容玉意對他劈腿的異議，不惜從左轉右，以賺取更高待遇。[52]這些在文化政治陣營間流動的頻繁與自由，或同時一腳踏幾船，可謂過去香港電影一大特色。不少影人暗裡左右逢源，明裡跳來跳去（從左「投奔自由」又回到左）等等，正道出兩個陣營實在應被理解為一片持續的光譜，與大環境的想像、積極製造的兩端之間有千絲萬縷的裙帶、纏結關係。香港五十年代的所謂「左右對壘」，很大程度上是在美蘇冷戰博弈、中共與臺灣政權在香港爭奪資源與話語權的情況下，兩個陣營合力製造出來，為了向對方張牙舞爪的一種表象，不惜犧牲並扁平化了香港在地影人及其作品的思想感情，也限縮了所有人的自由。以極端化、黑白二分的政治立場定義創作人及其作品，以限制作品的產出及流通作為恫嚇，削弱了不少優秀電影及影人的能見度與影響力，是華語電影歷史上層出不窮的哀歌。

文革來了

我揣測一九六七年之前，左派在香港有相當完善的機構，但六七暴動使香港左派機構自己成為最大的受害者。第一，他們失掉了香港民心。第二，因為中國內地鬧文革，香港的左派機構自己都不清楚有沒有正統性，變成左派機構本身也很難運作。第三，香港政府到了一九六七、六八年，便慢慢搞清楚了原來香港的左派機構並非由北京支持，香港政府就敢去對付他們了〔……〕[53]

五八年初，長城忽然來了個前東江縱隊大隊長〔……〕他一來就對我有意見，說我這個人怪，不是黨員，又曾在國民黨做很高職位。八月下旬，他把李萍倩、查良景和我叫到總經理室，宣佈〔布〕開除我，原因是我跟邵氏寫劇本，但我邵氏一個朋友也沒有，當時邵氏和長城一個是右派，一個是左派，雖然邵氏要買長城的星馬版權〔……〕其後生活日漸困難，碰巧國泰有人來找我，月薪一千八百元，算是不錯，不過他們要我寫悔過書，寫我過去錯了，如今走光明大道，但我拒絕了。〔……〕長城某天看上報章的連載小說，買了版權回來，改拍電影，後來才知道是我朱某人寫的。[54]

朱克被誤認替邵氏寫劇本而被長城開除的冤案（可能是當權者側聞類似陶秦的例子），應是大陸開始反右鬥爭的漣漪，也為中共對香港左派電影工作者加強直接監控的序幕。香港六七騷動的成因至今有四種講法：貧富／官民差距、反殖反資（「反英抗暴」）、內地文革禍延香港（「左派暴動」），另外就是現職《南華早報》、曾任《亞洲週刊》政治記者張家偉揭露的資料：一九六六年十二月澳門的「一二三事件」讓中共政府嘗到迫澳葡殖民政府認錯及賠償的甜頭，所以想在香港照辦煮碗，「大幹一場」。[55]我認為這四種說法不一定互相排斥，可以同時成立；即香港社會的內在階級矛盾，如貧富懸殊的兩極化、殖民與資本主義共謀的制度暴力衍生的反抗，被中共內部的派系鬥爭移置及統合成為中（港）英矛盾，其實是中共權鬥（如文革）過程中製造出來的溢外效應，跟五十年後在香港再一次發生的大型社會運動軌跡非常類近。[56]在這些歷史進程中，首當其衝被犧牲的，正是國族主義者（如愛國、愛港）。一如很多國家機器，政策方向或主旋律的調整是不斷自我協商與新陳代謝的結果，像在香港這種國家邊陲地帶，代言人被淘汰撤換，更是方向轉換或權力更替過程中必然的效應。在文化層面上，六七騷動製造的尾巴很長，因為真實的矛盾沒有解決，只是不斷被抑壓移置，在接下來的五十多年都會借屍還魂，為國家機器繁衍各種難以修復、難以根治的問題。六七騷動使香港的愛國道德情感失去了「國」作為一種想像中的投射對象，讓香港左派面臨危機。香港電影資料館跟左派或「進步」影人（從董事到編、導、演等）進行的訪談與口述歷史（沈鑒治、廖一原、朱克、胡小峰、舒適、黃憶、周聰、夏夢等），加上影人的自傳，都口徑一致地指出一九六七年香港的「反英抗暴」運動加上文革，把香港「愛國電影」公司的命也革掉了[57]，「弄得天怒人怨」。[58]

一九六七年，由北京調來的新華社香港分社副總編輯黃光宇及鍾發之迫令左派電影公司人員要公開政治「表態」[59]：「現在這場是民族鬥爭，沒什麼一線二線了？都要出來表態！」[60]「長鳳新」的被迫「出櫃」，導致戲院院線杯葛他們的電影，左派電影走向末路。港英政府抓了廖一原後本來還要抓吳楚帆，但顧慮到這會造成人心向背（「後果很大，令人對英國反感」[61]），所以抓了長城的演員傅奇、石慧。給港英及右派趕絕，也因為轉民粹化的中共左派不再肯認他們：「我們是愛國的，國家對我們也幫助，一些影片可以拿回去發行。〔……〕誰知文革一來，就說我們是反革命修正主義文藝路線，在外面放毒，做了很多壞事。」[62]

長城在一九七〇年出品的《屋》（胡小峰）寫香港地盤工人徐天佑（李清）不願意參與群體，不加入抗爭，不願意接受幫忙，正正道出香港社會變得日益政治冷感、原子化的趨勢。最後電影中讓他明白草根階層勞工在資本主義社會如何缺乏保障，必須要依賴群眾自我組織來自強。電影開展時工人在工地幹活、然後不久以一個從工地大樓內部上望的低角度鏡頭，拍工人不幸跌下來時的震撼場景，大概啟發了周星馳《長江七號》（二〇〇八）開頭的故事情節與場面調度。電影彩色攝影與沖印技術的精美、構圖的細緻用心、男一號李清低調的演技，都是當時中文電影藝術不可多得的高水準表現。建築工人作為城市發展最前線員工，冒著生命危險蓋高樓大廈，自己卻買不起房子，一家大小住在風吹雨打的木屋區；電影處理「工人階級造房子的人沒房子住」這經典馬克思主義母題，暴露資本主義社會最普遍現象的荒謬性，同時對弱勢工人沒有抗爭本錢充滿同理心，不流於說教，乃香港資本現代性孕育下，同時照顧觀眾欲望與認同需要，又充分了解香港社會現況然後提出的，對資本主義尖銳的自省與批判。

師承朱石麟的胡小峰，先為五十年代影業公司擔任劇務，後來為劉瓊執導的《青春頌》（一九五三）任副導演，但電影拍到一半時，劉瓊等人被港府驅逐，胡小峰於是接手把電影完成，電影上現在打著「導演劉瓊、胡小峰」的字幕。胡小峰一九五五年正式成為長城導演。《屋》可說是他後期的代表作：「當時大家認為是好戲，但給國內批判得不得了——香港工人飲酒，國內認為工人形象這樣子太壞」；「他們的文藝政策，認為只有工農兵的劇本才算好。香港只有啹喀兵（編按：英治時期對尼泊爾雇傭兵廓爾克人的稱呼），農又不多，就是有也不看電影。寫工人嘛，對立面是資本家，但寫資本家不行，因為是統戰對象，不能做反派。」[63]《屋》被中共批鬥為「醜化工人階級」，「專寫工人階級落後面」，「往工人階級臉上抹黑」，「資產階級思想」及「受了美帝電影毒素」等。[64]

文革前「我們是很民主很自由的，什麼問題都可以寫」，但文革來了，「民間真正需要關注的問題卻不去關注，就靠唱愛國高調」，「那麼多帽子，我們都有點怕」，「我們把感情也打掉了」，「怕出毛病」。[65]「在文化大革命期間，寫什麼，改什麼，你都不敢。反正有薪水拿，為何要自找麻煩。〔……〕描寫階級鬥爭、英雄人物、工農兵，完全跟我們有益世道人心、導人向善的宗旨不同。寫不出來，便沒落了。文革十年，我們受到嚴重的破壞，無論業務、人的思想感情都是。」[66]「『文化大革命』把『長、鳳、新』十六年的工作全否定了。二百六十二部電影中，幾乎全部被認為是執行『文藝黑線』的產物，〔……〕過去堅持的『導人向上向善』的方針，自然也被否定了。」[67]文革加上六七，香港的「進步」文化工作者，一方面頓失愛國的支柱（「感情也打掉」），另方面受港英政府的政治迫害、臺灣的冷戰圍堵，造成你死我活的局面。臺灣向南洋片商施壓，要邵氏、國泰、光藝及榮華不再買左派公司影片：「邵氏、電懋、光藝及榮華，臺灣給他們起草，聯合發表聲明，不買、不發行、不放映我們三間公司的影片。」[68]

香港五十年代親左文化，本為中國左翼抗爭文化的重要繼承者，並為香港二戰後社會再生產動力的核心部分。中共日益單一的文藝觀、沿用美國二元對立的冷戰邏輯，沒有認真疏理現代中國如何未拆解尊崇帝制的封建思想，但內化了歐美殖民價值觀，更不及面對中國歷史中資本主義與社會主義、「左」與「右」、戀慕與仇恨帝國兩端的共生關係、流行文化與人民欲望的相互構築，卻把種種壞情感移置為向中國所謂「右派」與旁及香港親左文人影人興師問罪。這些空降過來執行旨令的中共官員，睥睨香港社會的流行文化、欲望與需要，結果恰恰成為了港英政府（一直盤算但苦無對策）整頓香港親左文化力量的最有效打手。

冷戰的頭與尾

中國現代文人繼承文以載道、學而優則仕的儒家傳統，把外來輸入的馬克思思想翻譯為愛國工具，藉其與同樣外來輸入的歐洲殖民資本主義現代性抗衡。文人熱情投入於電影文化創造中，從而投射與灌注對改革社會的關切與抱負（「進步」），在兩種競逐現代性之間擺盪，更糅合二者的矛盾，化為在電影中對社會發展的各種可能願景。這些電影對階級間的剝削與壓迫、倫理關係的異化、時勢的崩壞、封建情感的遺留、小資產階級的欲望構築等，流露出真誠深刻的洞悉與思辨（畢竟馬克思論述中著力最大、貢獻最深的部分，正是對工業資本主義社會的分析與批判），以致創作者同時把自己置於非常脆弱的位置，隨時成為政治權力鬥爭下，政權變異的犧牲品。他們的愛國，成為了他們最大的致命傷。

中國共產黨成為當權者後，面對一個充滿戰爭後遺、革命創傷的社會，在沒有全球支援、各種資源都沒法配合的情況下，並沒有經歷或超克[69]資本主義發展歷史過程，只把人民的物質與消費欲望地下化。對欲望的單一、狹窄理解，以為可以透過從上而下，全盤操控社會欲望的方法，反而讓外於政權容許的欲望成為永遠無法處理的禁忌，愈打壓愈興旺，直接造就了龐大的物質及資本累積戀物癖，成為往後幾十年的中國將要不斷處理的，一個經常瀕臨失控的惡性循環。

長城、鳳凰、新聯三家電影公司自五十年代創立，至八十年代合併為銀都機構，三十年間共出品三百七十九部影片；文革前占二百六十二部，可見文革的「極左路線」大批鬥對香港左派電影傷害至鉅。[70]要消滅香港文化，最有效的方法是先消滅香港的左派，因為那正是最能體現香港殖民統治策略式包容的場域。從鴉片戰爭、八國聯軍、半殖民狀態、日本侵華至國共內戰、冷戰圍堵與挑撥，中國在外憂內患中熬過一百多年，以致無法對現代民族國家主義（包括與其相輔相成的殖民主義），傳承與深化批判距離。弔詭地，是香港這爿小小殖民地，提供了暫借的空間，讓中國文人影人透過香港電影，難得地對殖民及資本主義現代性，以及民族國家主義，更對香港這爿被掠奪一百多年、被過度發展的城，作出深切反思。這原是二十世紀香港電影對華語知識生產的最大貢獻。不幸地，六十年代中共之企圖接管香港左派電影，跟五十年後中共企圖全面管治香港的手法，有相當類近的軌跡。今天細讀歷史不難發現，香港親左文化的被地下化與消亡，也鋪排了四、五十年後香港人心之無法回歸。歷史不斷重複，好像從來沒有學習過一樣；這也是學習歷史的我們，最大的無奈與不忍。

八十年代香港，常被論述為一個相當政治冷感的社會。順著電影史往回看，應該是香港左派電影先經歷被左右夾攻、被清洗的政治運動後，電影以至文化界變得道德淘空、政治冷感，這個社會局面製造出來的情感縫隙，正好讓新一代全面擁抱美國主導的冷戰下，去政治化風氣。但即使在這些電影公司被清洗掉，甚至他們的名字被廣泛地妖魔化，親左文化在香港被地下化的情況下，他們對香港文化的貢獻與影響力，仍然源遠流長，滲透至各個層面。而在中共實施「改革開放」政策後，中國社會也進入去政治化階段，香港的左派人士成為第一批能夠與中國社會文化資源連線的人，這些唇亡齒寒的裙帶關係，又繼續滋養香港電影文化發展，包括七十年代末出現的香港新浪潮、八十年代李翰祥的清宮片等。這個中國／香港冷戰故事的尾巴，將在以後的章節中持續反覆地，餘音不斷。

註釋

① 梁秉鈞：〈一九五七，香港〉，《現代中文文學學報》，第九卷第二期，二〇〇九年，頁一九四。電影資料：《空中小姐》（一九五九，易文）、《孽海花》（一九五三，袁仰安）。

② 梁秉鈞：〈一九五七，香港〉，《現代中文文學學報》，第九卷第二期，二〇〇九年，頁一八五。

③ 引自前章無邪：〈一九五七年春：香港〉，《五〇年代香港詩選》，鄭政恆編，香港：中華書局，二〇一三，頁二一九—二二〇。

④ 梁秉鈞：〈電影空間的政治——兩齣五〇年代香港電影中的理想空間〉，《香港文學與電影》，梁秉鈞、黃淑嫻、沈海燕、鄭政恆編，香港：香港公開大學出版社；香港大學出版社，二〇一二年，頁四五。

⑤ 周承人：〈只有粵語片才能在香港生根……試說新聯成立背景〉，《文藝任務　新聯求索》，何思穎編，香港：香港電影資料館，二〇一一年，頁五四—五五。亦參麥欣恩：〈從新聯兩部作品看香港左派粵語電影對「南洋僑胞」之「文藝任務」〉，《香港電影與新加坡——冷戰時代星港文化連繫一九五〇—一九六五》，香港：香港大學出版社，二〇一八年，頁一五八。

⑥ 陳智德：〈達德學院的詩人們〉，《地文誌：追憶香港地方與文學》，臺北：聯經出版公司，二〇一三年，頁一七一—一七七。

⑦ Priscilla Roberts, "Cold War Hong Kong: Juggling Opposing Forces and Identities," in Priscilla Roberts and John M. Carroll eds., *Hong Kong in the Cold War*. Hong Kong: Hong Kong University Press, 2016, 35.

⑧ 周夏：〈沈寂訪談錄〉，《中國電影人口述歷史叢書：海上影踪（上海卷）》，周夏編，北京：民族出版社，二〇一一年，頁二九。

⑨ 舒適在本章論及的《清宮秘史》（朱石麟，一九四八）中演男主角光緒。

⑩ 永華老闆李祖永與公司內部左派影人不和，被港督政府插手干預。「一九五二年一月十日，香港政府入屋

拘捕並驅逐了司馬文森、劉瓊、舒適、齊聞韶、楊華、馬國亮、沈寂及狄梵等八名電影工作者出境；五日後，白沉、蔣偉相繼被遞解出境。」黃愛玲：〈序言〉，《香港影人口述歷史叢書之二：理想年代——長城、鳳凰的日子》，香港：香港電影資料館，二〇〇一年，頁XV。

⑪ 周夏：〈沈寂訪談錄〉，《中國電影人口述歷史叢書：海上影踪（上海卷）》，周夏編，北京：民族出版社，二〇一一年，頁三三。

⑫ 許敦樂：《墾光拓影：南方影業半世紀的道路》，香港：簡亦樂出版，二〇〇五年，頁四二—五一。

⑬ 鍾寶賢：《香港影視業百年》，香港：三聯書店，二〇〇四年，頁一四〇—一四一。

⑭ 檔案編號：CO537-6570。載於麥欣恩：〈香港總督葛量洪爵士的兩封信：二戰後英國提升香港的政經地位〉，《香港電影與新加坡——冷戰時代星港文化連繫一九五〇—一九六五》，香港：香港大學出版社，二〇一八年，頁四一—六二。

⑮ "This administration itself censors all films and would not allow films to be shown likely to stir up ill-feeling against a government with which His Majesty's Government is in friendly relations."

⑯ "At present, when the Communist influence on the local Chinese film industry is very strong, the advantages of having a source of up-to-date Chinese films of relatively high standard in Mandarin and Cantonese and entirely free of Communist propaganda or insinuation will be appreciated. If therefore there is any way in which you could assist by bringing influence to bear on your local film distributors to ensure countrywide distribution to Chinese cinemas of films produced in Hong Kong, and also by relaxing or modifying any import control or quota regulations, I am confident that such assistance will be to our mutual advantage. It will certainly be of great assistance to us in countering Communist influence in an industry in which the Communists have shown particular interests. It will also serve as the means of providing you with Chinese films of genuine entertainment value unmixed with Leftist propaganda, and possibly (later on) some films following a definite anti-Communist line. In parenthesis I should state that the Chinese film studios in Hong Kong are probably the best of their kind outside Shanghai."

⑰ 魏君子：《光影裡的浪花：香港電影脈絡回憶》，香港：中華書局，二〇一九年，頁三六—三七。

⑱ 黃愛玲：〈序言〉，《香港影人口述歷史叢書之二：理想年代——長城、鳳凰的日子》，香港：香港電影資料館，二〇〇一年，頁VIII。電影資料：《蕩婦心》（岳楓）；《血染海棠紅》（岳楓）；《瓊樓恨》（馬徐維邦）；《王氏四俠》（王元龍）；《一代妖姬》（李萍倩）。

⑲ 魏君子：〈風雲本紀：開荒與南遷〉，《光影裡的浪花：香港電影脈絡回憶》，香港：中華書局，二〇一九年，頁三六。

⑳ 何慧玲撰錄：〈朱克〉，朱順慈、黃愛玲、郭靜寧、何慧玲訪，《香港影人口述歷史叢書之二：理想年代——長城、鳳凰的日子》，香港：香港電影資料館，二〇〇一年，頁一七六—一八〇。

㉑ 朱順慈訪：〈廖一原〉，《文藝任務　新聯求索》，何思穎編，香港：香港電影資料館，二〇一一年，頁一五四。

㉒ 盧敦：〈清潔運動與伶星分家〉，《瘋子生涯半世紀》，香港：香江出版，一九九二年，頁一一六。

㉓ 林年同：〈戰後香港電影發展的幾條線索〉，《中國電影美學》，臺北：允晨文化，一九九一年，頁一六

八—一六九。

㉔ 傅慧儀撰錄：〈夏夢〉，朱順慈、傅慧儀、黃愛玲訪，《香港影人口述歷史叢書之二：理想年代——長城、鳳凰的日子》，香港：香港電影資料館，二〇〇一年，頁一二七。

㉕ 黃愛玲：〈前言〉，《香港影片大全第四卷（一九五三—一九五九）》，郭靜寧編，香港：香港電影資料館，二〇〇三年，https://www.filmarchive.gov.hk/tc/web/hkfa/rp-hk-filmography-series-4-2.html。

㉖ 傅葆石：〈港星雙城記：國泰電影試論〉，《國泰故事》，黃愛玲編香港：香港電影資料館，二〇〇二年，頁六四。

㉗ 何思穎、劉嶔訪：〈黃憶〉，《文藝任務　新聯求索》，何思穎編，香港：香港電影資料館，二〇一一年，頁一六九。

㉘ 郭靜寧：〈盧敦：我那時代的影戲〉，《香港影人口述歷史叢書之一：南來香港》，郭靜寧編，香港：香港電影資料館，二〇〇〇年，頁一三〇。電影資料：《夜夜念奴嬌》（陳皮）。

㉙ 沈鑒治：〈舊影話〉，《香港影人口述歷史叢書之二：理想年代——長城、鳳凰的日子》，香港：香港電影資料館，二〇〇一年，頁二五六。

㉚ 鍾寶賢：〈新聯故事：政治、文藝和粵語影業〉，《文藝任務　新聯求索》，何思穎編香港：香港電影資料館，二〇一一年，頁三五—五二。

㉛ 廖承志：〈關於香港的電影工作〉，《文藝任務　新聯求索》，何思穎編，香港：香港電影資料館，二〇一一年，頁一九〇。

㉜ 一九五二年七月十八日朱石麟給朱櫻的信。朱石麟：〈家書〉，《朱石麟與電影》，朱楓、朱岩編著，香港：天地圖書，一九九九年，頁四六。

㉝ 一九五八年十月十一日朱石麟給朱楓的信。朱石麟：〈家書〉，《朱石麟與電影》，朱楓、朱岩編著，香港：天地圖書，一九九九年，頁四八。

㉞ 李以莊訪：〈洪遒：我在香港的經歷〉，黃愛玲整理，《香港銀幕左方》，黃愛玲、李焯桃編，香港：雙原子創意及製作室，二〇二一年，頁一一六。電影資料：《萬世流芳》（一九四三，卜萬蒼、朱石麟、馬徐維邦、張善琨、楊小仲）。

㉟ 何慧玲撰錄：〈鮑方〉，朱順慈、何慧玲、黃愛玲、盛安琪、阮紫瑩訪，《香港影人口述歷史叢書之二：理想年代——長城、鳳凰的日子》，香港：香港電影資料館，二〇〇一年，頁九七—九八。

㊱ 傅葆石：〈戰爭傷痕：《清宮秘史》與男性危機〉，《近代中國婦女史研究》二四期，二〇一四年十二月一日，頁二三三。

㊲ 林年同：〈朱石麟〉，《朱石麟與電影》，朱楓、朱岩編著，香港：天地圖書，一九九九年，頁二〇五。

㊳ 李以莊、周承人：〈鳳凰影業有限公司〉，《香港銀幕左方》，黃愛玲、李焯桃編，香港：雙原子創意及製作室，二〇二一年，頁一三九。

㊴ 參李以莊、周承人：〈鳳凰影業有限公司〉，《香港銀幕左方》，黃愛玲、李焯桃編，香港：雙原子創意及製作室，二〇二一年，頁一二九。

㊵ 程季華、李少白、刑祖文編：〈戰後香港影業的混亂及進步電影工作者轉移香港後的變化〉，《中國電影

發展史》（第二卷），北京：中國電影出版社，一九八〇年，頁三一七。

㊶羅卡：〈《笑笑笑》〉（電影介紹），《第九屆香港國際電影節——香港電影八四及李萍倩紀念特輯》，香港：市政局，頁五二。

㊷「鄉下仔」是朱克的自況。「接著寫了《寸草心》（一九五三），寫家境困難的中學生，住在沙田，父親白天做工，晚上踩孖人單車載客，賺錢給女兒讀書。女兒不忍，偷偷去做工，父親誤以為她逃學，很是生氣，後來父女終於冰釋前嫌。寫了《寸草心》後，給朱石麟看，他說不太好，沒什麼好拍，後來給李萍倩看，他說好，便拍了。這樣的事情真難說，兩個都是導演，一個說不好一個說好。《寸草心》反應不錯，因為這類戲當時少有。」何慧玲撰錄：〈朱克〉，朱順慈、黃愛玲、郭靜寧、何慧玲訪，《香港影人口述歷史叢書之二：理想年代——長城、鳳凰的日子》，香港：香港電影資料館，二〇〇一年，頁一七八。

㊸何慧玲撰錄：〈鮑方〉，朱順慈、何慧玲、黃愛玲、盛安琪、阮紫瑩訪，《香港影人口述歷史叢書之二：理想年代——長城、鳳凰的日子》，香港：香港電影資料館，二〇〇一年，頁一〇四。

㊹「我和導演李萍倩合作較多，大家是非常要好的朋友。〔……〕李萍倩後來的戲，差不多都叫我來幫忙，他知我搞粵語片，我想到的他未必想得到。例如拍車輪的特寫，他不知怎麼拍，那我便說讓我來。你知啦，粵片古靈精怪的東西最多。我於是用一條繩拉著車輪，影機對著車輪，剛好繞了一圈，特寫最初一直看到車輪，接著看到車尾，然後看到整部車。」何慧玲撰錄：〈朱克〉，朱順慈、黃愛玲、郭靜寧、何慧玲訪，《香港影人口述歷史叢書之二：理想年代——長城、鳳凰的日子》，香港：香港電影資料館，二〇〇一年，頁一七八。

㊺「『我爸爸想找談談，你什麼時候有空去看他一次？』〔……〕一個小女孩在我旁邊站著。她的臉好熟呀，突然，我想起，她便是我在長城片場門口遇到的小朋友。『你爸爸要找我？』『是的。』她對我笑著，『上次你不是見過我爸爸的了？』『你爸爸是誰呢？』『他叫袁仰安。』『哦！』〔……〕他是『監製』，他是長城公司的主持人〔……〕奇蹟降臨了，長城電影公司來找我了。」夏夢：〈從影一年〉，《我的從影生活》，夏夢、傅奇、石慧等著，香港：長城畫報社，一九五四年，頁二三—二四。

㊻石琪：〈港產左派電影及其小資產階級性〉，《第七屆香港國際電影節——戰後國、粵語片比較研究：朱石麟、秦劍等作品回顧》，舒琪編，香港：市政局，一九八三年，頁一五〇。原載《中國學生周報》一九六六年九月廿三日，第十一版。

㊼張徹：《回顧香港電影三十年》，香港：三聯書店，一九八九年，頁二三。

㊽周承人：〈冷戰背景下的香港左派電影〉，《冷戰與香港電影》，黃愛玲、李培德編，香港：香港電影資料館，二〇〇九年，頁三一。

㊾周承人：〈冷戰背景下的香港左派電影〉，《冷戰與香港電影》，黃愛玲、李培德編，香港：香港電影資料館，二〇〇九年，頁二八。一九八七年，廖一原接受李以莊採訪。

㊿朱順慈訪：〈廖一原〉，《文藝任務　新聯求索》，何思穎編，香港：香港電影資料館，二〇一一年，頁一五〇。

(51) https://zh.wikipedia.org/wiki/掃蕩報。

(52) http://miss-suzi.blogspot.com/2015/10/blog-post_29.html。

㊸ 科大衛：〈我們在六十年代長大的人〉，《冷戰與香港電影》，黃愛玲、李培德編，香港：香港電影資料館，二〇〇九年，頁一六。

㊹ 何慧玲撰錄：〈朱克〉，朱順慈、黃愛玲、郭靜寧、何慧玲訪，《香港影人口述歷史叢書之二：理想年代——長城、鳳凰的日子》，香港：香港電影資料館，二〇〇一年，頁一八一—一八二。

㊺ 張家偉：〈充滿困惑的左派電影界元老廖一原〉，《香港六七暴動內情》，香港：太平洋世紀出版社，二〇〇〇年，頁二〇九—二二五；張家偉：《六七暴動：香港戰後歷史分水嶺》，香港：香港大學出版社，二〇一二年。

㊻ 這裡我參考了二〇二四年一月二日黎則奮在臉書上對雨傘運動及其後所謂「本土派」的分析，謹此致謝。

㊼ 沈鑒治：〈舊影話〉，《香港影人口述歷史叢書之二：理想年代——長城、鳳凰的日子》，香港：香港電影資料館，二〇〇一年，頁二七八。

㊽ 何思穎、劉嶔訪：〈黃憶〉，《文藝任務　新聯求索》，何思穎編，香港：香港電影資料館，二〇一一年，頁一六九。

㊾ 當然國內以表態及扣帽子式進行的「左」、「中」、「右」政治資源標籤及分級制，從文革尚沒正式展開就早早以「階級鬥爭」、「階級路線」、國內教育部強化按「政治審查標準」招生等陸續出臺，文革可看成是政治等級制及社會組織軍隊化的激化與延伸（韓少功：〈文革：權力的分配與競爭〉，《明報月刊》，二〇一六年五月號）。香港影人不少也有談及在六十年代初開始感到壓力。

㊿ 何思穎、劉嶔訪：〈黃憶〉，《文藝任務　新聯求索》，何思穎編，香港：香港電影資料館，二〇一一年，

頁一六九。

61 郭靜寧：〈盧敦：我那時代的影戲〉，《香港影人口述歷史叢書之一：南來香港》，郭靜寧編，香港：香港電影資料館，二〇〇〇年，頁一三二。

62 朱順慈訪：〈廖一原〉，《文藝任務　新聯求索》，何思穎編，香港：香港電影資料館，二〇一一年，頁一五四—一五五。

63 何慧玲撰錄：〈朱克〉，朱順慈、黃愛玲、郭靜寧、何慧玲訪，《香港影人口述歷史叢書之二：理想年代——長城、鳳凰的日子》，香港：香港電影資料館，二〇〇一年，頁一七九—一八〇。

64 朱順慈撰錄及訪問：〈胡小峰〉，《香港影人口述歷史叢書之二：理想年代——長城、鳳凰的日子》，香港：香港電影資料館，二〇〇一年，頁一五六。

65 朱順慈撰錄及訪問：〈胡小峰〉，《香港影人口述歷史叢書之二：理想年代——長城、鳳凰的日子》，香港：香港電影資料館，二〇〇一年，頁一五三。

66 朱順慈訪：〈廖一原〉，《文藝任務　新聯求索》，何思穎編，香港：香港電影資料館，二〇一一年，頁一五六。

67 朱順慈撰錄及訪問：〈胡小峰〉，《香港影人口述歷史叢書之二：理想年代——長城、鳳凰的日子》，香港：香港電影資料館，二〇〇一年，頁一五四。

68 朱順慈訪：〈廖一原〉，《文藝任務　新聯求索》，何思穎編，香港：香港電影資料館，二〇一一年，頁一五五。參〈海外影業簽署公約響應文化復興活動〉，《跨世紀臺灣電影實錄一八九八—二〇〇〇》（中冊一九六五—一九八四），黃建業編，臺北：行政院文化建設委員會、財團法人國家電影資料館，二〇〇五年，頁五六一。

⑲ 這裡借日本思想界對全球化資本主義現代體制的反思用語，思考現代中國發展進程中挪用辯證法史觀之不足。可參：《臺灣社會研究季刊》第七十四期「二十週年紀念特刊專題—超克當前知識困境」，https://www.taishe.com.tw/periodical_74.html。

⑳ 盧偉力：〈七十年代初左派社會寫實電影的社群框架〉，《雜嘜時代：文化身份（分）、性別、日常生活實踐與香港電影1970s》，羅貴祥、文潔華編，香港：牛津大學出版社，二〇〇五年，頁一八三。

第六章

冷戰熱血：玫瑰的青春

大冷戰是指美蘇兩國的競爭，也包括意識形態上資本主義和共產主義的對壘，小冷戰是指國共兩黨在香港的鬥爭。香港過去由於是英屬殖民地，居民以華人為多，在國際政治舞台〔臺〕上處於東西方兩大陣營的夾縫，華人政治圈內則拉鋸於海峽兩岸政權之間。不過，從此亦可見香港地位的獨特之處。①

令英國憂上加憂的是間接的「美國威脅」。冷戰在亞洲日益加劇，美國尋找盟友圍堵中國，發覺香港很有用處，可以在此蒐集情報、實行出口管制、發動宣傳戰，甚至執行秘密行動。英國人擔心在香港或亞洲其他地方與美國合作太密切會觸怒北京，令它在香港挑起事端，甚至發生更糟的情況，那就是中美爆發大戰，中國因而攻打香港。由於這些原因，英國人一方面急於引起美國對於協防香港的興趣，另方面急於約束美國對華政策中過於咄咄逼人的傾向。②

本章藉著探討曾經在香港五十年代中至六十年代末處理青春、青年題材的五位代表影人，想像及認識當時來自不同背景、非常寬闊且流動政治光譜的電影作者，了解他們在作品中如何回應時代的變化，介入歷史，表達及創作所思所感的不同策略。透過細讀幾位影人個案，本章重新勾勒出「大冷戰」與「小冷戰」的關係，從中瞥見戰後勢力江河日下的大英帝國，如何一方面表面上配合美國的冷戰要求，另方面必須抑制美國人利用香港顛覆中國，在香港進行反共大業，以免中、美兩國在韓國、中南半島和臺灣的衝突擴大至禍延香港，影響英國在港利益。

香港電影生命力的旺盛受益於冷戰矛盾，匯合了中、臺、星馬人才與資金，造就了粵語、國語電影平衡共存的獨特生態，也造就了邵氏（及之後的無綫電視／TVB）與新浪潮電影的冒起。香港電影中的文化冷戰情感經驗遠比二分、對立化或扁平化、左右爭逐對壘的政治論述形勢來得複雜曖昧，實需要更仔細深入的疏理。殖民及冷戰不單作為外在於電影生產的政治經濟社會背景，同時也是內在於香港電影文化的重要構成因子，決定了明與暗的審查、電影工業的企劃生產、人脈發展、發行網絡等條件上的可能與限制，亦時刻誘導著電影的敘事邏輯、價值認同與欲望生產、評論與消費。本章企圖了解殖民及冷戰文化條件作為跨文化書寫與知識生產，如何在電影中框限、形塑及轉化成對當下社會及世界的認知、理解、欲望與情感實踐，並藉由具體的文本與個案分析，重新述說鮮被看見或命名，混沌模糊的認知、欲望，如何不斷溢出、問題化與模糊化這些框限與形塑。

五十年代麥卡錫的上場，把四十年代中在美國開展的冷戰——世界的二元化及敵對化——帶至高峰。亞洲經歷全球冷戰的同時，也被迫進入一連串的熱戰。香港及臺灣兩地深深承受著四十年代中後期內戰的創傷。臺灣以作為美方冷戰在東亞橋頭堡的位置延續了內戰，實施（人類歷史上最長的）戒嚴；香港以亞洲碩果僅存的歐屬殖民地之姿成為各種勢力巧取豪奪、示範「自由」的「天堂」。一九五三年，英國小說家Ian Fleming創造了西方間諜占士邦〇〇七的角色，一九六二年被首次改編成電影《Dr. No》（《鐵金剛勇破神秘島》，特倫斯．揚），開創了全球的諜報片風潮，在接下來的六十八年（截至二〇二一年），占士邦系列共拍成二十七部電影。

香港在四十年代收容了大量來自中國各地的人口，他們不少選擇留港建立家庭，於是有五十年代嬰兒潮的出現。這些主要在二戰後出生的新生代，至六十年代逐漸長成青少年，與上一代的歷史（創傷）記憶、成長環境、價值觀截然不同，形成強烈的世代差異與矛盾。電影中於是出現大量的孤兒敘事，對於年輕的身體及叛逆、青春群體的冒現成長議題等，有各種好奇及探索。此時香港電影觀眾在急速年輕化，推崇以美國為首的「西方」時髦電影市場需求迅速改變。香港電影於六十年代跌跌碰碰被推至工業化、景觀化的方向；五十年代以道德教化、社會議題主導的電影開始退潮。

冷戰、熱戰

二戰後香港經歷了在發展中地區最迅速的工業與經濟增長，僅次於日本。一九五〇年韓戰爆發；一九五五年越戰爆發。受惠於韓戰、冷戰，與中國大陸的人流技術資本，香港進入六十年代，製造業急速發展，香港正式從轉口港過渡至工業城市。電影中開始出現各種勞動人口，在玩具業、製衣業、電子工場等上班。根據世界銀行資料，一九六〇年，香港人均GDP為四百零五美元，中國大陸為九十三美元，兩者相差約四點三五倍。至一九七八年，兩者距離達二十五點六九倍，香港人均四千五百三十七美元，大陸只有一百七十五美元。英國花了一百多年完成的工業革命，香港用了不足三十年。但這樣高度壓縮的發展付出何等倫理、精神與感情代價，這些需要我們更仔細探視電影中的文化再現。

六十年代中後期香港左派電影的退潮留下大片道德、情感與欲望缺口急需填補，親近英美世界的電懋（後易名國泰）、邵氏，與邵氏催生後起的嘉禾趁機大展拳腳。這些「右傾」電影企業的冒起，需要被重置於當時的歷史脈絡，以重新認識香港六、七十年代電影與國際政治的複雜糾結。六、七十年代正藉中國經歷外憂內患、臺灣戒嚴之勢，香港一方面成為華語文化最自由流通的大本營，另一方面是最快接觸到歐美當時反叛一代流行文化思潮的地方，在七十年代成為暴力與色情（所謂「拳頭」與「枕頭」）的欲望製造工場。香港六六年的反天星小輪加價、六七年的反殖騷動中顯現新生代的躁動不安，孕育出飛仔片、青年幫派片、監獄片等變種；警察、社工、基督及天主教會等符號旋即化為以正面救世形象出現；土生土長的青年偶像明星如陳寶珠、蕭芳芳、呂奇、謝賢等開始獨當一面。這一代明星及伴隨他們而生的流行文化現象如追星族等，徹底改變了香港影業的形象輸出，把「香港」這符號與洋化現代、開放活潑等形象掛鉤，更扭轉並重塑了港人的本土身分認同。這些在香港電影歷史中可見的集體向右轉傾向，跟當時香港在全球冷戰布局下挾著作為日不落帝國遠東橋梁的關鍵位置不可分割。

本章爬梳五十年代中後期至六十年代末香港社會文化政治的面貌與變遷，及這期間一些國語片與粵語片中對「青春」的呈現，以審視在冷戰下的香港電影中，「青春」如何作為一個抒寫政治欲望與想像的符號；當時香港年輕人處於多重價值系統之間的矛盾、徬徨與躁動，及香港電影曾經如何對這些文化矛盾、地緣政局變遷、世代差異及經濟轉型等社會轉折，作出回應。本章選取五位活躍於這時期又甚具影響力的影人：黃卓漢、易文、秦劍、楚原及龍剛，略微探討他們一些重要作品中所呈現的關注及風格特色，如何回應時代，並側論一些與他們同代的作品，加強對橫向脈絡的審視。下一章聚焦於七十年代初進入香港電影工業的關鍵人物李小龍，透過追溯他五十年代至七十年代初銀幕上的遽變，進一步了解香港（殖民疊加冷戰）現代性的歷史構成、矛盾與統合過程。

夢裡夢外

一九五二年，張善琨與王元龍、王豪等發起「自由電影界」運動，一九五四年組織起「自由總會」，但未獲港英當局批准。一九五三年十月二十九日，香港影人首次組成去臺灣的「回國觀光團」，團長為王元龍，副團長為藝華公司經理嚴幼祥，顧問為胡晉康及張善琨，團員包括童月娟（後來成為自由總會主席）等十七人。這批影人在一九五六年成立自由總會，首屆選出十九名委員。一九五七年自由總會正名為「港九電影戲劇事業自由總會」，積極爭取左派影人入會；本章重點討論的易文，五七年起擔任自由總會執行委員。自由總會

「等於是臺灣新聞局的前哨站」③，香港影人申請赴臺、影片運臺，都得向該會申請。如蕭芳芳本來是長城旗下童星，以部頭合約式演了邵氏《梅姑》（一九五六，嚴俊），根據臺灣規定，由於演員的背景，《梅姑》不能在臺上映。一九五七年，其母帶蕭芳芳到臺灣，被高調報導為「投奔自由」，然後跟長城毀約，臺灣的國風影業以高薪邀她拍《苦兒流浪記》（一九六〇，卜萬蒼），當時被認為自由總會一大成就。後來由左投右以換取臺灣市場的「自由影人」多不勝數，如：嚴俊、林黛、李麗華、樂蒂等。如，編劇陶秦一九四九年即加盟長城任編導（作品有新長城創業作《說謊世界》），一九五二年轉換陣營，先後在邵氏、電懋等公司任編導，主要作品有《四千金》、《千嬌百媚》（一九六一，陶秦）、《花團錦簇》（一九六三，陶秦）、《藍與黑》（一九六六，陶秦）等；一九六二年陶秦憑《千嬌百媚》獲得第一屆臺灣金馬獎最佳導演殊榮，是一位從左跳到右的成功例子。

黃仁指出，在自由總會成立過程中，邵氏公司的邵邨人為重要幕後推手，其六弟邵逸夫更曾捐款買樓作為自由總會的永久會址。④電懋公司的主要創作人如鍾啟文、宋淇、易文等，亦先後到臺灣與聯邦公司商談合作；聯邦建議把臺灣的風光和軍容透過電影介紹到海外，於是出現了《空中小姐》、《星星．月亮．太陽》、《諜海四壯士》（一九六三，唐煌、汪榴照）。「右派」的主要資源來自「美元文化」：如美國亞洲基金會贊助、一九九一年創辦的友聯研究所及出版社，美國自由亞洲協會贊助的亞洲出版社、亞洲通訊社、亞洲影業公司（一九五三—一九五八），及國民黨開辦的如《國民日報》（一九三九—一九四一，一九四五—一九四九）等。當時在香港即使反共立場鮮明的電影，如改編趙滋蕃同名小說的《半下流社會》（小說跟電影均為亞洲出版社及亞洲影業公司出品，電影由易文編劇）[5]，雖然如第五章開首引文提到，歌曲明顯反共：「思故鄉、念故鄉，故鄉有豺狼！」但其實電影中呈現的跟當時左派電影的價值觀不無相似，也同樣反資反帝：「《半》片對集體、團結意識的強調，對香港資本主義生活方式的抗拒，乍看之下，與『左傾』影片並無二致。所謂『反共』，只在言辭語教之中透露，我們看不到有任何宣揚個性價值或民主、自由觀念的地方」。[6]羅卡這裡所指的「民主」，是從個人主義出發，包括財產私有化的歐美民主觀念，並非第四及第五章論及的，將來會過渡至社會主義革命的新民主主義，而「自由」是（親美的）「自由中國」。

如果撇除資金來源的因素，而更仔細地爬梳影人的背景、經驗、選擇與作品，會發現以二元類別來區分當時香港電影，並不足以接近當時電影的面貌及其文化構成。如，在粵語片及國語片都成績斐然，先後創辦「自由影業」、「嶺光影業」、「第一影業公司」，在五、六十年代遊走港臺兩地，「播下武俠片的種子」[7]的黃卓漢，在廣東潮安出生，曾在越南教書，由於父親曾在國民黨政府當官，父親在重慶的朋友介紹他去當何世禮將軍的秘書，但不久發現自己不喜歡當官，於是又被介紹去桂林的圖書雜誌審查處任「專任委員」，專門替國民黨審查左派文人的作品。這位有黨國背景的文人，後來在臺灣、美國順利進行影業生意，自是理所當然，料不到他八十一歲高齡時（二〇〇一年，過世前三年），在與香港電影資料館的訪談中竟然說了這樣一段：

> 專任委員做些什麼工作呢？當時國民黨和共產黨表面上合作抗日，其實貌合神離，口和心不和，而全中國的話劇人才都集中在桂林，他們幾乎都是左派。最好的劇本，最好的演出，都是左派的。而以田漢幕後領導的「新中國劇社」最負盛名，我的工作就是審查新中國劇社的作品。審查不但要檢查劇本，還要每晚看表演，一邊看劇本，一邊聽演員唸對白，一個字也不能錯，錯了就不准演出。[8]

二十幾歲的他很快跟劇團混熟，也幫忙躺在地上當「提場」，輕聲提點演員臺詞，並結識了左派文人：

> 我拿國民黨政府的薪水，本來是要審查他們，誰知我們做了好朋友，有人送咖啡給田漢，他就會請我去喝。當時物資須從緬甸繞很遠的路運來，咖啡極之珍貴，喝上一杯，就像今天吃到上品魚翅一樣。
>
> 透過到田漢家喝咖啡，認識了名導演蔡楚生先生，我後來從事電影工作，可說是受到他的影響。蔡先生也是潮州人，大家同鄉，他把我當作弟弟一樣，很喜歡找我聊天。我當然很崇拜他〔……〕[9]

一九四四年他撤退到重慶，任總政治部少校秘書。後來在南京《益世報》，從記者做到副總編輯。背負國民黨的家庭與工作關係，卻深受民國時期共產黨最重要的劇作家田漢與最重要的電影導演（之一）蔡楚生的薰陶。這般既左且右（外右內左？）的影人，大概在五十年代的華人地區，也只有香港可以讓他們學習經營電影，站穩腳跟，作為基地，開拓版圖。

一九五七年黃卓漢投資拍攝電影《龍女》（王天林），為香港其中一部較早出現的三十五毫米膠片彩色電影，之後到臺灣拍攝《甘蔗姑娘》（一九五八年，李應源），也是臺灣最早的三十五毫米膠片彩色電影之一。後來在香港成立「嶺光製片公司」，繼續拍攝粵語片，又在臺灣成立「第一影業機構」，自導《大瘋俠》（一九六八年），引領武俠片類型風潮。第一機構在一九七〇年開始兼營發行工作，購買臺北國都戲院、華聲戲院建立院線，並將市場擴展到海外，在美國和加拿大建立華聲院線，專門放映國語片，成為七十年代臺灣製作和發行均有相當影響力的獨立公司。[10]作為跨越粵語、國語片，集投資、監製、編劇、導演、發行於一身，同時兼顧生意與創作，在港、臺及北美華語電影史上擔當了關鍵的橋梁角色，黃卓漢青年時代文化基礎的建立與養成，原來端賴民國時期左派文人的滋潤。於是他南來香港後會結交如秦劍這樣在親左陣營下培養出來的新一代，成為好友，合作《女兒心》（一九五四，秦劍）等電影。

《女兒心》寫十七歲、生於小康之家的張碧玉（林翠），張父忙於賺錢，張母沉迷打麻將。碧玉暗戀不解風情的書呆子數學老師，苦悶之下接受花花公子何少青的追求，險遭迷姦。在同學誤傳、被學校開除後，碧玉絕望自殺，幸好獲救，最後與父母、老師、同學和解。片頭字幕疊在碧玉緩緩步向攝影機的一個長鏡頭上，夜深空蕩蕩的公路上如霧似幻的場景，車輛飆過與煞車聲，製造氣勢不凡的戲劇張力。整個故事透過與醫生聊天的倒敘進行，讓觀眾代入醫生的位置，要求觀眾以更大的同理心，了解少女的無助，協助她走出困境。電影中不但處理未成年、跨代戀、酒後迷姦等禁忌題材，更寫出同儕暴力的可怕，對同學間的言語霸凌、人際間以訛傳訛、人言可惡，以個人（性）道德論斷別人的華人流行文化，提出深切的（自我）反省。這是秦劍第一部國語片，鋒芒畢露，是一九五二年黃卓漢成立自由影業公司繼《名女人別傳》（一九五三，易文）捧紅了李湄後的第二部出品，又發掘並捧紅了林翠，可見自由影業眼光之準。

從此脈絡再回看黃卓漢後來自己導演的電影，又有另一重意義。就目前可看到三部嶺光的粵語片出品：《離鄉情淚》（一九六二）、《巫山夢斷相思淚》（一九六五）及《深閨夢裏人》（一九六六），其中呈現市場經濟與城市化急遽發展，個人不斷受倫理價值衝擊下，當代年輕人面對儒家傳統婚嫁要求、資本主義階級矛盾與性壓抑的多重困境，乍看實與五十年代親左陣營盛產的粵語家庭倫理文藝片並無二致，只是目光益發聚焦於新生代的艱難。《離鄉情淚》與《深閨夢裏人》的橋段更是相似，皆寫青年男性（二片中皆為張儀）從鄉漂移到城的過程中，面對草根階層無法出頭的絕路，被向上流動的迫切欲望誘惑，依靠城市高階女性賞識提攜以達致迅速向上爬升，成為忘恩負義的新人類，最後被找上門家鄉「元配」（二片中皆為丁瑩）的淳樸忠貞打動，痛改前非。

饒有趣味的是，電影一方面對港式資本主義發展充滿戒心，《深閨夢裏人》片末成業甚至直白譴責這個魔都作為他犯罪的根源：「我不想在一個虛榮誘惑的都市，我想和妳回鄉下」，但電影中又對當代生意人的各種竅門與道德有一種特別細緻具體的關注，並非一面倒的批判，如《巫》中以債抵債解決資金流的生意危機；《深》中海歸派籌畫在衛星城市投資買地的抱負與願景，強調寶蓮（嘉玲）愛才又親自去醫院看受傷工人，最後更造就成業與潔貞的團聚。寶蓮作為洋化港式新女性（調教成業用西餐餐具一場尤其經典），顯得無私磊落，在事業與人情上張弛有度，深具視野與能動力，是內化並糅合了左右價值素質的理想型人物，從中也許可見黃卓漢作為生意人的自我期許。在成業與寶蓮兩位的角色塑造之間，也可見對於香港六十年代的殖民現代性，有一種不完全否定也不全然擁抱的審視目光。

「木頭人」敘事法

同樣是「左右逢源」、面子與裡子相當複雜，對香港影壇自五十年代至六十年代的轉變扮演關鍵角色的易文，原名楊彥岐，曾於四十年代任戴笠旗下通訊員，與國民黨元老要員如于右任、羅敦偉、黃少谷、卜少夫等，一直過從甚密。[11]他不僅於五三年在港協助成立自由總會，並從五七年起擔任執行委員，七〇年起兼任財務主任，七三年起任副主席等。換言之，協助或統籌右派在香港執行文化統戰，是易文的主要工作之一。易文初到港時當《上海日報》總編輯，並為《香港時報》任副刊編輯，後者收入甚豐。兩者均有臺灣官方背景。[12]

易文在年記《有生之年》自序中說自己的「編年流水賬」，「只記事，沒有議論也不抒寫感情，只記具體的與表面的事，不涉生活行為的因果細節，就把自己當作一個木頭人」，「既無內心活動，所以不可能有主觀喜惡，更沒有任何生動的心情流露，對人世沒有絲毫見解。」[13]我們先仔細看一下他記事選擇的篇幅。

易文這樣記載一九五六年，即「亞洲影展」在香港舉辦的那一年：「三月間，臺灣中央電影公司總經理李葉來港（時該公司董事長為戴安國），倡議港臺合作影片事，邀我導演，並邀吳鐵翼編劇。經商談再三，至五月始成定案，決集合港臺明星拍攝《關山行》（一九五六）一片。六月十二日，亞洲影展（此一影展由日本大映公司永田雅一發起，已歷數屆，原名東南亞影展，是屆起改名亞洲影展）在香港舉行，各地影業代表群集香港，李葉亦來參加，順便商妥《關山行》製片計劃。」[14]在這篇年記中，敘述亞洲影展（後定名為亞太影展）共七十七字。同年十月八日，易文入醫院開刀切除腎部小瘤，住院一周。他花了四十九個字紀錄手術及住院。接下來九龍發生雙十國慶暴動，中華民國國旗被扯下，引起（親臺）黑社會作亂，九龍封鎖三日。他用五十五個字紀錄這起事件。對惜字如金的易文，亞洲影展在港舉行，同時藉此機會加強香港及臺灣電影工業的合作，似乎比他個人健康，甚至九龍被封城三天還吃緊。港英政府為了抑制在港親臺勢力，不惜把九龍封鎖三日，正是要給臺灣

（及美國）與中共一個清楚的「小冷戰」信息：英國無論如何不會容許兩個中國在香港正面衝突。

永華影業公司的親左員工鬧工潮，港英政府驅逐示威影人出境後，公司陷入財困，港英政府讓從新加坡空降而來、受英國教育的陸運濤於一九五五年接管永華片場，並於一九五六年成立國際電影懋業有限公司（電懋），積極進軍香港電影製作市場，可見電懋在香港的成立及發展，跟港英政府的介入與其文化冷戰立場脫不了關係。Sangjoon Lee整理了五十至七十年代亞洲電影發行網絡的打造作為受美國中央情報局（CIA）資助的美國外交政策的一部分，以日本在前線拓展東南亞市場為名（日本大映公司董事長永田雅一為開拓東南亞市場和促進電影業發展），聯同邵逸夫，舉辦東南亞／亞洲／亞太影展，當時成員有日本、中華民國、英屬香港、印尼、馬來西亞、菲律賓及泰國等，每年在亞洲不同的城市主辦，從而在文化上孤立中國。⑮影展第一屆在日本、第二屆在新加坡。一九五六年六月十二至十六日舉行的第三屆東南亞影展（自此改名亞洲影展），是在香港首次舉辦的國際電影節，影展揭幕禮在半島酒店舉行，近七百人參加，香港港督葛量洪（Sir Alexander Grantham）伉儷親臨主禮，致開幕辭。當晚，大會還在灣仔分域碼頭對開海面燃放煙花慶祝，相當隆重。這屆的執委會主席，是正準備在香港影壇大展拳腳的陸運濤。一九五六年第九期《國際電影畫報》上圖文並茂地報導，影展會長陸運濤專程來港，並於六月四日假美麗華酒店「舉行中外記者招待會」，宣布影展籌備工作。港英政府一方面配合美國的文化冷戰工作，另方面藉此策略性地扶掖親英的電影勢力在港扎根。

該影展的政治風波不斷。參展的香港電影原本有三部，分別是由美國經濟支持的亞洲影業公司出品的《長巷》（一九五六，卜萬蒼）、國際電影公司出品的《驚魂記》（一九五六，陶秦），及國泰公司出品的《娘惹與峇峇》（一九五六，嚴俊）。但永田雅一抵達香港後，公開發表「香港製片人不肯花錢，製作不夠水準，許多天才都給糟蹋」的言論，嚴俊為了表示抗議，決定退出影展（永田雅一其後道歉，指為翻譯出錯）。二十多名主要來自中聯的粵語片電影工作者亦獲邀參加在港督府舉行的開幕園遊會，包括吳楚帆、張瑛、張活游、白燕、紫羅蓮、周坤玲、秦劍、李晨風等。吳楚帆在席間向記者表達不滿，指大會不准粵語片參加是不公平。他去年（一九五五年）曾申請明華影業公司創業作、他主演的粵語片《人道》（一九五五，李晨風）參展，但不獲接納。今屆他以國際影片公司出品、他主演的粵語片《斷鴻零雁記》（一九五五，李晨風）參展，又被拒絕。影展舉行後，一九五六年六月二十日的《大公報》第二張第五版上，有〈影展拒粵片參加／吳楚帆昨有說明〉的專文，報導吳楚帆在六月十九日樂宮樓舉行記者招待會，再次說明第三屆東南亞影展沒有粵語片參展一事。文中他說從該年四月間已經打算把在日本攝製的粵語片《斷鴻零雁記》參展，並特為此事拜訪大會秘書長，最後得到的回應是：「遭大會執行委員數人反對，已不能參加展出，而未有說明該片不能參加的理由」。以吳楚帆為首的粵語影人對被拒門外的憤慨，後來在東南亞華僑社群中流傳的《星暹日報》上亦有報導：「如果說因為粵語片的品質過劣而被拒絕參加的話，那我就堅決地否定這種看法，因為粵語片並不是沒有好作品，譬如《寒夜》、《春》、《秋》，及最近擬參加影展而被拒絕的《斷鴻零雁記》等，我敢大膽地說一句，無論在製作上，導演手法，演員演技，各地的票房紀錄，都不會比這屆參加影展的各國影片要差。」（〈影展拒粵語片參加，粵語影人深表憤慨〉，《星暹日報》，一九五九年六月二十二日）⑯值得注意的是，三家主要的香港「左派」電影公司：長城、鳳凰和新聯，也沒有作品或代表獲邀參與影展的活動。⑰

從這些爭議中可見，這個當時被認為是「亞太地區最具規模的電影盛會」⑱，是有策略地把左派與粵語片排除在外的一個資源分享網絡，達到壯大右派文化聲勢又邊緣化方言電影（粵語片）的效果。影展受港英政府之看重，是以彰顯香港作為大英帝國在亞洲的橋頭堡，西方自由主義、資本主義價值最早扎根的東亞櫥窗之一。但這個受美國幕後策動、藉日本作幕前執行者的文化冷戰計劃，也深深滲透著美日聯盟帶領亞洲的文化優越感，於是有永田雅一對於香港影業的評論，及香港影人的反彈。這份文化優越感，與右派文化的政治優越感互為表裡，在實際操作上形成不准粵語片及親左公司出品參加的潛規則。

亞洲影展在港舉行翌年（一九五七年），邵逸夫親自來港主持改組後的邵氏兄弟有限公司，並興建龐大的邵氏影城，羅致各路人才拍攝多樣化類型，尤其繼承上海天一公司演繹通俗民間故事的古裝片路線，以大製作的古裝宮闈片，和仿效大陸黃梅戲的黃梅調歌唱片橫掃票房，與電懋擅長的中產仕紳、都會小資風格爭一日之長短。亞洲／亞太影展成為這兩間公司拉鋸的戰場。[19]李翰祥導演、林黛主演的《江山美人》（一九五九）作為黃梅調電影的開山之作，獲第六屆亞太影展最佳影片、最佳導演、最佳女主角、最佳男主角、最佳男配角、最佳女配角、最佳編劇、最佳彩色攝影、最佳剪輯、最佳音樂、最佳錄音和最佳藝術設計等獎項，票房收四十萬六千多港幣，高踞當年香港電影中西影片首席，凌駕好萊塢出品巨製之上，一鳴驚人。雖然美日聯手打造的亞洲電影發行網絡未必完全收到如期的冷戰效益，但站在香港電影史的角度，它的介入確實壯大了香港兩間主要右派公司邵氏、電懋的威望與氣焰，鼓勵他們的發展，並激化了香港影業左右的對立。

左右逢源

但，回到個人、在地的層面，又是另一片景象。一九五〇年《易文年記》中記述，他不但不具名為左派電影公司長城寫《新紅樓夢》（一九五二，岳楓）劇本，還「經常為該公司編寫電影小說」。[20]據香港電影資料館整理的易文〈電影作品年表〉中可見，五三年再為長城出品的《孽海花》（一九五三，袁仰安）等編劇。據五三年《年記》記載，易文亦為長城編寫劇本《小舞孃》（一九五六，袁仰安）。五三年一月中，記載了在大陸曾任美國合眾社記者張國興，受美國支持在港創辦亞洲出版社及亞洲影業公司，「邀約相助」。[21]六月即為亞洲影業編寫《楊娥》（一九五五），並由洪叔雲及易文聯合導演。「片中部分彩色拍攝」，可見資金雄厚。「三月間，台灣國民黨方面開始聯絡香港電影界人士，由旅美華僑梅友卓出面，約集自由影人商談，計議有所組織，我被邀參加初步商談。〔……〕九月，翻譯美國電影導演茂文・李洛埃（Meryn LeRoy，一九〇〇—一九八七）所著《好萊塢工作實錄》（原名*It Takes More Than Talent*）一書，次年一月由亞洲出版社出版。十一月間，台灣國民黨方面約集工商文化界人士。〔……〕組織赴台觀光團，我被邀參加。〔……〕是年韓戰在不絕如縷之談判中結束。」㉒就是說，在韓戰打至荼蘼，美中兩方談判拉扯不下之時，易文一人同時為香港左派電影機構、美國右派及臺灣右派三方工作。一九五六年十一月，易文編導《曼波女郎》（一九五七），五七年在星馬各地上映，「由女主角葛蘭前往隨片登台〔臺〕，賣座極盛。」一五七年六月，編導伊士曼彩色《空中小姐》，遊吉隆坡時在「獨立運動場見數千中小學生慶祝雙十國慶之集會，感人淚下」。㉓同年十一月，編導《青春兒女》（一九五九，易文），「以學校生活為背景，開『青春戲』之先聲，頗獲好評」。㉔以易文極其複雜的背景與感情結構作為個案研讀，香港電影——即使在核心右派陣營內的——是否或曾經如何逸出港英政府的殖民操控及冷戰欲望規訓？

蘇偉貞在《不安、厭世與自我退隱：易文與同化南來文人》中問了一個關鍵問題：「易文何以幾乎不反映離鄉背井的創傷與家國政治主題，反而一味地歌舞昇平封閉敘事？」㉕《曼波女郎》以青春少女的歌舞開展，卻旋即跌入主角愷玲發現自己乃被棄孤兒，只好離家出走以尋生母的泥沼。電影最後讓愷玲選擇放棄尋親，回去擁抱開明養父母提供的安樂歡樂小康生活。明顯地，電影表面上揭示香港年輕一代對自我身分的尋索，只要選擇脫離創傷的過去，面對安逸的現在，結合西方鼓勵自由表達欲望的文化（「曼波」），就能獨立自主邁步向前。蘇偉貞這問題抓住了時代氛圍的核心，不單指向易文，也可適用於幾近所有的電懋／國泰及邵氏（如第八章探討的李翰祥）電影創作人。以下我嘗試以我的觀察回答這問題。

天蒼蒼啊　地蒼蒼
不知道女兒什麼樣
今年她長到了幾尺長啊
小臉兒像爹哪
還是像娘呀？
天荒荒啊　地荒荒
沒有了媽媽在身旁
天冷有誰給她添衣裳啊
餓了那有誰來掛心上呀
天茫茫啊　地茫茫
日日又夜夜把她想
走遍了大街又走小巷啊

幾時我女見見親娘呀
女兒見親娘㉖

首先，我們需要對於他貌似「封閉」的敘事，嘗試結合文本分析，開放互文的再解讀。五四年十一月，易文幼女見樂在九龍出生。年記中寫：「命名見樂，以『樂』字諧音『陸』字，有盼見大陸意，此時離大陸六年，已備〔倍〕覺鄉思矣。」㉗兩年後（五六年十一月），他即執導《曼波女郎》。據說葛蘭在臺灣勞軍時因為以跳曼波舞馳名，被冠以「曼波女郎」之名，易文受啟發遂寫了《曼波女郎》劇本。如果用以上的多重脈絡重新理解《曼波女郎》，我們是否可以瞥見更多曖昧不明、錯綜複雜的感情結構，探究之前無法看見的面向？

愷玲（葛蘭）在天臺上看到想像中的母親長得跟年老的自己一樣，穿著樸素的唐裝，唱「天靈靈地靈靈，我家裡有個小女郎，自從她離開了爹娘啊，如今她流落在何方流落在何方？」愷玲正想衝前擁抱她時，她即消失了。愷玲落寞的中鏡，接著是香港市區建築的鳥瞰鏡頭，提示愷玲要再離家出走了。愷玲從孤兒院木屋區找到夜總會，歌女在臺上唱著：「你趕快忘卻一切煩惱／盡情的歡樂留住今宵……」；歌女背後是「方逸華小姐」的閃亮霓虹燈飾。「方逸華小姐」在此被大肆宣傳，也預示了易文十多年後（跳槽邵氏）的走向。本來愷玲以為她可能是生母：「可能是唱歌或者表演什麼的」，但緊接著是夜總會的豔舞表演。鏡頭從中鏡、遠鏡來回切入，與愷玲不屑的表情對剪。這段舞蹈相當完整，從舞蹈員出場，至向拍手的觀眾謝幕，接近兩分四十秒；雖然跟敘事沒有直接關係，但顯然是電影中重要的亮點，編導的焦點所在，可能這也是曼波舞最早被引入香港的源頭。㉘這段專業艷舞演出，應該是一九五五年波多黎各舞者Margarita Mercado（藝名Margo the Z Bomb）在北角麗池夜總會表演的現場紀錄。㉙《華僑日報》一九五五年七月二日第二章第二頁上，刊有馬高小姐到港的照片及「特訊」：「有『南美Z炸彈』之稱舞蹈家馬高小姐，應本港麗池夜總會邀請，昨日下午一時半，由東京飛抵港，同行者有其舞伴戴芬奴，戴氏亦為音樂能手。高氏預定在麗池夜總會表演一個月，其最擅長之蒙巴舞、森巴舞及古巴土風舞，將逐日在麗池演出。高氏向記者表示：她尚未結婚，亦未有對象，前曾來港一次，並在某夜總會表演一宵，此次在港表演完竣，即赴馬尼剌（馬尼拉）取道返國。」《華僑日報》一九五五年七月五日第五章第三頁上再報導「大跳蒙巴舞」的「Z彈」「年方二十二」，表演「一時座無虛席，轟動麗池」。《華僑日報》一九五五年七月二十一日第三章第四頁上續有：「蒙巴舞Z彈襲港／麗池連夕盛況空前」。從這些聲色俱備的報導中可見，「Z彈」在麗池的演出，為當時香港娛樂界掀起一片風潮，而她帶來香港的「蒙巴舞」，大概啟發了葛蘭三個月後（一九五五年十月三十日）隨香港影劇界藝人組成的臺灣祝壽團，在為總統蔣介石的賀壽晚會上表演曼波歌舞。當然，從「蒙巴」到「曼波」，也是把加勒比海的成人娛樂轉化至華語冷戰舞臺的一次主流化與去性化過程。

易文的青春

雖然易文自序中說：「把自己當作一個木頭人」，「對人世沒有絲毫見解。」[30]但讀者看他在年記中怎樣記述自己的行蹤活動，起承轉合，不得不瞥見這位「木頭人」在求生與玩樂中的強烈反差。一九三七年中日戰爭爆發，「七月盧溝橋戰起時，我父偕庶母等在北平，旋至天津租界逃難。『八一三』滬戰又起，華北及東南戰火熾烈，郵途阻梗，一度音信中斷。」抗戰既起，南京淪陷，只得留居上海，那年易文十八歲。他在三所大學借讀，在年記同一段落中記述自己投稿眾文藝刊物，參與文藝活動，同時留連舞廳，彷彿這些都是在戰火連天的世界中個人排遣憂思的活動：「又與中學同學謝文瑞等同遊，習跳舞，時出入各大小舞場，此後四五年成為舞場常客。」[31]翌年（一九三八年）的年記中寫他正式轉入聖約翰大學，主修政治，副修歷史，與劉以鬯為同學。也寫到在校主辦《聖風》周刊，校方以刊物中有左傾文字查禁致刊物停刊。再一次，他寫「大小舞場夜總會經常涉足」。值得注意的是，跟後來大多來港的「右派」文人不一樣，易文來港，並非為了逃離中共統治，而是逃離國民政府的迫害。四〇年，他與穆時英、劉吶鷗，「頗成莫逆」；「談論文藝；又時常同遊各舞場，飲宴徵逐，意氣相投。」因受到劉吶鷗影響，「對電影興趣大增」。穆與劉先後遭國民政府暗殺，易文怕遭牽連，於是在一九四〇年九月十二日，匆匆搭船從上海到香港。這是易文第一次來港。「初見海上山市，大感異趣」。[32]但安穩並不長久，翌年（四一年）十二月，「驚悉日機襲港，太平洋戰事爆發」，「糧食來源斷絕」。[33]四二年六月，易文包一小漁船偷渡出海，經韶關（曲江）至桂林，途中「見途旁死屍，驚心怵目」，「一路顛沛」。最有趣的是，在這一年如此驚心動魄，在戰火中逃命以倖存的記述後，該年最後一句為：「閒暇，常在鈕先諾家作『沙蟹』賭博，並常看京戲。」[34]

他在敘事中的高度壓抑情感，正是他出身政治世家但在戰亂漩渦中求生訓練的一部分；舞場、賭場、戲場是調節焦慮緊張、怡情養性的場域，滿足回到「舒適圈」的需要。所以，與其說易文在電懋電影中呈現的娛樂場所如夜總會、舞廳等，為安穩的日常生活建構一個陌生化、異化的平行世界，也許更精確的描述是，這個平行時空是易文內心對舒適圈渴求的呈現，也是他一去不復返的，青春歲月，回望渴求見「樂」／陸而不可得。

易文對中國政治變遷，並非都如年記中自我強調的冷眼旁觀。一九六六年文革消息傳來，年記中載有他以《南歌子》詞寫〈大陸近事〉，也用上《曼波女郎》「天蒼蒼地蒼蒼」般的疊字開頭：「胸中誠蕩蕩，世上卻洶洶。嫩綠怎堪鬥殷紅。一夜百花摧落，暴雨腥風！怨深恩已盡，恨長訴無從。等閒豈敢拚命衝！何事方寸亂失，焚燒五中？」[35]四八年易文離開大陸時，「我父母始終留滬。父親為上海市政府聘任上海市文物管理委員會顧問。」[36]易文父親楊天驥，號千里，家學淵源，一九〇二年（光緒二十八年）推為壬寅科優貢。「蘇報案」時參與營救章太炎等人，又曾營救國民黨逮捕的進步青年，於同盟會一度任孫中山秘書。一九一七年到廣州加入國民黨，一九二〇年任北京政府國務院秘書。一九五八年《易文年記》中，記十二月二十七日父親「千里先生」在上海逝世。「我父棄養，我全家不能奔喪，在港遵禮成服，並在港台兩地報紙發訃。」㊲十年前（一九四八年）的年記中，易文寫：「離滬時父親正在蘇州，未及叩辭。〔……〕整整十年後，父親病逝滬上，我此行一別即為永訣，昊無罔極，能不痛哉！」《易文年記》中這位「木頭人」敘述者透過高度濃縮的文字，偶在字裡行間流露感懷，更突顯情感之濃烈，不可抑止，如「感人淚下」、「我父棄養，我全家不能奔喪」、「昊無罔極，能不痛哉！」等。由此可見，易文家族經歷過的近代中國政治變遷，以及個人政治感懷信念之複雜，實非美臺同盟製造的冷戰架構足以二元化。〈大陸近事〉中罕見的慷慨激昂，其「怨深恩已盡」，正道出了恩怨交纏、說不清的悲憤、無奈與離愁。

曼波女郎的青春

《曼波女郎》中愷玲獲侍應（吳家驤）的指引，她終於與余素英在廁所中相遇。她們一起在鏡子中出現，余在鏡外問鏡中的愷玲：「妳找的是？」愷玲答：「是我親生的母親。」素英回頭說：「妳二十歲了吧。」然後有客人進來，打斷了她們的對話。至余走進去再出來又換了一張臉，堅持她不叫余素英。她從愷玲口中知道她過得很好，父母待她如己出。她轉過身去，問愷玲為什麼還要找親生母親呢。鏡頭對著她的那一邊，清楚看到她轉向鏡頭後，閉上眼，強忍著激動，此時愷玲站起來才入鏡，想伸手抓余的身體，剛好又有客人來了，余立即出鏡。招呼完客人後余伸手接過小費，眼睛還瞄一下愷玲。此時她與愷玲的身分地位兩者之間的懸殊呼之欲出。唐若菁精彩細膩的演出，鏡頭特別賦予她龐大的感情空間，讓觀眾代入她的內心掙扎，至愷玲質問她：「妳到底……不要騙我，不管她是誰，不管她現在怎麼樣，我要找親生的媽！」

再一次，余走到窗簾旁，背向愷玲：「我不是妳要找的人，妳弄錯了……」愷玲走後，余從廁所出來，鏡頭又先給她一個遠望的中鏡特寫，再到碰上侍應（吳家驤）的中鏡，侍應問：「妳怎麼了？」強調余抑壓的激動。然後她不捨地目送愷玲離去，向身後的吳家驤忍不住承認：「是我的女兒！」在《清宮秘史》中曾演慈禧太后的唐若菁，在此把另一種母親也演活了。如果慈禧是太多的母親，素英則是太少；但兩位都讓觀眾被她的狠所深深刺激。唐若菁把前者作為母親的殘忍，與後者作為母親的不忍，在敘事中成就了常人難以成全的位置；兩者的互文閱讀，讓這兩種母親未嘗不可看成是兩種互為表裡的情感表達，對於歷史特別有興趣的易文，肯定也看過經典的《清宮秘史》，在選擇唐若菁演這位母親的時候，腦子裡相信也在做這種互文的想像。

下一場立即接到愷玲的養父在玩具店憂愁地看著洋娃娃，一氣之下，把洋娃娃掉到地上。門鈴響起，愷玲回來了，從地上抱起洋娃娃。最後一場，眾人為愷玲慶生，唱著：「妳是一個幸福姑娘／我們叫妳曼波女郎／妳是有著可愛心腸／妳更有著美麗的理想……來！來！來！大家來發狂跳……」余素英偕侍應在門外探頭進來，看見眾人在歌舞，余見狀拒絕與愷玲相認，說：「她有這麼好的父母，我不配！我不配！」她走後，愷玲出來見到侍應，他最後一句話是：「如果妳喜歡跳舞的話，可以到夜總會來玩！」最後一場歌舞，從「今天是妳的生辰」唱起，然後把拍門投訴的鄰居也拉進來一起跳舞，至最後以葛蘭及陳厚的腳部大特寫作結。這場近十分鐘長，占了這部全長九十一分鐘的電影，接近九分之一的比重。電影中最長的兩段舞蹈，正是夜總會的蒙巴艷舞與愷玲生日派對的青春歌舞。侍應先生也確實把它們相提並論了，畢竟在商業競爭激烈、難民處處的香港五十年代社會；一位能歌善舞的中學畢業生可以做什麼呢？到夜總會找工作？但愷玲是瞧不起夜總會艷舞的。電影也沒交代愷玲打算如何謀生，除了在這一刻「發狂跳舞」外，還有什麼「美麗理想」。愷玲天真得近乎膚淺的尋索與吶喊：「我要我親生的媽！」與余素英的成熟內斂、深思熟慮，形成強烈對比。

木頭人進入殖民現代

如果把《易文年記》與《曼波女郎》的再現作互文對讀，可見《易文年記》中的壓抑與余素英的壓抑十分相似。兩者皆渴望追認前塵，但情勢所迫，經理智考慮，只能在門外徘徊，拒絕回歸。他的殘忍，與他的不忍，未嘗不也是互為表裡。他的渴望，都寫進了〈天靈靈〉一曲中，猶如流浪的孤兒想像爹娘的召喚，渴望團聚卻不得。片中最動人的場面，來自愷玲與想像中母親的相認，及愷玲與現實中母親的不能相認；兩者間的矛盾，正是作者揮之不去的心理鬱結。所以電影中最長的段落，是夜總會中與片末的歌舞。片末歌詞中強調的：「我來唱你來跳／親親愛愛擁抱／我要甜甜蜜蜜談笑／我要瘋瘋癲癲舞蹈／你再不要正正經經／你再不要苦苦惱惱／不許那青春白白溜掉／要寶貴光陰一分一秒」；「大家來發狂跳」與大量無文字、只有音樂與身體動作的場面，形塑出一個暫停理性思考、近乎歇斯底里式放浪、時間停頓的空間。至最後，愷玲尋生母的欲望沒解決，愷玲並沒有表示任何放棄尋求的決定，她只是把自己的鬱結暫且融化在聲嘶力竭的歌舞中。電影給人接受香港、迎向新時代、忘掉過去的訊息嗎？電影最後一場的最後一個鏡頭，是兩雙舞動中的腳的特寫，完全沒提供對未來或現實的任何想像，連人的上半身都不再重要。此時的香港，是一間叫「幸福」的玩具店，以呼應愷玲作為一個「幸福姑娘」，而不是玩具業正起飛，日夜趕工製造出口玩具的血汗工廠？此地的青年，也如洋娃娃一樣，寄居在歌舞中、儘量不思考自身作為孤兒的命運？如此歡快，幾乎是絕望。這可能是我看過的，在香港電影中對殖民現代性最大的反諷。

年記中反覆揭示，夜總會是上海時期易文的心靈家園。在夜總會中跳舞，是易文的青春所寄、黃金時代。易文編導的《鶯歌燕舞》（一九六三），特別諷刺地寫出了學生需要借助舞女的才藝來贏取校方的讚賞，卻又不能讓舞女在學校披露身分這種階級歧視，最後甚至叫全體師生一起到夜總會觀賞演出以達致大和解。片中矛盾的高潮，是女學生們對著校長慷慨陳辭：「她們賣藝為生，並沒有什麼可恥呀」；「假如校長認為我們跟她們做朋友，接受她們的指導，有什麼不對的話，我們願意接受任何的懲罰」；「其實我們跟她們不但是好朋友，還認了她們做姊姊哩」。首尾主題曲唱著：「世界上三百六十行，人家都做一行怨一行，可是我們歌舞女郎，從來也不知什麼叫悲傷。」反覆強調夜總會作為烏托邦想像空間的需要。這些電影誠然貫徹了右派陣營必須提倡的消費逸樂主義，但卻同時承繼了上海左翼電影以草根女性作為學習楷模，藉以批判儒家階序的論述傳統，儼如向二十年前的阮玲玉致敬。同期電懋出品，一年後推出，王天林、羅維導演的《情天長恨》（一九六四），擺盪在酒店舞廳（香港的酒店後來也不再有這種舞廳了）作為有閒階級尋求社交消遣，漸次過渡至賣肉場所之間的矛盾，一方面強調女性賣身不賣情的堅毅自主，一人獨力挑起臥病在床的母親及國外求學弟弟的重擔，另方面不斷提醒觀眾，「一失足成千古恨」，回頭路的斷絕。電影破格地以「學生情人」、形象洋化現代的林翠演歡場女子，展現她奮力反抗被社會目光標籤化及被差別對待（如她拒絕服從酒店經理要求她不准從正門進出），塑造出角色的頑強、智慧與深情，從而搏取最大的同情。六十年代中開始，夜總會這符號經歷迅速地向下流動，夜總會、舞廳等漸漸不再是易文那一代南來文人消閒遣悶的舒適圈，而是隨著冷戰在亞洲蔓延並把性汙名化，益發成為土豪與老外炫富買醉嫖妓之地，被賦予獵奇、詭秘色彩。如一九六五年三月九日《華僑日報》上，可見日本電影《女女女》（*It's A Woman's World*，一九六四，田村泰次郎）的電影廣告標題：「夜生活片祇介紹夜總會風光／本片是暴露人性的秘密與及你所不知道的女性秘密！」[38]

雖為「木頭人」，但易文選擇記什麼、不記什麼及怎樣記，都暗藏玄機。如他記出生的那年（一九二〇），除軍閥戰亂、餓民待哺及父母家世等，更記該年為哲學家斯賓塞、恩格斯誕生一世紀百歲，及列寧五十整歲之年。這是念過政治與歷史的易文，從四十歲開始，對自己「身世」的敘述。作為香港右派文化旗手的易文，雖然替女兒取名「見樂」，但想望中之見「樂」（「見陸」），更成虛幻。所謂的選擇、拋棄，有多少身不由己？如果夜總會是他早已習慣且無法脫離的場域，那他的感情結構是否更貼近余素英的處境：終日幹著笑臉迎人的工作，以致被置於一個永遠再無法跟親人相認的位置？

易文在上海約大念書時參加過基督教團契，但始終不肯受洗入教。愷玲胸前大大的十字架項鍊，卻為香港預示了新時代的降臨；香港人將脫離無神的國度，成為被西方一神價值拯救的一員。透過基督教文化的清洗，夜總會等來自上海十里洋場「舊社會」的場域承擔著前所未有的道德汙名。愷玲脖子上的十字架與看Z彈的蒙巴舞時臉上的不屑，與余素英的世界顯得格格不入。余在廁所中招呼客人的工作，把夜總會這場域在香港社會的汙名，透過階級呈現具象化。香港基督教文化作為殖民現代性的根基部分，將在以下討論的楚原、龍剛導演的電影中再次浮現，而基督教文化與文化再現，尤其是性再現的關係，將於本書中第八章中再疏理。

余素英在《曼波女郎》中的自我貶抑，猶如《月夜琴挑》（一九六八，易文）中依媚的自我淡出；為了成全主角作為好小孩、好男人，不適當的「陌生人」作出自我犧牲。在兩片的編與導上，余素英與依媚兩位都被賦予龐大的感情空間與主體呈現，反襯出男主角子丹的懦弱及女主角愷玲的任性。愷玲作為香港的隱喻，這樣的今日香港看似是提供步入小康的安全與歡快，承載青春的活力，但在曼波熱舞底埋藏的，卻充滿被割斷臍帶的不情願與不捨、對歷史來路的茫然無知、尋根渴望之無助與無可圓滿，及面對至親之相逢不識；這些難言的鬱結，才是主導《曼波女郎》全片敘事的感情結構。在主修政治、副修歷史的易文筆下，把香港寫成一間去政治、去階級、去歷史的「幸福」玩具屋，大概不可能是一種心悅誠服的歌頌。只是被首尾呼應的年輕人歌舞掩飾得實在太漂亮了，如年記中自詡「木頭人」的此地無銀，還是，不過是又一篇「真實的謊話」？[39]

《曼波女郎》中孤兒尋母、倫理矛盾的情節，實跟下章討論同期粵語片中的不少孤兒敘事相當類近。而易文作品中的歡欣交集更勇於逸出類型片的框架，猶如把歷史的荒謬個人化。《情深似海》（一九六〇，易文）中身患絕症的男性，彷彿透過覓得避世的溫柔鄉，義無反顧的愛情而獲得救贖，卻敗給無常的生命意外，人算不如天算；浪漫言情突然來一個急轉彎，把類型電影的觀眾期望殺個措手不及，以敘事模仿歷史常開的玩笑。

秦劍的「飛」

自五四運動反封建腐化、提倡「現代」情感自由、主張獨立自強，青年成為革命與社會創新的代言人。如之前的章節所述，香港五十年代電影企圖挪用及重新詮釋五四，電影中的年輕人常常是善良、正義、進步的載體，電影的核心關注是要擺脫舊社會，如改編自巴金「激流三部曲」的《家》、《春》、《秋》、改編自曹禺的《雷雨》（一九五七，吳回）、改編自巴金的《寒夜》等。這些以代際衝突為戲劇焦點的電影，或批成人及老年社會的功利麻木，讓新一代難以存活，或評封建守舊勢力為社會進步的窒礙；男女青年成了投射希望與欲望、社會改良動力的化身。

「飛」，作為保守勢力評價反叛青年放縱不羈的形容詞，在香港電影對白其中一次最早出現，也許是在秦劍導演的《家家戶戶》（一九五四）中。[40]秦劍被認為是天才型導演，十八歲出道，拍《滿江紅》（一九四九）成名，二十八歲時拍《慈母淚》捧紅了紅線女，轟動一時。與秦劍在光藝製片公司密切合作的製片何建業說：「秦劍是一個奇才，他是我們公司的『金童子』，幾乎每部片都很賣座。他對街坊、小市民的觸覺、喜好，很有心得，掌握得很準確，很細膩，對鏡頭的運用亦恰到好處（……）。」秦劍繼承了左翼思潮對青年與未來的寄望，自己又作為年輕導演，對於代際差異感受匪淺，抒發年輕人受舊勢力睥睨的冤屈更是格外起勁。《家家戶戶》電影開頭七分鐘，章仲余（張瑛）放工回家把唯一手上的蘋果及全份薪資上繳給章母（黃曼梨），母微笑後，仲余乘勢試探她對女友素琴（紅線女）的觀感，母答：「人都幾好，不過佢個樣好飛嘅喎！」（人看起來不錯，但她的樣子很飛的耶！）自此埋下了整個故事描寫兩代不和的伏線；婆媳之間對於異性社交、女性打工、育兒衛生各方面都衝突不斷。片中高潮是新一代主張餵奶粉要定時並按分量的科學化育兒，面對上一代頑固的「哭就餵糊仔」（小孩哭便餵他稀飯）的經驗之談，上一代寧願拜神上香為嬰兒不適求平安致延誤看診，最後導致兒子腸炎高燒，差點釀成大錯。作為新女性、現代性的代言，紅線女在鏡頭下一方面不失為好女人的良妻賢母典範，但同時又美麗聰明、堅強勇猛、獨立自主；整部電影站在新一代的角度，看上一代的橫蠻無理。

轉投光藝後秦劍編導的《胭脂虎》（一九五五，與程剛合編），再一次以上一代看下一代不順眼，表達年輕人不讓馴化的主體位置來揭開兩代與兩性間矛盾的敘事：青年丁兆雲（秦劍又發掘並捧紅了當時才十九歲的謝賢）帶女友白蘭枝（紅線女）回家見父母，女方被丁父（李鵬飛）品為：「我睇呢個女仔都幾飛嘅唄！」（我看這個女孩頗野／像流氓耶！）電影借民初古裝片的框架，批判講求身家清白、維護「本鎮道德」但暗裡卻強暴女性的封建傳統，把富二代養成窩囊廢，最後得靠這個頗「飛」的女性，在她一步步狠辣執行替兩代女性報仇雪恨、一洗前恥的委身大計中，民國新青年終於從中受到再教育。再一次，前現代被呈現為萬惡之源，窒礙社會進步並製造跨代的悲劇，只有青年男女是社會向前走的希望；

「飛」，也是希望的展現。

就在《曼波女郎》推出的那一年，林鳳的第一部電影《仙袖奇緣》（一九五七，周詩祿）也登場，那年她十七歲。林鳳十六歲考入邵氏公司粵語片組演員訓練班，一九五八年以《玉女春情》（周詩祿）一炮而紅。葛蘭與林鳳，一個講國語、一個講粵語，同時宣布了新生代女明星的誕生；葛蘭跳著融合中美洲丹戎樂種（Danzón）與爵士樂在四十至五十年代中風靡北美的曼波，林鳳則跳同樣來自丹戎但在五十年代中比曼波更時髦的查查查（cha-cha-cha）[41]；兩部電影的兩種舞蹈表演具體呈現了邵氏將與電懋爭奪市場的決心，並以模仿美國時尚作為標準。

在五十年代香港親左電影中常見群眾自覺互助的倫理價值，以此面對社會麻木不仁的烏托邦想像；踏入六十年代，敏感的年輕導演新生代已然瞥見資本主義及社會建制化的勢不可擋。六六年天星小輪加價引起的青年抗爭，及六七年草根工人運動發展成的反殖政治騷動，最終成為殖民管治自我改良的契機。六七騷動是中共與英國在港較勁的歷史性時刻，讓港英政府出現前所未有的管治危機，但文革極左路線對在地親左文化的貶抑、中共一些派系組織上的誤判，卻給了香港政府前所未有的籌碼，割斷香港與中國的臍帶，進一步把社會上的各方異見統合於反共資本主義的戰略布局下。於是，以美國為首、以反共為目標的跨國金融資本主義——即冷戰現代性——最後得以更鋪天蓋地主宰殖民地的日常。在這段過渡期中，在六七暴動後至八十年代初，香港知識青年群體為了反抗主流社會急速的向右轉，對探索政治思潮尤其活躍，光譜相當多元，含國粹派、托派、社會派、毛派、激進神學、無政府主義、文化左翼等[42]；這些在地左翼青年口號中包括「認中關社」（認識中國、關心社會）。[43]以下我把香港青春片重置於這個脈絡下理解，進一步透過楚原與龍剛的作品，探討六七騷動前後的青少年文化呈現。

新派粵語片

粵語片在六十年代初盛產，至中後期面對西片及國語片視覺現代性的雙重夾攻，開始沒落。六十年代年輕導演為粵語片帶來了許多形式與內容上的突破與創新，如《大丈夫日記》（一九六四，楚原）中的快速過場、場中細緻分鏡；《播音王子》（一九六六，龍剛）中郊外實景與錄音室的平行剪接，仿如戲中戲的互相指涉。這些敘事與攝影技巧的創新，除了回應當時愈來愈年輕的觀眾群視覺上與節奏上追求的新鮮感，在在也宣示了年輕導演群的降臨。

一九五五年，本來在廣州中山大學念化學系、原名張寶堅的楚原，因病來港就醫時，由於父親張活游的關係，當上吳回及光藝製片公司的副導演。一九五七年因協助秦劍拍《血染相思谷》及《椰林月》、《紫薇園的秋天》（均掛聯合導演頭銜）及改編劇本等，次年正式以導演名義開拍《湖畔草》（一九五八，楚原），當時他只有二十三歲，為年少得志的秦劍手下提攜的另一年輕導演。光藝在一九五五年成立，比起當時主導粵語片製作的中聯、新聯、華僑等老牌公司，是一所非常年輕，專門重用年輕人的公司，當時起用謝賢，南紅、嘉玲、江雪等年輕新演員非常成功。

楚原曾在一次訪問中說：「當時粵語片不是反封建，就是提倡教育，要不就講戀愛自由，走不出這些題材，彷彿這樣做主題意識就正確了、教育意義就豐富了。當時觀眾看電影亦相當注意主題意識，思想上相當保守（……）」。[44]把五十年代粵語片中常見的反封建意識形容為「保守」，可見楚原作為粵語片導演最後一代的銳氣。但他之所以會這樣說，正因為他是在華南（香港及廣州）親左文化薰陶下成長，深受《一江春水向東流》、《萬家燈火》（一九四八，沈浮）等經典左翼電影影響[45]，特別關注電影與文化政治的關係，並決意重構粵語片的寫實主義傳統：「所以待我有機會拍戲時，我便將香港報章當時的新聞，放進每一場戲中。譬如在《可憐天下父母心》裡，將女兒賣給別人之前，煮一隻鹹蛋給她吃，（……）其實全部都是發生在香港的真人真事，它亦可說是紀錄了一九六〇年的香港。」[46]

《含淚的玫瑰》（一九六三，楚原）突破既有文藝片的格局，以窮畫家、富朋友及一名女子之間的三角戀愛為主線，並把貧vs.富、友情vs.愛情、人生藝術等哲學命題的探討，寄寓在錯綜複雜的人物關係上，被譽為開創了「新文藝作風」。[47]至一九六五年，楚原到達創作高峰，一年內共拍了十二至十三部電影：《黑玫瑰》、《化身情人》、《春怨》、《罪人》（上、下集）、《蜜月》、《丈夫的秘密》、《原來我負卿》、《情海茫茫》、《情海金枝》、《春殘花末落》、《晴天劫》、《相思湖畔》。楚原說：「曾試過一年拍十四部片，寫了十四個劇本」。[48]《黑玫瑰》為這時期的代表作。據楚原描述，「《黑玫瑰》的意念來自占士邦片」[49]，當年票房三十多萬，陳寶珠也藉此成功轉型，接下來有人找她演《女殺手》（一九六六，莫康時）並竄紅，鋪墊了她的工廠女工及青春玉女形象。一九六五年三月八日在《華僑日報》等報章上，開始刊登《黑玫瑰》公映廣告，標題為：「占士邦亦無此神勇！古代俠客甘拜下風」；小題為「三個蒙面飛賊同場出現！奇案連環爆出！探長面前巧奪稀世奇寶！絕招層出不窮！」[50]三月九日的廣告上再有「新題材、新風格」的標語；右下角寫著：「玫瑰公司一年一度出品時裝武俠機關打鬥巨片」。[51]電影由南紅、謝賢主演，南紅「親自監製」；楚原導演、張活游策劃。這樣主要以家人為工作夥伴的製作，承傳了中國電影以家庭為中心的工作模式（如本書第三章討論的任彭年、鄔麗珠），同時肯定「古代俠客」、「武俠奇情」的養分，卻又不斷強調電影的時尚感與叛逆精神：「時裝武俠」、「探長面前仍奪稀世奇寶」等。

同樣是「南來文人」，跟易文把去國悲懷內化成棄嬰或患上絕症的個人小敘事（不能跟歐美的個人主義再現混為一談）不同，楚原承繼的中國親左電影傳統卻讓他透過人物關係與對白提出對社會經濟結構的不滿。而他對於市場需求轉型的敏銳觸覺，又讓他巧妙挪用隨著冷戰步步進迫並推向全世界的美國時尚符徵，兩者的結合成就了一種非常特異的楚原式語言。

楚原的玫瑰

諜報（特務）片是當時一個主要商業電影類型，美國主導冷戰的政宣工具。在《黑玫瑰》在港上映時，同期的報紙廣告上可見《特務六虎將》（*The Secret Invasion*，一九六五，羅渣．哥曼，〔臺譯《敵後突擊隊》，羅傑．柯曼〕），廣告上標榜：「戰事慘烈空前未見」[52]；下期獻映則有《海底特務戰》（*Torpedo Bay*，一九六三，查爾斯．弗倫德、布魯諾．瓦萊塔），強調「主力艦雄霸七海／潛水艇神出鬼沒／深水炸彈／翻洋倒海」等。[53]楚原的粵語片、家庭手工業般的製片資源，當然不容許他拍出媲美「翻洋倒海」的歐美奇觀式諜報片，但黑玫瑰在上流社會臥底作交際花／名媛，第一場則在自己的化裝舞會上假扮「黑玫瑰」，作為雙重臥底（扮名媛扮黑玫瑰）來引誘富商監守自盜；《黑玫瑰與黑玫瑰》（一九六六，楚原）中火星保險公司張敏夫（謝賢）從A城回到K城後被擒，金閻羅叫敏夫入黨被拒，於是把手下易容為敏夫；兩個「真」的黑玫瑰與一群「假」的黑玫瑰展開大鬥法；這些橋段可以說是開創了香港臥底電影題旨的先河。一九六六年三至四月《華僑日報》上稱《黑玫瑰與黑玫瑰》中「設備極其現代化」；如「無線電話」、「無線電控制之小型炸彈」等[54]，給人新鮮感：「打得新，拍新得〔得新〕」[55]，與一般武俠片不同。《黑玫瑰》系列中各種仿效西方諜報片的高科技發明，如《黑玫瑰與黑玫瑰》中的「磁性電子滅音器」，或一撕開會爆炸的黨章，其陽春的程度也叫人懷疑是在嘲諷英美諜報片的高科技、高資本景觀，以子之矛攻子之盾。作為「全部七彩拍攝的新型武俠片」，《黑玫瑰與黑玫瑰》上映時，楚原已然確立他作為賣座保證的作者地位。一九六六年四月六日《華僑日報》上指：「導演楚原則是年青〔輕〕一輩最有新鮮噱頭的導演」。[56]

一九六五年三月十四日《華僑日報》第三張第二頁有〈黑玫瑰收得／鬥智片抬頭〉一文，指：「圈內人稱它為屬於占士邦類型的影片。其實，黑玫瑰與西片之占士邦影片，毫無類似之處。〔……〕這部片之收得，反映觀眾是歡迎這類題材。」文中更提到楚原「腦筋靈活」，秘密開拍「有違一般粵語片公司的經營手法」，於是先拔「頭籌」，滿足了觀眾嘗鮮的心理。這正道出了楚原的厲害：《黑玫瑰》宣傳上雖然趁沾上占士邦風潮的光來吸引觀眾，一方面受諜報片的鬥智橋段啟發，卻同時繼承了中國女俠電影類型如早前《女黑俠黃鶯》的傳統，在當時被稱為「新派武俠」或「鬥智片」。更有趣的，是它借用一個冷戰反共的電影類型外衣，來講一個針對當時香港貧富差距懸殊、批評香港高度壓縮發展的金融資本主義下製造的階級壓迫。張敏夫（謝賢）作為保險公司的調查專家，為資本家服務；陳美如／陳美玲兩姊妹（南紅與陳寶珠）以「黑玫瑰」之名劫富濟貧；雙方在意識形態的對立面。片中安排深夜美如易服與敏夫對質，美如向敏夫告白說奸商與貪官汙吏勾結，陷害了她們的父親，所以她倆決志向富人尋仇，救濟窮人。敏夫質疑她個別的俠義行為對制度沒任何衝擊，因為被她救濟的窮人：「花完妳給他們的錢後依然很窮，給妳恐嚇的壞蛋背著妳的臉，一樣欺負其他人」。這段對話凸顯了個人的義勇行為無法改變社會不公義制度的現實，也說明了在面對鋪天蓋地的資本主義浪潮席捲下，觀眾暫借消費「俠」的形象（或楚原來自的親左粵語片傳統），宣洩個人無處安頓的正義感實屬虛妄，可以說是對所有當時沉迷武俠片的觀眾的一記悶棍，連帶針對與導演自身有關的粵語片歷史一段後設的評論。

相較之下，第三集《紅花俠盜》（一九六七，楚原）的社會政治性最弱，但它蘊藏了各種充滿電影感的玩意，評者如舒琪已經指出，類似分幕的特技過場，及探長手上「全部都是紅花俠盜易容」的粵語片明星相冊等，強調電影的框限及虛飾，猶如一部不斷強調自己是電影的後設電影，不斷與觀眾開圈內的玩笑。[57]地窖地板上的鋼琴鍵奏出的兒歌〈可愛的家庭〉（Home Sweet Home），作為在這個家族奪產陰謀、家人互相陷害的敘事中，解開秘密的關鍵，其反諷效果不言而喻。電影中的「家庭」，正是最危險的地方。如果這是一部關於香港電影的電影，楚原是借此諷喻（他所熟悉的）社會寫實電影傳統的家庭中心主義嗎？

《黑玫瑰與黑玫瑰》（下稱續集）上映時，一九六六年三月二十一日《華僑日報》上指續集繼承了上集的優點：「《黑玫瑰》上映時，曾經轟動一時，對南紅身手的靈敏、頭腦的靈活，大加讚許。」[58]觀眾看得更爽的，是全片中不但是李南軒（李鵬飛）或張敏夫都會一直敗給黑玫瑰，正是現實生活中性別與階級權力關係的逆轉。現實中的貧富關係沒改變，但電影中的黑玫瑰為被欺詐的窮人一次又一次地復仇。一九六五年三月十一日《大公報》第九版上「娛樂手記」專欄中，作者韋妮在一篇〈玫開二度〉中寫：「私家偵探謝賢每一回合都敗在南紅扮演的『黑玫瑰』手裡。〔……〕戲裡最好笑的是南紅用鎗指著李鵬飛，一勁兒喚道：『除啦除啦你仲唔除清晒！』」（脫啦脫啦你還不脫清光！）看來觀眾最被逗樂的是男性在銀幕上被俠女打敗、被虐待的場面。

綜合以上，從當時的報紙報導中可見，《黑玫瑰》系列當時的成功，來自幾個因素：一、年輕女明星如南紅、陳寶珠的角色塑造，顛覆了過去粵語片女性傳統形象的框架，「黑玫瑰」尤其突破了南紅自己之前比較溫柔婉弱、內斂抑鬱的形象，成為略帶神秘、剛毅，還會與異性鬥嘴鬥智的新一代女性（從「含淚的玫瑰」變身「黑」玫瑰）。她與陳寶珠一陰一陽的互補，組成一個自給自足的單元，滿足了新一代青年女性對獨立自主的渴求，也為粵語片在六十年代中後期「玉女」及青春片風潮提供了雛型。二、它借用中國武俠片傳統，召喚深埋民間的「女俠」記憶，但又「打得新，拍得新」，在動作設計與影像語言上都不同於過去的武俠片。三、透過向占士邦電影中呈現的歐美現代性借鏡，《黑玫瑰》系列運用上海電影傳統中既有的技術，如《姊妹花》中已大量運用的分幕及雙重曝光（split screen/double exposure），與科幻想像結合，加以《黑玫瑰與黑玫瑰》的彩色攝影，提供給觀眾一種在地化但又類近英美諜報片的觀影刺激，營造出一種東方敢於媲美西方的架式與噱頭。四、在觀眾執迷於「青春」作為現代性標準／符徵的六十年代，楚原作為當時得令的「年輕」導演，也成為賣點之一。

青年的吶喊

一九六六年四月十二日《華僑日報》：「觀眾對於《黑玫瑰與黑玫瑰》反應熱烈，如果不是為了九龍宵禁，它的賣座，將必造成一項紀錄。」[59]一九六五年十月，來往中環及尖沙咀的天星小輪向政府申請加價，渡輪當時是橫渡維多利亞港的唯一公共運輸工具，社會反對聲音熾烈。一九六六年三月，交通諮詢委員會開會批准加價。一九六六年四月一日，政府同時增加其他收費如郵費、廉租屋屋租、停車場收費等。四月四日，青年蘇守忠手持寫著「絕飲食，反加價潮」的紙張，在中環愛丁堡廣場碼頭抗議，四月五日被警方拘捕。當晚十多名青年在天星碼頭示威，並在廣東道及彌敦道遊行，不少群眾跟隨，六日凌晨再有示威者被捕，晚上開始有人在彌敦道向巴士擲石及放火，約三百人向油蔴地警署擲石及玻璃瓶。當晚警察發射催淚彈七百七十二枚，木彈六十二枚，實彈六十二發。六日凌晨一時半宣布九龍宵禁至上午六時。

這起被稱為「天星小輪加價暴動」（或曰「九龍騷亂」）的事件，揭開了六十至七十年代香港一連串反政府社會運動的序幕，也具體呈現了香港新生代對建制及民生的不滿求變。《黑玫瑰》的續集《黑玫瑰與黑玫瑰》公映正值九龍騷亂及宵禁，更可見《黑玫瑰》電影中探討的階級、青年議題，如何貼近當時的社會脈搏。續集中警察與黑社會勾結，讓魔鬼黨無往而不利；叛黨則殺無赦的邏輯等，對管治的控訴尤其明顯，也開啟了「統治者／警方在電影中不一定是好人」的時代。《冷暖青春》（一九六九，楚原）直接借年輕人的口控訴：「這個社會有沒關心過青年？」、「這個社會中青年太苦悶。」，並以海傑（曾江）從有志青年至毒販至被殺的悲劇，描繪在六十年代香港殖民管治與資本主義夾攻下，青年理想的失落，不論你是什麼階層與性別。「胡爵士」這角色首次凸顯殖民地獨有的一種政治資本，他近乎鬧劇式、瀕臨破產卻縱容兩子不斷炫富的再現，成為對香港處於危機邊緣殖民政經生態的反諷寓言，也可以說是預見了中國官二代架式的降臨。全片極其誇張、充滿各種典型人物的敘事，直接召喚香港親左電影傳統中的政治嘲諷片，如第三章陳述的香港《天堂春夢》。

一九六六年，代表香港參加第十三屆亞洲電影節的三部電影：《大醉俠》（一九六六，胡金銓）、《藍與黑》、《紅伶淚》（一九六五，羅臻），全部為邵氏出品。一九六七年，《獨臂刀》（張徹）上映。《易文年記》說：「國片市場，遂為邵氏占了上風。」[60]陸運濤於一九六四年參與亞洲影展途中罹難後，群龍無首；電懋改名國泰，再沒當年勇。至一九六八、六九年，香港以至華語電影，正式進入邵氏一枝獨秀的國語片時代；粵語片沒落，陳寶珠、蕭芳芳的熱潮消褪，粵片觀眾被邵氏電影的美學、技術，其營造的資本主義景觀世界完全征服，「覺得國語片比粵語片高級」；「邵氏資本雄厚，有臺灣、星馬市場，粵語片沒有臺灣市場，相差很遠。」[61]一九七〇年，楚原加盟國泰，投身國語片陣營。當時的國泰，已經是強弩之末，行政混亂。適逢一九七〇年四月邵氏原副經理鄒文懷離去，帶走不少邵氏要員，於是易文於一九七〇年受張徹介紹，八月受邵逸夫招攬[62]，易文隨即叫楚原也跳槽邵氏[63]，國泰停產。「邵氏能夠維持到今天，優勝就是人多，人才多，盡攬天下兵器於一身，像當年的李翰祥、張徹、岳楓、程剛，全部大牌它都羅致了，美術、攝影等什麼人才都有，十個廠，十八個場地，不停地製作，物盡其用。」[64]

一九六五年，秦劍轉投邵氏，一九六九年在邵氏宿舍自縊。易文邵氏時期的作品質量也遠不如電懋時期。從秦劍與易文的例子可見，他們在各自開創的天地中即便曾經才華洋溢，創作豐盛，但最終仍敵不過有美日臺做後盾的，跨國電影企業的壟斷，加盟邵氏後光芒驟減。「七十年代，邵氏流行的是張徹型，即以赤膊、腸穿肚爛為特色。當時已很少人拍文藝片了」。[65]唯獨楚原，竟然成功遊說邵逸夫，讓他在一九七三年改編粵語舞臺劇《七十二家房客》[66]，把粵語片重新帶回觀眾的視野。若非楚原自己深厚的寫實主義底子，《七十二家房客》不可能如此賣座成功，並讓香港粵語片死灰復燃。

楚原對香港電影的最大貢獻，不（單）是他曾經挽救了粵語片出生天，或他效法中聯而組成的「新電影製片公司」，以與工作人員合股分帳的形式企圖重新團結香港粵語片內部，共禦國語片強敵：「決定用齊一的步伐，統一的意志，向好的指標邁進」[67]，而是他從粵語片拍到國語片又回到粵語片，文藝、浪漫愛情、奇情鬥智、家庭倫理、武俠、時裝、古裝、喜劇等都拍過；他親身示範了，不論拍什麼類型、什麼語言的電影，都可以「臥底」其中，講自己想講的話，可能是一些不合時宜的道理，也可能是貼近當下社會的議題。如他加盟邵氏後改編依達小說的《舞衣》（一九七四，楚原），糅合了浪漫愛情、歌唱、武打、賽車、奇情歷險、驚悚片等元素，充分展示楚原嫻熟掌握各種類型電影語言的多面才藝。又如在六六年天星小輪加價騷動及六七騷動之間公映的《神秘的血案》（一九六六，楚原），以驚悚類型片的架構，彰顯了當時社會高度壓抑下的焦躁不安：警察與罪犯的界線模糊、監控的無處不在、極度缺乏隱私、普通人容易成為無辜受累的犧牲品。[68]善變求存、混雜多元、表裡不一、話中有話，這些都成為香港電影的特色，至少二十世紀的香港電影是這樣。

救贖的渴望

龍剛的《英雄本色》（一九六七）明顯受《黑玫瑰》影響，卻又比《黑玫瑰》更細緻深刻地探挖香港社會的具體問題。龍剛，原名龍乾耀，從邵氏訓練班出身，一九六二年加入光藝及新藝製片公司兩間姊妹公司，獲秦劍賞識，以《播音王子》一鳴驚人，可以說是粵語片最後的接班人。《英雄本色》片頭字幕以占士邦主題配樂作背景，穿著黑色緊身衣邦女郎似的剪影在電影負像特效中舞動持槍，叫人聯想這是一部特務動作奇情鬥智片。然後，電影以李卓雄（謝賢）從上飛身入鏡開展，他靜靜地打開保險櫃，從中偷取大疊鈔票。觀眾有一刻可能會以為這又是部類近《黑玫瑰》或《紅花俠盜》的電影，讓謝賢大展身手，展演偷竊功夫。這個大賊會不會像《黑玫瑰》片頭一樣，偷完一堆貴重物品後輕鬆留下一朵玫瑰溜走，讓報紙出現「黑玫瑰神出鬼沒／警方束手無策」的報導？剛好相反，《英雄本色》中的警察是持槍的，隨時準備射殺疑犯。一九六六年四月九龍騷動中的警察，已經向香港社會宣示，他們是會向示威者開槍的，示威的青年也會被抓、被判刑、被關進監獄。六七騷動中，有一千九百三十六人被檢控，也有工人被警察當場開槍擊斃，有工人在拘留期間被打死（肋骨斷裂、內臟爆裂等）。於是你會發現，《英雄本色》電影在跟你開一個不大不小的玩笑：如果黑玫瑰活在六十年代的香港現實，而不是一部武俠鬥智片中，他／她的命運會是怎樣？如果這位不是美國特派員，而只是一個類似紅花俠盜的大賊，他的下場將會如何？電影帶你走進這個相當寫實的世界：他會被警察包圍、槍戰、同夥可能會被射殺，即使他僥倖保命也終會被抓。他捱過牢獄然後被釋放。如果他不重操故業，他如何謀生？這才是電影的起步點，觀眾跟著李卓雄一步步發現，香港六十年代中，一個坐過牢的青年，面對黑社會的威迫利誘、警察不斷的監視跟蹤、家人同事的白眼，除了舊路他無道可循。電影運用了不少寫實的細節及人物，讓觀眾跟著卓雄一步步瞥見，釋囚「更生」論述被戳破後的無奈，也不得不想到這些在九龍街道上示威吶喊被捕的青年，他們的未來是怎樣。《英雄本色》在一九六七年九月十三日公映。

殖民管治下，警方當然不是吃素的。從邊緣人民的角度，警察與黑社會同時是壓迫者。猶如在《黑玫瑰》中，保險公司這種新興金融行業，再一次被批評；《英雄本色》借獨眼龍（石堅）的口中說：「保險公司也賺了不少冤枉錢。」卓雄不斷為了弟弟志琛（王偉）自我犧牲，但志琛作為保險經理，原來替黑幫老大獨眼龍服務而不自知。最後得再依靠卓雄的自我犧牲，以保住作為一個「好人」的清白。再一次，觀眾瞥見中國及香港長久以來的親左電影傳承，邊緣人口如釋囚、身障者、「走私大王」、前吸毒者、木屋區小販互相連結，如《黑玫瑰》中的孤兒俠盜照應窮人。鏡頭下大量的實景拍攝（九龍灣徙置區、北九龍裁判法院、瑞興百貨公司等），也給人亮眼的寫實質感。

龍剛的《英雄本色》改寫了香港電影後來的發展。它不單直接催生了上世紀八十年代英雄類型片的誕生（《英雄本色》系列）[69]，在香港新浪潮電影及在九十年代周星馳電影中邊緣人物的塑造與被多重壓榨、在本世紀初《無間道》系列中「好人」與「壞人」之被社會定型、《天行者》（二〇〇六，阮世生）中法制與人情的矛盾等，都可見龍剛電影及《英雄本色》的影子。「兄弟情義」成了往後港產片的恆常題旨。不過，踏入七十年代，原生家庭成員在過去電影中曾經享有的中心位置，將在香港電影中淡出；在八十年代的英雄片中，「兄弟」情將被重新定義為死生契闊的好朋友。香港從工業社會步進國際商業社會，階級爬升不能只依靠家人的扶持提携，而必須建立社交人脈、共闖天下的同儕關係，成為一種延伸家庭。香港高度壓縮的殖民現代性對華人家庭關係作出深度的破壞，從香港五十至八十年代電影中對家庭呈現的轉型可見一斑。

與過去的香港電影不同的是，《播音王子》、《冷暖青春》、《英雄本色》等史無前例地賦予社福機構與宗教異常中心的位置，可見香港逐漸進入新自由主義政經結構下，公共資源與服務的再分配，如《英雄本色》中的釋囚協會，為貫穿全片唯一的指路明燈。把基督教（含天主教）呈現為一種避世場域，提供給流亡者刷洗創傷、逃避紛擾的容身之所，在香港電影中較早的例子當然有易文的《星星．月亮．太陽》，片中最後一場徐堅白（張揚）在修道院中終於找到馬秋明（葛蘭）。葛蘭的修女造型，對《窗》（一九六八，龍剛）中蕭芳芳的角色塑造有明顯的影響。在楚原與龍剛這些六十年代中後期的電影中，基督教／天主教不一定是完全正面，但卻是一股不可取替的力量，如《播音王子》中即將競選議員的商界代表、唐美芬的父親（駱恭）是全片中悲劇的製造者，是他的階級觀念及封建意識拆散了偉華（謝賢）與美芬（陳齊頌），在家中儼如專制的暴君。諷刺的是，他的妻子、唐母（黎雯）是虔誠的天主教徒，長期跪在家中的小教堂內祈禱。生前這位母親的信仰似乎讓她成為無奈的逃避主義者，不足以改變情人及骨肉分離的命運，但死後她成為一股龐大的感召力量，導致突然團圓的結局。當「官」與「商」皆被呈現為保守、腐敗的源頭，唯宗教，到頭來可以有軟化人心的感召可能。美芬與偉華最後是在宗教的儀式（跪著）下重新結合。

《冷暖青春》中海傑（曾江）戀慕的、如「聖壇上的天使」（海傑語）的王瑩（南紅），也是一個相當類近唐母的角色。她自我犧牲來供弟弟讀書，終日祈禱，卻無法改變愛人與親人的悲劇，最後呼喚萬能的神以慈愛拯救海傑，但換來弟弟的被捕、海傑的死亡。宗教的呈現在這裡比《播音王子》更絕望，信仰的善與美，與現實的惡與醜形成強烈對比，前者幾近成為後者的反諷。不過，基督／天主教的道德力量雖然不一定能左右劇情發展，但依然提供了一個傾向正面的標準，不論是替社會忿懣指示逃生門或暫時紓解，主張收編，或諷喻建制的不接地氣，似乎多少為六十年代末動盪的社會，提供一個安定與慰藉人心的方向。《冬戀》（一九六八，楚原）整部電影以平安夜開始及結尾，敘述作家（謝賢）回憶自己如何企圖拯救被吸毒的丈夫所操控的舞女咪咪（蕭芳芳）逃出火坑，結果咪咪病死，自己也經歷急速的向下流動。片末醫院窗外傳來布佳音，以十字架的影像作結。從這些宗教的呈現中，可瞥見殖民管治如何藉歐美宗教力量達到公共資源的再分配，歐美價值觀更廣泛的滲透，協助穩定躁動不安的青年人口，以鋪排新自由主義的大駕光臨。

飛男飛女成為代罪羔羊

一九六九年，香港警隊獲英女皇賜予皇家封號，表揚其在六七騷動中的忠誠勇敢表現。六十年代末的電影，開宗明義向建制靠攏，如邵氏的《死角》（一九六九，張徹）、《春火》（一九七〇，羅臻）均強調以國家暴力圍剿反叛青年的正當性，形塑成維護法紀及治安的必須手段。《春火》片末當警察的父親更親手射殺兒子以示大義滅親；片中多次出現十字架、教堂、「聖瑪莉女子宿舍」等宗教符號。《飛男飛女》（一九六九，陳雲）中可見「偏差青少年」被建制化與性化的同步。電影開頭是香港夜景的廣角鏡，畫外音說：「此地是一個擁有四百萬人口的東方之珠。」開宗明義強調這部關於「飛男飛女」，更是關於香港的電影。此地，作為一個洋化的現代都市，華燈璀璨，讓人「想像它樣樣都已經追上時代，特別是那些充滿青春活力、活潑敏感的青年男女」。所以香港的西化、現代化與都市化成為「青少年問題」的主場，一方面加強了時髦青年作為被消費景觀的可欲性，另方面也鋪墊了上一代顧著為生計打拚闖天下的難民，跟香港戰後嬰兒潮一代面對的華麗都會文明，兩者之間的龐大落差。

《飛男飛女》中富家子彼得（鄧光榮），帶領同班同學成立「七大寇」。片頭呈現他們一律騎著摩托車、穿著猶如演莎士比亞話劇的王子制服，以凸顯他們的階級優越與殖民現代性。彼得跟麗莎（李司棋）在橋上表白一場，麗莎特別提到他們被鼓動「每天派人去尖沙咀碼頭反對這樣反對那樣」，直接指涉到一九六六年的反天星小輪加價運動；片末暴露他們的成員（唐煌）原來是受（同時是警員的）黑社會大佬操控，向觀眾宣道當時青少年參與社會運動都是受幕後黑手支使。「七大寇」的呈現從開始作為一個純粹標新立異的聯誼社交組織，絕非「無惡不作的阿飛」，卻要觀眾目睹成員一步步走向自毀，墮落為公眾毆鬥、嗜賭、嗑藥成癮、濫交、被強姦及被迫賣淫、偷盜至墜樓而亡等，暗喻年輕人所有類型的自我組織都是危險的，唯一安全的是回歸家庭的懷抱。女主角麗莎每遇事就主張向警方自首，而剛好她爸就是探長；一如《春火》，家庭、父權與國家機器無縫結合。她在片中正是作為法制的代言，年輕貌美又摩登，比她爸更有說服力。片中透過她甚至顯示青年只要肯自首就能回家「過正常的生活」（麗莎語：「正常的生活總是比較愉快和健康的。」）。

不過，《飛男飛女》特意強調不論青年看來多壞，也只是「誤入歧途」，不幸上了壞人的當而已；全片的罪魁禍首，是「知法犯法」的警隊內部黑手，包攬販毒及經營賭檔生意，又脅迫少女康妮偷竊等，待片末被彼得與麗莎識破，更立即倒轉槍頭，成為警方一員，開槍打傷麗莎，幸好探長「深明大義」，揭穿他作為害群之馬，讓年輕人安全自首。電影在大肆宣揚反對年輕人反叛集結、女子晚上不應上街等各種治安／維穩意識的同時，也主張對他們執法從寬，並檢討警方知法犯法、自我包庇、濫權及使用過度暴力的問題。這樣為殖民統治護航，各打五十板，給人公正嚴明的印象，大概也是當時社會一部分主旋律。同樣是把社會問題歸咎於父母的疏離與不管教，也主張軟硬兼施，《飛女正傳》（一九六九，龍剛）中，女主角徐玉貞（蕭芳芳）成為「飛女」，竟是由於不能接受母親在父親死後有男朋友；獨立女性（寡婦）尋找自己的愛情，被視為脫離母職的萬惡之源。片末女童院院長（曾江）一段對「青少年問題」下的總結：「渴求為人所重視，就是人性最深的本質，為人重視的那種欲望，都不知引誘了多少兒童淪為罪犯……」這些在六六、六七年社會經歷了龐大動盪後數年間出現的電影，把社會政經結構上的問題都移置到青年（與性）頭上，又把解決的方案論述為國與家正典規訓的加強。團結互助的基層瓦解，有良心／承擔的父母形象消失，流行文本把道德的想像與需求移置到對治理階層的信任（警察、社工、學校、監獄、宗教），及對在原生核心家庭以外情色的規訓。

緊接前章所述，香港的「進步」影人受內地文革加上「反英抗暴」影響，一方面被中共要求走鬥爭路線，另方面受港英政府政治迫害、美日臺冷戰圍堵，頓時失勢，香港曾經占據半邊天的親左電影急促退潮。六十年代末香港洋化現代性取替民國現代性，其帶來的不安躁動同時受殖民及資本主義價值觀馴化；電影時刻凸顯這種矛盾，並把香港經濟起飛過程中加劇的貧富不公、投機土地及過度發展等政治經濟問題，漸次移置至家庭及青少年身上。鼓吹消費主義、去性化、個人主義、零和遊戲，重視效率、工具化及技術化知識，秀異管治（meritocracy，臺譯：菁英政治或英才制）、核心家庭等價值觀，在六十年代後期的流行文化中大量冒現。自六十年代末開始，香港電影經歷一次集體的向右轉，讓港英政府的收編工程變得史無前例地深入民心，叫香港人對殖民主義照單全收，鋪排了接下來港英全面管治的「黃金時代」。

註釋

① 李培德、黃愛玲：〈導論〉，《冷戰與香港電影》，黃愛玲、李培德編，香港：香港電影資料館，二〇〇九年，頁五。

② 麥志坤（Chi-Kwan Mark）：《冷戰與香港：英美關係1949-1957》，林立偉譯，香港：中華書局，二〇一八年，頁二。

③黃仁：〈港九電影戲劇事業自由總會的角色和影響〉，《冷戰與香港電影》，黃愛玲、李培德編，香港：香港電影資料館，二〇〇九年，頁七四—七五。「自由總會」如何作為強化港臺右派電影之間的橋梁，可參麥欣恩：〈從冷戰角度回顧電懋公司發展香港／臺灣電影脈絡的前奏：《秋瑾》、《碧血黃花》、《關山行》〉，《臺大中文學報》七二期，二〇二一年三月一日，頁二四五—二九六。

④黃仁：〈港九電影戲劇事業自由總會的角色和影響〉，《冷戰與香港電影》，黃愛玲、李培德編，香港：香港電影資料館，二〇〇九年，頁七四。

⑤趙滋蕃：《半下流社會》，香港：亞洲出版社，一九五七年；電影《半下流社會》（一九五七，屠光啟）。

⑥羅卡：〈傳統陰影下的左右分家——對「永華」、「亞洲」的一些觀察及其他〉，《第十四屆香港國際電影節——香港電影中的中國脈絡》，李焯桃編，香港：市政局，一九九〇年，頁一四。

⑦劉嶔整理：〈口述歷史：黃卓漢〉，朱順慈訪，《香港影人口述歷史叢書之五：摩登色彩——邁進一九六〇年代》，郭靜寧編，香港：香港電影資料館，二〇〇八年，頁一二九。

⑧劉嶔整理：〈口述歷史：黃卓漢〉，朱順慈訪，《香港影人口述歷史叢書之五：摩登色彩——邁進一九六〇年代》，郭靜寧編，香港：香港電影資料館，二〇〇八年，頁一三一。

⑨劉嶔整理：〈口述歷史：黃卓漢〉，朱順慈訪，《香港影人口述歷史叢書之五：摩登色彩——邁進一九六〇年代》，郭靜寧編，香港：香港電影資料館，二〇〇八年，頁一三一。

⑩參《香港電影導演大全》網站，http://www.hkfilmdirectors.com/1914-1978/director.php?n=%E9%BB%83%E5%8D%93%E6%BC%A2、https://zh.wikipedia.org/zh-hk/%E9%BB%83%E5%8D%93%E6%BC%A2。黃卓漢於一

九九三年獲第三十屆金馬獎終身成就獎。

⑪ 李培德：〈冷戰時期右派影人在香港——以易文為例〉，《有生之年——易文年記》，藍天雲編，香港：香港電影資料館，二〇〇九年，頁二〇。

⑫ 李培德：〈冷戰時期右派影人在香港——以易文為例〉，《有生之年——易文年記》，藍天雲編，香港：香港電影資料館，二〇〇九年，頁二一。

⑬ 易文：《有生之年——易文年記》，藍天雲編，香港：香港電影資料館，二〇〇九年，頁三五。

⑭ 易文：《有生之年——易文年記》，藍天雲編，香港：香港電影資料館，二〇〇九年，頁八〇。

⑮ Sangjoon Lee, *Cinema and the Cultural Cold War: US Diplomacy and the Origins of the Asian Cinema Network* (Ithaca, NY: Cornell University Press, 2020).

⑯ 轉引自黃愛玲：〈前言〉，《香港影片大全第四卷（一九五三—一九五九）》，郭靜寧編，香港：香港電影資料館，二〇〇三年，https://www.filmarchive.gov.hk/tc/web/hkfa/rp-hk-filmography-series-4-2.html。

⑰ 潘惠蓮：〈尋回久違的璀璨星光歷史：香港首次舉辦的國際電影展〉，http://gbcode.rthk.hk/TuniS/app3.rthk.hk/mediadigest/content.php?aid=2031。

⑱ 中央通訊社：〈開箱老照片：亞洲影展首次在臺灣舉行〉，https://www.cna.com.tw/news/ahel/202306145004.aspx。

⑲ 「及至五十年代末，除了長城、鳳凰這兩家左派公司尚可以在製作上維持相當的數量外，很多小型的獨立製片公司都不得不偃旗息鼓，國語電影業幾乎變成了電懋、邵氏這兩家資本雄厚的大片廠的天下。就以一

九五九年為例，公映的新、舊國語片有七十九部，電懋、邵氏分別占十八及十六部，接近總數量一半，長城、鳳凰合共十七部。」黃愛玲：〈前言〉，《香港影片大全第四卷（一九五三—一九五九）》，郭靜寧編，香港：香港電影資料館，二〇〇三年，https://www.filmarchive.gov.hk/tc/web/hkfa/rp-hk-filmography-series-4-2.html。

⑳ 易文：《有生之年——易文年記》，藍天雲編，香港：香港電影資料館，二〇〇九年，頁七一。

㉑ 易文：《有生之年——易文年記》，藍天雲編，香港：香港電影資料館，二〇〇九年，頁七五。

㉒ 易文：《有生之年——易文年記》，藍天雲編，香港：香港電影資料館，二〇〇九年，頁七五。

㉓ 易文：《有生之年——易文年記》，藍天雲編，香港：香港電影資料館，二〇〇九年，頁八一。

㉔ 易文：《有生之年——易文年記》，藍天雲編，香港：香港電影資料館，二〇〇九年，頁八二。

㉕ 蘇偉貞：〈影像與聲音的合謀——易文電懋時期歌舞片的敘事模式〉，《不安、厭世與自我退隱：易文與同化南來文人》，臺灣新北市：印刻，二〇二〇年，頁五八。

㉖ 〈天皇皇〉，《曼波女郎》電影插曲。

㉗ 易文：《有生之年——易文年記》，藍天雲編，香港：香港電影資料館，二〇〇九年，頁七七。

㉘ 目前看到香港報章上最早關於「蒙巴舞」的報導，是一九五三年四月二十四日《華僑日報》第二張第四頁上：〈美國歌舞團／中巴倫哥斯夫婦表演快慢蒙巴舞〉，但沒顯示這是在香港（哪處）發生，也沒有報導任何細節，影響遠不及兩年後Z彈在港的演出。

㉙ 我也參考了以下部落格提供的資料，謹此致謝：http://jonathanbollen.net/2020/05/23/margo-the-z-bomb/。

㉚ 易文：《有生之年——易文年記》，藍天雲編，香港：香港電影資料館，二〇〇九年，頁三五。

㉛ 易文：《有生之年——易文年記》，藍天雲編，香港：香港電影資料館，二〇〇九年，頁五一。

㉜ 易文：《有生之年——易文年記》，藍天雲編，香港：香港電影資料館，二〇〇九年，頁五四。

㉝ 易文：《有生之年——易文年記》，藍天雲編，香港：香港電影資料館，二〇〇九年，頁五七。

㉞ 易文：《有生之年——易文年記》，藍天雲編，香港：香港電影資料館，二〇〇九年，頁五八—五九。

㉟ 易文：《有生之年——易文年記》，藍天雲編，香港：香港電影資料館，二〇〇九年，頁九一。

㊱ 李培德：〈冷戰時期右派影人在香港——以易文為例〉，《有生之年——易文年記》，藍天雲編，香港：香港電影資料館，二〇〇九年，頁二〇。

㊲ 易文：《有生之年——易文年記》，藍天雲編，香港：香港電影資料館，二〇〇九年，頁八三。

㊳ 《華僑日報》，一九六五年三月九日，第六張第四頁。

㊴ 易文小說集：《真實的謊話》，香港：海濱書屋，一九五一年；也收入黃淑嫻編：《真實的謊話：易文的都市小故事》，香港：中華書局，二〇一三年。

㊵ 根據坊間記憶，阿飛作為流行用語，乃源自上海：「還有『阿飛』，正宗上海特產，尤其是四九年以後的『阿飛』們，幾乎都是土生土長的上海人。／『阿飛』的買相（外表）一定是，『小褲腳管花襯衫，頭髮梳得聳出來』，上身襯衫的顏色不是單一色，而是『花襯衫』。下身長褲，緊貼肉體，褲腳口特小，據說最小的只有三寸。腳上套的是一雙尖頭皮鞋，甚至是香檳色的。」https://zhuanlan.zhihu.com/p/349413591。五十年代歐美次文化隨著好萊塢青年電影抵達香港，在片名中亦以阿飛作招徠，如《阿飛正傳》（*Rebel*

Without A Cause, 1955，尼古拉斯．雷，〔臺譯《養子不教誰之過》〕）、《阿飛舞》（*Rock Around The Clock*, 1956, Fred F. Sears，〔臺譯《晝夜搖滾》〕，弗雷德．F．西爾斯）等。

㊶ 查查，又名查查查、恰恰舞（cha-cha-cha），林鳳於《玉女春情》中大跳查查查，電影插曲有〈我愛Cha Cha〉、〈你點解唔學查查查〉等。

㊷ 參羅永生：〈「火紅年代」與香港左翼激進主義思潮〉，《二十一世紀》，香港：香港中文大學中國文化研究所，二〇一七年六月號，頁七一—八三。

㊸ 冷戰與殖民現代性在香港的成就，尤其見於踏入八十年代，香港青年文化氛圍已然被去政治化，更多是奉行所謂「四仔主義」者：即屋仔、車仔、老婆仔、人仔（小孩），崇尚生活安定、享樂的物質主義。

㊹ 羅卡、傅慧儀：〈訪問楚原〉，《第十六屆香港國際電影節——電影中的海外華人形象》，香港：市政局，一九九二年，頁五〇。

㊺ 盛安琪、黃愛玲整理：〈楚原談楚原〉，羅維明、黃愛玲、羅卡、石琪主訪，《香港影人口述歷史叢書之三：楚原》，郭靜寧、藍天雲編，香港：香港電影資料館，二〇〇六年，頁二〇。

㊻ 盛安琪、黃愛玲整理：〈楚原談楚原〉，羅維明、黃愛玲、羅卡、石琪主訪，《香港影人口述歷史叢書之三：楚原》，郭靜寧、藍天雲編，香港：香港電影資料館，二〇〇六年，頁二〇。電影資料：《可憐天下父母心》（一九六〇，楚原）。

㊼ 石琪：〈楚原：玫瑰的文藝與武俠〉，《香港影人口述歷史叢書之三：楚原》，郭靜寧、藍天雲編，香港：香港電影資料館，二〇〇六年，頁五四。

㊽ 盛安琪、黃愛玲整理：〈楚原談楚原〉，羅維明、黃愛玲、羅卡、石琪主訪，《香港影人口述歷史叢書之三：楚原》，郭靜寧、藍天雲編，香港：香港電影資料館，二〇〇六年，頁二一。

㊾ 盛安琪、黃愛玲整理：〈楚原談楚原〉，羅維明、黃愛玲、羅卡、石琪主訪，《香港影人口述歷史叢書之三：楚原》，郭靜寧、藍天雲編，香港：香港電影資料館，二〇〇六年，頁二三。

㊿ 《華僑日報》，一九六五年三月八日，第六張第四頁。

(51) 《華僑日報》，一九六五年三月九日，第六張第四頁。

(52) 《華僑日報》，一九六五年三月九日，第六張第二頁。

(53) 《華僑日報》，一九六五年三月九日，第五張第三頁。

(54) 〈謝賢冒充張敏夫黑玫瑰鬥金閻羅〉，《華僑日報》，一九六六年三月二十一日，第六張第一頁。

(55) 〈黑玫瑰與黑玫瑰連圖故事〉，《華僑日報》，一九六六年四月四日，第五張第四頁。

(56) 〈黑玫瑰明天映〉，《華僑日報》，一九六六年四月六日，第四張第四頁。

(57) 〈只要有電影：楚原（八）——《紅花俠盜》實驗性敘事手法，跳出《黑玫瑰》框框〉，https://www.youtube.com/watch?v=vg0OO5V2sml。

(58) 〈謝賢冒充張敏夫黑玫瑰鬥金閻羅〉，《華僑日報》，一九六六年三月二十一日，第六張第一頁。

(59) 〈彩片黑玫瑰賣座踞首度〉，《華僑日報》，一九六六年四月十二日，第六張第四頁。

(60) 易文：《有生之年——易文年記》，藍天雲編，香港：香港電影資料館，二〇〇九年，頁九二。

(61) 盛安琪、黃愛玲整理：〈楚原談楚原〉，羅維明、黃愛玲、羅卡、石琪主訪，《香港影人口述歷史叢書之三：楚原》，郭靜寧、藍天雲編，香港：香港電影資料館，二〇〇六年，頁二九。

62 易文：《有生之年——易文年記》，藍天雲編，香港：香港電影資料館，二〇〇九年，頁九五。

63 盛安琪、黃愛玲整理：〈楚原談楚原〉，羅維明、黃愛玲、羅卡、石琪主訪，《香港影人口述歷史叢書之三：楚原》，郭靜寧、藍天雲編，香港：香港電影資料館，二〇〇六年，頁二九。

64 盛安琪、黃愛玲整理：〈楚原談楚原〉，羅維明、黃愛玲、羅卡、石琪主訪，《香港影人口述歷史叢書之三：楚原》，郭靜寧、藍天雲編，香港：香港電影資料館，二〇〇六年，頁三一。

65 盛安琪、黃愛玲整理：〈楚原談楚原〉，羅維明、黃愛玲、羅卡、石琪主訪，《香港影人口述歷史叢書之三：楚原》，郭靜寧、藍天雲編，香港：香港電影資料館，二〇〇六年，頁三〇。

66 該劇曾於一九六三年改編成電影（王為一，珠江電影製片廠）。

67 羅卡：〈楚原的青春〉，《香港影人口述歷史叢書之三：楚原》，郭靜寧、藍天雲編，香港：香港電影資料館，二〇〇六年，頁六六。原載〈一群青年工作者的話〉，《香港青年周報》第一一一期。

68 參黃淑嫻、阮智謙、賴恩慈：〈香港．一九六〇〉，《亂世破讀》，香港：文化工房，二〇一八年，頁二一四—二一八。

69 龍剛對吳宇森的影響不輕。除了吳宇森的《英雄本色》（一九八六）深受龍剛的《英雄本色》啟發外，《喋血雙雄》（一九八九，吳宇森）也明顯是借鏡《窗》（一九六八，龍剛）。可參家明：〈犀利前瞻的龍剛導演〉，原載《明報》，二〇一四年九月七日。https://www.filmcritics.org.hk/film-review/node/2015/07/16/犀利前瞻的龍剛導演。

第七章

李小龍傳奇：（反）殖民欲望與毀滅

一個經過訓練的好演員如今非常難得——需要他真實，做回自己。對我來說，演員是他自己所有的總和——他對生命的高度認識、合適和良好的個人品味、他樂與哀的經驗、他的激情、他的教育背景，還有更多更多——如我所說，是他所有的總和。再多一個元素便是：一個演員在特定情況中必須如其所願地表現自己。①

我，李小龍，將會成為第一個美國片酬最高的東方超級巨星。作為回報，我將以自己身為演員的能力，給予觀眾最刺激、最高品質的表演。一九七〇年開始，我會名揚世界，此後直到一九八〇年年底，我將擁有一千萬美元的財產。我將過著自己喜歡的生活，並達到內心的和諧與快樂。②

李小龍憑藉自身苦練的「功夫」，成為第一位讓香港電影成功打進美國及全球市場，並把功夫文化帶至全世界的國際巨星。他在武術電影與功夫文化的地位，在他逝世已經五十年後的今天，依然沒人能超越。今天仍然有很多人，把他視為香港電影甚至中國文化的代名詞。

過去對李小龍傳奇及其所衍生議題的研究，粗略可以分為下列幾個方向：李小龍的明星形象作為作者，及其製造的文化論述③；他製造身體景觀的視覺快感與感官意涵，對武術／功夫動作視覺呈現的革新創造、表演武術／功夫及製作武術電影中強調的身體真實性（authenticity）④；他創立的截拳道如何把武術與哲學糅合，對武道／藝／意論述化的貢獻

⑤；對數十年全球青年文化，包括但不限於亞洲及新好萊塢電影、歐美搖滾樂及嘻哈，持續深遠的影響及被再生產，與在第三世界及弱勢族群中作為反帝國主義抗爭符像的標誌性地位，尤其是對美國黑人、南美、中東及亞裔文化的啟發加持，以他作為一種方法⑥；在家國主義、中國性及陽剛性之間的協商⑦；武術／功夫與中國及亞洲社會邊緣性的關係⑧，等等。本章受益於過去豐富的功夫研究成果，除了討論李小龍一九七〇年從美國回到亞洲後參與的四部半電影：在泰國拍攝的《唐山大兄》、《精武門》、《猛龍過江》（一九七二，李小龍）、與美國華納合作的《龍爭虎鬥》（一九七三，羅伯特・克勞斯），及沒完成的《死亡遊戲》（一九七八，李小龍、羅伯特・克勞斯）外，也企圖重新連結李小龍的武術生涯，跟他的家庭成長背景，他的童年與少年經驗；他赴美前、在美與回港後的演出，期能更脈絡化地審視李小龍所呈現的現代「中國」武術，他所呈現的「武」，如何與香港親左電影、殖民陽剛性與欲望不可分割，又如何被當時的全球地緣政治所建構及轉化。透過重溯李小龍一九五九年即十八歲赴美前在香港的成長經驗，童年與少年期間拍的電影，與後來回港拍的電影，兩段歷練之間的關係，從而思考他身上，他中介、移置並創造的話語及文化遺產中，顯現的香港與中國現代性，及其演變。如果說武俠片是把中國文化中一種源遠流長的想像，一種普及的文化符號，重新翻譯進現代社會的媒體，李小龍作為武術功夫片的代表人物，不單是企圖把「武」這個文化符號，翻譯進現代化的殖民地香港，更要借香港作為橋梁，在冷戰氛圍下翻譯到歐美。他以身體打造的極端陽剛性作為工具，把香港在他身上刻墾的殖民欲望，拚

了命翻譯成美國夢。作為一個全球媒體符像，在他苦心經營或不經意凸顯出來的文化衝突與矛盾，甚至於過世後歷久不衰的影響力，一方面凸顯香港電影散發的殖民現代性魅力，另方面也可見香港在冷戰現代性氛圍下，看似享盡優勢實則被榨乾榨盡的艱難處境。

跟二戰前後出生的大部分香港小孩不太一樣（如他演出過的大量貧困兒童角色），李小龍家境並不貧困；父親在香港擁有多棟物業，在順德及廣州也繼承祖居，事業在二戰期間幾乎從沒中斷，母親家勢更是顯赫而且複雜。跟二十世紀香港出生的大部分小孩一樣，李小龍的家庭與教育文化背景混雜。他的整個創作與生命歷程可以說是在協商與糅合，他中介的華南與上海⑨風格，又同時作為英屬殖民地產物的多樣文化身分。他在香港日據時代及戰後的童年、在美國初出茅廬的經歷，至七〇年從美回港發展時，香港早已歷經冷戰世代，面對美國成為全球霸主，媒體美國化，一九六七年騷亂後更正式進入去政治化、急速壓縮的資本主義階段，這些文化脈絡，如何協助孕育出李小龍這個媒體符像？我更企圖進一步詰問，這些元素，是否也可能導致李小龍肉身的難以持續（unsustainability），只能曇花一現？

混血現代

一九四〇年十一月二十七日，李小龍出生在舊金山唐人街東華醫院，起名李振藩。美國產科醫生為這個男嬰起了英文名字Bruce Lee。他父親李海泉是香港粵劇名丑，當時正在美國巡迴演出；母親何愛瑜是何甘棠與中俄混血兒情婦張瓊仙所收養的中歐混血兒（另一說是何甘棠的私生女），自小生活在上海，十九歲時來港。何甘棠為港澳地區華商首富何東爵士同母異父之弟，也是香港著名買辦，在港自建大宅「甘棠第」（一九一四年落成，香港法定古蹟，現為孫中山紀念館）。李小龍這個作為（四分之一）混血兒的背景，成為他日後學業與事業的絆腳石：在美國被指「太中國」，在跟葉問學武期間也被同門告發他血統不正，聯合起來向葉問施壓，揚言如果不把李小龍趕出去就不繳學費。葉問迫於無奈，只好讓李小龍離開武館，並暗自授意個別徒弟黃淳樑、張卓慶等私下與李小龍練武。[10]這個背景，也許不得不造成了李小龍在日後的武術與電影作品中，將不斷要證明及展演他中介了的中國性。而且，李小龍的性別長成又跟他的種族成分同樣麻煩。李海泉與何愛瑜的第一個兒子，出生後不久夭折了。為了騙過專門吸食男孩魂魄的「金甲神」，父親特意替李振藩打了耳洞戴上耳環，並起小名「細鳳」。李小龍窮盡一生精力為自身打造，並需要不斷維繫與展演的超級陽剛性（hyper-masculinity），有多少是為了擺脫華南父權傳統對陽剛的壓抑？

李振藩在美出生，只是因為父親剛好在美登臺。李振藩三個月大的時候，活躍於香港及美國之間的導演伍錦霞，正在舊金山拍《金門女》（*Golden Gate Girl*，一九四一），剛好需要一個幼年王萊露的嬰兒鏡頭，這是李振藩第一次登上銀幕，也可以說是扮裝演一個女嬰。電影一九四一年五月二十七日在美國上映。一九四一年一月，美國「一九四〇年移民法案」正式生效，該法案規定出生於美國的人都可以申請為美國公民。這一連串的巧合決定了李小龍，將會到美國學習並最後成為好萊塢巨星這命運。李海泉的演出結束後，待取得了李振藩的出生證與美國移民，及歸化局於一九四一年三月三十一日頒發的「美國公民出埠回國證書申請書」後，一家三口在四月六日乘船，五月中旬回到香港。

一九四〇年的香港，收容了許多大陸逃避戰爭的難民，衛生條件很差，秋天爆發霍亂。李振藩回港後水土不服，大病了一場，接近死亡邊緣。一九四一年十二月二十五日，日軍攻陷香港，香港進入了三年八個月的淪陷時期。日本占據香港期間，影人紛紛倉皇逃生，拒絕與日方合作拍片。香港淪陷時期並沒有產出電影。李海泉為保一家性命，為日本人演粵劇。

階級啟蒙

可能是遺傳或環境的因素，當我在香港學習的時候，對電影製作產生了濃烈興趣。〔……〕那是我生命中最重要的經歷，是我第一次接觸到真正的中國文化。我被它深深地吸引著，而且強烈地感覺到，自己就是它的一部分。那時我還沒有意識到環境對塑造人的性格和品性的深層次影響。〔……〕⑪

李振藩自幼在家看父親教導徒弟演戲，耳濡目染，偶學一招半式，而且生性活潑、精力旺盛，最喜歡看連環畫，經常逃學去打架滋事；光小學五年級就讀了三年。一九四八年，李海泉答應讓難以馴服的兒子在《富貴浮雲》（一九四八，俞亮）一片中演一小角；一九四九至一九五〇年間，李振藩以李鑫、小李海泉、新李海泉、李敏等藝名參與拍攝了《夢裡西施》（一九四九，蔣愛民）、《樊梨花》（一九四九，畢虎）、《花開蝶滿枝》（一九五〇，俞亮）等。當時由中國崑崙影業公司出品、改編張樂平漫畫的《三毛流浪記》（一九四九，趙明、嚴恭）正在香港上映，票房報捷。於是製片商想照辦泡製粵語片《細路祥》（一九五〇，馮峰），同樣以社會邊緣兒童的遭遇描繪當下香港民生。《細路祥》是漫畫家袁步雲筆下的人物，先在報刊連載，後結集成書，戰前已流行於粵港。但要找到一個會演戲、年紀與漫畫人物細路祥相仿的童星並不容易。當時籌備電影的編劇左几、導演馮峰與原作者袁步雲遍尋不遇，直至他們在李海泉家遇上十歲的李振藩，才敲定人選。⑫這位以李龍作為藝名的天才兒童，成功演活了一個父母雙亡、初時失學後來可以上學也不肯上、肚子餓就偷燒鴨吃的壞孩子男一號，還特別在偷了燒鴨後，在鏡頭前表演一個他在叔伯們那裡學來的連續側手翻。電影叫好叫座，叫他初嘗當主角的滋味。《細路祥》後他改名李小龍，從《人之初》（一九五一，秦劍）開始，參加演出一連串探討社會問題的親左或寫實主義電影，包括《苦海明燈》、《千萬人家》、《父之過》（一九五三，孫偉）、《慈母淚》、《危樓春曉》、《兒女債》、《愛》與《愛》續集（一九五五，王鏗、李鐵、李晨風、吳回、珠璣、秦劍）、《孤星血淚》（一九五五，珠璣）、《孤兒行》（一九五五，錢大叔、李佳）、《守得雲開見月明》（一九五五，蔣偉光）、《早知當初我唔嫁》（一九五六，蔣偉光）、《詐癲納福》（一九五六，蔣偉光）、《甜姐兒》（一九五七，吳回）、《雷雨》等，最後離港赴美前拍下《人海孤鴻》（一九六〇，李晨風）。包括《金門女》在內，李小龍的童年與少年時期一共演了二十三部電影。

《人海孤鴻》可以說是《細路祥》的續篇，同樣是寫一個孤兒，為求生存，成為小混混的故事。《細路祥》成就了一位天才童星的誕生，《人海孤鴻》上映時，張徹把片中的李小龍比作「中國占士甸」（James Dean，臺譯：詹姆士・狄恩）。[13]把一九五〇年的《細路祥》跟一九六〇年的《人海孤鴻》（於一九五七年底開拍）並置，可見電影中呈現出來的社會狀態，尤其是草根階層的生存空間與社會倫理道德觀，在五十年代經歷了相當大的轉變。《細路祥》中工廠女工可以借助流氓向財主老闆爭取工人權益，流氓與草根大眾連線；窮小孩玩扮老師的遊戲，諷刺八股教學的不濟；最壞的是假裝慈善卻一毛不拔的富人。在《細路祥》中演飛刀李的馮峰在《人海孤鴻》中再次演流氓過江龍，李小龍的老大。但飛刀李只向有錢人下手，講求江湖義氣，被細路祥封為「中國偉人」（在以中國難民人口為主的香港成人觀眾看來定是一大反諷），而《人海孤鴻》中的過江龍卻是毫無底線地訓練並逼迫阿三幹各種勾當，最後還割了他的耳朵。細路祥是一個精靈頑皮、離家出走的失學兒童，仗著流氓大哥的威風混飯吃；阿三卻不但市井嘴貧、抽菸打架、扒竊吸毒，還在孤兒院中持刀恐嚇並割破女老師（白燕）的衣服。這些電影具體化了香港社會中惡的正常化，草根階層從五十年代步入六十年代反抗的日益艱難。

香港五十年代作為一個欠缺公共福利政策的殖民地社會，戰後從中國南來大量難民，民不聊生，出現各種人倫道德危機，戰後嬰兒潮更讓香港社會成為青少年問題的溫床。少年李小龍長成的年代，正是香港倫理通俗片的黃金時代，親左電影積極探討各種社會問題。跟童星李小龍合作多次的電影公司是中聯（討論詳見第四章）；跟他合作的導演多是親左社會寫實傳統訓練出來的影人，如《人之初》與《苦海明燈》的秦劍、《危樓春曉》的李鐵、《孤星血淚》的珠璣等。李小龍演的孤兒、失學兒童角色，批判養育與學校的缺乏；《孤星血淚》尤其針砭醫療受富商操控、窮人病死街頭的現實。《人海孤鴻》是粵語片臺柱吳楚帆自資自演的言志之作，特意面對黑社會、毒品、綁架及邊緣青少年問題等，更揭露草根階層之間互相剝削，實為香港親左電影探討階級壓迫的一大突破。何思琪（吳楚帆）與阿三（李小龍）的對手戲中卻可見吳楚帆作為華南影帝已近強弩之末，他的說教式父權對阿三的困境一籌莫展，反而被李小龍渾然天成的反叛風采搶盡風頭。吳楚帆找來好友李晨風執導，又不惜重金把膠卷送到英國沖印，成就了香港五十年代末至六十年代初其中一部伊士曼七彩粵語片。他們給予大量的篇幅讓少年李小龍發揮，可見當時親左影人的胸懷，並預示了六十年代青春（含阿飛）電影潮流的崛起，也（諷刺地）凸顯了親左電影在香港的將被淘汰與退潮。[14]這些描寫香港草根階層的粵語電影，並沒因為李小龍混血兒的背景而排拒他，甚至企圖讓他赴美前一改戲路，在改編曹禺戲劇的電影《雷雨》（一九五七年三月在港上映）中，穿著筆挺中山裝，演充滿革命理想的五四新青年周沖。少年特殊的歷練，為他日後在美國闖天下開武館，不拘一格地打破種族與階級的界限，廣收徒弟，做了必要的鋪墊，從而幫忙造就他成為全球弱勢男性的代言符號。即使後來他成為國際巨星後，在採訪中可見，他自述的私生活仍然相當克己，仍具香港親左影人的作風：「我不抽菸不喝酒，也不喜歡花費時間做無聊的事情。我不喜歡穿鄭重其事的衣服」。⑮

過去討論李小龍作為弱勢族群的抗爭符號多聚焦於種族議題，尤其是他的華人男性陽剛美學，如何在歐美白人壟斷的世界文化再現市場中，敞開了一片既陽且陰的天空，讓非白人男性能夠瞥見一種自戀又無堅不摧的激進／革命可能。但如果我們把自《細路祥》始，李小龍演出的親左寫實電影看為他整體作品的一部分，更是孕育他電影視野決定性的一部分，我們也許會發現，他在（包括後來的）電影中不斷流露並非常成功地勾引全球觀眾的反抗精神／情感，很大程度上是有階級意涵的。《唐山大兄》寫從中國華南到泰國謀生的移工青年鄭潮安（李小龍），在冰塊工廠發現工人無故失蹤，工人們集體罷工抗議，卻被老闆派遣打手欺凌，他於是出手相助。老闆改變策略，設局分化工人，並運用職位和女人收買鄭潮安。最後潮安揭發真相，工廠老闆表面上是華僑社會的富商紳士，實際上是殺人無數的毒梟，於是他替工人出頭，警惡懲奸。《精武門》以民初上海租界，陳真（李小龍）為師父霍元甲奔喪為背景，藉片中出現的「東亞病夫」、「狗與華人不得入內」等辱華符號，合理化陳真闖入日本柔道館踢館及擊敗俄國高手的情節，對現代中國飽受殖民主義欺凌的歷史提出控訴，表達並勾引高度濃烈的民族主義情感。雖然如此，在最後一場，租界巡捕房探長（羅維，也為本片導演）勸陳真自首來保住精武館時，陳真咬牙切齒吐出的經典對白卻充滿階級意味，幾近向整個重文輕武的儒家傳統怒吼：「我少讀書，你唔好呃我！」（「我讀書少，你不要騙我！」）不惜與電影開始時，他以一身全白學生中山裝的新青年範兒亮相顯得前後矛盾。⑯

《猛龍過江》由李小龍自編自導自演，寫不通英文的土包子香港青年唐龍，受叔父所託，隻身前往羅馬，協助一所中國餐館繼續營生。餐館受當地有黑幫背景的商業集團威脅，逼其出賣餐館地皮。電影中唐龍的穿著與言行塑造，可以說是延續了李小龍在《細路祥》、《孤星血淚》、《孤星行》等的草根兒童角色。《唐山大兄》與《猛龍過江》中寫他介入海外華人移工的困境，也可以說是李小龍從香港到美國開武館幫助弱勢男性軌跡的自我重現。⑰《猛龍過江》中，餐館裡的華人員工一度以為日本空手道是最強的武術，都在學習空手道，至見識到唐龍的身手才發現中國功夫的厲害，這跟李小龍自述初到美國開武館時的經歷也類近。值得注意的是，《猛龍過江》是在李小龍的功夫電影中，第一次在片末時他不用就對手死於他手下的下場付出代價，如在《唐山大兄》中被警察逮捕、在《精武門》中踢出凌空一腳時被亂槍掃射。這些結局貫徹並加深了從六十年代末開始，張徹導演的武俠片中推銷的悲劇英雄主義。但李小龍的這些代表作替他打造的，不單成就了一個所謂民族英雄符像，更同時是一個面對文化與經濟壓迫，勇於抗爭、挑戰不公的草根英雄模範。也正是這種英雄，在現代社會，經常需要付出龐大代價。

受創陽剛

《細路祥》結尾時飛刀李痛改前非，意識到細路祥以他作模範反而害了他，於是給錢讓細路祥一家可以回鄉；電影以他們往乘火車作結。《三毛流浪記》結尾時歌頌新中國成立，歡迎流浪兒童參與慶祝遊行，意味著窮人終於可以翻身；這部電影能在香港取得成功，顯現香港當時有不少人口對中共建國抱持期許。五十年代初香港不少電影如《細路祥》般，皆以「回鄉」作為窮人的圓滿結局。相較於被富人掌控各種公共資源的香港（如《細路祥》中的學校），中共治下的「鄉下」被賦予社會資源獲得更公平（再）分配的烏托邦想像。七、八年後拍攝的《人海孤鴻》，戰亂的陰影依然揮之不去，何思琪（吳楚帆）痛失妻女，又與兒子阿陶（李小龍）及傭人五姐〔姊〕（李月清）離散；整部電影的悲劇皆建基於戰亂後遺。《人海孤鴻》拍攝時的中國，正值反右運動；電影進入後期製作並安排在香港上映時，由於「大躍進」和人民公社化運動等的施政失誤，中國深陷史無前例的「三年大飢荒」（官方初時叫「三年自然災害」，後稱「三年困難時期」），香港電影中「回鄉」的理想泡沫爆破。《人海孤鴻》一方面痛惜失去的時光，另方面不斷鼓勵大家收拾傷痛，重新出發。何思琪與姚蘇鳳（白燕）之間的曖昧友誼，建基於他們兩個都是背負歷史創傷的人；二人在孤兒院的同志共事與眉目傳情，暗喻社會正在集體擺脫過去的悲劇，積極迎向建立新家庭，服務新社會。

片末父子團圓，阿三竟然因為突然與／被父親相認，就立刻改邪歸正，孤兒院一片歌舞昇平，再一次承繼左翼電影強迫性快樂結局的傳統。壞孩子與好孩子一起在土地上並肩勞動，意味著不論此地何等險惡，亦必須合力耕耘，方能落地生根。

把七十年代自美回港的李小龍作品，與五十年代李小龍離港前接近十年所演出的電影並置，會發現一個最大分歧：五十年代電影中男性一律承受龐大的生理或心靈創傷，陽剛性的虧損是電影中（上一代）的既定現實，成為新一代男性的沉重負擔。《孤兒行》中的父親一開始就過世，導致中興（梁俊密／李小龍）自小被伯娘欺負，母親（鄧碧雲）受誣衊逐出家門。在電影前半部，兒童中興出場時大多在嚎啕大哭，要不被打，要不墮梯；母親離家後更對著父親遺照不斷痛哭訴苦，是一個無法成男（人）的小孩與一個不再是人的男性，共同控訴他們之無以立足。連本來是一屋之主的大伯（梁醒波）也受刁妾欺凌，不論是在家族財政管理或教育兒子上，都毫無發言權，最後更受蒙騙鑄成大錯。《孤星血淚》中的父親範田笙（吳楚帆）一開始是逃犯，巧遇兒子王復羣（李小龍）也不敢相認，在全片中躲於暗角，含冤受屈，資助復羣念完醫科創業都不能出面承認，至復羣差點要服毒自殺。最後真相大白時也是他與奸商杜濟仁同歸於盡的時候。

中聯繼創業作《家》後第二作《苦海明燈》，讓身為第一男主角、年僅十二歲的李小龍（比張活游、張瑛、吳楚帆的戲分都要多）充分磨練與發揮演技，不但證明他可以演文戲，還把孤兒的心理情結呈現得複雜內斂，成就了五十年代這部經典。電影寫女傭阿娥（容小意）遭主人陳英傑（張瑛）誘騙產子，被陳家趕走，嬰兒天生被醫院林院長（李清）收養。林院長娶妻誕子後天生被送給奶媽（黃曼梨），奶媽過世後，少年天生（李小龍）被奶媽嗜賭的丈夫（吳楚帆）賣（回去）給陳家，成為陳妻（林妹妹）向陳英傑爭家產的傀儡。天生知情後離家出走，露宿街頭，最後被孤兒院李夫人（白燕）收養。李夫人在花園發現天生的一場戲，問他為什麼要搶劫人家的食物。天生緩緩低頭，抬頭看一看她，吐出：我餓呀！又低頭。李夫人問：你爸爸呢？天生低著頭默默搖頭。李夫人再問：媽媽呢？天生繼續低著頭默默搖頭。李夫人：你什麼人都沒有嗎？天生繼續搖頭。李夫人：那你晚上睡哪？天生的頭更低一些，輕聲道：街上。說完頭更低了，他看似在啜泣的臉被鏡頭前花園的欄杆擋著。他無法承受李夫人把他餵飽、給他新衣服穿的恩惠，懷疑這些都是別有用心，要賣他害他的前奏；李夫人愈是對他好，他眼中愈是充滿恐懼。我認為這是在李小龍從影生涯中最動人的角色塑造，導演非常善感的場面調度給了他不少空間，協助深化角色；少年天生對白不多，常常只是旁觀、偷看、低頭、搖頭，卻深刻演活了被成人世界不斷拋棄、出賣，歷經滄桑的種種孤絕、委屈、不甘、卑微與憤恨。

中聯的第三部出品、吳楚帆監製的《千萬人家》也是剖析華人折損陽剛性的經典之作，是香港親左電影最自信滿滿的時候。這時李小龍大概十三歲，在片中戲分不多，因為電影主要集中呈現成人世界的敗壞，尤其是上一代成年男性的敗壞。本為「鄉間首富」的程耀堂（盧敦），破產後與妻女投靠二女婿金煥章（吳楚帆），以為可以重過奢華生活，豈料金煥章這位大都會商人，也只是外強中乾，撐著面子排場卻經常債主臨門。程耀堂與金煥章，同樣活在只有自己的世界中，無視家人的需要，可謂兩種華南父權的典型。前者作為封建社會的殘餘文化代言，因好賭散盡家財，靠整天買醉、聽粵曲麻醉自己，最後害了幼女也懵然不知；後者作為資本主義社會的典型產物，只在乎人際關係中的交換價值與投資回報，收留岳父為了讓岳父替他還債，為了巴結洋化買辦型人物如朱少良（馮應湘）不惜出賣小姨。電影對這兩種陽剛性猛烈批判，封建父權最後在妻女前放下身段低頭認錯，確認「靠人不如靠自己」的現代真理，資本極權則只有窮途末路自殺收場，沒有改過的機會。片中李小龍演新一代好兒童，竟然在家人飯聚後表演歌唱勵志國語一曲（應該有幕後代唱）：「走走走，畫廊之畫不長留，走走走，特別要做大鍋頭，走走走，洗手吃飯不抬頭，走走走，走到人家大門口，走走走，走到一直向前走，走走走，你有什麼前面有。」眾人一起歌頌從集體勞動與大夥團聚中獲得的歡樂與美好前景。

再一次，姊妹成為多種並存現代性的代言。大姊程仲芳（容玉意）是醫院的護士，與勞動階層丈夫魏建民（李清）安貧樂道，是社會主義無產階級的理想代表，對家人、鄰居無私奉獻，積極分享。二姊仲華（紫羅蓮）嫁了富商，享受物質生活，卻充滿各種委屈與身不由己。電影把希望託付在敢於同時向封建勢力（舊社會）與洋化花花公子（殖民資本主義）說不的三妹仲蓮（容小意）身上，她最後的奮力自救、受傷與醒來是對敗壞陽剛性的切換，戰勝腐朽的性別，內化重生的意志，昭示一種新／無性別、新人類的誕生。尋求外於資本主義邏輯、符合華南倫理的現代性出路，是五十年代香港親左電影的主要關懷，並沒有需要與建基於二元對立的外國陽剛性競逐。

新一代男性如何超克上一代的折損陽剛性，是五十年代香港電影的共同命題。多部李小龍傳記中曾提到他少時志願是當一名醫生⑱，這也是《苦海明燈》與《孤星血淚》中主角的志業，在兩部電影中他都實現了（雖然在《孤星血淚》中賠上了父親一輩子積蓄與性命，也差點賠上了自己的命）。現實中，李小龍會發現他不是溫文儒雅的成人復辜或天生（兩者都由張活游演），他必須另尋出路，成為新一代男性。張徹導演在六十年代中期「提出陽剛口號，自是對中國電影一貫以女角為主的反動」，矢志打破中國及香港電影陰盛陽衰的局面。他認為中國文化承宋以來重文輕武，男人不克自保，才幻想女俠、女將，這都「絕非自然」，而且「在美國和日本，都是男明星紅過女明星」。⑲但他突破百萬票房，為邵氏打下武俠電影江山，讓王羽一炮而紅，開啟「新武俠時代」的成名作《獨臂刀》中，方剛（王羽）一開始便目睹父親被殺，成為孤兒，雖然武藝出眾卻飽受同門排擠，還被師妹齊佩（潘迎紫）砍去右臂，至愛人小蠻（焦姣）受辱也無力保護。正是他深受重創的陽剛性，迫他用父親留下的斷刀，研習獨臂刀法。換言之，在五十至六十年代的香港電影中，陽剛性受創——即便在最自覺要重振陽剛的導演手中，是推進敘事、叩應欲望與認同的一個常見修辭格，為戰後以難民為主的香港社會提供了轉危為機，化弱勢為優勢，湊合存活的動力與想像。

初到美國時，李小龍嚮往歐美白人陽剛性，同時對自己難以融入表現焦慮。⑳眾所周知，李小龍拒絕替好萊塢演那種身穿唐裝、雙眼畫成斜線、身後掛一條小辮子、歐美主流文化中標誌著黃禍恐懼的華人男性形象。[21]二戰後美國白人主導的流行文化中，唯一可以被接受的東亞臉孔只能是日裔（最好是檀香山日裔）；日本是在冷戰地緣政治下最服膺美國的東亞國家，而中國只能被再現為前現代、備受毀滅的符號，從而反襯出美國作為優越現代性霸主的地位，所以李小龍在電視劇《青蜂俠》（一九六六—一九六七）中被安排演日裔的青蜂俠僕役副手。童年時經歷過太平洋戰爭、從小受殖民教育、練就一身功夫並早已在粵語片中嶄露頭角的李小龍，當然覺得深受委屈。香港無綫電視買下《青蜂雙俠》（後來改名《青蜂俠》）並作為配音片集推出，安排在一九六七年十二月二日逢周六播映。根據一九六七年十二月二日無綫電視發布的節目介紹看來，劇集上映時無綫電視甚至不知道這位演青蜂俠助手的，就是從前的粵語片演員李小龍，反而把他的名字譯作「寶士・李」。[22]

李小龍低估了好萊塢作為意識形態機器把外來文化——尤其華人——他者化的能力。於一九六八年九月二十五日至一九七〇年四月三日在ABC電視網播出的美國西部喜劇《新娘駕到》（*Here Come the Brides*）其中一集《中國婚姻》（Marriage, Chinese Style）中，李小龍演一名與當地老派華人圈子不合的年輕新移民林先生，如何與劇中的年輕白人兄弟Jeremy及Joshua串謀，上演英雄救美來獲得一名華人女子的歡心，又同時滿足了華人包辦婚姻（「盲婚」）的傳統期待。林穿著帥氣的藍色西裝，與劇中其他身穿唐裝、掛小辮子的中國男性形成強烈對比，但劇中一而再強調中國習俗的荒誕與不合事宜，讓林先生成為一個不惜出賣華人社群，以求成功融入美國社會的例外；劇中不斷表揚林及新婚妻子何其「美國」。在李小龍第一部參與演出的好萊塢電影《醜聞喋血》（*Marlowe*，一九六九，保羅．博加特）中，李小龍也確是以一身亮眼的棕色西裝出場，但他演的溫西魯．王（Winslow Wong）在與私家偵探馬洛（詹姆斯．葛納演的Marlowe）的對手戲中，顯得橫蠻好鬥，企圖用錢賄賂他不果，就在他的辦公室內大肆破壞，踢牆踢架踢燈等等，活脫脫是一名沒見過世面的唐人街小流氓，與馬洛的機智、沉著與大度形成強烈對比（隔壁同僚聞聲衝進來，馬洛也裝作若無其事，佯稱「只是裝修」而已）。據說李小龍對天花吊燈的凌空一踢，於原劇本中沒有，是李小龍為了特意展示他的功夫加上去的。餐廳天臺上，王多次想把馬洛踢倒，最後馬洛避至圍欄邊，故意出語嘲諷王是否同性戀（gay），王一怒之下朝他飛踢，馬洛閃開，王墜樓而亡。王的角色疊合了冷戰氛圍下美國既恐黃又恐同的心理投射，把華人男性寫成一種藐視法理、為非作歹、頭腦簡單又陽剛不足的膝蓋反應動物，成為主角顯示文明智謀的陪襯品，讓觀眾除之而後快。李小龍的一身（現代）西裝加強了對這個角色的反諷，成了一個披著現代皮毛來掩飾自己前現代性的野蠻小子。他愈是急於自我表現，愈切合這個幾近漫畫化的角色。這是李小龍第一次也是最後一次演反派。

不無諷刺的是，當李小龍不惜輟學，搬到洛杉磯一心要打進好萊塢時，好萊塢卻對他不屑一顧，只給他出演這種鞏固文化二元論及美國白人優越主義的角色。顯而易見的是，好萊塢無法也不懂處理與呈現，像李小龍這樣的華人陽剛身體，作為一種具有主體性及多元文化背景的人物。至他幾年後回港，在電影中不斷戰勝日本與白人男性，打破了亞洲大部分票房紀錄後，好萊塢才回過神來，要邀請他簽約。而李小龍的身體，以爆破式速度成為全球受壓迫（異類）陽剛性，表達冷戰創傷的抗爭代言，正正凸顯了好萊塢長期製造又無視這些龐大的非正典（歐美）市場需求。李小龍最後一部出演的好萊塢電影（也是李小龍完成的最後一部電影）《龍爭虎鬥》中，李（李小龍）的對手韓（石堅），實為一個類傳滿州型人物，旨在凸顯現代中國性的腐敗兇險且不脫封建（奴役婦女、販賣鴉片），反而美國白人高手羅柏（約翰．薩克森）因為道德高尚拒絕被韓收買，成為李的戰友。片末韓及其手下被收拾乾淨後，電影特別安排李與羅柏對望，李豎起大拇指向羅柏比個讚的手勢，羅柏也做一個回敬李的表示，以重申美國現代性於維持世界秩序中的關鍵位置，把李小龍的身體收編入一個冷戰文本中。片中演配角的成龍、洪金寶、元華、元彪、劉永及演李小龍徒弟的董瑋等，亦預示了香港武俠功夫片傳統繼李小龍後的延續。

孤兒敘事

《孤星血淚》電影故事框架大致上改編自英國作家查爾斯．狄更斯的小說 *Great Expectations*（一八六一），中譯名為《遠大前程》或《孤星血淚》。小說敘述本來在鄉下跟鐵匠學藝的孤兒皮普小時遇到一名逃犯，後來受神秘人贊助他到倫敦接受教育並成為上流社會一員。他戀慕高傲而美麗的富家小姐，最後發現一直資助他的神秘人原來是那名逃犯，致使他的夢想破滅。十九世紀初英國社會步入工業資本主義階段，都會享樂主義、財富積累和社會地位的誘惑挑戰著浪漫主義文學對愛、忠誠和良心的謳歌，孰輕孰重？珠璣導演的香港電影對小說改動甚大，把一個對道德的嚴厲拷問化成父子倫理故事，淡化其中男女愛情慾望元素，保留城鄉差異及貧富不均的階級批判。最重要的是，電影凸顯兩代男人的受創陽剛性，片中的王復羣毫不享受他的「上流社會」生活，他立志要行醫是為了濟貧，在片中這理想一直被呈現為崇高的，後來賣假藥也是受杜濟仁所騙，並非全是個人道德的敗壞；父子倆都是這個敘事的受害者。

十九世紀英國文學中有不少孤兒敘事，正是社會經濟再生產模式面臨劇變，傳統貴族、大家族關係瀕臨瓦解，人際關係被個體化，不少人被迫思考如何在新興的工業勞動市場、花裡胡哨又充滿競爭的城市萬花筒中謀生存，繼而學習適應前所未有的階級流動；文學作品協助舒緩這過程中的矛盾焦慮，提供各種離開家庭束縛的兒童敘事，讓他們在城市中打滾，或成功打造自身，成為時髦的中產階級。五、六十年代香港電影中也有大量孤兒敘事（李小龍演了至少五部），也有如《曼波女郎》般發現原來自己有不堪的身世，卻已無法與母親相認，經過掙扎後選擇回到安逸享樂的養父母懷抱中；抹去歷史傷痛，擁抱當下的資本主義現代性才是王道。

香港親左電影卻採取一些頗不同的位置。首先，享受新世界、在新城市戮力向上達致階級流動從來不是重點，《孤星血淚》中的主角，並不像在英國原著般一心仰慕富家小姐；電影特別強調是富家小姐對他死纏爛打，而他心中早有青梅竹馬的窮家玩伴。這些電影以大量的篇幅訴說男性的受創與刻苦，相較之下，結局的強迫團圓顯得微不足道。五十年代香港社會上大量從華南來求生的人口，粵語片為這些經歷了急速向下流動的勞動階層提供暫時的舒緩，在電影院中圍爐取暖，可以說是香港電影的「哭戲」時期。五十年代好萊塢以女性為主的家庭倫理片作為「苦情戲」，主要是緩和戰後女性要重新擁抱家園，與過渡至中產階級的不適。但五十年代香港倫理片卻是要展現一重又一重的傷痛，以疏散過去十幾年來中國人經歷的一重又一重的挫敗，是以《苦海明燈》中的天生要不斷地被出賣。透過集體呈現與消費傷痛，電影企圖尋找與歷史重遇、協商，擺平或戰勝歷史壓迫的方法，所以這些孤兒敘事中有大量尋親、回鄉或劫後重逢的結局，彷彿不論過去如何不濟，當下也必須重拾步履，安撫並修復歷史的傷痕，才有進一步成長的可能。《苦海明燈》結尾時特意安排天生過去的四組父母：生母、生父、繼母及兩位養父前來與天生相認，讓天生與他這些曾經被拋棄、背叛的過去和解，才能凸顯他選擇跟封建社會與資本主義家庭決裂，成為服務社會新人類的能動力。《孤兒行》中，脫離封建家族後的中興機緣巧合自薦到工廠當學徒，正體現了五十年代香港進入工業化階段，脫離家族庇蔭後的大量個體化人民於城市求存、參與勞動大軍的處境。片末安排他向工廠老闆報恩而因工受傷，老闆受感動而決定栽培他，本來是一個典型的孤兒向上流動敘事，卻必須安排他與同樣在勞動市場漂移打工的母親重聚，讓原生家庭的母子同時分享美好的願景。

七十年代李小龍矢志打造自身的超級陽剛性，正是要擺脫這些受創男性歷史敘事，這個他從小非常熟悉的倫理世界，教他頭也不能抬的委屈，及這種三步一回頭，對歷史的不捨。香港政府一九三五年頒布的《貨幣條例》宣布以港元為本地貨幣單位，實施英鎊匯兌本位制將港元與英鎊掛鉤。㉓二戰後，美國取替英國成為全球霸主，英國經濟實力減弱，以英鎊作為港元的支柱，變得愈來愈不可靠。一九七二年，港元改為與美元掛鉤。在華人成為世界新秩序的敵人、華人男性難以抬頭的冷戰布局下，李小龍在美研發、挪用洋化陽剛性來重造自身的陽剛性，為他提供了表達壓抑的出口，同時藉此超克中國戰後受創陽剛與全球冷戰下被閹割、被妖魔化的華人陽剛性。

重塑自身

《人海孤鴻》中阿三在身體語言上的展演，在李小龍的演藝生涯中，可謂一大突破。阿三在片中幾乎沒有一個身體立正的姿勢，站著時頭也歪歪地偏向一邊，像一條隨時準備向前進攻的眼鏡蛇，走起路來腳步好像總在跳查查舞。從童年至少年，雖然李小龍擅長演的角色依然是孤兒、流氓一類，但他對身體語言的掌握，卻有非常明顯的進步。五十年代的李小龍，除了在二十多部電影中演出外，還經歷了怎樣的身體訓練？

一九四九年，與李小龍同齡的張卓慶參加了李小龍的九歲生日宴會，看見「一身女孩打扮」的李小龍，二人成為好友。一九五四至一九五八年，張卓慶借住在詠春大師葉問家中，獲葉問傾囊相授，並鑽研醫術和點脈絕技，成為葉問的入室弟子。一九五二年一次上學途中，張卓慶與李小龍相認，自此張卓慶天天接送李小龍上學、放學，二人感情深厚。一九五三年底的一天，李小龍被一群人追打，幸得張卓慶及時出手相助，化險為夷。此時的李小龍已粗略學過太極拳、洪拳、蔡李佛拳等拳法，但發現在實戰中並不實用，於是李小龍向張卓慶提出想學詠春拳來防身。張卓慶讓葉問把李小龍收為徒後，張卓慶更手把手教李小龍入門套路「小念頭」。從此李小龍一頭栽進學習詠春，每天放學上武館，吃飯時擊打桌椅，在路上打爛掛著的老鼠箱，在家中安置了一個木人樁，連睡覺都拿著啞鈴。據載，葉問曾說：「小龍一天練習詠春拳的時間至少超過五、六小時。一般人一星期、一個月的練習時間加起來，也比不上小龍一天的練習時間。」[24]

一九五一年，李小龍入讀喇沙書院小學部。喇沙書院，是一所以華裔天主教徒為主的菁英男校，位於香港典型中產階級社區九龍塘。喇沙的學生，與在半山上的、離喇沙約幾分鐘路程的英皇喬治五世學校（KGV）的學生們關係特差，經常打鬥。英皇喬治五世學校是一所國際學校，一八九四年創辦，前身是九龍英童學校／中央英童學校（Kowloon British School／Central British School），學生主要是居港英國人子女。原校舍由何東（李小龍外祖父之兄）捐贈興建，校舍為典型維多利亞時期建築。一九五六年，一天放學後，李小龍和團夥在山上罵英國學生，引發激烈毆鬥，結果他被學校開除㉕，轉入聖方濟書院念初二。一九五八年三月二十九日，李小龍代表聖方濟書院，與代表英皇喬治五世學校出戰的三屆冠軍加里．埃爾姆斯一較高下，雙方打了三個回合，李小龍最後以詠春的連環日字沖拳打敗對手，獲得校際西洋拳擊少年組冠軍。這是李小龍第一次參加拳擊比賽。

同年，李小龍與弟弟李振輝搭檔，獲得全港查查舞公開賽青年組冠軍。所以他在《人海孤鴻》中的身體演出好像一直在表演查查舞步。一邊他用中國功夫，苦心積累終於能夠在香港社會公開被認可的形式下打敗小英國人，在殖民地為華人揚眉吐氣；另一邊廂，又溺愛歐美時髦文化，期望展演自己的身體成為流行偶像；這些欲望會一直追隨李小龍，成為他的事業、他的生命。這兩種欲望的結合，也讓他尋求把中國武術與身體肌肉景觀化，與舞蹈講求的優美身體動作及照顧（西方）觀眾的視覺效果結合，大大脫離南方武術（詠春）較注重雙手截擊、穩重的下盤與有限的踢腿來克制對手的技術模式。㉖

一九五八年，張卓慶跟李小龍得罪了黑幫，一九五八年年底張卓慶被家人送去澳洲，「他離開的那天，李小龍哭得很傷心。」㉗一九五九年李小龍赴美，自此二人再沒見面，然而書信不斷。在二人分開後的十多年間，李小龍寫了二十多封信給張卓慶。一九六九年一月，李小龍寫給張卓慶的信上說：「卓慶：看過以前我們的通信，才發現大多數都是你給我寫的。最近的一封，或者說我找到的最近的一封信上有你的地址，所以我寫了這封信。希望即使你搬家了或是別的原因，這封信也能到你的手上。我到美國快十年了。有些晚上，當我坐下來想起往事的時候，你的名字總是會出現在我的腦海里〔裡〕。」[28]這些少年時的經歷，對在美的李小龍一直持續不懈鑽研武術並視其為畢生事業，成就了決定性的鋪墊。少年李小龍的身體與武藝，是首先在香港殖民現代性框架下被調教出來的，一種反殖情緒所驅動，然後倚仗前現代華人男性同性之間情同手足的兄弟情誼所細心滋養。[29]

殖民欲望

關於李小龍陽剛形象的塑造，過去論者傾向用東方主義觀點，即著眼於他作為「東方人」身體、氣質及文化內涵（「哲學」），相對於歐美男性之不同。這種視角不但困於文化本質及二元對立論，也無視／遮蔽中國包括華南與香港在十九世紀中後期至二十世紀所經歷，與「西方」文化的諸種交集，尤其是（被）殖民經驗。毋庸置疑，李小龍相對矮小、瘦削的華人男性身體，與好萊塢動作電影中習慣呈現的高大魁梧及壯碩的男性身軀有明顯的視覺差異，李小龍自己也非常自覺於製造這種成功以小擊大的快感。但我以下要指出，李小龍身體的自我呈現，與香港及中國武俠電影傳統的陽剛性有重大差異，反而可視為（被）殖民欲望的彰顯。

中國武術電影中的「俠」，講求男性情誼與義氣，並被要求散發忠勇、誠信、名譽、寬容、大度等儒家化的道德價值，服裝打扮與談吐往往是展演氣質及文化內涵重要的一環。李小龍自創那膾炙人口的「東方」「哲學」，把本來強調人際關係的俠義精神個人主義化，置換成原子化的個人處世方案，如“Ultimately, martial arts is about expressing yourself,”及Be water”，「以無法為有法，無限為有限」等，但同時指武術必須「實用」：「武術必須實用，如果我們練習的武術不能用於實戰，我們為什麼要練習它呢？不能實戰的武術不算武術！」㉚，可以說是在翻譯一種個體因時制宜、靈活變通並需要突出自己、以格鬥戰勝為目的的方法，比較接近在現代資本主義社會中功利主義的求存訓練與策略。在遇上對手時，他那作為個人標記的、脫去上衣，與出手前的嚎叫，也大大偏離中國武術文化傳統以隱忍克制為大宗的陽剛性。在五十至六十年代，有哪一種陽剛符號，也是透過光禿禿的上身及嚎叫來呈現的？

一九七一年，李小龍的一名私教弟子賽．溫楚布（*Sy Weintraub*）向華納（也是後來邀請他出演《龍爭虎鬥》的公司）其中一位董事引薦李小龍，這位董事發現李小龍可能適合出演一部他們正在籌劃的電視劇。美國廣播公司（ＡＢＣ電視臺）於是跟李小龍磋商。這部電視劇是敘述少林和尚金貴祥（Kwai Chang Caine）在美國西部尋親的故事，雖然電視劇創作人接納了許多李小龍對內容提出的建議，該劇後來甚至定名為《功夫》（*Kung Fu*，一九七二—一九七五），但最後電視臺還是決定起用完全不懂武術的白人大衛．卡拉定，原因是李小龍「太中國」（too Chinese）了。

李小龍當時的引薦人賽．溫楚布是好萊塢名人，在跟李小龍學功夫之前，他事業上最大的成就，在於一九五八年購下《泰山》電影及電視版權，並把泰山帶到世界各地拍攝，於一九五九－一九六八年間製作：*Tarzan's Greatest Adventure*（《泰山鋤奸記》，一九五九，尊古拿文〔臺譯：約翰．吉勒明〕），*Tarzan the Magnificent*（《泰山擒兇記》，一九六〇，羅伯特．戴），*Tarzan Goes to India*（《泰山征服巨象國》，一九六二，尊古拿文〔臺譯：約翰．吉勒明〕），*Tarzan's Three Challenges*（《龍虎鬪三關》，一九六三，羅伯特．戴；在泰國拍攝），*Tarzan and the Valley of Gold*（《泰山決戰黃金谷》，一九六六，羅伯特．戴；在墨西哥拍攝），*Tarzan and the Great River*（《泰山大戰野人河》，一九六七，羅伯特．戴；在巴西拍攝），及 *Tarzan and the Jungle Boy*（《泰山血戰紅人村》，一九六八，羅伯特．戈登；在巴西拍攝）等，更破天荒地把泰山拍成電視劇，在一九六六至一九六八年間在ＮＢＣ電視臺播放，共五十七集。ＣＢＳ電視臺再於一九六九年重播。出演泰山電視劇的Ron Ely（羅伊．艾利）最為人津津樂道的，正是他在所有打鬥場面中（包括在與動物搏鬥時）都堅持自己真身上陣，所以據報身上至少積累十七處傷患。

一九六五年香港電視廣播有限公司（無綫電視）成立，需要大量節目填充播放時間，於是購入不少英美電視劇並將之配上粵語，包括當時十分流行的《功夫》及《泰山》等劇集。這當然不是一個獨特於香港的情況。這些節目都成為六、七十年代伴隨很多第三世界家庭生活及年輕觀眾成長的節目。在一個叫《冷戰童年》的網站上[31]，有一篇題為「泰山」的個人回憶。作者寫到每個周日下午，所有大大小小鄰居十幾人擠進一個房間，在一部「奇蹟似」開得動的黑白電視上「看泰山在樹與樹之間飛來飛去又尖叫而不會有人叫他不要吵，這就是快樂」。[32]這篇看來跟冷戰並沒有明顯關連的文章中，可見在全球急促美國化的五十至七十年代，在中產物質文化並沒普及但身體卻被高度馴化的社會中，凝視、消費及嚮往白人男性享受著他的殖民遺產所賦予的，天地任我闖的優越感、無拘束的個人主義，以及被他身體內化（embodied）的開放性、純淨、自由想像，讓人暫時忘卻在地物質與自身的匱乏，正是我們不少人共享的冷戰經驗。泰山以（半裸）身體打造的陽剛性作為工具，把英國的殖民主義翻譯成美國夢供全球消費的符像。在香港作為野孩子，靠在街頭打鬥存活（如在非洲森林的叢林邏輯？），但又對周遭華人社會不失優越感的李小龍，是否也在電影中透過召喚粗獷主義，來表達一種對於英美陽剛性典型模範，早已內化深藏的殖民渴望，然後學習把這種渴望翻譯成美國夢？

武術英雄

李小龍自編自導自演的《猛龍過江》，是香港電影史上第一部在歐洲取景的影片，當年打破了東南亞幾乎所有地區的票房紀錄。電影的高潮設在古羅馬競技場（鬥獸場），李小龍單人匹馬與國際空手道冠軍羅禮士決鬥。本書第二章提到，武俠片一大特色可以說是強調身體、尚武精神與自然風土三者間的關係，也同時需要把這三種元素（及其組合）景觀化；自然風土是俠士逍遙自在、不受約束的外在呈現，也是確認俠士精神與武藝的殿堂。對在戰後香港成長、沒「鄉」可回、自少在天主教會學校（香港稱「貴族學校」）讀書、深受殖民都會現代性洗禮的青年李小龍來說，古羅馬競技場，就是讓他心生敬畏、可以作為確認並協助景觀化他的精神世界與武藝的殿堂，他的「自然風土」。這個位列中古世界七大奇蹟、被認為是歐洲古文明的標誌性建築物，不但是古典時期帝皇展示權力的象徵，也是角鬥士展現武藝、狩獵及戲劇表演、奴隸爭取自由的場所。不僅如此，古羅馬競技場在天主教傳統中，也有非比尋常的宗教意涵。約在六世紀末，競技場內部建築了小教堂；自一七四九年，競技場作為文物受保護，是因為早年有基督徒在此殉難，故宣布其為聖地，也成為近現代羅馬天主教舉行儀式的場所，包括教宗若望保祿二世生前每年都在此紀念殉難烈士。十八世紀時教宗本篤十四世，從古羅馬競技場開始「苦路」（*Via Crucis*／耶穌上十架前的一段路）行程。二十世紀六十年代，古羅馬競技場再次在人們的視野中出現，正因為教宗聖保祿六世在一九六四年恢復了這項傳統。李小龍千辛萬苦選擇這裡作為他編導電影的最重要場景，他想像的那種武術英雄主義，其中的悲壯或自我犧牲情緒，是必須與歐洲文明——尤其與當中的天主教及其苦行傳統——接軌的。

一九七〇年八月十三日，李小龍在鍛鍊時沒做充分熱身，扛著一百二十五磅的槓鈴做「體前屈」時，嚴重傷及腰部，檢查後醫生診斷為第四腰椎神經永久受損。醫生告誡他不能再踢腿。他在床上躺了三個月後，無法接受自己為永久性傷殘，自此他將長期服用止痛藥。這時候李小龍還不到三十歲，電影事業才剛起步。在往後出版的李小龍著作及他妻子琳達寫他的傳記中，可見他對自身的體能訓練，要求嚴苛，強迫自己鍛鍊身上每一寸肌肉，即使身體受重創後仍從沒鬆懈。[33]在拍攝華納兄弟公司製作的《龍爭虎鬥》時，李小龍的腰傷並沒有痊癒，以致拍一些尤其強調腰腹力量如後空翻、側手翻接後翻飛騰過人牆等高難度動作時，有著腰傷的李小龍需要借用替身元華來完成動作。[34]為了演出時減少衣服上的汗印，讓他的動作拍起來更好看，他進行了移除腋下汗腺手術。拍攝《龍爭虎鬥》期間工作過勞，據載至少有七次以上頭痛發作，需要暫緩，甚至有一次昏倒在錄音室，數小時不省人事。這次倒下後約十星期，他就一睡不醒了。[35]

為了擺脫華人陽剛焦慮與創傷，拒絕面對自身的局限，一生刻苦耐操，仰望成為好萊塢巨星，贏得美國主流市場的垂青；李小龍奮不顧身、追求完美與目標的意志、無邊的渴望，成就了他的英雄傳奇，也協助製造了他曇花一現的悲劇。

殖民與冷戰現代的雙重暴力

有別於成果豐碩，對李小龍的已有論述，本章討論李小龍作為一位深受二戰後香港文化及留美經驗建構，並隨著香港社會經歷本土經濟文化轉型，在美國主導的冷戰格局和高度壓縮的資本殖民現代化過程中，所產生的大量憤懣與焦慮的標誌性案例。李小龍作為電影文化符像，代表香港這個歐洲自由世界在亞洲前沿，必須在全球現代化、東亞逐漸步入新自由主義經濟過程中爭先，（在電影情節及在流行程度上）擊敗競爭對手，並同時在冷戰布局下，在中國無法向外輸出文化時，向美國市場銷售香港所代表的中國性。這些必須與歐美無縫銜接、東方主義化的中國性，成為心理與情感糾結的龐大規訓力量，體現了六、七十年代殖民現代與冷戰現代性疊加在香港的文化構成，製造給個人身體看似風光卻實在無法承受的壓力。這也是香港電影中一直暗藏著的，一種有異常能量的危機與動力，在往後討論八、九十年代的香港電影中會再探討。

本章承接第二章，繼任彭年與鄔麗珠後，重溯李小龍一個同樣跨地域的人物故事。三、四十年代上海與五十至七十年代香港，所經歷的現代化與面對的西方現代性，程度上自然相當不同，所以電影中所顯示的焦慮與欲望的力度（含對外及對自身的殺傷力），與殖民現代、陽剛構築、宗教精神，及美國冷戰主導的新秩序等關係，自亦不同。兩章並置，可把中國早期武俠打鬥片、洋化羅賓漢類型、民國間諜片與香港功夫武打片等作為同一連續體審視，探討這些變種類型如何繼承又歪離於中國現代武俠傳統，來回應當下不斷變化的現代性，從而把中國及香港電影研究放回其特定政治文化脈絡中，尋求有別於過去歐美電影研究既定框架的進路。

註釋

①Bruce Lee, "An Actor: The Sum Total," in *Bruce Lee: Artist of Life*, ed. John Little (Boston, MA: Tuttle Publishing,1999), 218-219.

②李香凝：〈靈魂和肌肉一樣，沒操過就不會變壯〉，《似水無形：李小龍的人生哲學》，廖桓偉譯，臺北：大是文化，二〇二一年，頁一五三。

③如Hsiung Ping Chiao, "Bruce Lee: His Influence on the Evolution of the Kung Fu Genre," *Journal of Popular Film and Television* 9,no.1 (1981):30-42; Leon Hunt, *Kung Fu Cult Masters*. London (England: Wallflower Press, 2003); Eric Pellerin, "Bruce Lee as director and the star as author," *Global Media and China* 4,no.3 (2019): 339-347; Lindsay Steenberg, "Bruce Lee as gladiator: Celebrity, vernacular stoicism and cinema," *Global Media and China* 4,no.3 (2019) 348-361，等。

④如David Bordwell, "Aesthetics in Action: Kung Fu, Gunplay, and Cinematic Expressivity," in *At Full Speed: Hong Kong Cinema in a Borderless World*, ed. Ching-Mei Esther Yau (Minneapolis: University of Minnesota Press, 2000), 73-93; David Bordwell, "Richness through Imperfection: King Hu and the Glimpse," in *The Cinema of Hong Kong: History, Arts, Identity*, ed Poshek Fu and David Desser (Cambridge, UK: Cambridge University Press, 2000),113-136; John Kreng, *Fight Choreography: The Art of Non-Verbal Dialogue* (Boston, MA: Thomson Course Technology,2008); Steven Shaviro, *The Cinematic Body* (Minneapolis: University of Minnesota Press,1993)，等。

⑤如Daniele Bolelli, *On the Warrior's Path: Fighting, Philosophy, and Martial Arts Mythology* (Berkeley, CA: North Atlantic

Books, 2003); Paul Simmons and the Editors of *Kung Fu Monthly*, *The Power of Bruce Lee: An Illustrated Analysis of Bruce Lee's Fighting Systems* (Tullamarine: Castle Books, 1979); William Sin, "Bruce Lee and the Trolley Problem: An Analysis from an Asian Martial Arts Tradition," *Sport, Ethics and Philosophy* 16, no.1 (4 January 2021): 81-95; Wayne Wong, "Nothingness in motion: Theorizing Bruce Lee's action aesthetics," *Global Media and China* 4, no.3 (2019):362-380、等。

⑥ 如Paul Bowman, *Theorizing Bruce Lee: Film-Fantasy-Fighting-Philosophy* (Amsterdam: Rodopi, 2010); Paul Bowman, *Beyond Bruce Lee: Chasing the Dragon Through Film, Philosophy, and Popular Culture* (New York: Columbia University Press, 2013); Stephen Chan, "The Fighting Condition in Hong Kong Cinema: Local Icons and Cultural Antidotes for the Global Popular," in *Hong Kong Connections: Transnational Imagination in Action Cinema*, ed. Meaghan Morris, Siu Leung Li, and Stephen Chan(Hong Kong: Hong Kong University Press, 2005), 63-79; Casey High, "Warriors, hunters, and Bruce Lee: Gendered agency and the transformation of Amazonian Masculinity," *American Ethnologist* 37, no.4 (2010): 753-770; Brian Hu, " 'Bruce Lee' after Bruce Lee: A life in conjectures," *Journal of Chinese Cinemas* 2, no.2 (2008): 123-135; Daryl Joji Maeda, "Nomad of the Transpacific: Bruce Lee as Method," *American Quarterly* 69, no. 3 (September 2017): 741-761; Gonzalo Maier, "Bruce Lee en Chile: ironía y parodia en Fuenzalida de Nona Fernández." *Symposium: A Quarterly Journal in Modern Literatures* 71, no. 1 (2017): 38-49; LeiLani Nishime, "Reviving Bruce: Negotiating Asian Masculinity Through Bruce Lee Paratexts in Giant Robot and Angry Asian Man," *Critical Studies in Media Communication* 34, no.2 (2017): 120-129; Vijay Prashad, "Bruce Lee and the Anti-imperialism of Kung Fu: A

Polycultural Adventure," *Positions* 11, no. 1 (Spring 2003): 51-90、等。

⑦ 如Chris Berry, "Stellar Transit: Bruce Lee's Body or Chinese Masculinity in a Transnational Frame," in *Embodied Modernities: Corporeality, Representation, and Chinese Cultures*, ed. Fran Martin and Ari Larissa Heinrich (Honolulu, Hawaii: University of Hawaii Press, 2006), 218-234; Chris Berry and Mary Farquhar. *China on Screen: Cinema and Nation* (New York: Columbia University Press, 2006; Hsiung Ping Chiao, "Bruce Lee: His Influence on the Evolution of the Kung Fu Genre," *Journal of Popular Film and Television* 9, no.1 (1981): 30-42; David Desser, "Making Movies Male: Zhang Che and the Shaw Brothers Martial Arts Movies, 1965-1975," in *Masculinities and Hong Kong Cinema*, ed. Laikwan Pang and Day Wong, (Hong Kong: Hong Kong University Press, 2005), 17-34; Siu Leung Li, "Kung Fu: Negotiating Nationalism and Modernity," *Cultural Studies* 15, no. 3-4 (2001): 515-542; Kwai-cheung Lo, *Chinese Face/Off: The Transnational Popular Culture of Hong Kong* (Champaign, IL: University of Illinois Press, 2005; Kam Louie, *Theorising Chinese Masculinity: Society and Gender in China* (Cambridge, UK: Cambridge University Press, 2002; Tony Rayns and Scott Meek, *Electric Shadows: 45 Years of Chinese Cinema* (London: British Film Institute, 1980; Stephen Teo, *Hong Kong Cinema: The Extra Dimensions* (London: British Film Institute, 1997)、等。

⑧ 如Avron Boretz, *Gods, Ghosts and Gangsters: Ritual Violence Martial Arts and Masculinity on the Margins of Chinese Society*, Honolulu: University of Hawai'i Press, 2010; D.S. Farrer and John Whalen-Bridge, eds., *Martial Arts as Embodied Knowledge: Asian Traditions in a Transnational World* (Albany : State University of New York Press, 2011)、等；亦可參https://chinesemartialstudies.com/2019/06/24/revisiting-marginality-in-the-martial-arts/。

⑨ 李小龍母親何愛瑜在上海成長。對李小龍傳奇貢獻最大的幕後功臣鄒文懷，也是在上海成長。鄒文懷是廣東潮州人，畢業於上海聖約翰大學，其主要助手何冠昌也是在上海讀新聞的。「鄒文懷是我所認識的非上海人中，唯一說上海話而全無破綻者（何冠昌也相當好，但仍有破綻）。」張徹：〈「嘉禾」的另闢途徑——獨立製片人制度〉，《回顧香港電影三十年》，香港：三聯書店，一九八九年，頁六八—七〇。

⑩ 根據張卓慶回憶："They discovered that Bruce was not a full blooded Chinese because his mother was half German and half Chinese. The seniors got together and put pressure on Professor Yip Man and tried to get Bruce kicked out of the Wing Chun School. Because racism was widely practised in Martial Arts School in Hong Kong, the art was not allowed to be taught to foreigners. Professor Yip Man had no other choice but to bow to their pressure, but he told Bruce that he could train with me and Sihing Wong Shun Leung. But most of the time we trained together." "Grandmaster William Cheung Talks About Master Bruce Lee." https://www.jkdlondon.com/grandmaster-william-cheung-talks-about-master-bruce-lee/。

⑪ 李小龍：〈論哲學與武術〉，《李小龍：生活的藝術家》，約翰．力圖編，劉軍平譯，香港：三聯書店，二〇一〇年，頁六二—六三。

⑫ 參連民安、吳貴龍編：〈李小龍與細路祥〉，《星光大道——五六十年代香港影壇風貌》，香港：中華書局，二〇一六年，頁一三—一四。

⑬ 張徹：〈「嘉禾」的另闢途徑——獨立製片人制度〉，《回顧香港電影三十年》，香港：三聯書店，一九八九年，頁八二。

⑭ 據說童年李小龍最怕兩個人，一個是父親李海泉，另一個便是吳楚帆。只有這兩個人足以在片場把頑皮的李小龍震懾。參沈西城：〈嘮囌王吳楚帆〉，原載《蘋果日報》，二〇一五年十月十一日。https://collection.news/appledaily/articles/4NSOPBSENTMV6SPYQF26ERLSMU；https://read01.com/3zGkxKK.html。

⑮ 鄭杰：〈成名以後〉，《李小龍：不朽的東方傳奇》，林奕慈、林子揚編，臺北：大都會文化，二〇一九年，頁二七〇。

⑯ 「至於李小龍在《精武門》穿白色學生裝的造型，則顯然是受我《報仇》中姜大衛造型的影響了。」張徹：〈「嘉禾」的另闢途徑——獨立製片人制度〉，《回顧香港電影三十年》，香港：三聯書店，一九八九年，頁八五。

⑰ 李小龍分別在西雅圖（一九六三）、奧克蘭（一九六四）與洛杉磯（一九六七）創辦「振藩國術館」。

⑱ 如鄭杰：〈龍之初〉，《李小龍：不朽的東方傳奇》，林奕慈、林子揚編，臺北：大都會文化，二〇一九年，頁四五。

⑲ 張徹：〈「邵氏」的勃興——香港式的好萊塢〉，《回顧香港電影三十年》，香港：三聯書店，一九八九年，頁五一—五三。

⑳ 李小龍愛玩手槍，經常去郊外進行射擊。「有時候李小龍也會把自己打扮成西部牛仔」；「那時，李小龍的英語並不好，還有口吃的毛病，在課堂上不敢發言，怕被大家嘲笑，又不知道應該如何面對這種情況，自尊心極強的他對此很是焦慮。」鄭杰：〈西雅圖〉，《李小龍：不朽的東方傳奇》，林奕慈、林子揚編，臺北：大都會文化，二〇一九年，頁六四—六五。

㉑ 強調這點的敘事不少，如〈李小龍拒拍辮子戲，追求實戰自創截拳道〉：https://lujuba.cc/zh-tw/63760.html：「我不願賤賣自己，如果為了一個角色而辱及我、我的民族和武術，我寧願餓死！大部分都是想讓我扮演拖著辮子的角色，我拒絕了。」鄭杰：〈好萊塢〉，《李小龍：不朽的東方傳奇》，林奕慈、林子揚編，臺北：大都會文化，二〇一九年，頁一三七。李小龍生活在美國的六十年代，美國正颳起傅滿州熱，包括電影：《傅滿州的面孔》（*The Face of Fu Manchu*，一九六五，唐・夏普）、《傅滿州的新娘》（*The Brides of Fu Manchu*，一九六六，唐・夏普）、《傅滿州的復仇》（*The Vengeance of Fu Manchu*，一九六七，傑瑞米・薩默斯）、《傅滿州的血》（*The Blood of Fu Manchu*，一九六八，赫蘇斯・佛朗哥）及《傅滿州的城堡》（*The Castle of Fu Manchu*，一九六九，赫蘇斯・佛朗哥）。傅滿州博士，被視為歐美流行文化中邪惡天才的代表。

㉒ 引自二〇二三年八月三十一日潘惠蓮臉書。

㉓ 參香港金融管理局網站：https://www.hkma.gov.hk/chi/about-us/the-hkma-information-centre/exhibition-area/historical-timeline/。

㉔ 鄭杰：〈龍之初〉，《李小龍：不朽的東方傳奇》，林奕慈、林子揚編，臺北：大都會文化，二〇一九年，頁三二。

㉕ 李小龍為何被喇沙開除的故事，在不同的李小龍傳記中有不同版本。另一說是他在校持刀恐嚇一名與他不合的老師，跟他在《人海孤鴻》中阿三的角色異常相似。參Matthew Polly, *Bruce Lee: A Life* (New York: Simon & Schuster, 2018), 47。

㉖ 李小龍的自我鍛鍊端賴西洋拳擊格鬥器具，包括頭盔、拳套、護身、護脛、護膝等，他更請好友李鴻新特別替他打造大量訓練用器械。見 Bruce Lee, "Jeet Kune Do and the Art of Cultivating Optimism (1967-1970)," in Bruce Lee, *Letters of the Dragon: An Anthology of Bruce Lee's Correspondence with Family, Friends, and Fans 1958-1973*, ed. John Little (North Clarendon, VT: Tuttle Publishing, 2016), 85-140。為了擺脫中國傳統武術範式的掣肘，他甚至特別請李鴻新替他製作一個迷你墓碑，上寫：「紀念一位曾被狗屁倒灶的傳統，填滿與扭曲的流動之人。In memory of a once fluid man crammed and distorted by the classical mess」。李香凝：〈理解你的無知，審視每個「應該」〉，《似水無形：李小龍的人生哲學》，廖桓偉譯，臺北：大是文化，二〇二一年，頁九四。

㉗ 鄭杰：〈龍之初〉，《李小龍：不朽的東方傳奇》，林奕慈、林子揚編，臺北：大都會文化，二〇一九年，頁四四。

㉘ 〈李小龍致信詠春師兄：我已對中國傳統武術失去信心〉，https://kknews.cc/culture/mr55qbp.html。張卓慶亦成為武術家、海外詠春大師，https://en.wikipedia.org/wiki/William_Cheung。

㉙ 李小龍短暫的一生受不少情同手足的男性兄弟情誼所滋潤，除張卓慶外，還有黃淳樑、小麒麟（陳元宗）、嚴鏡海、木村武之、李俊九、李鴻新等等。

㉚ 〈李小龍拒拍辮子戲，追求實戰自創截拳道〉，https://lujuba.cc/zh-tw/63760.html。

㉛ "Tarzan." https://coldwarchildhoods.org/portfolio/tarzan/。

㉜ "The neighbor from downstairs invited everyone to his place, his black and white TV was miraculously working again. Children stormed the staircase, got into the neighbor's room without knocking, so did the kids next door. All the parents came in last. Everyone, twelve people or so, small or big, found a seat in the one room apartment[……]"; "watching Tarzan fly between trees screaming without anyone shutting him up, that was happiness."

㉝ 根據李小龍自己的筆記，每次的鍛鍊包括：兩套八至十二次的上膊頭和上舉、將負重槓鈴從地板舉到肩膀並推到頭頂 、兩套八至十二次的槓鈴彎舉、兩套八至十二次的靜後推舉、四套六次的斜托啞鈴彎舉、四套六次的俯坐彎舉、三套十次加重伏地挺身、三套八次的槓鈴彎舉、三套六至八次的頭後臂屈伸、四套啞鈴旋轉、四套坐式腕彎舉、四套腕彎舉、仰臥起坐、高踢、伏地挺身等。

㉞ 「元華也在採訪中表示，李小龍只會側手翻。」鄭杰：〈最後的歲月〉，《李小龍：不朽的東方傳奇》，林奕慈、林子揚編，臺北：大都會文化，二〇一九年，頁二八四。

㉟ 關於李小龍死因，說法與研究甚多，大致上是推論他可能工作過勞、缺乏休息與中暑（移除腋下汗腺亦加強中暑機率）。較詳細如：鄭杰：〈最後的歲月〉，《李小龍：不朽的東方傳奇》，林奕慈、林子揚編，臺北：大都會文化，二〇一九年，頁三三一—三四五；"On July 20,1973, Bruce Lee died from heat stroke. It is the most plausible scientific theory for his death. Consider the timeline. Ten weeks earlier on May 10, 1973, Bruce Lee collapsed after working in a boiling hot room. He displayed multiple symptoms of central nervous system dysfunction (nausea, vomiting, staggering, collapse), and his temperature was dangerously elevated—the two diagnostic criteria for hyperthermia. Bruce had a long history of being vulnerable to heat. His risk factor was increased by sleep deprivation, extreme weight loss, and the recent surgical removal of his armpit sweat glands." Matthew Polly, *Bruce Lee: A Life* (New York: Simon & Schuster, 2018), 473.

第八章

風花雪月：李翰祥的回眸[1]

我爸爸不會說小孩子不許看風月片，我們也去看他拍的風月片。他的床底下有很多黃色雜誌，我們一早就看過了，沒有什麼稀奇。他的態度是，你不要禁止小孩子去看，小孩子就不會覺得很稀奇，就會很自然地接受。當時我們還念中學，他肯定覺得這些電影沒有壞的意識，自己的兒女也可以看。那時不只我一個人看，我的弟弟妹妹也一起看。②

他的三級片對服裝、道具、燈光等，一點都不馬虎，很注重藝術性。對別人的批評，他有時也會發點牢騷，但也僅此而已。他說：「我拍自己喜歡的東西罷了，真的很不堪入目嗎？我倒覺得很不錯呀。」③

當我開始重新思考邵氏風月片的文化意涵時，我以為只是在香港豐盛浩瀚的電影歷史中尋找失落的遺珠，頂多透過數十年後的歷史距離，重寫一些些曾被埋沒與打壓、不被正視的文化組成。原來的動機是透過探討風月類型片如何作為一個多年來勾引觀眾（包括我自己）的論述場域，以審視香港電影中一些久被貶低但龐大而複雜的感召、知性與政治權力，並借助歐美過去對色情的管制及爭論，嘗試探究把李翰祥風月片作為一種色情片範例來解讀的可能性，與其所揭示的文化政治意涵。

孰料初稿在香港二〇〇七年發表不到兩個月，香港的執法機關與基督教保守勢力便聯手開展一系列明目張膽地打壓性言論的動作，並且主力針對學術研究與文化論述，使香港社會進入了一種嶄新的、不斷查察與掃蕩性再現、性言論的清教狀態。這系列的動作，對於在上世紀七十年代成長，基本上看風月片長大的我這一代香港人來說，顯得格外不可思議。這一歷史氛圍，大大改變了這小小章節的意義，迫使我重新面對在上世紀李翰祥借風月片來如何超前回應香港性言論空間的急劇變化，究竟他看到香港社會殖民與冷戰疊加的現代性構成一些什麼面相。本章重新審視昔日風月，企圖更了解當時風靡一時的「情慾電影潮流」曾經為香港創造的文化與政治可能性。

據說每逢市場不景氣便是色情片興盛之時。色情片在香港電影大量出現首先是在一九七〇年代初。正當李翰祥從臺灣失意剛重返香港邵氏之際，李小龍驟然巨星隕落，導致功夫片無以為繼，電影工業當時又遇上免費電視節目的激烈競爭，雪上加霜產生危機感，需要借助色情影像刺激觀眾，製造新鮮的景觀。值得注意的是，七十年代初也是中美破冰、兩國展開乒乓外交、尼克遜（臺譯：尼克森）訪華，臺灣頓失後盾，美國在亞洲的文化冷戰也隨著轉型的歷史時刻。色情電影第二次冒起，是在一九八八年香港電影分級制度開始實施後，加上八九年中國民主運動的挫敗，六四鎮壓大大加深了香港觀眾對自身未來處境的恐懼，於是在一九九〇年代色情片又開始流行，三級片風行一時。這樣看來，色情電影似乎是社會面臨文化危機時，需要舒緩壓力、平衡心理的一種迫切手段。

我K的叫情色，你K的叫色情

李翰祥（一九二六－一九九六）對華語電影史的貢獻，一般被認為是「開創」（其實是承繼）了黃梅調地方戲曲片，及史詩式宮闈片，以大卡司、大格局見稱，但他拍下（大部分自編自導）為數不少的風月情色作品，卻鮮被認真論及。如果不得不提到李翰祥在七十年代重回邵氏後拍的一系列風月片，也多以他被邵逸夫所迫[4]，「屈從於金錢」、「自甘媚俗」[5]或「低品味」[6]、「犬儒地（cynically）放棄了作為一個藝術家所必具的信念及應履行的義務」[7]，對電影失去信心，變得庸俗低級[8]等。細觀李翰祥的創作脈絡，當他在拍《金瓶雙艷》（一九七四）時，他同時在籌畫《傾國傾城》（一九七五）及《瀛台泣血》（一九七六）兩片，獲第十二屆金馬獎最佳劇情片、最佳女主角、最佳美術設計等。正因《傾國傾城》、《瀛台泣血》在大陸內部放映的良好口碑，讓他得以滿足後來回京拍片的宿願（不惜從此被臺灣封殺）。[9]在《傾》與《瀛》兩片之間，他又拍了《捉姦趣事》（一九七五）與《騙財騙色》（一九七六）。當他為了一場武松打老虎，無論如何找不到一隻合適的真老虎而奔走於曼谷、洛杉磯等地時，他同時在籌備《火燒圓明園》（一九八三）與《垂簾聽政》（一九八三），同年又完成了《皇帝保重》（一九八三）。對於一個這樣運籌帷幄、大刀闊斧、不隨流俗又能力非凡的電影作者，論者如何斷定他拍宮闈片時是嘔心瀝血、考據歷史、製作嚴謹，而拍風月片時則是犬儒低俗、「信心失落」的宣言呢？[10]這種把高／低、雅／俗的文化二元對立，放諸於李翰祥極其龐雜的創作軌跡身上是否合適？由香港電影導演會及臺灣國家電影資料館聯合贊助出版的《永遠的李翰祥》，全書一百四十四頁，仔細記述他的二十多部「代表作」，其中只有一頁寫《大軍閥》（一九七二）及一頁寫《武松》（一九八二），對他拍過的其他二十多部風月片皆不置可否[11]，重塑歷史的程度頗為驚人。

李翰祥，一九二六年生於遼寧錦西，六歲時舉家遷往北京，後就讀於北平藝術專科學校西畫組，跟時任北平藝專校長徐悲鴻習畫，因「沈崇事件」參加遊行被開除。一九四八年赴香港，曾替永華電影公司做美工、道具、演員等。一九五四年進入邵氏。一九五七年大陸黃梅戲電影《天仙配》（一九五五，石揮）在港上映，李翰祥深受啟發，遊說邵邨人製作黃梅調電影，果然成功；《貂蟬》於一九五八年上映收入超過三十萬港元，打破了香港國語片票房紀錄。他於是繼續推出《江山美人》，之後還有《楊貴妃》（一九六二）、《武則天》（一九六三）、《王昭君》（一九六四，李翰祥離開邵氏之後上映）等。一九六三年，國泰正準備拍攝《梁山伯與祝英台》（一九六四，嚴俊）。為了能夠趕在國泰版《梁祝》前上映，李翰祥承命趕工，十五個工作日替邵氏版《梁祝》殺青，此片創下了全臺上映一百八十餘天，票房八百多萬新臺幣，打破中外影片在臺的賣座紀錄。一九七五和一九七六年李翰祥拍攝了對他意義重大的清宮片《傾國傾城》和《瀛台泣血》，讓他開拓了在大陸發展的機會。

就在《梁山伯與祝英台》風靡港臺的一九六三年，李翰祥在電懋老闆陸運濤支持下離開邵氏到臺灣自立門戶，結果發現做生意比自己拍電影要難得多。一九七〇年代重回邵氏後，李翰祥的作品在類型上發生巨變，藉著他本人深厚的國學功夫和古典美學造詣，從過去開創黃梅調電影轉移至探究古代床事。《大軍閥》是李翰祥重返邵氏後的首部作品，把許冠文帶入影壇，表面上是一部古裝喜劇，但片中叔嫂關係、軍閥姨太等情節已經具備風月意味，其中更以狄娜全裸作為賣點。稍後《風月奇談》（一九七二）正式開啟風月片創作路向，此後有《騙術奇中奇》（一九七三）、《北地胭脂》（一九七三）、《風流韻事》（一九七三）、《一樂也》（一九七三）、《金瓶雙豔》、《醜聞》（一九七四）、《聲色犬馬》（一九七四）、《港澳傳奇》（一九七五）、《捉姦趣事》、《洞房艷史》（一九七六）、《拈花惹草》（一九七六）、《騙財騙色》、《風花雪月》（一九七七）、《子曰：食色性也》（一九七八）、《軍閥趣史》（一九七九）、《鬼叫春》（一九七九）、《銷魂玉》（一九七九）、《武松》（一九八二）等。這段時期李翰祥創作力驚人。除了風月外，同一時期創作多部宮闈片：《傾國傾城》、《瀛台泣血》，以及後來的乾隆系列：《乾隆下江南》（一九七七）、《乾隆下揚州》（一九七八）、《乾隆皇與三姑娘》（一九八〇）、《乾隆皇君臣鬥志》（一九八二）。到一九八〇年代李翰祥將精力轉到北上與內地電影製片廠合作，開啟了中港合拍片的先河，為梁家輝的伯樂，創作了《火燒圓明園》（一九八三）、《垂簾聽政》（一九八三）等清宮片，並向香港影業示範了如何挪用中國龐大的文化資源以豐富香港電影創作的底蘊，彌補香港電影長期以來在空間建設、歷史資料發掘與再現上的不足。一九九〇年代對風月片與金學仍然念念不忘，又拍攝了《金瓶風月》（一九九一）、《少女潘金蓮》（一九九四）等。李翰祥風月片不僅在人物造型、美工置境、場面調度等方面匠心獨運，更透過風月片超越過去古裝片美與醜、真與假、善與惡、是與非的對立，探索人性欲望包括性、物質、金錢等的本質及構成，可以說是他從臺灣挫敗經驗收穫的人生智慧的呈現。

李翰祥對電影史的一大貢獻是他取材自晚明色情文學傳統，開創風月片潮流，但這也是他最不被重視及未被認真討論的部分。論者喜歡把他的風月片與一般的色情片劃分開來，強調前者的「樂而不淫」，彷彿風月／樂是較「高尚」、「雅」，而色情／淫，則為鄙俗、下賤；這種劃分跟論者常把「色情」（pornography）與「情色」（erotica）的再現兩者劃分開來相似。[12]「情色」與「色情」的劃分與界定，是一個歷史性的、至今頗為普遍的法律與文化構築。性的再現，由人類文明開始有再現（繪圖、書寫、雕刻等）就出現，但色情這概念卻是歐洲進入現代化，如英國進入維多利亞時期才被發明出來。在此之前，雖然有的性行為會被法制規範，但性再現的流通（觀賞描繪性行為的圖畫或物品）並沒受制度化的規管（即間或有某套書或某幅畫像被燒掉或「秘密」收藏，但並沒一套專門界定與查禁性意象的法則），直至十九世紀，龐貝古蹟逐漸出土，一直以羅馬帝國後裔自居、生活在維多利亞時期的歐洲人才驚詫地發現，古羅馬帝國的生活中遍布對多種性行為、性器的直接描繪（如陽具形狀的油燈）。當時維多利亞時期的人不知所措，從一八一九年開始，儘量把可移動的文物鎖在那不勒斯的「秘密博物館」，只讓上流社會男性觀看，不能讓女性、兒童及勞工階層接觸。[13]

「淫褻」的階級性

一八五七年，全世界第一條把色情罪刑化的法律在英國議會誕生，名為淫褻刊物法（Obscene Publications Act）。[14]根據一八六八年John Duke Coleridge男爵對淫褻下的定義，是「令人墮落及腐敗」（to deprave and corrupt）之物，這也是後來不少法官（如一八八八年Lord Justice Cockburn）沿用對淫褻的定義。但究竟什麼才構成「墮落及腐敗」，在每一個社會中都爭喋不休。根據二〇〇七年九月二十七日修訂的英文維基百科網址，「色情」是對人體或性行為的明顯再現，目的在於性挑逗。但是否所有含撩人力量的人體再現都被視為色情？「性挑逗」是來自物品本身，還是來自觀者的目光？對於那些製作時不一定旨在挑逗，但觀賞時卻可能有挑逗效果的影像與物品（如有裸體的大量文藝復興名畫）又應如何界定？欣賞歷史文物，如龐貝古蹟，及大英博物館中不少珍品，是否都會因淫褻法被罪刑化？為了解決隨著色情這類別的誕生應運而生的一堆疑難，於是「情色」（erotica）這概念被發明。對於維多利亞時期至今的不少社會菁英來說，「色情」與「情色」的分野似乎是再明白不過。當住在英國的印度裔作家勞什迪（Salman Rushdie）說，一個社會自由與文明的程度應取決於它有多接受色情[15]，《印度時報》（*The Times of India*）的作者兼副編Jug Suraiya立即回應說：「讓我們不要混淆——如勞什迪般——色情與情色。情色是欲望複雜的圖表，充滿危險、神秘，鼓勵無窮探索。色情則是一個被某人看的簡表，領人入一條死胡同，目的地是欲望的幽閉症。〔……〕情色是肯定生命的，色情是否定生命的。〔……〕但最後分清情色與色情的是時間的考驗。」⑯

Suraiya最後提到「時間的考驗」這點，讓我們以英國近代最有名的淫褻刊物案作一例子參考。英國作家勞倫斯（D. H. Lawrence）在一九二八年寫的小說《查泰萊夫人的情人》（*Lady Chatterley's Lover*），到一九六〇年企鵝出版社才敢在英國本土出版。那是因為一九五九年英國議會新修訂的淫褻刊物法中訂明，文學及其他嚴肅藝術作品應不受淫褻法管限。這可說是在法律上促成了「情色」這類別的產生。但企鵝出版社仍然被告，當時的主控官Mervyn Griffith-Jones問：「這種書你會讓你的太太或僕人看嗎？」⑰作家E. M. Forster、藝術史學家Helen Gardner及文化研究學者Raymond Williams等皆是此案的專家證人。最後企鵝出版社被判無罪，《查泰萊夫人的情人》成了文學名著，後來還改編成電影，自此英國對出版含性再現的刊物尺度也大大放寬。從此案可看到所謂以「時間的考驗」來定位色情與情色，只會使色情這法律類別更自相矛盾、更不可能被執行。如果《查泰萊夫人的情人》是在一九二八年的英國出版，那勞倫斯及其出版社大概都會被控且罪名成立。小說在三十多年後仍差點被定罪為淫褻，要靠專家學者們嘲諷主控官看法落後於當時社會標準才險獲勝訴。「時間的考驗」的邏輯是：由於小說後來終被判為非色情，故它從來便不應被懷疑為色情嗎？那色情作為一種法律的類別，豈非是永遠無法被當下界定與執行？

如果以《查》書的例子來說明，時間的進程可使物品的色情性或情色性自動顯現，那龐貝古蹟文物的例子正好質疑物品本身是沒有恆常不變、本質上的色情性。李翰祥的電影可說也經歷類似龐貝文物的軌跡（當然時間上短很多）。李氏大部分的風月片拍於香港電影未有分級制之前，即對任何電影皆未有觀眾年齡上的限制，但當二〇〇七年香港電影資料館舉行「江山多嬌人物風流——李翰祥電影回顧」時，不少放映電影卻被香港影視及娛樂事務管理處評級為IIB（青少年及兒童不宜）或III級（只准十八歲或以上人士觀看）。即在七十年代香港當時沒被認為是色情的影像，在八十年代後期至今卻被定位為色情。換句話說，這「時間的考驗」也可看成是非常模稜兩可，隨機緣巧合、論述的爭持與權力的斡旋而改變。政治的開放與緊縮（包括性／別政治），並非一個線性的過程。從本書中探討的香港三十至九十年代的電影再現中可窺見，當有些性相的呈現在電影中顯得多元開放，另有不少性相（及）政治位置在電影中卻似乎變得日益單一保守。

查看英文維基百科，在它解釋「色情」那頁上，第二句便說「它（色情）與情色相似。情色為以性逗人的意象，作主要藝術用途」，並申明「兩者之間界線經常甚為主觀。在實際情況，色情可被定位為某些人視為『淫褻』的情色」。如前引Jug Suraiya的分野，跟那些把李翰祥風月片定位為「樂」而非「淫」一樣，不但極其主觀與含糊，而且明顯帶有知識菁英偏見：聰明人／知識分子／文人雅士看的是情色，笨人／勞動階層／賤民看的是色情。主控官Griffith-Jones把「色情」的定義說為「不可讓你的太太及僕人看的書」，「色情」這論述的建立（相對於情色及其他）也是為了鞏固某些階層的文化特權而出現及被建制化。歐洲「色情」這類別作為一種文化類型的建構跟孕育了西方現代性的一些重要歷史時刻緊緊扣連[18]：文藝復興、科學革命、啟蒙運動、法國大革命。隨著十八世紀末、十九世紀初印刷技術的發展，教育、印刷品的普及化，本來只有一小撮社會菁英才能享受到的「性的再現」，變成可被不同階層獲取與消費。這些社會菁英為了鞏固自己的階級特權，尤其是男性間可以持續享受觀賞女性身體的特權，所以需要製造「色情」這法制及文化上的類別，以管制及規範性意象的流通。同時，急劇的城市化、核心家庭的出現、小布爾喬亞文化與中產階級的崛起，製造了一個複雜的社會規控網絡，把性原來有的各種公開面向規範到私人的空間裡去，把性私有化及家居化。壓抑色情，而強調情色，一方面儘量強調其隱晦指涉的想像空間，「靈性」上的意義，或要求其有所昇華，另方面把性意象的再現非性化，貶低明顯性素材（sexually explicit material），及其刺激感官的功用與效果。這種假設背後隱藏的是對性的一種道德批判、對身體欲望與需要的排斥，既虛偽也一廂情願。為什麼性一定要被「昇華」成其他東西（比如情）？色情再現所帶來的想像空間是否跟感官刺激相對立？大部分消費情色或色情意象的受眾是否會在不受感官影響的情況下得到「昇華」？到底受眾要的真是「昇華」嗎？「昇華」究竟是在滿足誰的標準？

「情慾電影潮流」

專門研究香港電影工業及市場走向的影評人陳清偉這樣寫：

一九七二年情慾電影潮流再現，李翰祥執導的《風月奇譚》，楚原執導《愛奴》帶來新刺激，分列當年票房第五與第十八位。〔……〕一九七三年，龍剛執導《應召女郎》票房名列第三，李翰祥的《風流韻事》與《北地胭脂》票房分別〔為〕第五與第六。〔……〕四十大電影，有十三部情慾電影上名。

一九七四年，情慾電影潮依然烈，李翰祥《聲色犬馬》、《金瓶雙艷》與《醜聞》，分列票房第四、六與十五位。〔……〕到了一九七六年，情慾片再度抬頭，四十大電影有十一部屬於這類電影，李翰祥繼續成為這個潮流的領導者。⑲

換句話說，李翰祥拍的風月片，帶領著七十年代的「情慾電影潮流」，不但是當年電影的三大主流之一（與武打及喜劇鼎足而立），而且百花齊放，題材極之多樣化。單是在七七年的四十部最賣座電影中，除了有李氏的《風花雪月》外，還有程剛的《應召名冊》、呂奇的《才子名花星媽》、孫仲、桂治洪合導的《香港奇案之四「廟街皇后」》、邵氏集體導演的

《紅樓春夢》（何夢華、華山、孫仲、牟敦芾）、文華的《香港艾曼妞》、桂治洪、牟敦芾的《香港奇案之五「姦魔」》。可見除了李翰祥專長的古裝艷情外，當下也流行不少時裝片，而且有文藝愛情（《香港艾曼妞》）、驚慄恐怖（《廟街皇后》、《姦魔》）、八卦時事（《應召名冊》）等副類型。論者曾把這時期色情與暴力電影的湧現，形容為一種「狂暴發洩」、「新潮流影響」、「日漸大膽開放的性片」、仿效六、七十年代在歐美開始大行其道的性（剝削）片等。[20]

但香港七十年代的「情慾電影潮流」有它特定的文化背景。香港電檢處的尺度隨著歐美電影尺度放寬，一些較大膽的暴露鏡頭開始能獲得通過。[21]無綫電視於一九六七年啟播，為香港市民提供免費娛樂與新聞資訊。早期倚賴購入外國的電視製作，如美國、日本和臺灣片集，至七十年代中，則逐漸加強本土製作。[22]隨著電視普及化，電影需要尋找與開拓電視無法播放的影像。[23]這些都是助長色情片蔚然成風的因素。

一九七八年九月二十七日，香港中文大學學生會發布了一份《黃菌・黃潮・黃禍：香港色情問題研究》的報告書[24]，其「研究的目的」是：「色情問題日益嚴重的今天，有關當局却〔卻〕未能採取有效措施，抑制色情泛〔氾〕濫。而社會人仕〔士〕對此亦無大反响〔響〕，這些都是令人担〔擔〕心的。」於是，「憑著百多位同學的熱誠，自五月開始，我們就工作了整整四個多月。」根據研究統計所得，香港製作之「色情電影」，於一九七四年八月一日至一九七八年七月三十一日四年間，共占總數的百分之二十八點八。研究再統計了於一九七七年九月至一九七八年八月間，全港平均每天放映「色情電影」占總數的百分比，與每天放映「色情電影」的影院的百分比，也發現大概是在百分之二十與三十左右。研究的問題意識是：「若果假定觀眾會受電影的影响〔響〕，那麼跟著的問題便是含有色情成份〔分〕的電影侵蝕的對象是誰」。研究方法是向十五至二十五歲之間的青少年發出一千七百份「性觀念調查」問卷，收回一千三百多份，又向一般人發出一千九百份「市民意見調查」，收回一千四百份有效問卷。結果發現，曾經觀看「色情電影」的青少年占一半。其中一條問題是：「在進入色情電影院時，他們有否感到不自然，或恐防被親友見到的心理負擔呢？」結果答「有」的男性在職與男學生比例分別為二十三點七與四十二點九；女性在職與女學生比例分別為四十九點三與五十點九。

這份研究中可見，七十年代的「情慾電影潮流」確實是當時香港電影工業製作量相當高的類型，而且不論在產量與放映量都歷久不衰，對於不同年齡層，包括青少年，均具備吸引力。有趣的是，教育程度愈高，看色情電影的心理壓力愈大；女性觀眾比男性觀眾的心理負擔也更大。這份研究由香港菁英大學生〔當時香港只有兩所大學：香港大學與香港中文大學〕提出與執行，大前提正是要「抑制色情泛〔氾〕濫」，也許顯示了當時香港菁英教育體系具備的去性、反性特質，以致讓百多位大學生表達非常主動積極、充滿「熱誠」的「擔心」。也可見香港社會根深蒂固的性別歧視問題，以致女性比男性的性自主能力薄弱許多。

至尊寶

鮮有人論及，色情電影浪潮的誕生與香港婚姻制度對性再現的影響。七十年代，香港社會步入急劇都市化及中產階級化，各種性身分及行為隨之被建制及法治化。一九七一年，香港法律正式建立一夫一妻婚姻制，藉以打壓妾侍、妹仔等中國家庭習俗，並同時把非異性戀、非單元、在婚姻制度外的各種性愛關係邊緣化。七十年代是李翰祥創作風月片的高峰期，在這樣的時空中創作風月色情片，是否可看成是挪用前現代中國文化中諸種未被家居、法治化的性意象，來回應香港漸被文明、公民、教育規訓的情慾空間？

> 我聽說以前上海有位紅舞女王文蘭女士，花名至尊寶，得名的由來很特別，原來有一天在她家中宴客，圓枱〔檯〕面一共坐了十四位，「十三男與一女」，都赫赫有名，不是電影明星，就是舞臺上的名伶，個個都和她有肌膚之親，所以，綽號人稱至尊寶——通吃。抗戰後，她來到香港，仍操故業，依然通吃，有一天午夜回家，在尖沙咀金巴利道碰見了一位暴露狂者，〔……〕見她走到身邊，解開衣帶，把不文之物掏了出來，王文蘭站穩身形，大大方方的〔地〕看了他腰下一眼，然後用上海話說了一句：「操那，嘎小個〔媽的，真小個〕。」扭頭就走，那位還沒聽懂：「乜嘢？〔什麼〕」至

尊寶一回身補充了一句斯文的粵語。「丟，咁細〔草，那麼細〕！」

電影界還有一位名演員，〔……〕他參加朋友的婚禮之後半路上忽然想小便，站在街邊解開褲扣，剛要動作，後邊警察大叫一聲：「隨街小便？」「啊……誰說我小便？拿出來看看不行嗎？」然後低下頭感歎了一聲，「唉，老樣子，還是老樣子，真是五十年不變！」㉕

這是李翰祥在《東方日報》專欄「天上人間」中，寫過的無數鹹濕笑話中之兩則。只短短一節，可見：李翰祥真愛「淫婦」，這位大小、男女通吃的至尊寶小姐在李氏筆下即使「重操故業」，但絕不可憐，並不是男權制度的犧牲者、受害者，反而是「大大方方」、顧盼自若、處變不驚，三兩下板斧便把此「性騷擾事件」擺平。（如果今天在家門外遇上同樣情況你會怎樣：尖叫？嚇得昏倒？報警？還是拍照放上社交媒體爆料？）李翰祥對淫婦充滿尊敬、欣賞、仰慕，不然不會寫得如此繪影繪聲，形神俱備。這跟他的風月片，甚至是他其他類型片中對男女權力關係，及對女性角色的處理同出一轍，可見他把女性的「好色」，視為一種自信、權力的來源，而且鉅細無遺地透過文字（再現）把這種權力合理化、去汙名化。

上述「隨街小便」的笑話，正可以看成是對香港現代法制強調「公私分明」、迫使我們的身體行為在公共地方受嚴格規範的一種嘲諷，也是對回歸前中港政治論述（「五十年不變」）的揶揄。「暴露狂」與「隨街小便」這兩則笑話及當中反襯的男女，透過李翰祥精妙的形塑，正好幫助我們重新思考李氏色情電影中對性與性別、性政治與權力等命題。

這是你會讓「他們」看的嗎？

八十年代，色情電影潮流本來告一段落，但一九八八年，香港政府開始執行電影分級制，所有屬於「三級」的電影，被訂明為「只適合十八歲以上人士欣賞」，為色情片帶來新刺激。於是「一九九一年，情慾電影再進一步，葉玉卿的三級三部曲：《情不自禁》、《卿本佳人》與《我為卿狂》分列第廿三、廿八與卅七位置，而古裝的《玉蒲團之偷情寶鑑》更列第十七位置，《聊齋艷譚續集五通神》則列第廿八位置」。[26]這裡所謂的「再進一步」，並非指情慾片獲得比從前更高的票房或市場占有率，而是捲土重來後，尺度比七、八十年代的更開放。那是因為電影三級制的審查制度，一方面放寬了對電影中情慾再現的管制，使從前一些不能見的性意象變得可能；但又同時建制化了對觀眾的年齡規限（特定的觀眾年齡層被重新界定為接觸某一種性再現的目標），改變了電影中運用性意象的自由與限制。這是審查論述兒少化的里程碑，就是先假設某一年齡以下的人士為「心智未成熟」，「不宜接觸性言論」，於是以「保護」他們之名來針對性言論作出審查。

從上世紀九十年代開始，「保護兒童」成了一隻百搭麻將，差不多任何社會議題都以兒童的名義為大前提，從而博取關注與支持。說到性侵犯要高舉「保護兒童」，討論性傾向歧視立法變成「鼓吹下一代做同性戀」，談社會賭博風氣首先抗議「青少年賭馬」及「馬會培養賭馬接班人」，連談理財心得都以「幫助子女建立正確的金錢觀」為名。[27]香港的人口出生率全球排名一百五十八，可謂相當低（新加坡排一百零九，美國排一百三十一，澳門排一百三十五，北韓排一百四十一）。[28]社會論述的兒少化，除了是由於「物以罕為貴」外，還至少表現出中年人對年輕人的想法與行為充滿迷惘、不解而引起的焦慮、不安，需要高舉「保護」之名來重新鞏固自身的權力。當被看成充滿性意象的《查泰萊夫人的情人》快要變成暢銷書，代表英國白人、男性、中產階級權益的主控官自然變得很沮喪絕望，因為男人正在失去操控他的太太、主人正在失去操控他的僕人（可以看什麼、可以有什麼性想像）的權力。

二〇〇六年底，香港中文大學學生會出版的《中大學生報》（下稱《學生報》）增設「情色版」，旨在校園中開拓討論性與欲望的空間，二〇〇七年五月初遭一位神學院實習傳道人向各大報章投訴，經報章渲染報導後[29]，中大校方向《學生報》編委會發出警告信，提出可能會紀律處分學生。[30]數天後，淫褻物品審裁處（下稱淫審處）把《學生報》二〇〇七年二、三月號評級為「第二類：不雅」刊物（第三類為淫褻），即不准向十八歲以下人士發放。由於《情色版》二、三月號刊登了一份問卷調查及結果，十四條問題有一條問題問讀者有否試過幻想與父母親或兄弟姊妹做愛，另一條問最想與什麼動物做愛，這些也是傳媒重點渲染為涉及亂倫及人獸交的部分，故一般猜測是這份問卷內容被判不雅。但在《學生報》對初判作出上訴的過程中，淫審處於六月二十日答代表《學生報》律師的信中卻指，被評級的是「所有明顯描繪各種性行為及其他性活動並造成情色效果載有文字的物品。整體而言，所有描述及描繪性及效果之物品均為不雅」。[31]由於《學生報》的發放渠道包括中學及書店（讀者含十八歲以下人士），若刊物評級維持原判，《學生報》編輯可能需要負上刑責。最高刑罰為港幣四十萬及入獄十二個月。

本章重點並非在評論本世紀初曾經轟動香港的這起新聞事件（後來更導致不滿評級的市民發起投訴《聖經》、《格林童話》、《莎士比亞全集》、《美女與野獸》、《尋秦記》等，及後又有投訴影視署行動，足以令香港申訴專員公署投訴信箱爆滿而拖垮電腦系統一天），而是藉這案例延伸出來的一些觀察與問題，豐富對香港風月片與色情言論的脈絡化探討。從《學生報》事件可見，色情在香港，經常是一個高度政治化的議題，誰有權力主宰什麼可被看見，及誰有權看見？這事件導致淫審處被揭發，原來其三百多人的審查員中不少有基督教或天主教背景[32]；影視處也被揭發長期資助宗教團體，惹利益輸送之嫌。[33]其中一名審查員蔡志森也是過去十多年來非常積極地反同居、反賭博、反同性戀的基督教團體明光社總幹事。他多次在公開場合中評論事件時，均指考量《學生報》是否不雅應以「你是否願意給你家中的小朋友看？」為大前提[34]，並把「十八歲以下人士」等同「心智未成熟」，跟Griffith-Jones主控官四十多年前的邏輯非常相似。對性作出管制是香港這前英國殖民地中基督教會，維護其長期享有的教育及文化滲透特權的橋頭堡，九七後難以維護特權的焦慮演變成更聲嘶力竭的打壓異己。規範色情在於顯現國家意識形態機器的權力，而討論色情（及討論色情之被規管）——如《學生報》事件所引發的，卻可使「先前不可讀的（unreadable）但無所不在的國家權力逐漸變成可辨識的」。[35]色情及它所受的規範與引起的論爭，正好協助我們看清社會的權力構成及各種政治抗爭的可能。

值得注意的是，無獨有偶，本章引述的兩份學生調查皆來自香港中文大學學生會。一九七八年的調查是學生作為社會上少數的年輕知識分子，鑒於擔心當時大眾消費的電影類型對青少年有不良影響（從報告的題目已經清楚可見調查的取向：「黃菌．黃潮．黃禍」），所以進行調查並向公眾發表報告，旨在喚起公眾意識，警醒民心，並同時暗示自己作為社會菁英的崇高，以俯視式的教誨姿態審視流行文化。二十九年後（二〇〇七年），香港中文大學學生會出版的《中大學生報》上發表的調查對象主要以大學生為主，由於受到社會上公民團體投訴，學校、執法機關及輿論運用公權力追究刊物上的性言論是否越軌、觸法、是否符合大眾對大學生的預期等，而且被認為越軌的學生需要承受的責難、可能付出的代價也大大提高。把這兩個案例並置，可見香港社會在這三十年間，性言論的規訓權力從少數已然擴散、轉移到多數，政府借助宗教團體監察社會尤其是小眾與年輕人的道德行為；公民社會包括與政府審查系統利益糾纏不清的宗教團體，成為龐大的規訓力量，把性再現非常迅速地道德化。

色字頭上

Laurence O'Toole在他討論色情的專書*Pornocopia: Porn, Sex, Technology and Desire*中認為：「現代色情是有關幻想與挑逗的。其他一切，不論是革命性、教育或哲學的，都是非常嚴格地（被認為）次要。如果它（色情）企圖不只是這樣，那通常就會妨礙了色情（的效果），並很可能不再是色情。在色情的國度，很少會看見錄映帶的內容會有政治評論。」[36]O'Toole在描繪當代美國的情況。色情再現作為一種特定的文化表達語言，可以協助我們了解在既有的時空脈絡下一些無法在其他公共場域中言說（或被消音）的主體與議題。[37]在歐美文藝史中，從薩德侯爵（Marquis de Sade）、王爾德（Oscar Wilde）、巴代伊（Georges Bataille）到帕索里尼（Pier Paolo Pasolini），色情論述經常被挪用為一種社會批判，成為向政治或宗教勢力挑戰的動力。換句話說，色情的社會意義很大程度上來自在特定時空脈絡下企圖打壓、操控它的道德、建制、宗教權力。反色情的論述主要在於色情的內容侮辱女性、強化性別定型、降低性關係的素質、把強姦等性暴力合理化；色情工業的運作模式歧視女性；（男性）消費色情強化對男性情慾的支配與操控等幾方面。[38]批判風月片的學者也持類近的論點：「李氏風月片中女性的性相受到壓抑，只作為（滿足）男性欲望的性物而存在。〔……〕風月片最壞的地方是它假設性是庸俗粗鄙的，一種跟吐痰與放屁同級的人類行為。」[39]但把色情描述成男性壓迫女性最主要的來源[40]，或作為男性暴力行為的原因：「色情是理論，強姦是實踐」[41]，不但把男性的性心理、性相高度簡化，把觀賞再現與行為之間看成為必然的因果關係，更先假設了性再現的受眾必定是男性，性意象必定是男性心理想像、欲望的載體。

如果我們仔細看色情作為一種歷史政治構築的脈絡，色情是被國家規範機制模塑成一種只有各種特權階級才能用的物品。性再現與「只供男性（或成人或知識分子，如此類推）享用」從來沒有一種必然的、本質上的關係。與其說色情再現的生產與消費是女性壓迫的來源或延伸，不如說規範及打壓色情才是把女性被置於邊緣位置的歷史及意識形態合理化與自然化。打壓色情再現的建制總是製造出不能享用色情的「假想敵人」；管制色情把獵巫行動合理化。打壓色情是理論，打壓弱勢才是實踐。一九九二年，加拿大政府接納激進女性主義陣營的遊說，通過一系列反色情條例。諷刺的是，遭殃的竟是同樣被認為是女性主義的女同志色情書刊及影片。[42]二〇〇四年香港基督教家庭服務中心耆性資源輔導中心舉辦「色情傳媒文化與長者何干？」活動，聲稱「發現」色情刊物「不單影響心智未成熟的青少年，原來人生經驗豐富的長者，亦會深受當中錯誤的性觀念和扭曲的兩性形象所荼毒，影響身心健康與家人的關係。」[43]從《學生報》事件審裁處發出的「澄清信」中可見，只要有性意象，便有打壓的藉口。

卡維波（甯應斌筆名）提出要「認真看待色情」，並以類型研究的方法，把色情如武俠、偵探、羅曼史、科幻等大眾文化類型一樣，看成一種自成系統的特色文類。[44]這種研讀與書寫位置，首先是要把色情再現與性行為經常被反色情人士說成是必然而直接的因果關係脫鉤。「淫褻」的法律定義「令人墮落及腐敗」，其實是預設了色情再現，有加強人負面行為的力量。但不少臨床研究已經顯示觀看暴力再現只會導致更少的暴力行為；觀看軟性色情也對消費者的性行為不構成任何改變。[45]所以似《學生報》這樣企圖討論有關亂倫或動物戀的性幻想，並不能製造鼓勵讀者作出亂倫或動物戀行為的效果。我在本章企圖把李翰祥的風月片當成為一種色情電影的副類型來作文本分析，也是要提出一種較細緻的、閱讀色情再現的方法，因為每一個色情文本既是屬於一種文類，有類近的遊戲規則，又同時都是獨一無二的。每一個文本（及分析、評論該文本的論述）都可以協助開拓及改變整個文類的可能性與限制。

香港電影資料館在二〇〇六及〇七年與李翰祥的兩位女兒作的訪談中（文首引），都強調李翰祥以他拍的風月片作為家庭教育的材料，而且認真看待自己的風月片創作。在二〇〇七年三月三十一日，香港電影資料館舉行的座談會上，李殿朗再一次回憶小時父親愛帶她們數姊妹一家大小去看他拍的風月片，又說當她中學時開始對設計有興趣，父親便鼓勵她多看家中的《花花公子》（*Playboy*）雜誌。根據李殿朗的憶述，李翰祥明顯不同意「孩子或女子不應接觸色情素材」這一套，還視色情讀物作為發展女兒心智的資源。同時，李翰祥的電影一直強調與探索女性的主體性，古裝宮闈與黃梅調片中有《貂蟬》、《江山美人》、《楊貴妃》、《武則天》、《王昭君》、《西施》（一九六五，李翰祥）及由《傾國傾城》開始一系列關於慈禧太后的作品，許多中國歷史上曾掠奪權力（從床上到皇上）的名女人都被他拍了。在李氏的編導下，這些被歷史認為是禍國殃民的紅顏禍水一一得以重新被正視，比起那些窩囊胡混、受封建制度害了一生、但又不斷強化制度的皇帝或書生們，這些女人時而強悍、時而淫蕩、時而剛強鐵腕、時而溫柔婉弱，但總是頭腦清醒、敢愛敢恨、當機立斷、非常知道自己要什麼並全力以赴完成自己的夢想。[46]她們的性主體跟她們的政治主體互為表裡。甚至在臺灣國聯時期的時裝寫實主義作品《冬暖》（一九六七，李翰祥），老吳羞於自己的階級，加上與阿金年齡的差距，與世俗目光的掣肘（二哥一直叮嚀他：「名聲可壞不得」、「男女之事輕浮不得」），使他無法言說自己對阿金的感情，只有待阿金結婚又失夫、抱著兒子回來與他相依為命，深夜裡死拉著老吳不放並質問他：「你真是這樣不喜歡我嗎？」彼此才釋破了近十年的啞謎。在這些電影中，女性的可愛來自她們的敢言敢動、獨立自主，跟歐美女性主義批評好萊塢以男權主導的經典敘事結構剛相反，這些電影的情節推進與感情表達皆以女性主導。透過把李氏不同類型的電影作互文的閱讀，可見在中國歷史中女性如何一直被置於一個「色情」的場域，她們被視為有「太多的性」（太敢於表現欲望、體態等），也是有「太多權力」的一種隱喻。故重新理解這些電影的意義與力量，也是幫助我們重新理解性別權力關係的必須策略。

為潘金蓮翻案

在云云的風月片中，李翰祥曾經五次重拍《金瓶梅》，自成一個跨越二十多年的系列。《風流韻事》中「天下奇書」一節，為翌年用原班人馬拍的《金瓶雙艷》探路。後者被認為是風月片類型代表作，也奠定了胡錦（飾潘金蓮）與恬妮（飾李瓶兒）兩種女性性感形象。後來參考《水滸傳》中武松與潘金蓮的故事拍成《武松》，又加重李瓶兒的部分拍成《金瓶風月》，最後重寫潘金蓮的一生而成《少女潘金蓮》。這多部以金瓶梅故事為題的電影，在描寫性愛場面方面，一部比一部大膽露骨，明顯可見李翰祥不服從於風月片等於「不羶不腥」，叫人「回味無窮」、「意淫」[47]的遊戲規則，也可見李翰祥如何把電影看作一種可不斷被重寫的文本，為同一個文學作品、同一段民間傳說，提供層出不窮的詮釋與註腳，而且也敢於面對自己每一部作品時代的局限，展現作品中有可供補充、重寫的勇氣與胸懷。[48]潘金蓮被《水滸傳》定性為「淫婦」，由於與西門慶有婚外情，又毒死武大郎，被武松尋仇：在武大郎靈前「扯開（潘金蓮）胸脯衣裳。說時遲，那時快：把尖刀去胸前只一剜，口裡銜著刀，雙手去挖開胸脯，摳出心肝五臟，供養在靈前；肐察一刀，便割下那婦人頭來，血流滿地。」[49]武松用床單包著潘金蓮的頭，再去殺西門慶。「無情（男女之情）無欲（性欲）無視女人（尤其是美女）」[50]，是梁山好漢英雄觀的一重要部分，英雄不怕天、不怕地、不怕官府、不怕拚命，但最怕來自女人的誘惑。潘金蓮的美色、對武松的挑逗，加上與武松作為叔嫂的亂倫禁忌，對武松形成很大的威脅。《水滸傳》之後，不少人企圖為潘金蓮翻案：周作人指出，施耐庵寫殺潘金蓮一段寫得「特別細緻殘忍」，甚至「有點欣賞的意思」，[51]是對女性的一種虐待心態。魏崇新則有四個男人論：強姦少女潘金蓮、「貪淫無恥的糟老頭子大戶」；「醜矮無能的武大」、「打虎英雄（但不懂領情的）武松」，及「風流詭詐的西門慶」。潘金蓮被張大戶送給武大，武松又無情地把她推給西門慶。「她是男人手中的玩物，是男性世界中的受害者，是男權專制的犧牲品，是封建道德祭壇上的羔羊」。[52]不少企圖為潘翻案者，或歌頌她為追求自由戀愛的叛逆女性，或對她沉淪、被（男權）犧牲的命運表示惋惜。《金瓶梅》中特寫潘金蓮天性的淫蕩（順從張大戶多於被迫），並一一鋪排她各種妒恨與歹毒的行徑（不單害武大也害了宋蕙蓮、來旺、李瓶兒、官哥，最後更為滿足性欲要了西門慶的命），致使論者即使同情她出身卑微、「心靈脆弱」，但仍不得不指斥她的「命運悲劇」來自她身心的全面「墮落」。[53]換言之，大家說替潘金蓮翻案，都逃不開「潘金蓮並不淫」或「潘金蓮是被（西門慶的）淫害了」兩種格局，只為強化「淫就是惡」的反性意識與道德批判。李翰祥不隨流俗，指為潘翻案的首要策略是必須先認清與面對其為「淫婦」之面相，即她的案根本不用翻。在《金瓶梅三部曲》劇本集的前言〈「金學」研究走火入魔〉一文中，他把潘金蓮的種種淫蕩行徑與神態羅列紛陳，並言：「這位色迷的潘金蓮奶奶，比之今天歐美的三X影片，表演更精彩絕倫吧！」；「像潘金蓮如此的淫蕩，私琴童、偷女婿

（陳敬濟）、誘王潮（王婆的兒子），在宋明間的法律，理應騎木驢、斬首示眾的，她和女婿陳敬濟第一次調情，還是當著西門慶的面前進行的，真可謂大胆〔膽〕過大胆〔膽〕〔……〕」；「您看，活生生的潘金蓮，現於紙上，有人居然要替她翻案，真是，依我說：『翻去吧，潘金蓮是翻不倒的！』」[54]李氏認為《金瓶梅》是一古典文學名著，優於《紅樓夢》，「如果能用中國古典重彩的工筆人物畫作藍本，拍出一種新風格的影片，該多好！」[55]這種「新風格」的電影，就是風月片。

為淫翻案

李翰祥多次重拍潘金蓮的故事，在為她翻案的同時，也在為「淫」翻案。《金瓶雙艷》中「床頭一張臉是千嬌百媚、床尾一雙腳是瘦小彎尖，中間的寶貝是緊暖香淺」的潘金蓮，慨嘆嫁了「軟弱無能」的武大，僥倖遇上風流倜儻、深懂房中術的浪蕩子西門慶，為了跟他在一起，害死武大時不無驚嚇，嫁了西門慶後雖然對西門慶拈花惹草充滿妒恨，但仍夜夜獨守閨房等他。《金瓶雙艷》片首一開始便以潘金蓮與西門慶首次相遇作引子，故意強調西門慶與潘金蓮相互吸引的關係，取代了武松在這民間傳說中的主導位置。西門慶懷疑潘金蓮與琴童勾搭上，把琴童逐出家門，又在房中鞭打潘金蓮。潘滿腔委屈，反駁說：「我告訴你，我是偷過人，我偷過西門慶！」電影把潘金蓮寫成對西門慶一往情深、忠心耿耿，不惜一切贏取西門慶的注意與寵愛，只是西門慶這花心蘿蔔，玩完一個棄一個（從潘到李瓶兒到春梅），辜負了美人心。西門慶在潘金蓮房中擁春梅入懷，潘還掩臉痛哭。李瓶兒的兒子官哥的死，也被改寫成是自己從床上摔下來，與潘金蓮無關。西門慶在潘金蓮的床上精竭而亡一場，更被呈現為是潘為武大的死而內疚，從西門慶服食過多春藥的樣子想到武大的中毒，故把西門慶的頭用枕頭蒙住。李瓶兒也被寫成是對前夫花子虛的死感到內疚，產生幻覺、抑鬱而亡。這些對潘金蓮、李瓶兒的重塑都是從現代人一夫一妻單元情愛關係的想像出發，跟《金瓶梅》小說中的人物、情節有頗大出入。強調潘金蓮的一心不二，更把她寫成追求自由戀愛又忠於婚姻的現代賢妻，只是不幸選錯了人。《金瓶梅》本來便是一個對挑逗欲望性愛活動充滿想像力、複雜多元的文本，只把潘金蓮寫成對西門慶死心塌地、一股腦兒吃醋是《金瓶雙艷》最大的局限。但如果把《金瓶雙艷》原班人馬演出的《風流韻事》與《金瓶雙艷》作文本互讀，便可見李翰祥對《金瓶梅》的詮釋實在要複雜許多。《風流韻事》中有頗長的一場，寫西門慶與蕙蓮在房中作樂，潘金蓮在房外偷看。西門慶點著了蕙蓮乳頭上的催情香，又為她口交，鏡頭特寫蕙蓮歡快叫床的同時，也特寫潘金蓮充滿欲望的眼神。兩者平行剪接，指涉三者欲望的流動與互換。此刻倚在門外昏昏欲倒的潘金蓮是認同蕙蓮還是西門慶的欲望位置，還是二人權力遊戲建立的「欲望場景」（mise-en-scène of desire）？[56]潘金蓮的「妒」在此不再只是一種咬牙切齒的委屈，而催化成一種自我享受、促進歡愉的欲望場域。她跟女婿陳敬濟在後花園扮貓叫來互相勾引，不但更切合她主動尋求的性格，也進一步擴闊電影形塑挑逗藝術的空間。西門慶對蕙蓮（比三寸金蓮更小）的腳的執迷流露的戀物癖（《金瓶梅》的「金」當然是指「金蓮」，「金蓮」的名字當然是指她的腳，故「戀腳癖」可謂是小說敘事的題旨依歸），與各女子共同參與實驗的、彼此都歡快的多樣「皮繩愉虐」遊戲，也比《金瓶雙艷》（潘受虐時總是只有痛苦）的情慾想像更多元大膽。公私（領域）、上下（階序）、男女（性別定型）、痛苦與歡快界限的模糊與逾越，使李翰祥的風月片益發富顛覆性與政治化。

性愛場域、想像的多樣化在《金瓶風月》中更為明顯。《金瓶雙艷》中強調的單對單性行為在《金瓶風月》中發展成三、四P不等（如李瓶兒與西門慶加上兩侍婢、西門慶與潘及春梅），《風流韻事》的潘金蓮偷看西門慶與蕙蓮，在《金瓶風月》中則被進一步擴展成各種多樣化的偷窺：李瓶兒與潘金蓮各自偷看色情讀物（反色情論述不是都假設消費色情的只是男性嗎？）以自慰，看罷還教西門慶按書中般進行肛交。偷看的受眾也不一定是妙齡少女：李瓶兒的奶媽馮媽媽偷看李瓶兒與西門慶時一樣神魂顛倒，打破了「老人沒性」的禁忌。潘金蓮在《金瓶風月》中也不再只局限於被挑逗、被行房、被虐待的位置：她不但勾引琴童（在《金瓶雙艷》中是被誤會的，今次卻是真的），脫光侍女的衣服鞭打她（以前是被鞭打），與西門慶行房也明顯變得更主動。潘金蓮在椅上看西門慶與春梅在床上做，雖然潘金蓮是被綁住，但發號施令的也是她，一而再地叫西門慶「不要停，一定要繼續下去！」。這些場面不但打破各種年齡（從十六歲到六十歲不等）、性別、看與被看、做與被做的框架，也把性相的多元樣態琳瑯滿目地一一呈現，把文本中所有性別（不獨是潘金蓮）的性愛歡愉（「好色」）普遍化。

悍女與變易男

蘇珊．桑塔格在一九六七年閱讀《O孃》（*The Story of O*）時指出，色情可以同時是後設色情，即達到一種反諷自身的效果。色情的想像愛運用文化中既有的人物、場景、動作的常規元素，造成一種充滿典型角色的劇場（theatre of types），然後把這些元素反轉（invert）並作出嘲諷。[57]李翰祥的風月片一方面探索女性作為各種情慾主體，同時也嘲諷各種男女浪漫或婚姻關係，及男性的英雄形象。從前文所引的至尊寶女士與那位五十年不變大哥的對比已可見一斑。《風月奇譚》中最後一節「偷情記」，員外妻想出妙計，請老員外上一棵所謂「淫樹」上觀看所有丫環成裸體、太太與管家公然在園子中歡愛的「奇觀」。對著這色情的場面，老員外在真實（的偷情、憤怒）與虛假（的色情、自我懷疑）之間，被迫瘋了。武松在電影《武松》末段要殺潘金蓮：「我要看看妳的心！」竟遭潘金蓮的反駁：「我的心是肉做的，你的心是石造的！」雖然《武松》在情節上大致跟隨《水滸》，但在人物塑造上，潘金蓮跟西門慶搭上，不過是因為要彌補情感上遭武松的拒絕。潘金蓮的淫來自武松的缺。《水滸傳》中「最毒婦人心」的教訓，在《武松》一片中被轉化成武松「石頭造的心」才是禍根。

《少女潘金蓮》不但是李翰祥對自己的潘金蓮最後的一次補遺與總結，也可被讀成是對數年前的《潘金蓮之前世今生》（一九八九，羅卓瑤）的回應。《潘》片中王祖賢演的現代版潘金蓮被塑造成與武松在大陸相戀，但礙於文革被打壓，輾轉嫁給在元朗（注意：不是香港）開餅店的暴發戶武大郎，重遇武松時一切已太遲。潘金蓮再一次被「翻案」成一位勇於追求個人幸福的現代女性，被武松罵「淫賤」時反駁他說：「你說愛我為什麼不跟我走？你沒膽，你妒忌，你又要扮偉大，我瞧你不起！你殺我啦，你用不著拿你大哥來過橋！」最後武松企圖與潘「重新來過」（香港電影真喜歡「重新來過」，彷彿所有敘事不知怎的，走到一半總會出錯，是香港歷史從來便不對嗎？），但卻遇上車禍，無法回頭。如此把《金瓶梅》收編為一個宿命的浪漫愛情故事，似乎是企圖把潘金蓮作為「淫婦」的汙名洗脫，但過程中卻不惜加強了其他的汙名：元朗鄉下佬武大郎所代表的「低品味」，及西門慶代表的「淫」（「濫交」）、「婚外情」等香港的現代法律制度及道德規範聯手打壓的性愛表達。換言之，「潘金蓮」到了香港八十年代末，被挪用為一個鞏固香港中產階級優越感，反性的激進女性主義符號。是在這樣的社會脈絡下，九十年代初李翰祥再一次重拍潘金蓮，又有不一樣的意義。《少女潘金蓮》中，武松在殺潘金蓮前也被罵：「你他媽的有種打老虎，卻沒種搞女人……西門慶可以三妻四妾，為什麼我便不可以呢？……你這個孬種，根本沒膽跟我在一起，我幹完你，你沒出息，你敢想不敢做，來吧，有種你就殺了我吧，你他媽的假仁假義，假道德，來呀，有種你往下插！」跟《水滸》的描寫很不一樣，潘金蓮此刻是自己撕開衣服、張開胸，以自己的赤裸向武松挑戰，痛哭中的武松看也不敢看她。武松殺了她，與其說是展現他的英雄氣慨、為兄報仇，不如說是承認自己欲望表達的無能，只懂傷害，而不懂承擔愛與被愛。潘金蓮說「幹完」他，在電影前段確實寫潘金蓮在武松的酒中下藥，並爬在武松身上迷姦他。這一場是全片的高潮，清楚可見武松在半醉半醒間如何享受潘金蓮的迷惑，也展演了武松對自我情慾的壓抑；醒來衝到園中跪在雨中大哭，大叫：「我對不起你，大哥！」襯托出道德在武松身上發揮的龐大力量，為日後他必須要殺潘金蓮來發洩埋下伏筆。

陽剛與陰柔，在觀眾的欲望流動間，在不同性別的角色身上流動。性別與性相在風月片中顯得可塑、可變易：潘金蓮一時是被西門慶搞到兩腳發軟、只會叫「你饒了我吧！」的小鳥依人，眨眼間卻又變成是迷姦武松與西門慶的悍婆。在李翰祥的《敦煌夜譚》（一九九一）中，兩個女人（狐狸精與鬼）透過交換一個男人以達致出生入死、互相成全的情誼，不但顛覆性別定型，更提供多邊關係、性別變易性的想像。李氏特意選擇用在《金瓶梅之前世今生》中演武松的單立文來演《少女潘金蓮》中的武松，跟他以前用的狄龍比起來，柔弱矮小的單立文明顯跟小說中的武松差很遠，但單立文演來，又跟小說中的武松一樣不懂愛及不懂接受愛，叫人聯想起香港八、九十年代電影中，一大堆不敢愛、不懂表達專門自怨自艾與自恨的小男人，可說是借古諷今。《少女潘金蓮》中更以單立文一人分飾武松及西門慶兩角，形成文本中兩種男性典型（豪俠、浪蕩子）之間潛在的一種互相批判，加強了潘金蓮的欲望、悲劇的深度，也襯托出男性這種性別的可變易性。

藝術與色情的對立製造不雅

根據Kipnis，（歐美）色情的想像含性別變易性，而變易的總是女性。女性主義（與浪漫小說的）前提卻剛好相反，總認為應改變的是男性。也許最受色情再現影響的正是那些對女性作為一種恆久不變、穩定不移的性別深信不疑的人。[58]Kipnis認為在歐美異性戀主導的色情文化中，女性被男性意識模塑，故常與男性合而為一（一種性別）。但研究中國文化的學者[59]曾一再提出，晚明以降，文學受哲學觀中強調身體物質性的影響，鼓吹「有情有義」的理想人物，不但出現「儒士而兼俠女」、「女俠子」、「烈女」等女性角色，也有不少「癡情」的書生、俠客，其浪漫的典型正來自對男女同體、男身女情等的想像；這些理想人物為欲望與性靈的終極追求、修身的典範。這便帶我們回到本章開頭曾經討論香港法律（承英國）對於淫褻及不雅的定義。管制色情的法律及反色情的論述皆強調色情「令人墮落及腐敗」，並以此界定「淫褻」。同時，香港《淫褻及不雅物品管制條例》二八條，指明凡「有利於科學、文學、藝術、學術或大眾關注的其他事項」，則可免責。這跟一九五九年英國法例修訂文學及藝術作品不受淫褻法約束類近。美國最高法院在一九七三年有名的Miller vs. California一案中，也澄清淫褻必須為「缺乏文學、藝術、政治或科學上的價值」[60]（值得注意的是，香港法例中的免責條款刻意迴避了色情再現可能有的「政治價值」這問題）。這些法例把色情放置在與藝術對立的位置並強化文化產品的等級制，即藝術高高在上，而色情在最底，也假設了色情與藝術的純粹性，但色情與藝術其實兩者皆可以產生性挑逗的效果。[61]薩德與巴代伊的小說、大衛·連治（臺譯：大衛·林區）的電影、聖經，都可能引起色情反應。[62]差異只在於色情作為一種文類，建立了獨特於這種文類的觀眾期望。色情片鞏固男尊女卑、色情片中的男性角色傾向較陽剛及性別固定，這些都是當代色情片一般的觀眾期望而已。細讀李翰祥的風月片，正可看出他如何小心地打破當代色情類型的預期性，使他文本中的藝術性與色情性達到相互助長，而不是相互消減的效果。正是這些挑戰，才可不斷豐富色情文化論述，使色情同時作為一種藝術形式又作為一種普及文類得以持續成長與發展，使色情不但不叫人墮落，反而提供有提升人格的想像、追求理想的可能。風月片建構出一種牽引情慾想像的空間，既是寓言式的，有指涉到深遠的哲學、社會、政治意涵的能量，但也是具象的，充滿人物、情節、場景、動作（李氏說的「古典重彩的工筆人物畫」），同時這些片子能夠把具象的元素變得看來充滿危險與刺激性，以期達到挑逗撩人。在英國法律中，所謂「不雅」是指讓「普通有體面的男女感到震驚、不安或噁心」（Merck 一九九二年引一九七六年英國上議院Denning議員的界定）。香港的審裁指引極其相似，第一項根據是「一般合理的社會人士普遍接受的道德禮教標準」。蔡志森更強調審裁標準「應參照市民大眾可接受的程度」、不應由「影視處職員」或「常常發表意見的專欄作家決定」，而應「每兩年就此作一次民意調查」。[63]這種一切決定「訴諸大眾」的原則聽起來很有民主音調，但以此管制色情言論，正正漠視了色情的政治力量，及我們每人獨特的、無法服從於大眾的心理需要。色情的政治性來自它為各種被主流文化及公眾領域放逐的情欲想像提供得以表達、探索及享受的空間，這些想像與表達經常被社會主流認為是不雅、不道德、不正當、不政治正確。在《風月奇譚》的「畸婚記」與《竹夫人》（一九九四，李翰祥）的「韓家小姐」兩段情節相似的短篇中，二十多歲的女子被迫與富家小孩成婚，女子的男友為了抗議這段向錢看的盲婚，在新婚當夜偷闖豪門，把小孩綁在椅上，好與女友徹夜做愛。門外有權有勢的父親與權貴親朋、家丁官兵等被要脅得束手無策。這些段落尤見色情作為一種裸露與衝擊既定政治、階級及道德權力架構的顛覆力量，以無日無天的性行為赤裸裸抵抗門外官商勾結，挑戰不斷敲打著門要衝入來的家庭、政治制衡勢力，充分體現色情如何被視／用作一種公民抗命。[64]

在女人與人之間，要／做更多

《少女潘金蓮》從潘金蓮的目光出發回望她的過去，進一步強調潘金蓮的主體性與能動力，運用大量潘的特寫與主觀鏡頭，提出向命運的控訴：「我的命不好，從小到大沒過好日子，每次都希望好一點，可是總有事情發生。」加強她對情慾不斷追求的正當性：「每次都希望好一點」。《金瓶梅》小說常被定性為一個偏重男性敘事主體的文本[65]，但李氏的最後詮釋卻開宗明義從女性的視角出發，即使她仍是這文本中（其一）的「被看客體」，但在看的主體也是她，正是在這兩種位置之間，觀眾被引至與要不斷掙扎成為人的女人遇上，不論何種性別的觀眾皆得以認同、理解、感受這女性主體在自我反思她的客體性。《少女潘金蓮》與原著出入最大的一場，即潘金蓮迷姦武松，導演刻意以一組沉靜的深焦、中長鏡頭，在床外、床邊，隔著紗帳、蠟燭、家具遠望、徘徊，與特寫對剪，一方面迫觀眾保持冷眼的距離，同時又更親近誘人與打破禁忌。一如他在宮闈片中常以細節的雕琢強調欲望、權力的物質性，這場的場面調度與鏡頭運用，使觀眾擺盪於作為（無助的、被隨便擺布、被環境囿限的）偷窺者與（全能、把英雄玩弄於股掌之上的）淫婦之間。愈不能即、愈遲緩的引誘愈撩人。

Franklin Melendez 曾指出色情影像的視覺快感來自媒體的功能及物質基礎，其作為一種表達性歡愉及呈現歡愉的中介性（mediatedness），讓場景之被構築，包括商品化（含布景、服裝、燈光等）及其能被複製的特質，成為性歡愉的主導符號；這些都凌駕於身體的展現，於是鼓勵一種特殊的觀看方式，遊走於有事與沒事（重複、熟悉）之間。身體交付給影像的麻醉及引誘力量又企圖抗拒它，正是這種不穩定性製造歡愉。[66]換句話說，色情再現製造的觀眾反應來自再現本身，來自影像的被建構、景觀化與商品化的特質，而不（單）是影像中的性行為。李翰祥在臺灣破產回港後，利用邵氏夢工場的龐大資源，不斷鑽研同一個故事的不同講法、不同拍法，以各種行雲流水的場面調度、華麗的布景、服裝，製造高度商品化的景觀效果，重構經典故事中的色情，可以說也是探討在有事與沒事之間，熟悉與陌生之間，身體給影像麻醉、引誘與抗拒之間，穩定與不穩定之間，電影製造特殊視覺快感的多重可能性。

李氏電影機器也可被看成是在不斷製造永不足夠，又永遠太多的欲望。他鍥而不捨的創作軌跡不斷勾引著孜孜不倦的觀眾，對著銀幕上同樣好色不倦的潘金蓮予取予求。潘金蓮的工作與性，本來便是一組聯喻，互為表裡；在李氏的創作生涯中，再現潘金蓮的生涯（與性），成為他的工作，而他的工作，正是製造與挑引我們的欲望。潘金蓮—李翰祥—觀眾—工作—性，成為連串互相指涉、可彼此代入的聯喻。從《金瓶雙艷》至《少女潘金蓮》，觀眾被迫對潘金蓮在性方面的專長日益自省，這個她被指派，又唯一可供挪用權力的範疇。在《少》片開頭不久，她坐在王婆指派她工作的寢室床上，響應著王婆為一眾性工作者（及媽媽桑們）平反：「你們（婚姻）是批發，我是零售。」但潘金蓮在按王婆指令接客之餘，更不忘向王婆的少年（處男）寶貝兒子王潮施展她的專長，遂把她本來與王婆／王潮的主奴權力關係大搗亂，把王潮俘虜作她的欲望奴隸。

色情滿足我們對多元、持久性（潘金蓮對西門慶「不要停！」）的欲求，讓我們得以暫且逃出責任、道德、習慣、法制的規管，享受想像的自由——自由地想像各種重新分配社會、身體資源的可能性，為各種個人與集體的滿足想像不同的未知，所以色情既是一個異常重要的政治空間，也是一個異常重要的心理空間。「『色情化』本質上為一主體積極介入的詮釋與認知過程。」[67]身體的裸露需要觀者能動性的介入，被「正確地」辨識，才能被建構成色情。Linda Williams 曾運用「互為主體」的概念討論色情，指出女性器官的裸露讓女性觀眾可以透過感受被觀看的身體作為自我的延伸，來經驗一種深刻的主體性，從而獲得欲望的開展與甦醒，而不是一個被動的客體、一個等待被發現的地方，或一件被理想化的物事。[68]

看風月看你

詹明信曾指出，影像「本質上是色情的，即它以製造嗨、不思考的著迷為目標」[69]；活在後現代世界的一大焦慮，是把觀看者的主體經驗縮減至一種抽象的、近乎沒有主體／身體的活動。李翰祥的風月片也可以說是對影像「色情性」的思考。電影中有大量關於偷窺的劇情：《捉姦趣事》中從照相機偷看對面的睡房活動、《皇帝保重》中以望遠鏡偷看李鵬飛偷看《玉蒲團》，當然還有公然在花園偷窺掩門內各種房中活動的一眾角色等等，在在提醒觀眾我們看電影也是在偷窺，只是因為有偷窺這種心理需要，才會有色情，才會有電影。一如《風月奇譚》中的那棵梨樹，由於看者的心理需要，透過受被看者的哄騙，梨樹便變成了淫樹，現實化身為色情。是人對看的渴求與著迷，製造了色情，製造了電影。李翰祥的風月片不斷在提醒觀眾，是我們需要色，所以會看到色，一如我們需要電影。

桑塔格引法國小說中豐盛的色情想像為例，指出性相、性想像、性欲可能是屬於人類意識中最深沉、最鬼魅神秘、最濃郁極端的經驗，使我們突然有施展或嚮往暴力的衝動，或感官上被看來汙穢、噁心的事物深深吸引著。這些都是人類性相多元光譜不可否定的部分，並不只是基督教傳統把身體壓抑成穢物，使社會聞性色變、病入膏肓而製造出來的，也不是只稱性欲是健康自然，淫褻是文化構築就可輕易抹煞。桑塔格提出，正因如此，對於大部分人來說，性狂喜的完整能量是不可即的，因為它充滿危險，容易導致瘋狂或死亡，所以性超越善惡，超越愛，超越理智，也為人提供衝破知性限制的潛藏力量。⑩色情其一最大的意義也在於此。它超越道德，讓我們更面對及了解可能無法全知的，在我們每人身體中的性，及生存狀態的底層意識。在觀眾積極參與製造出來的真假虛實之間，胡錦拋給你一個媚眼，直衝著鏡頭，萬種風情地對你嫣然一笑：「剛才的事都是一場誤會，全都是誤會嘛！」（《捉姦趣事》片末）不單是向觀眾的全情投注，開了一個齒頰留香的玩笑，也是對電影語言，作一次從極度熟悉到陌生化、迂迴、妖媚、深情、淫褻、危險，故也是充滿政治意涵，製造、牽引或滿足各種心理需要，叫你逃不開、丟不掉、無論如何也無法被完全打壓的，凝視。

前現代回眸

八十年代初，我有機會和李導在尖東香格里拉酒店大堂飲下午茶，促膝談心。道及他拍《梁山伯與祝英台》（一九六三）和一批改良黃梅調的古裝歌唱片，深受海外觀眾捧場，得到兩位邵老闆的稱讚和重用。但是面對著我，他自己好像有一點不自在，卻是為何？作為一個有創意才能的導演，雖已名成利就獲獎無數，但這些從摹倣〔模仿〕得來的東西，終不是心頭好，「總」也不好意思直說。〔……〕對於他五十年代曾跟隨「自由影劇會」向進步電影界朋友「策反」的事，他也表示歉意。此時，他已放下了包袱，把另一番心事道出：自從他拍完《傾國傾城》（一九七五）和《瀛台泣血》（一九七六）之後，雖然也獲公司和同業的稱譽和觀眾的欣賞，又得到臺灣金馬獎最佳美術設計獎，但也有內行人指出他佈〔布〕景虛假，不倫不類〔……〕，是故私底下老覺得一些佈〔布〕景和場面不夠理想，如果有朝一日能夠到北京故宮實地拍攝一部清宮故事片，那才是他此生最大的心願。〔……〕原來他身在香港，卻嚮往故都，另有一番大志蘊藏心頭。〔……〕[71]

李氏一生電影作品不下一百一十部，其創作顛峰正逢經濟急劇起飛、被資本主義的工作倫理日益操控的七、八十年代香港。同時，當時兩岸局勢水火不相容，但對電影製作同樣審查嚴格，兩邊的呈現都傾向樣板化。中國大陸正值文革，臺灣鼓吹健康寫實主義；像風月片類型對中國情慾的探索，只有在香港電影工業中才能實現。為中華民國統戰香港影人、失意臺灣，又長期心懷兩岸政治的李翰祥，對於當時香港特有的文化處境與創作優勢，大概了然於心。他對明代風月、中國前現代女色的深切投注，反映在他的工筆水墨畫創作、報紙專欄書寫、大量的古籍考究上，顯現他這一代文人「通古今之變，成一家之言」的文化底蘊，絕非倉卒、一時情緒的宣洩。身體內外與床笫，自古以來在中國菁英與優閒文化傳統中占有異常重要的位置，衍生大量藝術、哲學與物質文明，但中國電影作為洋人輸入的現代性產物，隨著四十年代政治步伐的催迫，離開中國優閒及名士文化傳統日益遙遠。李氏的風月片藉香港對中國前現代尚有記憶的文化氛圍，及不同於兩岸抓緊電影為政宣的政治環境，在殖民現代性被全面普及、全盤內化前的一刻，透過電影繼承並轉化中國源遠流長又迥異於西方的性文化傳統，對中國及香港電影史貢獻匪淺，前無古人，也不可能有來者。本章集中討論李翰祥的風月片，如何呈現只有在當時香港電影中才能製造的目光與性／別位置、才能探索的問題，成為對中國性政治論述的獨特回饋。

李翰祥吸收了古代中國色情文學傳統的開放性，對信奉一夫一妻制的香港社會性／別、情慾觀作了一系列間接但深刻的回應與批判，可以說是在香港文化被急遽推進清教現代的當下，以風月片的多情向他熟悉的前現代告別，為他迷戀的物質與情慾文化留下影像痕跡。如果是這樣，他在中國剛剛進入改革開放、參與資本主義現代性的，八十年代初這歷史時刻，成為第一批回國拍片的非左派導演，而且選擇到北京史無前例地要求實地實景實物展現，拍下古裝清宮片《火燒圓明園》與《垂簾聽政》[72]，未嘗不可看成是來自類近的動機與欲望。

註釋

① 本章部分內容初稿曾於二〇〇七年三月十日由香港嶺南大學群芳文化研究及發展部與文化研究系合辦之「身體與城市空間」工作坊中宣讀，後整理為〈一場緊暖香淺的誤會——李翰祥風月片對「女」與「色」的禮讚〉，《風花雪月李翰祥》，黃愛玲編，香港：香港電影資料館，二〇〇七年，頁八六—九七。現經作者大幅增刪及修訂，並加入新的研究關注、論據與觀點。並謹此向梁碧琪致意，她在二〇〇七年十月邀請我到香港中文大學的「性別座談會」談風月片的色情力量，在當時香港聞色起舞的學術環境中，猶具深意。最後也感激胡錦女士替我簽名與拍照留念，短短的交流，給我的鼓勵、引發的感慨，大概非她本人可想像。

② 何思穎、黃愛玲訪問，藍天雲整理：〈口述歷史：李殿朗〉，《風花雪月李翰祥》，頁一七八。二〇〇六年於李殿朗北京寓所進行。

③ 何思穎、劉嶔、吳詠恩、傅慧儀訪問，盛安琪、藍天雲整理：〈口述歷史：李燕萍〉，《風花雪月李翰祥》，頁一六八。二〇〇七年於香港電影資料館進行。

④ 「『讓我拍風月片？邵先生，您怎麼可以這樣呢？……』李翰祥的胸膛間頓時湧來一股難以克制的怒火。他將邵逸夫遞給他的《風流韻事》的劇本看也不看，在桌上一丟，轉身就衝門而出了（……）」竇應泰：《大導演李翰祥》，哈爾濱：哈爾濱出版社，一九九七年，頁三九一中有這想像力豐富的一段。

⑤ 竇應泰：〈我當然不會做格麗泰．嘉寶〉，《大導演李翰祥》，哈爾濱：哈爾濱出版社，一九九七年，頁四

一〇。

⑥ 張建德：〈李翰祥的犬儒美學〉，《第八屆香港國際電影節——七十年代香港電影研究》修訂版，香港：市政局，二〇〇二年，頁九二。

⑦ 張建德：〈李翰祥的犬儒美學〉，《第八屆香港國際電影節——七十年代香港電影研究》修訂版，香港：市政局，二〇〇二年，頁九二。

⑧ 張建德：〈李翰祥的犬儒美學〉，《第八屆香港國際電影節——七十年代香港電影研究》修訂版，香港：市政局，二〇〇二年，頁九三。

⑨ 可參〈紀念李翰祥〉https://www.yesasia.com/us/yumcha/紀念李翰祥/0-0-0-arid.117-zh_CN/featured-article.html。

⑩ 張建德：〈李翰祥的犬儒美學〉，《第八屆香港國際電影節——七十年代香港電影研究》修訂版，香港：市政局，二〇〇二年，頁九三。

⑪ 宇業熒，〈李翰祥的浮世人生與電影〉一文，詳細闡述李氏一生創作軌跡，當中只有一小段提到「風月電影」，也只是把七三、七四年間李氏拍了的十部風月片片名與演員一概列出，並無一句描述或評語。見宇業熒：〈李翰祥的浮世人生與電影〉，《永遠的李翰祥紀念專輯》，臺灣：錦繡出版，一九九七年，頁一二六—一三九。

⑫ 色情（pornography）與情色（erotica）劃分的辯析，曾被無數歐美學者論及，如Alan Soble曾為各論點作過詳盡的分析。見Alan Soble, *Pornography: Marxism, Feminism, and the Future of Sexuality* (New Haven and London: Yale University Press, 1989), 175-182。本章論及華語影評中對李氏風月片的評價，大多前設這些劃分。

⑬ Walter Kendrick, *The Secret Museum: Pornography in Modern Culture* (New York: Viking Penguin, 1987), 1-32.

⑭ 對筆者來說，這法例的名字又是一次「記憶錯覺」／「似是故人來」（déjà vu），因它跟香港查禁色情的「淫褻及不雅刊物條例」，從條例名稱至內容都十分相似。

⑮ 參Siddharth Srivastava, "Rushdie turns India's air blue," *Asia Times Online*, http://www.atimes.com/atimes/South_Asia/FH18Df03.html。

⑯ Jug Suraiya, "Don't confuse porn with erotica," *The Times of India*. August15, 2004. https://timesofindia.indiatimes.com/india/dont-confuse-porn-with-erotica/articleshow/815524.cms.

⑰ Matthew Wills, "Would You Let Your Servant Read This Book?" JSTOR Daily, November 15, 2021. https://daily.jstor.org/would-you-let-your-servant-read-this-book/.

⑱ Lynn Hunt, "Introduction: Obscenity and the Origins of Modernity, 1500-1800," in *The Invention of Pornography: Obscenity and the Origins of Modernity 1500-1800*, ed. Lynn Hunt (New York: Zone Books, 1993), 10-13。參考Walter Kendrick, *The Secret Museum: Pornography in Modern Culture* (New York: Viking Penguin, 1987), 33。

⑲ 陳清偉：〈香港電影類型、電影潮流的長短期變化〉，《香港電影工業結構及市場分析》，香港：電影雙周刊出版社，二〇〇〇年，頁五〇。

⑳ 石琪：〈情慾的歷程——關於香港色情片的一些脈絡〉，《第八屆香港國際電影節——七十年代香港電影研究》修訂本，李焯桃編，二〇〇二年，頁七八。

㉑ 澄雨：〈呂奇的色情與道德〉，《第八屆香港國際電影節——七十年代香港電影研究》修訂本，李焯桃編，

二〇〇二年，頁九九。

㉒ 龔啟聖、張月愛：〈七十年代香港電影、電視與社會關係初探〉，《第八屆香港國際電影節——七十年代香港電影研究》修訂本，李焯桃編，二〇〇二年，頁一〇。

㉓ 石琪：〈情慾的歷程——關於香港色情片的一些脈絡〉，《第八屆香港國際電影節——七十年代香港電影研究》修訂本，李焯桃編，二〇〇二年，頁七八。

㉔ 香港中文大學學生會之黃菌黃潮黃禍研究籌委會：《黃菌．黃潮．黃禍資料報告書：香港色情問題研究》，一九七八年。調查由香港中文大學學生會、崇基學院學生會、新亞書院學生會、聯合書院學生會聯合主辦，報告現藏於香港中文大學圖書館（HQ471.H84）。

㉕ 李翰祥：〈「至尊寶」王文蘭〉，《銀海千秋》，香港：天地圖書，一九九七年，頁三四—三五。

㉖ 陳清偉：〈香港電影類型、電影潮流的長短期變化〉，《香港電影工業結構及市場分析》，香港：電影雙周刊出版社，二〇〇〇年，頁五一。電影資料：《情不自禁》（一九九一，查傳誼）；《卿本佳人》（一九九一，楊志堅）；《我為卿狂》（一九九一，何藩）；《玉蒲團之偷情寶鑑》（一九九一，麥當傑）；《聊齋艷譚續集五通神》（一九九一，敖志君）。

㉗ 資料來自明光社網站及「監察賭風聯盟」（通訊處亦為明光社），二〇〇七年九月七日發出之新聞稿，主題為「堅決反對馬會引誘青少年參與賭馬」。

㉘ http://indexmundi.com/g/r.aspx?t=0&v=24。數據來自CIA World Factbook，以二〇〇七年一月一日為準。

㉙ 二〇〇七年五月七日《星島日報》社論題為：〈只求情色歡愉，易墮失責陷阱〉：「綜合各期情色版的內

容，是偏重『另類』性歡愉，包括性虐待等方面的『情趣』，所設計的問卷調查，包括亂倫、人獸交等性幻想。大學校園尊重言論自由，從多角度討論性愛也無不可，情色版展示的卻只有另類『單角度』。有中文大學舊生質疑：究竟芸芸學生交的學生會會費，是否適宜花來讓小部分學生『單角度』抒發性幻想呢？」同日另文〈教育界震驚校方稱嚴正處理《中大學生報》泡製「情色版」〉：「由中文大學學生出版的《中大學生報》最近竟被加插了「情色版」，內容包含用字露骨的性故事，有文章訪問學生對亂倫及人獸交的看法，令教育界嘩〔譁〕然，認為有損中大校譽。」同日《東方日報》頭條題為：〈中大學生報淪淫賤報〉；五月十二日《成報》社評：「我們對於編輯中大學生報的學生感到非常失望，首先亂倫、人獸交這兩個題材，已經是超出了法律許可的範圍，有什麼價值讓他們去討論？」等等。

㉚ 「〔……〕召開學生紀律委員會後，認為中大學生報的情色版超出社會可以接受的道德底線，內容不雅及令人不安，因此對學生報出版委員會全體成員發出嚴重警告。又認為，學生報損害校譽，影響其他中大學生的利益，要求立即停止出版載有不雅及粗鄙內容的刊物，大學並會禁止有關刊物在校園範圍發布。」二○○七年五月十二日《信報》。

㉛ 原文為英文，由作者翻譯。"I am instructed by the Presiding Magistrate that all the articles contain the text explicitly depicted various kinds of sexual acts and other sexual activities which created erotic effects. As a whole, all the articles portrays and depicts sexuality and the effects are indecent." 淫褻物品審裁處向代表《學生報》律師發出的信件，二○○七年六月二十日。

㉜ 「根據現有安排，影視及娛樂事務管理處一旦認為針對《聖經》涉及淫褻與亂倫的指控成立，便會將個案

送交淫褻物品審裁處跟進，由該處成立審裁小組進行評級。有淫褻物品審裁委員擔心，現時三百多名委員不少具基督教或天主教背景，很大機會不能加入審裁小組，增加《聖經》被評為不雅物品的風險。」〈淫審處委員多有教會背景〉，《蘋果日報》，二〇〇七年五月十七日。

㉝「影視處表示，處方〇一年開設《淫褻及不雅物品管制條例》宣傳及公眾教育活動資助計劃，接受學校或非牟利團體等申請，〇一年至今動用五百七十萬元公帑資助一百三十二個項目，當中明光社占五個，每個項目最高資助額為十五萬元。影視處官方網頁的「有用連結」也加入明光社、突破機構等志願機構的超連結。」〈不送審《聖經》惹利益輸送之嫌，影視處被揭資助教會團體〉，《蘋果日報》，二〇〇七年五月十九日。

㉞「個人認為界定何謂第一類及第二類刊物，最重要的精神在於是否適合十八歲以下心智未成熟人士觀看」。蔡志森：〈再思淫褻及不雅物品管制條例〉，《燭光網絡》五六期，二〇〇七年九月，頁八。

㉟趙彥寧：〈誰是三級片皇后？試論後解嚴時代國家權力與色情再現的文化邏輯〉，張志偉譯，《戴著草帽到處旅行：性／別、權力、國家》，臺北：巨流圖書公司，二〇〇一年，頁一四〇。

㊱ Laurence O'Toole, *Pornocopia: Porn, Sex, Technology and Desire* (London: Serpent's Tail, 1998), 4.

㊲ Laura Kipnis, *Bound and Gagged: Pornography and the Politics of Fantasy in America* (Durham: Duke University Press, 1999), viii.

㊳ 如Andrew Dworkin, *Pornography: Men Possessing Women* (New York: Perigee, 1981); Susan Griffin, *Rape: The Power of Consciousness* (New York: Harper and Row, 1979); Susan Griffin, *Pornography and Silence: Culture's Revenge against*

Nature (New York: Harper and Row, 1981); Maria Marcus, *A Taste for Pain: On Masochism and Female Sexuality* (New York: St. Martin's Press, 1981); Gloria Steinem, "Erotica and Pornography: A Clear and Present Difference." *Ms.*, November 1978；香港影評人協會：《香港色情電影發展（研究報告）》，二〇〇〇年，等。

㊴ Stephen Teo, *Hong Kong Cinema: The Extra Dimensions* (London: British Film Institute,1997),83-84.

㊵ Catharine A. MacKinnon, *Feminism Unmodified: Discourses on Life and Law* (Cambridge, MA: Harvard University Press, 1987).

㊶ Robin Morgan, "Theory and Practice: Pornography and Rape," in *Take Back the Night*, ed. Laura Lederer (New York: William Morrow, 1980), 139.

㊷ 如Laurence O'Toole, *Pornocopia: Porn, Sex, Technology and Desire* (London: Serpent's Tail, 1998), 30。

㊸ 黃寶恩：〈色情氾濫波及長者〉，《明報》，二〇〇六年五月十七日，D〇六版。

㊹ 卡維波：〈認真看待色情〉，《第七屆「性／別政治」超薄型國際學術研討會會議「色情無價」論文集》，臺灣中壢：中央大學性／別研究室，二〇〇七年。

㊺ Robert A. Baron, "Sexual arousal and physical aggression: the inhibiting effects of 'cheesecake' and nudes," *Bulletin of the Psychonomic Society* 3, (1974): 337-339; Edward Donnerstein et al., *The Question of Pornography: Research Findings and Policy Implications* (New York: Free Press, 1987; Kathryn Kelley, et al., "Three Faces of Sexual Explicitness: The Good, the Bad, and the Useful," in *Pornography: Research Advances and Policy Considerations*, ed. Dolf Zillmannand Jennings Bryant (Hillsdale, N.J.: L. Erlbaum Associates, 1989), 57-91; Dennis Howitt and Guy Cumberbatch (Home

Office Research and Planning Unit, UK), *Pornography: Its Impacts and Influences: a Review of the Available Research Evidence on the Effects of Pornography* (London: HMSO, 1990); Lynne Segal and Mary McIntosh, ed., *Sex Exposed: Sexuality and the Pornography Debate* (London: Virago, 1992).

㊻ 有關「淫婦」與「惡女」類近性之分析可見 Ching Yau, *Filming Margins: Tang Shu Shuen, a Forgotten Hong Kong Woman Director* (Hong Kong: Hong Kong University Press, 2004)及Ding Naifei, Naifei Ding, *Obscene Things: Sexual Politics in Jin Ping Mei* (Durham: Duke University Press, 2002)。 Keith McMahon, *Misers, Shrews, and Polygamists: Sexuality and Male-Female Relations in Eighteenth-Century Chinese Fiction* (Durham: Duke University Press, 1995) 更仔細分析過悍女（shrews）與多邊男（polygamists）之關係。

㊼ 「〔……〕細膩雕鏤、精心考據的畫面與細節經營，成了不羶不腥，還回味無窮的風月意淫電影」。陳煒智：〈影人目錄：製片——李翰祥〉，國家電影及視聽文化中心網站http://fmdb.tfai.org.tw/filmmaker/content.php?id=677。

㊽ 李氏自言從十二、三歲起，即收藏《金瓶梅》不同版本，足本多達十套，可躋身「金學家」之列，更曾為討回珍本，上書臺灣警備總司令部，又被拘留問話達四十八小時。（李翰祥：〈「金學」研究走火入魔〉，《金瓶梅三部曲》，香港：奔馬出版社，一九八五年，頁七—四二。原載一九八四年十月《東方日報》。）

㊾ 施耐庵，《水滸傳》，香港：中華書局，一九七〇年，頁三一四。

㊿ 魏崇新，〈英雄與淫婦：《水滸傳》的兩性世界〉，《說不盡的潘金蓮：潘金蓮形象的嬗變》，臺北：業強，一九九七年，頁二一。

⑤1 周作人，〈小說的回憶〉，《知堂乙酉文編》，香港：三育圖書文具公司，一九六二年，頁一三。

⑤2 魏崇新，〈英雄與淫婦：《水滸傳》的兩性世界〉，《說不盡的潘金蓮：潘金蓮形象的嬗變》，臺北：業強，一九九七年，頁二六—二七。

⑤3 曾慶雨、許建平：〈不甘失落與不擇手段——潘金蓮自尊與自悲意識分析〉，《商風俗韵——《金瓶梅》中的女人們》，昆明：雲南大學出版社，二〇〇〇年，頁三三—五〇。

⑤4 李翰祥：〈「金學」研究走火入魔〉，《金瓶梅三部曲》，香港：奔馬出版社，一九八五，頁三五—四二。

⑤5 李翰祥：〈「金學」研究走火入魔〉，《金瓶梅三部曲》，香港：奔馬出版社，一九八五，頁四二。

⑤6 這裡借用Silverman探討電影中呈現女性欲望的心理分析概念。Kaja Silverman, *The Acoustic Mirror: The Female Voice in Psychoanalysis and Cinema* (Bloomington: Indiana University Press, 1988), 217.

⑤7 Susan Sontag, *Styles of Radical Will* (New York: Dell, 1978), 51.

⑤8 Laura Kipnis, *Bound and Gagged: Pornography and the Politics of Fantasy in America* (Durham: Duke University Press,1999), 200.

⑤9 如Giovanni Vitiello, "The Fantastic Journey of an Ugly Boy: Homosexuality and Salvation in Late Ming Pornography," *Positions* 4, no.2 (1996): 291-320; Giovanni Vitiello, "Exemplary Sodomites: Chivalry and Love in the Late Ming Culture," *Nannuu* 2, no.2 (2000): 1-51; Matthew H. Sommer, *Sex, Law and Society in Late Imperial China* (Standford: Standford University Press, 2000); *Geng Song, The Fragile Scholar: Power and Masculinity in Chinese Culture* (Hong Kong: Hong Kong University Press, 2004)，等。

⑥⓪ Laurence O'Toole, *Pornocopia: Porn, Sex, Technology and Desire* (London: Serpent's Tail, 1998), 8.

⑥① Laurence O'Toole, *Pornocopia: Porn, Sex, Technology and Desire* (London: Serpent's Tail, 1998), 13.

⑥② 參Susan Sontag, *Styles of Radical Will* (New York: Dell, 1978), 35-73; Laurence O'Toole, *Pornocopia: Porn, Sex, Technology and Desire* (London: Serpent's Tail, 1998)。

⑥③ 蔡志森：〈再思淫褻及不雅物品管制條例〉，《燭光網絡》第五六期，二〇〇七年九月，頁八。

⑥④ Laura Kipnis, *Bound and Gagged: Pornography and the Politics of Fantasy in America* (Durham: Duke University Press, 1999), 206.

⑥⑤ 如David Roy, "Chang Chu-po's Commentary on the Chin P'ing Mei," in *Chinese Narrative: Critical and Theoretical Essays*, ed Andrew H. Plaks (Princeton: Princeton University Press, 0977), 115-123。

⑥⑥ Franklin Melendez, "Video Pornography, Visual Pleasure, and the Return of the Sublime," in *Porn Studies*, ed. Linda Williams (Durham: Duke University Press, 2004), 413-414.

⑥⑦ 趙彥寧：〈誰是三級片皇后？試論後解嚴時代國家權力與色情再現的文化邏輯〉，張志偉譯，《戴著草帽到處旅行：性／別、權力、國家》，臺北：巨流圖書公司，二〇〇一年，頁一三六。

⑥⑧ Linda Williams, *Hard Core: Power, Pleasure and the Frenzy of the Visible* (Berkeley and Los Angeles: University of California Press, 1989), 260-263；亦參Jessica Benjamin, "A Desire of One's Own: Psychoanalytic Feminism and Intersubjective Space," in *Feminist Studies/Critical Studies*, ed. Teresa de Lauretis (Bloomington, IN: Indiana University Press, 1986), 92。

⑲ “The visual is essentially pornographic, which is to say that it has its end in rapt, mindless fascination;” Frederic Jameson, *Signatures of the Visible* (New York and London: Routledge, 1992), 1.

⑳ Susan Sontag, *Styles of Radical Will* (New York: Dell, 1978), 56-57.

㉑ 許敦樂：〈憶舊〉，《風花雪月李翰祥》，黃愛玲編，香港：香港電影資料館，二〇〇七年，頁二二三—二二四。

㉒ 電影於避暑山莊、故宮、頤和園、碧雲寺、承德避暑山莊、承德外八廟、清東陵等地拍攝，故宮專家朱家溍擔任顧問。參https://www.josemdev.com/big5/movie_716400、https://movie.douban.com/review/1576923//。

第九章

香港新浪潮：英美語系的新成員

香港新浪潮崛起的時候，正是我開始看大量電影的初中時期。在香港知識青年與「文青」沉迷歐日藝術電影的年代，突然來了《瘋劫》（一九七九，許鞍華）、《撞到正》（臺譯：《小姐撞到鬼》）（一九八〇，許鞍華）、《第一類（型）危險》（一九八〇，徐克）、《父子情》（一九八一，方育平）和《胡越的故事》（一九八一，許鞍華）。然後有了《烈火青春》（一九八二，譚家明）、《投奔怒海》（一九八二，許鞍華）和《似水流年》（一九八四，嚴浩）。如果不是為了香港新浪潮，我的整個電影少年時代，大概都看不見香港電影。第一次自己買票進戲院看香港電影，可能正是《撞到正》。

新浪潮導演群及電影改寫了香港，甚至華語電影歷史。他們的貢獻已被廣泛討論。論者傾向著眼於敘事、錄音及視覺風格上的創新，打破暴力及性愛禁忌，如何經歷電視體制或紀錄片拍攝的訓練，繼承固有的粵語片傳統並與之「決裂」，或以獨立製片形式改良當時電影工業等。但一般認為他們只是因緣際會自然聚合，沒有組織、共同綱領或統一的思想形態，以致論述較少著墨於香港新浪潮的思想性，及其在電影史上的政治意涵。重溯這些電影中的文本與文化政治，與當時香港社會政治脈絡的關係，對於了解自八十年代及以後香港社會意識的生成及走向，攸關重要。本章企圖釐清，新浪潮電影的形式與內容，與香港在地的政治氛圍及局勢不可分割；新浪潮導演群的集體冒現，及他們的一些共同關注與呈現，除了受個人性格、志趣與才華決定，也是時代的產物。正如本書中討論的所有電影，他們的作品也是身處的歷史和社會的表徵。礙於篇幅，新導演人物及作品繁多，本章只能稍稍瞥見端倪，並沒有完整包羅的意思。

歐美次文化洗禮與電視臺歷練

一九七八年八月十八日出版的《大特寫》上，刊出〈香港新電影新浪潮：向傳統挑戰的革新者〉一文。「一九七九年夏秋之交，影評人突然面對一列新電影踏浪而來；一些終於與當代香港同步、與當時的功夫／武俠片或噱頭喜劇成強烈對比的影片。」①接下來的七九至八三年間，這些作品與創作人改寫了香港電影史。看來，香港新浪潮電影導演群沒統一的風格、意識或關注，當時更被評為：「缺乏了一個具有長遠文化意義或美學目標，使它摸不清方向。」②但他們有類近的背景、年紀接近，作品之間確有不少共通點。

羅卡曾經非常仔細地追溯新電影導演群的共同文化背景，與上一代明顯的斷裂：他們成長過程中目睹殖民政府對親近兩個中國的活動的壓抑，並大量接觸歐美文化包括六十年代的反（越）戰抗爭運動及青年次文化，也經歷了由在地青年發起的六六反加價運動，及由工廠勞資糾紛發展成的六七騷動。「雖被政府鎮壓下來，但反殖情緒仍然繼續。此後數年，自發的、並非由左派領導的反建制運動此起彼落」③，包括七一年的保釣、七二年的要求中文成為法定語文運動等。

與此同時，大片廠如邵氏繼續大量生產武俠／功夫、喜鬧、色情及恐怖類型片，獨立／

實驗／藝術電影文化運動卻在社會逐漸形成，包括由殖民菁英組成、以英語操作、主要放歐洲藝術電影的「第一影室」在六二年成立；六六至六八年由大學生及年輕人組成的「大學生活電影會」（大影會），鼓勵會員拍攝實驗電影。五三年創辦的《中國學生周報》④引進歐美藝術文化論述，帶動文青風潮，六三年後電影版由羅卡、陸離策劃，集結一時俊彥，如西西、戴天、金炳興、石琪、吳昊、林年同、杜杜、古兆申（古蒼梧），與稍後的梁濃剛、舒琪、譚家明等。崑南、盧因（盧昭靈）主持的《香港青年周報》同樣推崇「自由奔放」的「西方」文化，亦舉辦青年音樂會、組織電影會。另一邊廂，《青年樂園》則以左翼觀點向這些右派刊物推銷的歐美文化價值觀反擊。不論政治立場如何，七十年代初，香港湧現了二百多份新刊物，共同積極提倡藝文與社會評論，包括《號外》、《新思潮》、《七〇年代》、電影評論刊物《跳接》等。七六年唐書璇創辦了《大特寫》電影評論雙周刊，七八年《大特寫》停刊。七九年一月，《大特寫》的一些作者、編者合力創辦《電影雙周刊》，尤其關注香港新浪潮電影的發展。臺灣自六、七十年代也受歐美現代主義思潮影響，《劇場》季刊大力推動前衛戲劇、電影評論，與《中國學生周報》互通聲氣。六四、六五年間，《劇場》舉辦全臺首次實驗電影展。《劇場》發起人之一邱剛健後來參與了香港新浪潮電影的創作，為導演許鞍華、區丁平、關錦鵬等寫了多個劇本，自己也成為導演。

推動歐美藝術電影及鼓勵年輕人以超八電影菲林（膠片）拍實驗短片的電影會於七十年代持續活躍。六八至七一年間大影會舉辦了三次業餘電影展，七一年大影會告終，部分成員加入了七四年成立的火鳥電影會。七二年衛影會成立，七三年組織了實驗電影展。同年，香港專上學生聯會舉辦了第一屆實驗電影比賽，章國明、黃國兆、吳宇森分別獲獎。一九七六年的一次本地實驗電影十年回顧展中，許鞍華、譚家明、章國明、劉成漢、方令正、唐基明、張叔平、吳宇森等都有作品參加。火鳥電影會和衛影會在七七年聯手創辦了香港獨立短片展。

七五年起，香港電視廣播公司（無綫電視／TVB）的節目部經理周梁淑怡，監製了《群星譜》、《七女性》和《奇趣錄》三個全用電影菲林拍攝的電視特輯，反應良好。七六年她開始了「菲林組」，由前國泰電影公司導演劉芳剛主管，以十六毫米拍一小時的電視劇集，吸引了大批年輕導演如許鞍華、余允抗、嚴浩、黃志強、羅卡等加盟，好處是「缺乏制度」，創作自由度很大，成為新浪潮導演的「少林寺」。[5]這些電視作品贏得多個國際獎項。香港電臺電視部在七二年間已使用菲林拍攝《獅子山下》；七五年後，在張敏儀的領導下培養了另一批新編導，如方育平、黃志、盧自強、敬海林、李碧華、嚴維、單慧珠、劉國昌、羅啟銳、羅卓瑤等。一九七七年，周梁淑怡脫離無綫，跳槽至新成立的佳藝電視臺；徐克與大批無綫編導包括譚家明、林嶺東、方令正、陳韻文等亦轉投佳視。七八年佳視關門大吉，這些創作人才紛紛投入電影圈。

海歸的嬰兒潮新生代

香港新浪潮核心導演的個人成長背景亦有不少共通。他們大多在二戰後出生，上一代是移民。於中國「解放」後，戰後相對安定的香港社會中成長，是完全喝殖民教育奶水長大的香港第一代。對中國歷史也許所知不多，但對香港社會提供給他們脫離上一代文化背景的條件及資源，並以他們承襲歐美開創的形式、語言表達「獨立」的所思所感心存感激。作為戰後嬰兒潮新生代，新導演群共同經歷歐美次文化的洗禮、冷戰現代性的全球化，對年輕人的抗爭運動、左右對立的政治格局自有看法。香港作為一個因為冷戰局勢與殖民管治而與中國一定程度上斷裂，但同時受多文化、多種意識形態衝擊，充滿矛盾的社會，不斷成為新浪潮導演群探索的背景。

這些新導演大多曾經留學英美[6]，大多曾經在香港或外國的電視臺工作。新浪潮電影的出現，標誌了香港第一代「海歸」或深受歐美文化影響的知識青年，學習了歐美對現代電影語言的探索（「洋為己用」），並前所未有地對自身來自的社會，如何有別於其他華人社會，又同時有別於歐美世界的文化經驗，高度自覺與困惑。他們一方面或多或少吸收了香港粵、國語片傳統，前者對草根階層、小人物處境的關注及後者對各種類型電影的開創，但他們的「海歸」背景意味著他們的電影技術與語言訓練，並非來自香港電影工業的師徒制傳統，而是接受過歐洲六十年代「真實電影」（Cinéma vérité）、美國五十至六十年代「直接電影」（Direct cinema），與歐美獨立、實驗電影運動等對商業劇情片的衝擊及洗禮，加上經歷了在電視臺的訓練與學習，對看待自己土生土長的香港社會多少帶著一種深受歐美文化薰陶的當代「西方」凝視，亦叫他們對探究香港社會複雜多元的真實性，及以電影作為媒體介入社會問題，表現出前所未有的能動力。如攝影師出身的翁維銓，七十年代中曾替英國獨立電視臺聯合電視來香港拍攝關於毒品的紀錄片，擔任副製片與攝影師，於是為他的首部電影作品，描寫販毒內幕的《行規》（一九七九，翁維銓）奠下基礎。這些年輕導演的作品，介入社會現實的力度，觸碰當時殖民政府的神經；如《行規》上映前，由於與七十年代港英政府禁毒政策有所牴觸，須與電檢處數度交涉才被獲准公映。這也是不少新浪潮導演作品須共同面對的處境。

一些實驗電影工作者如吳宇森、章國明等，於七十年代中已被商業電影界、電視臺吸納；獨立電影公司續續支持了英籍華裔導演梁普智與剛從美國讀書回港的蕭芳芳合拍的《跳灰》（一九七六），成為香港新浪潮的先行者。他們的一位合作人陳欣健，在一九七八年與嚴浩、余允抗、于仁泰合組影力電影公司，在續續支持下監製嚴浩的第一部電影《茄喱啡》（一九七八），成為香港新浪潮的「開山作品，意義重大」。[7]

邊緣人物原型

香港新浪潮電影中經常出現幾種人物原型：一、底層人物如「茄喱啡」，或臨時演員等成為敘事主角。這原型一方面繼承香港粵語片及親左電影的傳統，另方面亦顯示香港進入資本主義高峰期，儒家家庭權力中心失勢，個人在大都會掙扎求存的苦況加劇，香港人漸次自覺於自己不是商業建制中的主角，只是生產機器的螺絲釘，這些人口構成電影觀眾的大多數，大眾的心理及感情經驗需要被再現、投射、轉移。「茄喱啡」也是影人自我反照的一面鏡子。二、「殺手」，展現香港社會潛在的戾氣，已經達致臨界點，需要在銀幕上抒發極致的暴力以洩憤，這自然是七十年代的武俠／功夫類型延伸，另方面把武俠片的語境帶到當前社會脈絡，成為香港在經歷冷戰現代性當下的情緒宣洩工具。「殺手」成為方便把東西冷戰在亞洲打的熱戰如越戰、赤軍等連在一起的中介。三、「警察」，跟殺手表面上對立（解決私人恩怨 vs. 維持公眾治安），但結構上相似，同樣是依仗制度或有權勢者賦予的權力而執行暴力行為，但「警察」的呈現尤其凸顯個人與當下特定國家機器的矛盾。六、七十年代香港青年及工人多次發起的社會政治運動，加上反貪汙運動與廉政公署成立，讓警察成為史無前例的公眾關注焦點；「殺手」與「警察」這兩個人物原型的反覆再現，皆揭示殖民管治的危機。上述三種人物原型將持續成為香港電影的中心代表人物，鋪墊以後各種電影類型如英雄片、喜劇與無厘頭、臥底片等的出現，並將為其他資本主義迅速發展的新興地區（如東亞、印度），提供認同與欲望想像的可能。四、「青年」，承接著香港電影自五十年代中至六十年代末開展的關注及論述，尤其受龍剛導演的影響。新浪潮電影導演群自己也是年輕新導演，而且深受歐美青年次文化影響。「青年」，將持續成為香港在資本主義汰弱留強、貪新厭舊的邏輯下崇尚的「新」，各種競逐的現代性，及對未來期許的隱喻。本章將討論這四種人物原型在香港新浪潮電影中扮演的角色，他們的反覆出現與變異，及圍繞他們繁衍的文化政治意涵。

茄喱啡

你係人間Movie Star，
我係人生小配角。
我係行先死也快，你出鏡就大銀幕，
世上成班茄喱啡，
襯住明星撈配角。
〔……〕冇話人皆茄喱啡，
世事輪流主配角，〔世間的主角與配角會輪流上場，〕

到頭來梗開到我，（到頭來總輪到我，）
到咗嗰陣我惡（到了那時我便可以兇起來）（……）⑧

《茄喱啡》作為最早的香港新浪潮電影（之一），為強烈批判香港電影工業之作，實非偶然。《茄喱啡》在《大特寫》與《電影雙周刊》合辦的一九七八年「十大影片評選」中名列第二，可見影評人及年輕創作人集體對當時香港電影工業的不滿。嚴浩被在左派公司工作的苦悶激發至決心學習電影製作，然後選擇以「粵語片的差利」（查理・卓別林）伊秋水的兒子伊雷任主角。電影的中心人物是作為娛樂事業最底層的臨時演員（或替身），揭露及剖析香港電影業的荒謬與不公，可以說是香港電影史上一部「後設電影」，並召喚李翰祥經常展演鏡頭作為偷窺工具，及李氏風月賭博片的尖酸調侃語調等文化記憶。

片中「何能克」（什麼都能夠克服，或，如何能夠克服）為了成名改名「狄蛇」，直接嘲諷香港電影作為歐美電影的下流／模仿者／接收者，如把「阿倫狄龍（臺譯：亞蘭德倫）」挪用為「狄龍」。當然，龍之萎靡不振而成蛇，也太容易叫人記得幾年前曾經呼風喚雨，但迅速在過強的聚焦燈下趨向自／被毀的「龍」：李小龍。片中一場何能克要全身裝著反應彈從高處跳下，由於太緊張至反應彈爆炸，他仍不知所措呆站著，被導演大罵為拍戲三大害：「畜牲、小孩與茄喱啡」。另一場他演警察，被演賊的演員把頭按下水中幾至休克。電影中茄喱啡的故事在此成為香港作為資本主義社會為了製造光鮮亮麗的消費景觀，而必須作出龐大自我犧牲的隱喻；茄喱啡作為身心不斷被摧殘、被卑賤對待的原型人物，也是資本主義社會集體宣洩暴力情緒的承受者，體現新自由主義的自毀宿命。

《茄喱啡》對工業中最底層員工的這些充滿同理心的呈現，一方面反思電影維持其夢工廠建制下的暴力，另方面也在控訴香港的資本主義發展對草根勞動人口的壓迫與麻木不仁。這些階級及文化批判如何與商業電影（如浪漫愛情）類型元素結合，成為「另一種」電影的可行類型？《茄喱啡》把喜劇與悲劇扭麻花式的混雜風格，也明顯受當時炙手可熱的許氏兄弟電視及電影喜劇影響。[9]《茄喱啡》一片的試驗，呼應當時十分成功的林亞珍電影[10]，並為同期正在電視臺打滾、十年後將會成為亞洲小人物偶像的周星馳奠下基礎。

蕭芳芳與林亞珍

> 我十五歲時，媽媽說我們去星馬登台，你便可以有錢讀大學了，我很開心，去了三個月「隨片登台」，不是「隨隨便便登台」，我們跟隨一部電影（在當地）上映，放映前我們上台唱歌跳舞，然後我們又趕去另一間戲院，剛好放完那部電影，我們又上台唱歌跳舞，那是很累的，比拍電影更累，每天趕很多場，最後分帳時，發覺七除八扣後，我們拿回香港的錢不夠我去留學。那是我第二次夢碎，很傷心……媽媽最終答應讓我去留學，我很開心，開心到飛起。我去了美國又「隨片登台」後，儲夠學費準備上學。媽

媽打電話給我，說與人合資做生意給騙了，叫我寄錢給她。寄了錢我怎樣讀書呢？看著距一步之遙的夢想在我眼前崩裂，很辛苦。這時候一個人出來為我擋著，唐人街從前一位名伶譚秉庸。他對我說：「阿囡，有八叔在，別怕，去念吧。」（哽咽，以手掩臉）對不起。

二〇一八年蕭芳芳在香港大學《大學問》講座系列接受羅永聰、林奕華訪談，她道出留學的理想如何路途艱辛，一次又一次「夢碎」，至最後也是靠美國華埠的前名伶接濟才能圓夢。可見當時風靡香港、星馬及海外華人市場的港產偶像明星，即使火熱如蕭芳芳，其被制度剝削（「左扣右扣」）的程度實非常人想像。她自少被迫輟學，從童年至少年不斷拍片，舟車勞頓地跨國演出，竟不足以滿足她一心只想出國升學的卑微願望。此時憶述者已經七十一歲，曾經兩度結婚，經歷移民、產女、回流，人生閱歷甚豐，曾獲金馬獎、亞太影展、香港電影金像獎及柏林影展影后等殊榮，可謂家庭與事業皆圓滿，比許多華語電影圈女星的境況都要好，但追憶此少年往事卻竟然忍不住落淚，表現出怨忿難平的創傷與委屈。在訪談中暴露，把觀眾殺個措手不及的，是芳芳對自己成長之路表達了彷彿毫無能動力的怨恨與創傷，是華語電影工業體制、香港六、七十年代流行文化，及她的單親難民母親三者共同合謀經營的。

更諷刺的是，相較於她同代的女星如陳寶珠、薛家燕等，蕭芳芳的形象完全不是含冤受屈型女性：「明顯西化的芳芳成為衣著入時的代名詞。」[11]她被長期成功消費作為西方現代性（「西化」、「入時」）的楷模，供大量觀眾投射對洋化中產的嚮往，但她的一部分自我卻一直埋藏在前現代極端不自由、被壓迫的位置。在這層面上，「蕭芳芳」這明星塑造，可以說是一塊顯微鏡，具體展現香港這城市自六十年代以降的壓縮發展，成就了亞洲僅次於日本，最早成功的電影工業之一，與資本主義大都會所製造的，愈亮麗愈寒傖的文化構成。

花無百日紅，長期表裡不一的落差裂縫總有見光的時刻。蕭芳芳自美念書回流後，決定一洗她過去作為花瓶的形象，結婚、離婚，又擔起編導、監製等幕後重任，成為改變香港電視電影生態的推手之一。她的回流，正值香港電影新浪潮一眾「洋化」年輕導演群冒起的歷史時刻。跟年輕新導演群相似，蕭芳芳正要衝破她來自的粵語片文化傳統。她挾著美國學院訓練，要革新香港傳媒素質的抱負，也是大家共通的語言。蕭芳芳積極利用自己在粵語片累積的市場資源，幫助早期香港電影新浪潮萌芽。她監製英籍華裔導演梁普智的《跳灰》與《狐蝠》（一九七七，梁普智、特倫斯．揚），兩片均被認為是香港新浪潮的先驅之作；並投資新導演如許鞍華拍攝《撞到正》。同時，她一手塑造了林亞珍，給予吳宇森機會，導演《八彩林亞珍》（一九八二）。

林亞珍的形象，是蕭芳芳赴美國新澤西州西東大學攻讀影視製作回港後創作的，企圖對香港商業社會及電影市場作出除魅化及批判，打破自己從小建立的明星玉女符徵，是一個相當勇敢的嘗試。林亞珍的原型塑造挪用美國波希米亞大學生書呆子的刻板形象，為蕭芳芳甩掉她自幼受的英國淑女儀態訓練；這些儀態訓練，反而成為《八彩林亞珍》中被嘲笑、約束自由的符號。《八彩林亞珍》中師承德國電影《大都會》（*Metropolis*，一九二七，佛烈茲・朗）與卓別林《摩登時代》（*Modern Times*，一九三六）等歐美經典電影中科幻式的自我批判，包括會說話的電腦無所不在監控工人；工人被生產線齊一化、深化剝削；機器經常失控、禍害工人等意象，與香港的發展現實結合，既科幻又寫實，猶如一張延綿不斷的社會問題浮世繪：香港大財團壟斷經濟，不斷收購及囤積土地至民不聊生；香港經濟迅速國際化：沙達集團口號是「今日香港，明日全世界」；交通配套不足如海底隧道大塞車；每天排隊求職的失業人口；被老闆奴役、無權無勢的小市民男性得靠想像自己為大象以壯聲勢；粵語歌普及帶來的流行文化潮流偶像如羅文，讓全港青年一窩蜂著迷，如置身瘋人島。

英美語系會籍入場券

《八彩林亞珍》中的林亞珍也是一名茄喱啡、臨時演員、替身。電影開始不久，片場內正在拍一場豪門內景，出軌少婦被丈夫發現劈腿，被丈夫掌摑，林亞珍便是那個得不斷被摑的替身。過去蕭芳芳總是演被追捧的天之驕子、聚光燈的焦點，現在被置換至片場最低賤的茄喱啡位置，是向她自己半輩子耀眼星途，連帶整個電影工業的明星制度與層級結構，開一個不大不小的玩笑。《茄喱啡》主題曲中的「世事輪流主配角，到頭來梗到我，到咗嗰陣我惡」，好像讓茄喱啡會有反撲大報復的出頭天，沒有在《茄喱啡》電影中實現，卻反而在林亞珍當替身時被打得七零八落後，忍不住反過來狂打回去。作為生理女性陽性化、中性化、「男性荷爾蒙比較多」的喜劇典型，林亞珍在道德保守的香港華南社會打滾，顯得格格不入。林亞珍過大而不合身的格子襯衫、喇叭褲造型，模仿不修邊幅的美國嬉皮文化，標誌著香港這一代終於取得參與英美語系（Anglophone）的成員資格。但電影也不忘安排亞珍與娘炮男同志共擠在小巴上互相鄙視；海底隧道中被劫持的市民提出各種當時在香港看來荒謬無理的要求，如「我要在隧道中打麻將」、「同性戀合法化」等，鋪墊了港產片接下來至少二十年，不斷針對各種性／別怪胎，恐同恐跨的喜劇特色，尤其讓九十年代香港電影可以反覆挪用「同性戀」這符號，成為宣洩回歸焦慮的出口，造就了盛極一時的「彎變直」（把彎的掰直）電影潮流。[12]「同性戀」這符號能夠在電影中成為談資，是宣示進入參與英美語系文化的入場券，但它必須立刻同時被負面化，讓香港觀眾盡快重回舒適圈。

林亞珍作為一個典型人物，也許流於過度概念化；以林亞珍作為美國博士的學歷與知識，即使其貌不揚（戴一副深度大近視眼鏡），在殖民地香港也不會需要像在《八彩林亞珍》中，被迫做各種草根階層的粗活。光是林亞珍的英語能力，已足以讓她在香港這片殖民地找到待遇不錯的白領工作。但她預示了新浪潮導演群作為香港電影的另類，作品中流露對主流香港社會的不適應感，及作為英美語系文化一員的認同與渴望。

香港六〇年代經歷天災人禍、貧富不均、貪汙嚴重、尤其面對戰後人口急劇增加、年輕一代的成長，亦在居屋、教育、福利、青少年問題等方面缺乏對策，六六年的反天星加價、六七年新蒲崗工人罷工，終於爆發出六七年的動亂。〔……〕曾有論者如田邁修（Matthew Turner）指出，六七動亂之後，香港政府除了對教育、福利、青年等問題作出調整，亦推動香港節、時裝節、香港小姐選舉等活動，在宣傳上強調對香港的歸屬，好似為香港人設計出一種異於中國人的文化身分。⑬

香港英式殖民現代性一大特色是抹煞現代中國歷史記憶，並封存前現代中國風俗文化為「中國性」的代表，讓香港（及臺灣）成為現代中國的代言，從而強化殖民與冷戰的無縫接軌，及此延續體成就的歐美霸權。冷戰令東西方關係從殖民／從屬成為對立，香港作為英國戰後能夠保留的少數亞洲殖民地，英國對香港的管治必須步步為營。六七騷動讓港英殖民者明確意識到香港與中國的政治及文化臍帶必須被割斷。港督麥理浩推行的一系列「本土化」政策，正是為了加快香港參與英美語系、西方陣營的步伐，以填補與中國斷裂造成的失落與空隙。本書第四章引Hugh Baker把香港人定義為：「勇於行動、極具競爭力、適應力強，反應敏銳，隨機應變。他們穿的是洋裝，講英文」，正是在這種所謂「本土化」，實際是與冷戰配合下的殖民政策製造出來的，也是港英政府經歷六七騷動後需要加強維穩殖民政權精心設計而來。香港新浪潮電影導演群在成長過程中一方面經歷五、六十年代的社會躁動，另方面也隨著冷戰與殖民「本土化」政策的重新整合，成為積極追趕上歐美文化的新生代，並與中國歷史及當代社會作出前所未有的精神割裂；這些文化衝撞、矛盾都成為香港新浪潮電影創作的材料。

《慾火焚琴》（一九八〇，劉成漢）中把香港社會面對的貧富懸殊、階級矛盾分析為殖民現代性的延伸；片中的富豪住在歐式別墅中，依靠中間人替他大量的房地產帶來源源不絕的租金，整天只是彈古琴、下圍棋。片中一方面把協助凝結中華道統的華人寫成與殖民政策的勾結者，能夠輕易使用象徵殖民機器的警察系統來鎮壓內亂，另方面以一個通姦殺夫的驚悚故事，呈現香港在金錢掛帥的年代，新一代無止境的物欲與道德真空。片中歐式大宅內古色古香的氛圍，與年輕人冷血的殺夫、殺僱主行徑，加上極其風格化的攝影與敘事風格，創造了一個彷彿脫離香港社會現實、凝止的時空。電影非常具體地呈現了與當代中國的文化斷裂，及其中隱含的暴力。⑭

警察作為失敗者

六七騷動後，港英政府為了平息民憤，讓新上任的總督麥理浩指示調查總警司葛柏與超出其官職收入達六倍的財富。在被停職調查期間，葛柏經新加坡潛逃回老家英國。一九七三年八月二十六日，大批學生和市民在維園舉行「反貪汙、捉葛柏」集會，部分參與集會人士被檢控。同年九月十六日再有「貪汙有罪，集會無罪」示威遊行，聲援被檢控的集會人士。十月，麥理浩正式提出設立一個只向港督一人負責，為了掃蕩公職人員貪汙濫權而成立的獨立部門，名為總督特派廉政專員公署；「廉政公署」（「廉署」／ＩＣＡＣ）於一九七四年成立，於一九七五年成功引渡葛柏回港受審，葛柏最後被判四年。廉署的成立與運作，對香港警隊造成沉重壓力。一九七七年十月爆發警廉衝突。《行規》便是在這樣的語境下產生的。

以掃毒警官陳卓（陳Sir，白鷹飾）的中心視角出發，《行規》開始時洋溢著一片樂觀情緒。電影甫開始，陳Sir在販毒頭子下屬譚師爺（石堅）的情婦家中搜出毒品，威迫利誘譚轉作他的「線人」，在販毒集團中作為香港警方掃毒組的「臥底」。他遊說譚時說：「廉記可以壓住大鱷」，即廉政公署在過去幾年已經成功對重大犯罪案件首腦產生阻嚇作用，協助警方掃毒的工作。下一場，陳Sir在警署與兩名警署上司（均為英國白人男性）開會，獲准利用線人追查此案。再下一場陳Sir向自己的掃毒組（又稱「狗仔隊」）同事訓話：「現在不同了，廉記成立，我們的薪水又調整到合理水平。」這一系列片首場面建立了陳Sir作為一名敬業樂業的執法者，對自己的工作有幹勁抱負及領導才能，並積極與政宣配合，相信廉署的成立有助改善社會治安（這應該讓電影更容易被通過上映）。但接下去電影層層推進，漸漸陳Sir發現警方、線人與毒犯之間的勾結關係遠比他能掌控的複雜；警察依靠線人的情報掃毒，但線人的命脈掌控在毒犯手上，也是販毒集團的共謀。

片中以大量的手持鏡頭追蹤角色在香港街景、香港仔海邊夜景等穿插，襯托出具現實質感的，香港作為亞洲毒品分銷中心的再現。電影中陳Sir喜歡在廚房以義大利咖啡壺煮咖啡，閒時獨自去大嶼山看鳥寫生。在一個暗黑的畫面中，陳Sir對著錄音機獨白：「我看警隊的毒品問題好難改變……不過我又可以做什麼呢？」他逐漸意識到警方、毒販與線人之間互相依賴的關係，構成一個「互為因果的制度，只會循環不息，怎可以根絕毒品」。這可以說是香港無間道電影哲理化的始祖。也一如後來的無間道電影，《行規》一步步帶領觀眾，見證一個愈介入行動，愈盡力履行任務，愈見自身陷入泥沼，任務之不能完成，並感到日益無助失落的反英雄敘事。到最後，觀眾在畫外音聽見的所謂「行規」，竟然是「依照行規找個地方把他好好葬了」。畫面是警方寫著並蓋章的「Chan Cheuk任務失敗」英文官方文件夾。

廉署成功地協助重建殖民管治的威望，但無助解決香港日積月累的制度問題，反而使制度合理化，而「制度」（*The System*），便是本片的英文片名。從前全民皆貪，每一位官職人員都可以掠奪資源，現在只有香港殖民政府可以掠奪香港的所有資源。《行規》有這樣的對白：「以前一碟餸十幾人吃，現在一個人吃更好味！」電影看似配合政府主旋律唱好被「廉潔」後的香港，但卻以悲劇英雄走向絕路告終。

青年的生息不自主

人生的悲哀一一快樂變
前景美麗終點乍現
鮮花一樣鮮　風照樣暖
但我的一切難以續延
尋找的快樂　偏偏太遠
人生的足跡太亂
生息不自主　一切在變
雲霧被落日染
帶著夢飛返從前　真我回復昨天
帶著夢飛返田園　至誠心裡湧現
微風輕撲面　吹去恨怨
陽光燙我面消困倦
美麗在延續　不會驟變
無奈前事漸遠

尋找的快樂　偏偏太遠
人生的足跡太亂
生息不自主　一切在變
雲霧被落日染
我要用一小撮紅泥　將一切仇恨蓋掩
我要用一小撮紅泥　建造成心裡宮殿⑮

《第一類（型）危險》透過呈現青年與警察的矛盾關係，從而審視香港七十年代末、八十年代初的政治處境，專注深入剖析其「安定繁榮」如何吹彈得破，是香港電影史上最重要的作品之一。警方待四個自製炸彈作消遣（「我哋玩下啫」／我們玩一下而已）的反叛少年保羅（區瑞強）、阿龍（龍天生）、阿高（車保羅），與奀豬（林珍奇）如驚弓之鳥，過度反應及暴力鎮壓（具體見於羅烈演的警察對妹妹奀豬的家暴及禁錮），釀成不可挽回的悲劇。這位便衣警察兄長，集家庭及國家暴力於一身，也是制度下的受害人，在電影中呈現為無能無腦又粗暴，以為保護妹妹卻成為妹妹被殺的幫兇。奀豬在片中展現的痲木不仁，以暴力作為情緒發洩的手段，凸顯了家國暴力在她身上的內爆，引領她一步步趨向自毀。片首她把貓從高空丟下、插在鐵絲網上的駭人畫面，也預言了她自己的命運。來自中產家庭背景的保羅（區瑞強）是炸彈製造者，諷喻香港七十年代末經濟起飛榮景下埋藏的社會壓力與暴力；劫持遊覽車指令日本遊客在郊野脫衣下車，也是對「經濟繁榮」（導遊語）主導的東亞商業社會的批判。

越戰退役美軍在片中扮演關鍵角色。美軍路上碰巧遇上四位主角，卻以種族歧視話語（“Looks like I'm going to have to move the rubbish myself”）辱罵他們為「垃圾」。至四人搶走美軍向日方販賣軍火的日圓匯票，香港少年被意外捲入國際政治地下活動，原以為可以藉勾結本地黑社會勢力兌換現金並逃亡加拿大（「學樂探長落地生根」[16]），但最後只招來殺身之禍。而羅烈演的警察被上頭噤聲，無法為妹妹翻案，因為白人警官上司說：「香港政治環境好特殊，得罪邊瓣都唔係好掂，唔係盞大家孭鑊！」（香港政治環境特殊，開罪了哪方都不得了，搞不好會要大家揹黑鍋），於是遷怒於路過看見的外國白人傳教士。最後一場三位少年被美軍掃射追殺，倖存者被逼瘋，然後以六七騷動中警民衝突的硬照蒙太奇作結，構成香港電影中非常罕見的，一方面對香港殖民暴力的直接控訴，另方面對香港處於冷戰前沿、左右勢力交鋒之戰場及犧牲品的策略位置——猶如片首困在籠中的白老鼠與被高空丟下的貓——作出深刻反思，凸顯了香港這小島處於大國明暗爭鬥（越戰及後越戰）下的身不由己。四十年後重看這部電影，乍見青年自製汽油彈、向敵人實施「火魔法」，睡在馬路阻止車子前進，然後又渴望移民加拿大等細節，均叫人驚嘆徐克預見四十年後將浮現的社會矛盾，及青年抗爭運動手法之想像力與前瞻性。李焯桃在〈最成熟的一次發洩：《第一類型危險》〉一文中，認為電影中的炸彈遊戲是「對現代理性社會的壓逼和疏離無意識的反叛」，其「壓抑之強，對制度懷疑之烈，以致視野的宿命和無奈，都屬於典型七、八十年代的香港」，並「預示了九七問題出現後香港社會的政治壓抑氣氛，而其無政府狀態的激進視野，至今仍無其他港片可以超越」；「主角們採用暴力為手段的傾向，其實是客觀環境所造成，暴力根本就是現狀／傳統／制度的一部分，不過以偽裝及被壓抑的形式出現而已。〔……〕《第一類型危險》給我們看了一次徐克精彩的表演，在不唱高調，個人發洩之餘，整個電影在一定程度上反映了香港社會現實的場境，而且對它表現了強烈的不滿。雖然它不能給我們什麼建設性的啟發，但本身也暗示了消極發洩和虛無態度的無效。和它激動的表面相反的，是底下徐克冷靜而決絕的視野（vision），其對現狀不存幻想的態度也是港片少見的。」⑰

在新浪潮電影群中，可見在七十年代成長的新生代如何消化與面對殖民政府與美國文化全球化輸出合謀構築的、「必須」脫離中國的洋化港式身分。善感的年輕一代導演各自用自己的方法，回應了當下的範式轉移。《第一類（型）危險》給出的答案很明顯：疊加在殖民機器上的冷戰現代性，將會使香港的美麗與快樂「難以續延」，被掩蓋的歷史「前事漸遠」，在一切蕪亂的變化中，青年「生息不自主」，縱有「恨怨」、「困倦」也無法表達；電影被禁映、被要求大幅刪剪及重拍。最為人知的是把製造炸彈的情節改成「無照駕駛」，正正印證了電影要表達的，港人的「不自主」與「無奈」。

美國夢、反戰青年、殺手

如果說蕭芳芳是六十至八十年代香港電影工業隨著社會急速發展自我轉型的縮影，她也標誌著香港經歷冷戰現代性洗禮的同時，處於歐美洋化訓練包括其「文明」語言（英語、淑女美態）的下流／接收者位置，高度渴望成為歐美現代性核心成員，但又永遠是美國夢的「外人」這雙重的矛盾身分。新導演如徐克、許鞍華、方育平等，對美國夢也各有懷抱與思考。《第一類（型）危險》的年輕主角被美軍追殺，《胡越的故事》中胡越（周潤發）卻在菲律賓逃亡時穿著美軍制服，他與沈青（鍾楚紅）的夢想就是到達美國。胡越跟信介一樣，是赤軍／越共追殺的對象，於是合理化了片中對共產政權濫殺殘暴的呈現，片中的反共意識。胡越說：「在哪個唐人街，我的處境都是一樣。」他一邊將沈青的屍體放在海上，一邊讀出他寫給李立君（繆騫人）的信，假裝在「完成我們的旅程」，一如《投奔怒海》中夫人與祖明在紐奧爾良開酒吧的「約定」。《投奔怒海》中把琴娘的墮落以她仿效母親，出賣自己身體作為比喻，也可見從五十年代以降美國麥卡錫主義把「共產」／「赤色恐慌」與「性墮落」互換慣例的持續影響。《父子情》的父親為了供兒子去美國留學，要求大女兒嫁給工廠的管工，強迫小女兒放棄讀大學的機會出外找工作，一家子只為滿足父親的美國夢；這夢的內化及性別主義為這家子造成龐大的裂縫。

留美的徐克、劉成漢均受六十年代末及七十年代初美國青年的抗爭運動，包括反越戰運動、保釣示威等影響。劉成漢在一九七一年曾拍攝美國三藩市香港及臺灣華人留學生等舉行保衛釣魚臺、反日軍國主義示威遊行的黑白紀錄片。片中可見示威標語，如「反對美日勾結」、「No US Capitalism in Chinese Soil」等。當時全美大學生示威美軍在越戰中濫殺平民，美國國民警衛軍更槍殺肯特州立大學的示威學生，而港英警察在維園暴力鎮壓保釣示威，留美港生也向英使館抗議殖民主義。[18]

根據劉成漢的憶述，因為之前《胡越的故事》的成功，投資方要求《獵頭》（一九八二，劉成漢）以周潤發重演殺手角色。但這次這位來自越南的殺手，並非逃避越共的追殺，而是在美軍支持的南越政府軍中參與屠殺平民，來港後也牽涉在美蘇禿鷹與灰熊的政治鬥爭中。片中呈現在香港冷熱戰並行的情況；兩方互相暗殺，毒氣商唐菁替美軍製造毒氣，又收買前越南軍人當殺手。電影探討香港社會（包括黑社會）特殊的地理及政治位置，讓它一直透過發外地戰難財，如中國內戰、韓戰、越戰等從中得益，並成為各方間諜特工的情報中心。片首飾記者的關之琳報導美國國防部指責蘇聯支持的越共在柬埔寨使用毒氣，KGB卻指控CIA在越戰中使用化學橙黃毒素；她提到在美國讀中學時看到反越戰示威。跟《胡越的故事》相近，《獵頭》同樣是寫越南殺手流落香港，追殺他的是昔日在戰場上他沒有救援的同僚；為南越濫殺平民，也成為追隨他的夢魘。電影把戰爭的暴虐及對情感的創傷普世化，又把反戰青年寫作走私毒氣商的女兒，揭示在全球冷戰當下，所有人均成為戰爭合謀者的殘酷現實。

再一次，一如不少新浪潮電影，《獵頭》也觸及港英政府的神經。劉成漢說：「當時主持香港電檢處的英國官員華德還警告我不要太過分，『不要以為我們不知道你在說什麼！』」；「香港電檢處當然不高興把香港描寫為美蘇間諜鬥爭之地，醜化盟友美國，製造走私毒品中心，雖然警告不要太過分，但最終卻沒禁止影片上映，因為美國本土都已經爆發大規模反越戰示威，而且美軍在越南屠殺平民的醜聞全世界已經知道。」

青春的膜拜，優越的階級

《烈火青春》可被讀為《第一類（型）危險》的重寫。同樣是寫四個無所事事的年輕人，誤打誤撞，最後捲入國際政治漩渦，招來殺身之禍。同樣是把無政府主義、反社會傾向嫁接至青少年的壓抑與宣洩上，《烈火青春》面對洋化港式新身分的打造有截然不同的位置。兩部都可看成是對由青年發起、六六年天星小輪加價觸發的反抗運動開始，香港社會經歷一系列的本土青年社會運動的回應。但兩部電影之間對青年的詮釋及政治主場卻南轅北轍：《第》以暴力反抗社會，青年（男、女）之間完全沒有情慾關係的描寫，主要的視點在住在唐樓、無父無母的草根少女狖豬身上；保羅富裕的家境只加強疏離感，只能靠研發炸彈以體現自我價值。《烈》卻以身體欲望反抗，雖然邦（湯鎮業）也是草根青年，但他的階級在片中的呈現是被嘲諷的對象。電影邀請觀眾代入的視點放在異常富裕的Louie（張國榮）與Kathy（夏文汐）的階層及其生活文化環境。他們用對英國及日本文化的膜拜來自視比香港主流或草根文化優越，不像《第》片的青年直接衝擊香港當下經濟掛帥的繁榮表象。

片首張國榮半裸在海景豪宅的房間中，聽著高級音箱中送來的貝多芬第五交響樂（後來從他口中知道是他母親遺下的電臺節目錄音），電視上播放日本原宿青年人跳街舞，鏡頭上搖至電視上一輛歐洲帆船的模型特寫。電影中Kathy與Louie活在堆積著歐英日文化符號的世界，彷彿跟香港社會一點關係都沒有：Louie的房間牆上貼滿David Bowie的海報與唱片封套，Kathy瞬間揚起一件日本和服，裝成舞伎；舞蹈中插入Kathy與日本男友信介在床上的蒙太奇鏡頭。

跟《第一類（型）危險》中的青年相似，同樣是借燃燒品發洩但跟《第》中製造汽油彈以外洩相反，《烈火青春》中Louie靠吸入日本電油自嗨，並遭Kathy義正辭嚴地搶白。電影中歌頌的反叛淨是來自男女性愛關係，尤其是表現豪放主動的年輕女子，如Kathy、Tomato（葉童）。她們被呈現為主動勾引片中男主角及銀幕下觀眾欲望的焦點，具體見於Kathy在公共泳池對邦的挑釁、在電車性愛後整個人掛在邦身上；Tomato在酒店自己脫衣、吻Louie的慢鏡頭等。[19]青年性愛在電影中被賦予中心位置，推動著情節發展及觀眾認同，投射想像。電影英文片名的《Nomad》指涉Louie父親的帆船，表達青年不受社會制約的浪漫想像；他們的漂浮無根，是一種高度去政治化、刻意脫離香港在地社會、建立無憂患性愛烏托邦共同體的追求。片中Tomato說：「我們對社會好像沒什麼貢獻。」Louie：「什麼社會？我們不就是社會！」被視為香港電影經典對白，四十年後仍廣為傳頌。[20]

電影雖然刻意製造邦與Kathy的跨階級戀情，但電影的階級認同完全在中上層階級的Louie及Kathy身上，邦作為計程車司機及救生員的草根工作只是用以作為被調侃、被異物化的場域。邦的民族主義反日情緒被呈現成他缺乏文化修養所致；在Kathy家挑釁信介並敗在信介的氣場與劍道之下。緊接著的下一場更製造了文化素養反差的效果：Louie在畫廊參觀大木正雄的展覽，欣賞日本藝術家在米蘭時裝大展的作品。Kathy說：「我跟他〔邦〕一起，用不著這麼多精神去思考；只有肉體，直接的肉體。」暗示邦之純粹肉欲，缺乏精神性。

電影中唯一的具體社會政治指涉，是信介作為日本赤軍的逃兵。《烈火青春》中強調赤軍的殘暴，成為摧毀青年理想生活的敵人，一方面完全脫離香港日常現實，另方面展示了香港作為冷戰右派（英美日連線）反共橋頭堡的意識形態影響，也與許鞍華同期風格漸趨成熟的《胡越的故事》（下稱《胡越》）與《投奔怒海》遙相呼應。《烈火青春》片末青年的集體被屠殺[21]，與《第一類（型）危險》的結局非常相似，但各自妖魔化赤軍與美軍，可見冷戰左右對壘在香港留下的烙印。而《烈火青春》片終最後一個鏡頭，是Louie渴望登上的帆船，字幕打出：「遠方的船——赴阿拉伯」，直接呼喚歐洲殖民及東方主義作為香港不可抹煞的歷史構成，見證了香港八十年代（青年及影像）文化，漸被殖民現代性統合收編的局面。

越南作為鏡像

我〔邱剛健〕原意把他〔《投奔怒海》的芥川〕寫成在六七、六八年間的日本左派學生，所以他對左派是一直表示同情的，畢業以後便被派到越南當戰地記者。㉒

我〔許鞍華〕其實不識政治。在一九八〇年，我完全不知文革的具體情況，也不知下鄉、下放等是什麼一回事，總之，印象模糊，只是聽聞過，但冇〔沒〕設身感覺。我當時只是honestly去拍一個越南故事，我冇諗過〔沒想〕要去影射大陸，但是戲出到來人人都話似寫大陸，連我自己都覺得似，但當時真是無此用心。㉓

《胡越》與《投奔怒海》的故事主場雖然不在香港，但兩片把香港被殖民主體的飄泊感移置於具體在飄泊的越南難民身上。把英國對香港的優越位置與情感投資（憐憫）翻譯成香港對越南，或日本對越南。所以《投奔怒海》中酒吧老闆娘「夫人」（繆騫人）展現的東方主義風格對香港觀眾異常親切，因為那是香港人被教育認同代入的感情結構；片末芥川（林子祥）的被焚則帶來震撼；那也是香港的主體被焚。熟讀英國文學的許鞍華，在《胡越》中安排胡越把沈青的屍體置於海上，猶如哈姆雷特與奧菲莉亞先後的自毀；胡越為救一名萍水相逢的同鄉，竟然中斷幾經艱辛亡命渡海的旅程，放棄赴美求生的意志與欲望。這份浪漫英雄主義情懷也許不太切合越南船民的現實處境，卻鋪排了周潤發與鍾楚紅在以後不少經典愛情電影中成為飄泊中的情侶形象。

許鞍華對越南船民的書寫，當下香港影評人不是沒有微言。李焯桃謂「許鞍華對人文主義現實主義的長處有充分掌握，人情刻畫細緻，感性強烈；不過在知性的層面卻幾乎交了白卷。」[24]羅卡指出：「在展示了許鞍華豐富的感性和溫厚的人文主義的同時，影片不曾深入分析造成今日越南局面的歷史因素，也沒有為越南的苦難提供一個理性的思考角度，在處理越南的困境這樣一個重大題材上，只有豐富的感性表現（同情、悲憫）而無理性的（歷史的、政治的）透視，未免是個嚴重的缺失。」[25]《投》作為新浪潮時期導演寫越南題材的壓卷之作（如果不把徐克一九八九年拍《英雄本色III夕陽之歌》計算在內），圓滿了許鞍華在《胡越》及《來客》（一九七八）[26]中已經鋪排的越南敘事——祖明（劉德華）作為胡越的前身，也可視為對《第一類（型）危險》及《獵頭》中批評南越及美軍暴行的回應。正透過把議題充分去政治化（包括把原劇本中的前日本左派學生芥川改為無特別政治傾向）及去脈絡化，《投》成功協助香港觀眾完成當下異常渴求的感情翻譯，因為「觸及一九九七陰影下香港人的心靈，也可能因此而出奇地賣座」。[27]從這些評論中可見，當時評論人異常渴求，透過電影進一步思考剖析，電影與在當時炙手可熱的越南船民議題之間的關係。今天我們透過歷史的距離，也許可以重訪這段複雜微妙的關係，因為這跟香港接下來的文化政治走向至關重要。

隔壁的熱戰

越戰在一九五五年十一月一日爆發，至一九七五年四月三十日北越攻陷西貢、統一越南；共產主義政權掌控南越、寮國和柬埔寨。首批越南船民於一九七五年五月四日隨貨輪「嘉娜馬士基號」到港，全數獲港英政府收容，登岸後獲安排到駐港英軍騰空後的軍營居住。一九七八年十二月，臺灣貨輪「匯豐號」載著二千七百多名越南人入香港領海。由於歐美對讓越南船民入境的審批愈來愈嚴格，船上物資短缺及衛生情況惡劣，香港政府與船民僵持三周後准許難民登岸。隨後陸續有船來港。一九七九年七月英國政府在日內瓦簽署國際公約，把香港列為越南難民的「第一收容港」，於是大批船民蜂擁而至。光是一九七九年一年內便有超過六萬八千七百人抵港。當時東南亞國家及臺灣對待越南船民態度嚴苛，甚至不惜以武力將入境的船隻拖回公海。至一九八〇年，超過十萬名船民抵達香港。

每收容一名越南難民，香港政府每年大約需要花費公帑一萬兩千港元。英國政府為什麼這麼願意慷香港的慨來收容越南船民？這問題的定調一直是從「人道主義」出發，被認為是香港「歷來最龐大的國際人道救援行動」。但有趣的是，英國以香港殖民地的資源接濟越南船民，卻並沒有選擇在英國本土，或遊說其他英聯邦或歐美盟友地區收容他們。反而，自八十年代始，歐美逐漸減少收留到港的越南人，使香港的越南難民問題不斷惡化，難民營內發生多次集體打鬥及騷動。自一九九二年五月開始，香港啟德難民營內接連發生南北越難民騷動事件。港府修改人民入境條例，規定七月二日零時以後抵港的越南難民入住禁閉式難民營。越南船民問題困擾了香港社會達二十五年，自一九七〇年代至二〇〇〇年七月十七日香港最後一個難民營關閉，香港共接收多達二十萬名船民。回歸後一九九八年一月九日，香港政府才取消「第一收容港」政策。這政策的動機究竟為何？要解答這個歷史謎團，重新審視香港新浪潮的一些描繪越南船民在港成為殺手的電影，可能會有幫助。首先，讓我們看看港英政府在處理越南船民問題的同時，在做些什麼其他事情。

中英就香港前途問題的談判，進入大部分香港人的視野，乃一九八二年九月戴卓爾夫人（臺譯：柴契爾夫人）訪京，雙方會談開始；九月二十三日，中英《明報》頭版頭條報導「香港前途問題，今日展開會談」，並放上戴卓爾夫人與趙紫陽「言談甚歡」的照片。不過，《明報》還說：「早於一九七九年，港督麥理浩已赴京訪問中共中央副主席鄧小平，要求改寫新界租約期限，但中方表示不急於討論。」這跟中共的報導有很大的出入。一九七九年三月，香港總督麥理浩訪華，向中國政府提出一九九七年租地契約到期的問題。三月二十九日，鄧小平接見麥理浩時，談到中國政府對香港問題的立場，當時鄧小平這樣說：「香港主權屬於中華人民共和國，這個問題本身不能討論。」㉘一九七九年三月，就是英國在日內瓦把香港簽署為越南船民的「第一收容港」國際公約前四個月。

一九八二年十月十三日，《投奔怒海》上映，雖然電影同時遭臺灣及中國禁映，但光在香港，票房便達一千五百多萬港元，導致同期上映的《八彩林亞珍》票房慘敗，一周後僅收四百六十萬港元。《投奔怒海》可謂新浪潮電影中最叫好叫座之作品。從電影的賣座，可見當時的香港社會已經非常習慣把越南船民問題看成自身社會議題的一部分，而且把越共對越南的「解放」後衍生的政治難民問題，投射成與港人命運相連，切身的未來鏡像。《投奔怒海》中日本記者芥川發現自己為越共的政宣所騙，最後以性命換取琴娘（馬斯晨）得以逃命的悲劇結局，成為港人對自身絕望哀嚎的縮影。這些如此「自動」、早有準備的文化翻譯及情感效應，體現了英國政府在過去幾年處心積慮在香港製造越南船民問題策略上的成功。越南難民這個被香港「內化」了的政治問題，協助製造了港人難以言說的「信心危機」，協助製造如《胡越的故事》、《投奔怒海》的成功。當然，《胡越的故事》、《投奔怒海》中對越南的呈現，進一步強化了港人對回歸的恐懼。

一九八二年，《明報》報導幾個大型民調顯示，除了回歸中國，也有人提出其他意見，如維持現狀、由英國代管，甚至是獨立。可見中方堅持收回香港的立場在當時香港有非常明確的反對聲音。一九八二年九月，英國首相戴卓爾夫人與中方無法達成共識，不歡而散，她步入人民大會堂時，恆生指數報一千多點；離開人民大會堂時她跌了一跤，彷佛象徵英國在談判桌上的失勢。於是恆指開始下瀉，至八二年十二月底，恆指跌至六百多點，三個月間港股市值蒸發約四成，可見當時港人的「信心危機」。二戰後至歐美世界經歷的六十年代民權運動，叫歐洲國家在世界上過去及仍有的殖民統治，包括英國在香港的管治權，在國際上已然喪失合法性。唯一賦予英國在香港管治權合法性的方法，是取得香港人民的授權。所以英國在七十年代不斷運用各種手段，加強港人對所謂「本土」的感情認同（面子），裡子其實是對英國管治的歸屬感，包括前文提到的教育、福利及青年政策的更新，及廉署的成立等。七九年港督麥理浩便是挾著這種「成功」理順香港政策的驕矜，以為可以藉此向中共要求延續九七年到期的新界租約（一八九八年《展拓香港界址專條》），期望以「主權換治權」[29]，卻萬萬沒想到竟然會換來連英國一直堅持已經永久割讓的香港島（一八四二年《南京條約》）與九龍半島（一八六〇年《北京條約》），都被要求一併歸還（兩條約亦遭中方否定）；主權與治權一併斷送。麥理浩訪華後四個月，英國在日內瓦把香港簽署為越南船民的「第一收容港」。因為英國人預見越南船民蜂擁來港的景象，及越南人在港衍生的各種社會矛盾，都會加深香港人對將來要被中共統治的恐懼。香港人的「信心危機」，是英國政府在中英談判桌上幾近唯一的籌碼。一九八三年九月鄧小平會見訪華的前英國首相希思時說，英國想用主權換治權是行不通的，勸告英方改變態度，以免出現中國不得不單方面公布解決香港問題方針政策之局面。該月香港的經濟恐慌被中方解讀為受英國幕後操縱。九月十六日至九月二十四日，港元曾在一個星期內下跌百分之二十至歷史低點。同時，物價一度飛漲，市面出現搶購糧食等情況。

回望來路，飄泊無家

一九七九年，方育平加入鳳凰公司。方育平導演的《父子情》、《半邊人》（一九八三）與《美國心》（一九八六），均由鳳凰影業公司或銀都機構監製與發行。銀都機構是由長城電影製片有限公司、鳳凰影業公司、新聯影業公司和中原影業四間左派電影公司於一九八二年九月合組而成。方育平這些香港新浪潮時期的重要作品，是香港左派電影工業直接促成的。六七騷亂期間中共的介入及誤判，文革禍延香港，致香港左派電影大失民心，導致港英政府讓文化冷戰在港白熱化，臺灣、星馬與西方陣營聯合圍堵香港左派電影，使香港左派電影公司的出品走至末路。四人幫倒臺後隨之而來的改革開放，讓香港親左文化工作者也跟隨中國主旋律尋找各種重振旗鼓的路徑。支援香港電影新浪潮年輕導演——尤其是走寫實主義路線的——是其中一條路徑。

鄧小平會見戴卓爾夫人時談話〈我們對香港問題的基本立場〉稱：「（……）關於主權問題，中國在這個問題上沒有迴旋餘地。坦率地講，主權問題不是一個可以討論的問題。」[30]一九八四年，中方拋出「一國兩制」、「五十年不變」等。中英聯合聲明草簽臨近，香港前途漸成定局。香港電影湧現一片懷舊熱，這自然是對自身文化面臨威脅的一種危機感呈現。標示新浪潮退潮之作《似水流年》正是對當下危機感的回應。看似跟《第一類（型）危險》在題材及風格上截然不同的《似水流年》，同樣寫出了香港的「經濟繁榮」背後付出的龐大精神代價與身不由己。兩片的主題曲也互相呼應。

望著海一片　滿懷倦
無淚也無言　望著天一片　只感到
情懷亂　我的心又似小木船　遠景不見
但仍看著前　誰在命裡主宰我每天掙扎
人海裡面　心中感嘆　似水流年
不可以留住昨天　留下只有思念一串串永遠纏
浩瀚煙波裡　我懷念　懷念往年
外貌早改變　處境都變　情懷未變
留下只有思念一串串永遠纏[31]

眾所周知，《投奔怒海》與《似水流年》都是夏夢[32]投資製作的。七十年代末，正值鄧小平剛開展「改革開放」，人民代表大會常務委員副委員長廖承志邀請夏夢重回電影界。[33]於是一九七九年，夏夢出現在中國電影家協會一九七九新春茶話會上，同年十一月，夏夢與葉劍英、廖一原夫婦、香港新華社社長王匡展開座談。同年十月至十一月，夏夢出席中國文學藝術工作者第四次代表大會，這是「四人幫」倒臺後第一次文代會。不久她正式成立青鳥電影公司，以獨立製片人身分投資《投奔怒海》，也是文革後第一部香港電影在中國境內（海南島）拍攝。諷刺的是，電影的親中投資及於大陸拍攝的背景固然讓它丟失臺灣市場，但電影的反共意識也叫它在中國被禁；DVD要待電影完成二十六年後，二〇〇八年二月才「回歸祖國」。

一九八三年，夏夢親自從香港到北京邀請斯琴高娃參與演出《似水流年》。《似水流年》的珊珊（顧美華）回到「故鄉」，與青梅竹馬的男（謝偉雄）、女朋友（斯琴高娃）團聚，卻發現有一部分自我，已經永遠不能回去（「心中感嘆似水流年／不可以留住昨天」）；她臉上的化妝品、身上的睡衣、車上吃的牛肉乾，每一樣她早已習慣的物事與生活方式，與剛剛開始「改革開放」不久的中國大陸有著不可逾越的距離。但早已成為她的「處境」（「外貌早改變／處境都變」）的香港，卻同時又叫她盲目向前但相當不適（我的心又似小木船／遠景不見但仍向著前／誰在命裡主宰我／每天掙扎人海裡面）。珊珊一語道破殖民地的限制：「我們圈子好講利害關係。」這個「圈子」指的是漫畫（珊珊作為漫畫家）、文化藝術，還是香港？

珊珊與唯一的家人（妹妹）講長途電話只有不絕的爭持，「靠律師傳話」；香港被呈現為一個公裡私裡都是窮得只剩下利的地方。被商業掛帥的社會破壞了的倫理關係如何修補？沒有回頭的路了，但現在的香港是天堂？是家？珊珊逃回鄉，希望「看你們怎樣做人」，但前現代的環境卻讓她一下車就碰上路邊的骷髏而昏倒。珊珊具體呈現了吃資本主義奶水長大的新生代的欲望與失落，在城市不見盡頭、孤單無依的掙扎，所有的主體性及「自由」都移置至個人身體的情慾關係上，包括拍拖三個月後發現不再愛男友而墮胎等。珊珊這現代主體在阿珍及孝松的生活中出現，見證了他們生活的平淡如沒下鹽巴的菜，差點衝擊了他們的婚姻。當然這也貼切地寫出了中國重新面對個體欲望自由的世界正要面臨的海量衝擊，對物欲生活毫無抵抗力，如阿珍所言，用一雙雨靴就可以收買了；阿珍欲拒還迎的妒恨從嘴角的酸溢出。《似水流年》寫出了自冷戰後兩個世界之間存在的龐大裂痕，又同時面對香港介乎回首與前路之間的尷尬、不捨與無奈，也是香港文化構成中兩個自我（中國與殖民）之間的矛盾。

但電影的另一副線是漢公與唐公的回歸，在外國住了幾十年後回到故鄉懷抱百年老樹，才是心之所屬。坦然自在、擁抱過去的智者，與「數學小天才」在廣州白天鵝酒店「開了眼界」後將會開拓不一樣的未來；這些副線作為香港面對回歸的可能，讓《似水流年》把八十年代初香港知識分子一些樂觀情緒暗渡陳倉。電影的矛盾是：珊珊一方面受不了香港的功利社會，但她（及電影）的樂觀又來自作為香港人，看到自己／香港可以帶領中國進入資本主義現代性的可能。這種權力的逆轉，賦予電影一種希望；這裡的青年，是來自新中國，對現實異常機靈，對未來（中國農村以外的世界）又無比好奇的孩子。

李焯桃在一九八四年九月時這樣寫：「這也許可以解釋為何本片在今日引起了廣泛的知

識分子的共鳴，因為一方面對鄉村的理想化（idealised）描繪切合了香港城市人的鄉愁（nostalgia），另一方面在被逼面對九七，回歸中國已成定局的環境之下，珊珊的還鄉對觀眾來說就是一次象徵的旅程（巧妙地把「國」與「鄉」等同了），而那個經驗是很令人放心的（reassuring）。」他認為《似水流年》在潛意識上減輕了觀眾對未來的恐懼與抗拒。[34]《似水流年》當時一定程度上道出了香港文人焦慮與冀盼兼備的複雜心情，但如前述，《投奔怒海》一九八二年在港上映時票房收一千五百多萬港幣，位列年度總票房第五位，而《似水流年》票房只有四百五十五萬港幣。[35]這也可見當時香港主流社會的人心所向。

我以為《似水流年》讓當時香港知識分子眼前一亮的另外一個原因，是它濃縮與說破了香港與中國大陸從民國到八十年代以來的某種關係，於是給予香港回歸另一種詮釋。如本書第一章敘述，彷彿姊妹分享共同的文化（與政治）源頭，共同建立與想像的家與國，但社會主義與資本主義現代性隨著中國的熱戰至戰後全球冷戰，漸漸變得水火不容、隔河如隔世。弔詭的是，被兩種現代性建構下的人民卻不斷彼此欲望，各自依賴對方成為自己的他者，讓自我的成立（與自我的再生產）過程中感受的壓力、暴力與渴求，借助他者獲得緩衝、逃逸與釋放，並同時滿足自我的優越感。珊珊的回鄉、她與阿珍及孝松的關係、她執意把在社會主義下長大的鄉下孩子帶去廣州看資本主義的世界，孩子在酒店餐廳卻把所有的糖都拿了等人物與情節塑造，正寫出了這兩種世界的親密、矛盾與（彼此）欲望。導演嚴浩可以把中港複雜矛盾、彼此既欲望又排斥的互構關係作出如此精準的呈現，跟他既內在於香港左派，但又作為殖民新生代的雙重身分不無關係。㊱從這個角度看來，《似水流年》可以說是香港親左電影傳統下繼承與變異的結晶品。

成長的掙扎，倫理的重塑

不論《父子情》或《半邊人》，那種對家庭倫理和人際關係的關注，對低下層市民生活的關懷，精神上皆直接繼承了五、六十年代香港左翼電影的傳統，廣義地也成為三、四十年代的中國電影現實主義人文傳統的支流。㊲

《父子情》繼承了香港五十年代的家庭倫理寫實電影傳統，但與《父與子》（一九五四）及《父母心》（一九五五）不同的是，《父子情》由年輕一代的本位出發，寫兩代之間的矛盾，而非上一代自己的矛盾，也顯示這一代新導演對中國傳統陽剛性面對香港殖民資本主義衝擊下的崩頹與變異，有更深切的體會與呈現。《父子情》中的羅山木（石磊）因為不懂英文，在公司中縱有資歷也不能晉升，他在殖民社會經歷的不公平對待使他更拚命抓著他繼承的父權傳統，並把不平等架構移置到家庭的性別位置上。電影藉父子間的矛盾，寫出戰後嬰兒潮香港新生代如何藉歐美次文化向中國式父權提出挑戰，但由於香港的殖民環境，華人陽剛性本來便受到莫大的貶抑，非廣東華人在族群中心主義掛帥的香港商業社會更是舉步維艱。電影的敘事結構以父親病發開展，對他在職場承受的不公待遇、存活養家的壓力（在公司偷廁紙）給予相當的篇幅，使觀眾看見他把自身屈辱與對未來的寄望都投注在家興學業上的非理智情感與心理鬱結，脈絡化了父權的盲目，也為父親這角色描畫出相當厚實的肌理。

兒子羅家興（李羽田／鄭裕柯）偷偷把自己的教科書拿去賣，讓他可以拍超八電影，發現英文書賣到八十元，但中文書只值一斤兩元（共八元）。如《行規》中會煮義大利咖啡的陳Sir、《似水流年》中不滿香港文藝圈的功利並向逝世的父親告別的珊珊，《父子情》跟不少新浪潮導演的早期作品一樣，其中投注了不少自傳元素，如片中的小主角家興沉迷電影，幼時要不蹺課去看差利卓別林，要不在家嘗試製作皮影戲至釀成火災，中學畢業考不上大學便一心考電視臺也不肯出國念書。《父子情》可以說是導演憶述他自小與電影義無反顧的愛情。

這些都使新浪潮電影雖然一方面寫出時代的矛盾，另方面卻異常質樸與親切。《父子情》尤其充滿生活細節的韻味，如哥哥不回家，妹妹先把家中的籐條收起來，讓爸爸要打兒子時找不到。家興被罰不准吃飯，只好在洗澡時偷喝媽媽在廚房煮的當歸湯充飢，結果一夜冒汗無眠，並偷偷聽見媽媽說男孩不能吃當歸。這些悲喜集陳的生活細節，把香港草根家庭寫得既地道又立體。家興與紹沖（陳昕）偷了賣旗的錢來看電影，也召喚中聯經典《父與子》中小孩賣旗的橋段，但把五十年代《父與子》中的另類劫富濟貧改成個人化的反身敘述。

在云云新浪潮導演中，方育平對在地陽剛性有相當多的思考，這跟一些新浪潮電影（如

《地獄無門》（一九八〇，徐克）、《烈火青春》、《八彩林亞珍》中的陽剛焦慮）截然不同。與《胡越》、《投奔怒海》也相反，《父子情》中的男性不是英雄，反而是女性（姊姊、妹妹）被迫自我犧牲，成全了男性的自我再生產。妹妹家喜雖然因此生哥哥家興的氣，但家興專程去醫院找家喜道歉，修復父親重男輕女而造成的兄妹裂痕。家興小時轉校，被同學發現他戴耳環而被欺凌，卻是全班被認為最壞、常常被罰的吳紹沖仗義相挺，而且向他「出櫃」，他也曾被穿耳。二人從此成為密友。片中二人相濡以沫；家興轉校後紹沖在路旁等他，但二人的關係卻被校方及羅父打壓，猶如《兩小無猜》（*Melody*，一九七一，華里斯·赫辛）中的丹尼爾與美樂蒂。

島上不屬於

> 如果說本土化是新浪潮電影最大的成就之一，那麼許鞍華的電影可以說是本土化最重要的代表。㊳

香港新浪潮的冒現，象徵著香港文化一些重要的歷史時刻：中國左翼文化傳統的退潮，與中國歷史文化的斷裂，歐美抗爭文化的在地化，殖民與冷戰現代性的融合與延續，香港成為英美語系文化的一員，又同時對重塑華人倫理表達渴求。香港新浪潮常被視作第一代以香港為本位出發的作者群，把「中國的香港」變成「香港的中國」，是「粵語片」與「港產片」的分水嶺。本書把香港電影的縱向脈絡略微拉長，從三十年代侶倫及「島上社」的觀察與思辨，至五十年代中聯集體自覺對香港的凝視與關切，皆可見香港本土主體性的發展足印。但香港新浪潮的感知跟來者確有不同，我認為不在於「本土」與否，而是他們在殖民地冷戰時期成長，大都留學英美，或深受香港當時大量輸入的歐美文化藝術薰陶，成為香港進入英美語系的第一代，導致視點、認同與欲望的移置。他們的作品即使風格、類型、題材各異，但有一個共通點：他們十分香港，但同時又與香港格格不入。弔詭的是，香港新浪潮最明顯的集體風格，正是呈現香港社會的生活質感；大量的手搖實景拍攝與現場收音（《行規》、《茄喱啡》、《父子情》、《第一類（型）危險》等），使香港電影達到前所未有的，此時此地的現場感，即使《行規》中陳Sir在大嶼山觀鳥，都給人十分貼近港式生活的想像。

本章中討論新浪潮電影中經常反覆出現類似角色，如殺手、茄喱啡、警察、艱難成長或最終被害的青年等，增加了不同電影之間的互文性。而這些角色大多蘊含一種命懸一線的危機感，猶如當時正進入回歸談判的香港社會。如果說《烈火青春》藉年輕性愛拍出中上階層港人的不著地與消費文化全球化的無根，《行規》、《慾火焚琴》、《第一類（型）危險》、《似水流年》、《父子情》、《胡越的故事》等均拍出港人在香港社會集體的「不屬於」與飄泊感（即使胡越不是港人，但飄泊感可以說是貫穿許鞍華大部分作品的題旨）。不論林亞珍；《行規》中的陳Sir；《胡越的故事》的李立君；《第一類（型）危險》中的夾豬、保羅、阿高、阿豪；《烈火青春》的Kathy、Louie、Tomato與阿邦；《茄喱啡》的何能克；《似水流年》的珊珊；《瘋劫》的李紅；《父子情》的羅家興——他們都被呈現為在主流社會外的，落單的個體；電影中到處流露著與「傳統」斷裂後的飄泊及龐大的不適感。這些電影很大程度上表達著他們欲介入及改變香港社會的強烈渴望與面對自身無能為力的絕望。正如石琪論《瘋劫》，「使人一方面厭惡，但另一方面又有所懷舊」[39]，或何思穎論《瘋劫》：「一種現代人對過去的厭惡，甚至恐懼，一種新世代城市中產階級對上一代舊事舊物不滿的情緒」。[40]我認為這種厭惡又「懷舊」（著迷）的目光是殖民現代性的內化，不關乎香港的新舊，而是承繼殖民與被殖民權力關係的一種嫁接，使這一代影人文化上與上一代的傳承被史無前例地斷裂。因此，如果用法農（Fanon）對於殖民及分裂自我的理解，香港新浪潮就是香港電影進入鏡子期的自我再現。

《第一類（型）危險》中狠辣、屠殺青年的壞人是剛從殺戮越共的戰場回來，戰後協助日本偷運軍火的美軍，而《烈火青春》中同樣屠殺青年的壞人卻是日本赤軍，正正是冷戰版圖中的兩端。如果以這兩部電影作為政治立場彰顯的兩極，《獵頭》、《似水流年》等大概較貼近《第一類（型）危險》的主體位置，而《胡越的故事》、《投奔怒海》等則較接近後者。由此可見，香港新浪潮電影均有相當強烈、明顯的政治關注，而且光譜異常廣闊，可以說是香港電影歷史中政治論述最活躍，成果最豐碩的階段。接下來這些新導演進入電影工業，陸續拍出對中港政治或明或暗富含指涉的作品，如徐克《英雄本色III夕陽之歌》、許鞍華《客途秋恨》（一九九〇）、嚴浩《滾滾紅塵》（一九九〇）等，讓香港電影豐饒與複雜的時代意涵持續吸引多方面代入、投射與論述。

新浪潮電影初期傾向擺脫香港電影工業的類型片框架，如《茄喱啡》、《慾火焚琴》等都吸納類型片元素但難以被類型界定。分別讓徐克及許鞍華嶄露頭角的《蝶變》（一九七九，徐克）與《瘋劫》，前者挪用武俠片語言卻拍出未來主義風格，後者似乎是一部驚慄懸疑片，卻把香港新舊交錯的倫理關係細緻鋪陳，以多視點的敘事呈現香港生活質感的龐雜，語言近乎文藝片。這些都可見新導演是如何自覺地要學習卻又脫離類型港產片的既定模式，另開新天。香港觀眾要求內容日新月異，但對形式的期許卻非常保守。這也是新浪潮導演從早期作品中較多形式上的實驗，但漸次受類型片收編的原因之一。許鞍華從《瘋劫》、《撞到正》，走到《胡越的故事》及《投奔怒海》的顛峰，也是這樣一段改變過程。

八十年代中開始，新浪潮導演們被電影工業吸納，成為香港商業電影的生力軍。他們的創作模式改變，資源增多，但不論在內容與形式上的實驗、對常規的挑釁與顛覆、直接指涉地緣與在地政治的銳氣，也漸次消減，猶如《第一類（型）危險》或《烈火青春》中的反叛青年，「難以續延」。香港的政治氣候，在八十年代中後期風雲變色，市場的需求也隨之改變。本章討論的這些導演及作品，改變了香港電影的視覺語言（如創建了美術指導的重要位置），扶掖了一批與他們一起成長的年輕創作人，包括當時協助新浪潮導演群的監製、編劇、美指、製片助導、場記等，如關錦鵬、區丁平、張叔平、金炳興、舒琪、方令正、張志成、泰迪羅賓、邱剛健、陳韻文、陳冠中、張堅庭、陳果及王家衛；他們成為香港電影創作的接班人，繼續尋找藝術、言志與商業結合的方向，有的成為廣告界、電影教育界，或臺灣、東南亞影視工業的中堅，有的成為第二波香港新浪潮導演。香港新浪潮是華語電影世界最早出現的「新電影」，或多或少刺激了中國大陸第五代及臺灣新電影的誕生。

傳承與開創

青年的無根飄泊、對歷史的渴求與懷戀、對殖民現代的不適，都成為香港新浪潮第二波的佼佼者王家衛創作的中心題旨。《旺角卡門》（一九八八，王家衛）中不懈追夢卻屢屢闖禍，最後步向自毀的黑幫小混混（古惑仔）烏蠅（張學友），可以說是新浪潮邊緣人的經典再創造，直接繼承《茄喱啡》、《第一類（型）危險》等（「我寧願做一日英雄都不想做一世烏蠅」；「今日我在這裡賣魚蛋，第日我在中東賣飛彈」）。電影中大量的手提式攝影、街頭實景也師承香港新浪潮的視覺寫實主義，同時它把新浪潮的風格化視覺呈現，與當時方興未艾的浪漫英雄片，及黑幫片的類型敘事結合，於是讓人對新導演王家衛刮目相看，並為隨著新浪潮出道的新人劉德華，建立其作為男一號的地位。隨著《旺角卡門》同時取得商業及藝術上的讚譽[41]，王家衛隨即獲《旺角卡門》的投資者、資深影人鄧光榮加碼支持，開拍《阿飛正傳》（一九九〇），結果嚴重超支並票房慘敗[42]，導致原定計劃中的《阿飛正傳二》

被永久擱置。

《阿飛正傳》在港的票房不及他的出道作品《旺角卡門》，實屬必然。王家衛完全摒棄當時香港觀眾熟悉的類型電影語言及寫實主義、以緊湊橋段及動作場面推進劇情及建立節奏的敘事慣性，而選擇繼承新浪潮導演如譚家明（亦為《阿飛正傳》剪接）、嚴浩等以人物心理感情為主軸的藝術電影風格，更進一步深化新浪潮導演群曾經對香港文化結構的反覆詰問，如中港關係、中西文化的混雜性、資本主義工作倫理等，對正經歷了八九六四，急需療癒宣洩的港人來說，真是牛頭不搭馬嘴。更與時相違的是，與其效法新浪潮導演群汲汲向歐美日文化取經，以展演其作為英美語系成員的優越身分（冷戰的西方陣營），王家衛選擇回溯一個香港的「黃金時代」，洋溢南來文化混雜性的香港六十年代，重新創造當時正被極速取替、已然永遠消逝的複雜（流離上海）文化氛圍；其中有過氣交際花、跳查查的阿飛、曼波之王的拉丁音樂[43]、深受猶太文化影響的上海俄式西餐如皇后餐廳等。王家衛以他的家族記憶，回應香港殖民現代性的暴力，以拒絕上班、全職玩樂泡妞的旭仔（張國榮）作為萬人迷，是片中其他必須辛苦營生的角色，如球場小賣部職員蘇麗珍（張曼玉）、舞女咪咪（劉嘉玲）、童年玩伴阿飛歪仔（張學友）、草根警察／船員超仔（劉德華）的欲望或救援對象。蘇麗珍的澳門背景，也道出了區內受益於韓戰、經濟較早起飛的香港，作為模範歐洲殖民地，尤其成為鄰近澳門的第二殖民者的角色。

王家衛拍攝《阿飛正傳》時回歸大限已定，港人對中國母體尚存的臍帶想像與渴望，頃刻被八九六四戛然中斷。《阿飛正傳》中旭仔與養母、生母的三角關係，三者之間的感情糾葛，儼然是在中英權力較勁中，香港人成為被推來推去的棋子，其飄泊無家處境的隱喻：被狠心不認子的生母拋棄，如貨品一樣「賣」給貪婪求取每月五十美金的東方之珠養母，唯料不及養母與旭仔之間到頭來也建立了難以割捨的感情。這是一九九〇年香港人急需求得外國護照作為救生艇的年代，於是片中旭仔為了一本假美國護照而被殺。到頭來，《阿飛正傳》骨子裡塑造的不是六十年代的香港，而是在八十年代香港回望來路及來路之斷裂所衍生的情感。所以，片中潘迪華的那個經典回望鏡頭，一面回望她自身的過去，同時亦在回望身後的香港（旭仔），正是全片的靈魂所在。超仔暗戀蘇麗珍而始終不能承認，只道賺快錢運完貨就會回港，對旭仔的縱慾、自戀與自毀最不耐煩，不惜打斷、反駁他的無腳小鳥敘事，猶如現代主義向浪漫主義的反撲。這也預警了香港進入九十年代，正全面被殖民現代的功利主義所吞噬，壓抑情慾成為必須付出的代價。

《阿飛正傳》不啻是香港電影對上海最深情的一次回望，幾乎是永恆的告別。弔詭的是，王家衛正是透過重構老上海文化蘊含的東方主義魅力，成功贏得香港新浪潮導演渴望經營的歐美語系永久會籍。他陰差陽錯地藉《阿飛正傳》叩開了歐美藝術殿堂的大門，把香港電影與世界藝術領域的資源接軌，讓他在十年後得以在《花樣年華》（二〇〇〇）中再重續對香港老上海人的迷戀，更以香港的上海前身為基礎，糅合殖民地恆有的東方主義文化色彩，為香港藝術電影國際化複製並拓展出一條前所未有的蹊徑，闖開了一片不再依賴華語及東南亞市場，與香港主流商業電影格調完全相反，看來背道而馳實則互為表裡的天空。

註釋

① 羅卡：〈香港新浪潮：在對抗性文化中進行革新〉，《第廿三屆香港國際電影節——香港電影新浪潮二十年後的回顧》，羅卡編，香港：臨時市政局，一九九九年，頁四一。

② 羅維明：〈怎樣才算新電影〉，《明報周刊》第六六四期，一九八一年八月二日。

③ 羅卡：〈香港新浪潮：在對抗性文化中進行革新〉，《第廿三屆香港國際電影節——香港電影新浪潮二十年後的回顧》，羅卡編，香港：臨時市政局，一九九九年，頁三八。

④ 近年不少研究發現，出版《中國學生周報》的友聯出版社，由亞洲基金會資助，亦為美國中央情報局在亞洲文化冷戰部署的一部分，旨在對年輕人灌輸有利於西方「自由世界」的知識和民主意識等。參許維賢：〈亞洲基金會在新馬的文化冷戰：以友聯出版社和《學生周報》為例〉，《中外文學》五二卷二期，二〇二三年六月，頁六五—一一三；傅葆石：〈文化冷戰在香港：《中國學生周報》與亞洲基金會一九五〇～一九七〇〉（上），《二十一世紀雙月刊》第一七三期，二〇一九年六月號，頁四七—六二；傅葆石：〈文化冷戰在香港：《中國學生周報》與亞洲基金會一九五〇～一九七〇〉（下），《二十一世紀雙月刊》一七四期，二〇一九年八月號，頁六七—八二；Shen, Shuang. “Empire of Information: The Asia Foundation’s

Network and Chinese-Language Cultural Production in Hong Kong and Southeast Asia." *American Quarterly* 69.3 (2017): 589-610。

⑤ 羅卡：〈香港新浪潮：在對抗性文化中進行革新〉，《第廿三屆香港國際電影節——香港電影新浪潮二十年後的回顧》，羅卡編，香港：臨時市政局，一九九九年，頁三九—四一。

⑥ 如梁普智、許鞍華在倫敦電影學院修讀。徐克畢業於美國德克薩斯大學奧斯汀分校廣播電視／電影課程。方育平先在喬治亞大學新聞系修廣播電影及電視，後在南加州大學主修電影。劉成漢亦為南加州大學電影碩士。蔡繼光為三藩市州立大學電影系碩士。余允抗畢業於加州大學洛杉磯分校電影系。翁維銓在加州洛杉磯藝術中心設計學院主修攝影，副修電影等。

⑦ 卓伯棠：〈嚴浩〉，《香港新浪潮電影》，香港：天地圖書，二〇〇三年，頁一八〇。

⑧ 電影《茄喱啡》插曲〈人生小配角〉歌詞，作詞人：黃霑。

⑨ 一九七一至七二年，在周梁淑怡的安排下，許冠文與弟弟許冠傑共同創作並演出喜劇綜合電視節目《雙星報喜》，深入人心。一九七四至一九八一年，許氏兄弟的喜劇電影《鬼馬雙星》（一九七四，許冠文）、《天才與白痴》（一九七五，許冠文）、《半斤八兩》（一九七六，許冠文）、《賣身契》（一九七八，許冠文）、《摩登保鑣》（一九八一，許冠文）連續五次成為年度票房冠軍，並三度刷新香港開埠票房最高紀錄。

⑩ 由蕭芳芳自資的高韻電影製作公司出品、陳家蓀導演、二人合編的《林亞珍》在一九七八年上映，收二百多萬港元票房。續集《林亞珍老虎魚蝦蟹》（一九七九，黃華麒）翌年應運而生，繼續賣座，收三百多萬港元票房，成為當年華語電影第七位。兩片的男主角也是伊雷。

⑪ 鄧達智：〈從她精靈的眼神開始〉，《芳芳私相簿：蕭芳芳個人珍藏照片集》，香港：皇冠出版社，一九九七年，頁一一九。

⑫ 可參游靜：《性／別光影：香港電影中的性與性別文化研究》，香港：香港電影評論學會，二〇〇五。

⑬ 也斯：〈六十年代的香港文化與香港小說（代序）〉，《香港短篇小說選（六十年代）》，也斯編，香港：天地圖書，一九九八，頁三—四。

⑭ 在書寫本章的過程中，有幸能夠透過社交媒體與劉成漢連繫上。他坦言當時很喜歡超現實主義電影《維莉蒂安娜》（*Viridiana*，一九六一，Luis *Buñuel*路易斯．布紐爾）及《僕人》（*The Servant*，一九六三，*Joseph Losey*約瑟夫．羅西）。兩片中皆可見下層階級顛覆上層階級的命題。

⑮ 電影《第一類（型）危險》主題曲〈帶著夢飛翔〉歌詞，作詞人：鄭國江。

⑯ 影射香港警務處刑事偵緝處前總探長呂樂，他在任時建立了一套與黑社會制度互相勾結的貪汙機制。一九七三年移民加拿大，一九七四年廉政公署成立後，查呂樂資產高達五億港元，通緝呂樂，但始終無法將他引渡回港。後來呂樂於臺北長居三十多年。

⑰ 李焯桃：〈最成熟的一次發洩：《第一類型危險》〉，《八十年代香港電影筆記》（上冊），香港：創建出版公司，一九九〇，頁一七—一九。

⑱ 謝謝劉成漢提供影像資料。本章關於《獵頭》的背景資料節錄自與劉成漢的筆談。

⑲ 《烈火青春》初映時，被教育團體「謂影片意識不良，超乎中國人道德標準」發起簽名運動抗議，需剪去兩組做愛鏡頭才能重新公映。

⑳ 二〇二三年三月三十一日，《烈火青春》的4K修復導演版在香港首映。

㉑ 據《明報》一九八二年十一月二十六日報導，《烈火青春》在拍攝期間，因為導演譚家明嚴重超支，投資公司世紀影業中途開除譚家明，請來唐基明接棒完成。譚家明指他的原意是以青年登上帆船作結。本章的討論是根據美亞娛樂（香港）有限公司發行的DVD版本（一九九七）。

㉒ 舒琪：〈訪問戴安平〉（邱剛健筆名），《許鞍華的「越南三部曲」劇本集》，張楚勇編，香港：青文書屋，一九八三年，頁四。原載《號外》城市雜誌八二年九月號。

㉓ 鄺保威編著：〈投奔怒海〉，《導演許鞍華》，香港：甘葉堂，二〇一二年，頁一六七。

㉔ 李焯桃：〈綜論許鞍華的四部電影——《瘋劫》、《撞到正》、《胡越的故事》、《投奔怒海》〉，《八十年代香港電影筆記》（上冊），香港：創建出版公司，一九九〇年，頁一〇七。

㉕ 羅卡：〈焦灼不安的人文主義者——許鞍華〉，《導演許鞍華》，鄺保威編著，香港：甘葉堂，二〇一二年，頁二三五。原載：《第十屆香港國際電影節——香港電影十年精選》，香港：市政局，一九八五年。

㉖ 許鞍華替香港電臺導演《獅子山下》電視劇集其中一集。

㉗ 羅卡：〈焦灼不安的人文主義者——許鞍華〉，《導演許鞍華》，鄺保威編著，香港：甘葉堂，二〇一二年，頁二三五。原載：《第十屆香港國際電影節——香港電影十年精選》，香港：市政局，一九八五年。

㉘ 一九七九年三月二十九日上午，鄧小平在人民大會堂新疆廳會見麥理浩。鄧小平直奔主題，首先表態：「香港主權屬於中華人民共和國，這個問題本身不能討論。但香港又有它的特殊地位，解決這個問題時，我們會尊重香港的特殊地位，不會傷害繼續投資人的利益。」http://cpc.people.com.cn/BIG5/n1/2017/1215/

c69113-29709630.html。

㉙ 香港回歸：https://zh.wikipedia.org/zh-tw/%E9%A6%99%E6%B8%AF%E5%9B%9E%E6%AD%B8。

㉚ 中英聯合聲明：https://zh.wikipedia.org/zh-tw/%E4%B8%AD%E8%8B%B1%E8%81%AF%E5%90%88%E8%81%B2%E6%98%8E。

㉛ 電影《似水流年》主題曲歌詞，作詞人：鄭國江。

㉜ 曾經是香港左派國語電影公司長城的臺柱，與石慧、陳思思並稱「長城三公主」。一九五九年，由《長城畫報》主辦的「香港國語片十大明星」選舉，夏夢名列第一，被稱為長城大公主。一九六七年在拍完《迎春花》（一九六八，張鑫炎）後，還未等到影片公映，夏夢舉家移居加拿大，退出電影圈，兩年後返港，並與夫婿經營製衣廠。「在那倒行逆施的日子裡，我個人在精神上也受到極大打擊。我不能不暫時離開『長城』，甚至離開了整個電影圈。我決心在電影的製作方針還沒有回到正確軌道以前，即沒有回到廖公確定的方針之前，無論如何不能重回電影界。我寧可改行去做成衣業來維持生活。」參https://zh.wikipedia.org/zh-hk/%E5%A4%8F%E6%A2%A6。

㉝〈夏夢的一生〉，《文匯報》，二〇一六年十一月四日，http://paper.wenweipo.com/2016/11/04/EN1611040022.htm；〈夏夢，左派影人的短暫回歸〉https://zhuanlan.zhihu.com/p/292940792。

㉞ 李焯桃：〈兩點保留——似水流年〉，《八十年代香港電影筆記》（上冊），香港：創建出版公司，一九九〇年，頁一九二。

㉟ 兩部電影同時廣獲好評，均獲香港電影金像獎當年的最佳電影、最佳導演、最佳編劇、最佳新人及最佳美

術指導五項大獎。《似水流年》並獲最佳女演員。

㊱ 參李若梅、劉汝沁、陳偉中：〈嚴浩、鮑起靜對談「六七暴動」下學生時代的反思〉，《明報月刊》二〇二二年十二月號。轉載為〈六七的左派家庭和中國經驗——嚴浩、鮑起靜對談〉，《灼見名家》網站：https://www.master-insight.com/%e5%85%ad%e4%b8%83%e7%9a%84%e5%b7%a6%e6%b4%be%e5%ae%b6%e5%ba%ad%e5%92%8c%e4%b8%ad%e5%9c%8b%e7%b6%93%e9%a9%97%e2%94%80%e2%94%80%e5%9a%b4%e6%b5%a9%e3%80%81%e9%ae%91%e8%b5%b7%e9%9d%9c%e5%b0%8d%e8%ab%87/?fbclid=IwAR08cTt4PI4u3z2H95Yu5grcBlZgZfeBSGB8OICsX1-lmf4aiipYpkq0b7s_aem_AdvMfdUv8rgSflDD76GBBZDiRy-PUon7DDUp8DCkKCFNB575tClDUJ6qJ85S6-CeFiY。

㊲ 李焯桃：〈《半邊人》的意義〉，《八十年代香港電影筆記》（上冊），香港：創建出版公司，一九九〇年，頁一四二。

㊳ 卓伯棠：〈許鞍華〉，《香港新浪潮電影》，香港：天地圖書，二〇〇三年，頁六四。

㊴ 石琪：〈《瘋劫》——死水微瀾感覺特異〉，《石琪影話集（一）新浪潮逼人來》（上），香港：次文化堂，一九九九年，頁三三，原刊於《明報晚報》，一九七九年十一月三日。

㊵ 何思穎：〈有點瘋，但絕不劫〉，《香港電影資料館修復珍藏：瘋劫》小冊子，香港：香港電影資料館，二〇一九年，頁二一。

㊶ 《旺角卡門》香港票房收入為一千一百五十三萬兩千兩百八十三港元，並入圍第二十五屆金馬獎及第八屆香港電影金像獎共十二項提名（含最佳導演）；張學友獲香港電影金像獎最佳男配角獎、張叔平獲最佳美

術指導。

㊷《阿飛正傳》香港票房收入為九百七十五萬一千九百四十二港元。

㊸電影中選取了四十年代流行的拉丁音樂家Xavier Cugat（沙維爾・庫加，一九〇〇—一九九〇）的多首經典名曲如*Always In My Heart*、*Perfidia*、*My Shawl*、*Siboney*、*Jungle Drums*、*Maria Elena*等為配樂。據潘迪華在二〇一八年香港公開大學講座「中曲西詞先行者」中透露，Xavier Cugat的音樂是她介紹給王家衛的。參https://www.youtube.com/watch?v=ltQPKj728vM。

第十章

富貴時代：喜劇之逼人[1]

要了解香港電影迂迴複雜，與政治千重的關係，與其中的再現政治，喜劇是一道太重要的門路。中國現存最早的敘事電影《勞工之愛情》（又名《擲果緣》，鄭正秋編劇），是一部喜劇，寫小人物間的爭逐與求愛，為明星影片股份有限公司在一九二一年上海創立之初攝製一系列四部影片之一，其他三部分別為《滑稽大王遊滬記》、《大鬧怪劇場》和《張欣生》，四部電影的出品年分均為一九二二，導演均為張石川。雖然現在已經無法看到這三部電影，單憑片名與倖存的文字資料推論，除了《張欣生》為倫理犯罪片（可能融入動作元素）外，其他均為喜劇。目前可見對於《滑稽大王遊滬記》的橋段為：「滑稽大王選汽車不靠眼睛，要汽車一字排開，靠閉了眼睛用手去摸（……），滑稽大王參加宴會無一不給人帶來麻煩和笑聲。最後，在他即將離開上海的時候，更是鬧出了真假滑稽大王的笑話。」[②]對《大鬧怪劇場》的評價則有：「早期滑稽短片注重的不是情節，而是一個個笑料的拼湊。」[③]現在讀來，會發現這些情節在過去幾十年的香港喜劇電影中也經常出現，連把人生比作表演（劇場）、真假難辨的後設（反）邏輯，都一脈相承，至於不講究情節而偏重笑料的沓浪而來，不正是香港八、九十年代喜劇電影的特色？

從階級差異矛盾發掘笑料，站在小人物的位置表達對現代資本主義社會、科技文明的反抗，也是二十世紀初全球喜劇電影的底色。值得注意的是，香港在大半個二十世紀電影史的發展歷程中，其喜劇進路竟然從來沒有離開過這個關注；在八、九十年代，大約九七年以前的十年間，在貼近當代社會呈現的同時，風格上卻回到中國敘事電影不注重發展情節的前現代階段，猶如嬰孩拒絕從母體出生進化成長，拒絕參與現代敘事電影的進程，如論者曾說，「一九八〇年代的很多香港電影有點像是一種雜耍表演」；「在文本形態上，一九八〇年代的香港電影，尤其是這些電影中的喜劇電影紛紛表現出一種『市民狂歡』的文化特徵。」④可以說，香港喜劇電影發展得最「成功」（在香港或／及亞洲最賣座）的時候，也是它最義無反顧、腦花四濺地生產出一次又一次，向歷史說不的（無）權力位置與機會，為觀眾開墾出最充分享受、徹底沉醉於自己挫敗感，叫時間幾近徹底停頓的輪迴時刻。我以為這也是為什麼在華語社會每年遇上公眾假期、重大假日，電視上又會重播這時期香港喜劇電影的原因，其受跨族群、跨時空的喜愛，歷久常新。本書的最後兩章，旨在向八、九十年代的香港喜劇電影，致以最深的敬意。

本章首先透過重讀三部八十年代中後期相當賣座、影響深遠的喜劇賀歲片，瞥見所謂「黃金」時代的香港電影如何建立另一種寫實，來構築、呈現與消費香港性，及其中隱含的階級、種族、性／別意涵，並進一步探索在香港身分出現前所未有危機的年代，香港電影工業如何回應，及協助港人消化重大社會歷史變遷。從這些案例也許可以瞥見，香港電影工業如何吸收並糅合了香港新浪潮及各種類型電影傳統的養分，迎合已經變天的市場遊戲規則。

一九八四年，鐘錶、時裝商人潘廸生找其好友岑建勳商議創辦電影公司，岑找來資深影人洪金寶（洪當時擁有嘉禾的衛星公司寶禾電影公司）合作。岑更網羅曾經與他共同創辦《號外》雜誌的陳冠中任電影策劃和編劇，宣傳主管是影評人舒琪。一九八五年，趁邵氏電影製作式微，德寶電影公司租用邵氏院線成立德寶院線，迅速壯大；又從新藝城挖來高志森、馮世雄、于仁泰、梁普智、姜大衛等導演。自一九八〇年代中葉至一九九〇年代初期，德寶集結一定的文化資本，與過去主流電影工業操作純粹從商業角度出發不同。隨著香港電影市場的中產化，德寶成功打造面向中產階層觀眾的電影。在香港一九八〇年代，德寶與嘉禾電影、新藝城鼎足而立。

香港喜劇電影一直給人堆砌笑料加濫情橋段與誇張動作的印象，甚少被認真研究。跟歐美喜劇電影善於切入「普世」處境剛相反，香港喜劇片卻總是非常貼近一時一地的政治經濟現實。究竟運用笑料加濫情橋段與誇張動作的方程式，與港產笑片似乎同時達到的某一種寫實，兩者之間是否矛盾，關連在哪？本章透過細讀德寶的賣座片、影響廣泛的《富貴逼人》系列作為案例，幫助我們開始反思香港喜劇電影的類型特色，及其橫向的、與當時社會政治現實的關係。下章續把九十年代「無厘頭」喜劇電影的崛起，重新置於自五十年代起，香港喜劇類型片發展的縱向脈絡下審視，從而窺探香港五十年來笑語政治的來路與變異。

大起大落，心理重訓

與新藝城無論如何都要加入喜劇元素的出品風格不同，德寶電影類型上的投資可謂相當多元：警匪、驚慄、賀歲、愛情、藝術、政治諷喻，不一而足。然而在六十七部德寶出品中，票房頭兩名均為喜劇，為《富貴逼人》（一九八七，高志森）及《富貴再逼人》（一九八八，高志森），猶勝當年囊括最佳電影、最佳編劇、最佳攝影三項香港電影金像獎，並被譽為香港浪漫愛情片經典作的《秋天的童話》（一九八七，張婉婷）。[5]在〈八十年代香港電影市場狀況與潮流走勢〉一文中，羅卡根據一九七七至一九八九年間賣座前二十名港產片收入分布的統計數字，指出從七十年代末至整個八十年代，「喜劇片（以喜劇為主要元素的影片）一直高據賣座首位」，可見在上世紀八十年代香港，喜劇是電影消費主流。[6]

《富貴逼人》系列為什麼如此受歡迎？評論多謂其「永不褪色」、「笑中帶淚」，寫出「典型的香港普通市民」的生活氣息[7]，雖沒有大卡司但「以情節制勝」。[8]「香港電影八九十年代出過許多系列電影，諸如《最佳拍檔》、《五福星》、《開心鬼》、《黃飛鴻》、《倩女幽魂》、《殭屍先生》、《警察故事》、《富貴逼人》等，有的是大製作，有的題材新穎，要說最接地氣，和生活中離最近的莫過於《富貴逼人》系列，驃叔驃嬸一家人的喜怒哀樂代表著香港大部分家庭。」[9]《富貴逼人》究竟怎樣「接地氣」，離生活最近？香港大部分家庭不會中六合彩、不會遇上存款的銀行突然倒閉、到銀行提款又剛好遇上銀行被劫、家人突然宣布生癌又突然發現被誤診、女兒被綁架又自己逃出生天，等等。一九九〇年羅卡與石琪訪問陳冠中，提到「八十年代的港片確是有自己的一套敘事方式，如很多插敘，不講求首尾呼應與劇情的緊扣完整，敘事多線而跳躍，節奏急促等。有時外國觀眾未必看得明白，這種敘事方式卻能為華人觀眾以及東南亞市場觀眾所接受。這種特色，可能是傳統發展下來的。中國的章回小說和說唱文學正是這樣的」。他認為這些特色跟歐美傾向寫實主義的文藝觀要求結構完整、敘事統一與演員融合角色等迴異。⑩

重新歸納香港類型片邏輯及文化特色，不以歐美文藝觀為普世標準，確實是研究香港電影非常迫切的思考進路。但中國章回小說和說唱文學之長於插敘及多線敘事，似乎還是與港產喜劇高度壓縮的節奏與人物傾向卡通化，避免深度的塑造，有相當大的差別。為什麼港產喜劇的觀眾面對誇張失實、大起大落的情節依然會投射大量的文化認同情感，這種文化消費特色究竟是建基於什麼？陳海文曾把八、九十年代香港主流文化論述定位為三個方向：「豐裕」（affluence）、「求生」（survival）、「釋放」（deliverance）⑪；梁啟平稱這三種文化特質的並置與互補為「香港精神」（Hong Kong ethos）。⑫「豐裕」，是指自七十年代中期始，物質豐盛的經驗在香港逐漸變得普遍，城市似乎是能夠提供無盡資源、可能性及期待／希望的大賣場。但同時社會中又有大量庶民在尋求改善個人生活、追求自我實現的過程中不斷掙扎；香港社會更在面對重大歷史難關下集體求生。活於尋求「滿足」與「存活」的矛盾氛圍下，流行文化——尤其是喜劇——擔當了舒緩緊張、釋放情緒的關鍵使命，讓現代都市看似黃金處處但要活在其中何其艱難，你我時刻在享受與挫敗之間擺盪的心理獲得平衡。

《富貴逼人》系列中的人物心理塑造正正是在「亢奮」與「挫敗」之間擺盪；電影中不斷重複擺盪的循環，猶如向觀眾提供一次又一次的心理強化訓練。驃叔（董驃）一家中六合彩後銀行倒閉，但片末政府注資銀行，於是富貴夢實現後落空又再（被）實現。《富貴再逼人》中驃叔被報館派往加拿大當總編輯，不單體驗語言及文化隔膜，上任後更發現原來海外華人報館除老闆外，只有他自己這丁（個）員工，萬事一腳踢（開始到完結都由一個人完成），不禁慨嘆彷如十多年前初搬進公屋時，有一切重新開始之感。至慢慢適應當地生活後，老闆又勒令驃叔一家回港，以致來弟（李麗珍）是否能繼續在加國完成學業也成為難題。驃叔與驃嬸（沈殿霞）只好帶著剛出生的兒子，一家人回到香港住板間房。但在最艱難時刻，驃嬸赫然發現中了加國的彩票頭獎，向昔日鄰居借錢回去領獎卻又經歷被劫。吃完飯沒錢結賬，一家人只好在餐廳做清潔工，最後發現擺烏龍仍然可以領獎。《富貴再三逼人》（一九八九，冼杞然、高滿楷）中，驃叔驃嬸領完獎回港後在銀行遇劫，於是一家又回到一貧如洗的狀態。最後來弟在澳門吃角子老虎機拉出三百多萬獎金，保險公司也賠償給銀行，於是一家人又富起來了。

矛盾現代，淨化寫實

驃嬸中了六合彩後回家展示一頭染成七彩的髮型，驃叔立即奚落她為「北獅」，並加以訓斥：「現在你變了衣服的奴隸、化妝品的囚徒！」電影一方面呈現香港作為一個追求物質享受是人之常情、普世價值，人的價值受擁有的物質價值所決定的社會，另方面不斷提醒觀眾，這些享受的暫時，渴求的虛妄。驃叔驃嬸的塑造，一方面滿足了大眾在資本主義社會，想賺快錢、不勞而獲、儘快逃離受無盡剝削工人階級的渴望，另方面又不斷兜售儒家剩餘價值：「老公，看開一點，錢財身外物，財去人安樂，錢雖然是沒有了，但是我們現在也過得幾好，比上不足，比下是足有餘，對不對？」（《富貴再逼人》）；「老婆，記著：我們做人就算有錢也不要聲張，不要炫耀，這次失而復得，真是大吉大利！」「以後我們要一家和睦，那就富貴逼人啦！」（《富貴再三逼人》）修身低調、反物質的價值觀雖然不是電影中大部分篇幅呈現的「現實」，但卻適當地為賀歲喜劇提出了莊諧並重、足以包容及緩解片中各種富挑戰性的，意識形態矛盾及焦慮情緒的圓滿結局。

八十年代香港，作為亞洲四小龍之一，經濟前景大好，但貧富懸殊問題嚴重，中產階級的生活水平及價值觀念，是不少庶民的夢想，但不是庶民的普遍現實。《富貴逼人》片首伴隨字幕出現的紀錄片畫面把資源的極度不平均分配提綱挈領地暴露出來：有人坐賓士房車、有人擠地鐵；有人打高爾夫球、有老人挖垃圾桶、婆婆扛著肩上沉沉的紙皮；碼頭停泊的郵輪似乎不食人間煙火，街市卻人山人海五味紛陳；木屋區的鳥瞰鏡頭，緊接「維京皮草」二萬五千元的標價特寫。編導高志森的字幕疊在一連串的公屋鏡頭上。公共房屋，或稱廉租屋，自七十年代以降是大多數香港市民成長的現實，電影在此展開，作為協助觀眾投射認同的一個落腳點。在炫耀珠光寶氣的婚宴上，驃嬸把自己沒有戴首飾的手從椅背上慌忙移下；這一家人因為他們的入息（收入）而在喜宴上無法抬起頭來的挫敗感，也為大量庶民觀眾提供了投射階級挫敗情感的機會。

在現代社會，要逃離挫敗感，首先要學做現代人。但電影又不吝提醒我們，到頭來，我們愈現代，愈挫敗。驃嬸在地鐵車廂內用手袋霸位然後向著來弟大叫：「這裡有位呀！」使來弟在眾人的凝視下抬不起頭來，拒絕回應媽媽愛心的呼喚。驃嬸作為難民第二代（對白時而夾雜上海話），中年草根婦女，即所謂香港「師奶」，她那沒被馴化、不懂自我規管的龐大身軀，在公共空間占據過多面積，也不按現代公民的本子操控自己的聲浪與行為。她的未／不夠現代，成為渴望現代的一家人的包袱。驃叔在喜宴上面對親戚互道移民情報，突然揑緊領帶一輪機關槍的大道理起來：「我們不打算移民！我們雖然是香港人，體內流著的是中國人的血，應該投向祖國懷抱；移民，是不負責任的行為。我們應該以不屈不撓的香港精神……為實現祖國四個現代化盡一分力，所以我在此呼籲大家，留在香港，不要當人家的三等公民！」眾人立即低頭提匙喝湯，動作高度統一。驃叔經常挪用中國左派愛國主旋律話語來抗衡香港的資本功利主義主旋律，但兩極化言行充滿自我矛盾，光是他這個角色塑造就濃縮了香港過去至少四十年的意識形態矛盾及精神分裂。沒錢時呼籲大家不要移民，中彩票後卻是家中第一個主張舉家移民，因為「君子不立危牆之下」。Mia（陳奕詩）、來弟、招弟（關珮琳）作為香港八十年代成長，充分被歐美洋化、殖民現代性洗腦的新一代，自然最瞧不起這兩位前／半現代父母。驃叔驃嬸這一家，體現了香港複雜的文化構成；在極度壓縮的歷史時空中，把各種矛盾掃之於光鮮地氈下，佯作華麗轉身，成為亞洲現代的最前沿，其中經歷的艱苦掙扎與付出的龐大代價。快，正是一種漠視反思、矛盾與掙扎，儘量避免積累的求存自保策略。這些迫使觀眾隨著大起大落、節奏緊湊，如坐過山車一樣的感官體驗，雖然劇情誇張失實，卻提供一種可以稱為「淨化寫實主義」（cathartic realism）的獨特觀影享受，幾近一種集體宗教情感。前面提到歐美觀眾未必能接受的，乍看接近鬧劇的、港式喜劇節奏，如果放在壓力鍋一樣的港式生活節奏下檢視，未嘗不可以看成是相當接近大眾心理現實渴求的，另一種寫實形式。

《富貴再逼人》中描寫一家人一開始對加國生活充滿憧憬，享受舒適廣闊的空間及物質的充裕（超市之大、雪糕品種之多），不久卻體會到北美城郊生活的去中心化帶來生活上的諸種不便（看一場電影要轉駁四趟公車），與香港高度壓縮化的便捷空間大相逕庭。片中充斥大量對外國社會文化刻板印象的呈現，如加國白人青年用熨斗整龐克髮型，來弟在大學宿舍給宿友捉弄，穿著比基尼泳衣被反鎖在宿舍外的冰天雪地中，其他宿友同學目睹來弟被耍哄笑不止。這些聚焦展現外國文化「奇特」與「排外」的場面，一方面抒發了港人面對移民抉擇的恐懼不安，另方面也對不能移民的港人自卑心理作出安撫。香港本土文化，或香港性，有多少是建基於一種慣於自保與自貶的被殖族群中心主義？

富貴夢魘，電影寓言

移民是夢，富貴亦然。《富貴逼人》中驃嬸買完六合彩後，晚上夢見一家發了達：一家人身穿全白西裝禮服，在豪宅中舉行盛大派對，一切合乎香港庶民想像中的「西方現代」標準。驃叔泡在偌大的按摩浴池，驃嬸叱喝著一批非人化的僕役（「阿三」、「阿四」），可見電影對於逃離「逼人」現實的想像，是建基於向上攀升並壓迫其他人。但「大浪灣核電廠」模型作為宴會的表演項目卻突然失控並爆炸，全家被困，在生死存亡的危急關頭，全家也同時在打雷聲中驚醒。富貴夢即噩夢，夢想即夢魘，在這段寓言式的「插敘」中非常直白地揭示出來。緊接這段夢魘的下一個鏡頭，是金鐘站月臺上的人擠人場面；這樣的場景剪接一方面暗示夢想／夢魘的普遍性，作為香港社會打工仔的集體經驗，另方面也提醒觀眾，電影之作為夢工場，喜／鬧劇作為暫時宣洩的虛妄本質。夢醒時分，電影完了，你我不還是要回到追隨上班大隊擠入地鐵車廂內、把臉都擠歪了的現實。香港的壓縮現代性，正具體見於驃叔在地鐵玻璃上那張被擠歪了的臉。電影帶著觀眾走上一趟奇幻的「富貴」之旅，但卻無法逃離「逼人」的現實。不論貧窮或富貴，在電影（或現實）中，都是充滿壓迫的。

更「接地氣」者，是從夢想到夢魘的轉捩點，來自一副由小女孩招弟搭建的「大浪灣核電廠」模型，影射一九八七年開工、位於深圳大鵬半島，離香港尖沙咀僅五十一公里的大亞灣核電廠。那是鄧小平送給香港的一件「禮物」，所生產的電力七至八成供港使用，在籌備期間，有超過一百萬港人聯署反對興建。香港，作為中國五十年代反右、六十至七十年代文革的最親密旁觀者，又親身經歷了六六、六七騷動、中文運動、反貪等的清洗與創傷，倖存者心態一直為港式文化的主導元素，至八十年代持續穩定的政治及經濟發展，加上中國改革開放，才使民心逐漸「落地」（然後就碰上六四民主運動的挫敗）。

《富貴再三逼人》中驃叔一家人從來沒見過三千萬港元，所以特地去銀行提出來賞玩一番，後來驃嬸又引領各師奶好友再次為了賞玩紙幣而提款。今天看來，這個橋段直叫人想起數年前中國紅劇《人民的名義》（二〇一七，李路）第一集中，小幹部由於出身農民，從沒見過很多錢，當官後把所有貪來的人民幣貯存在豪宅中，填滿壁櫃、床上、冰箱等，一毛不花。這兩段情節，把「錢」，在資本主義社會被眾人膜拜，被高度戀物化及景觀化的特質，荒謬得近乎悲哀地暴露出來。班雅明的「漫遊者」（flâneur）常被挪用來描述香港人在五光十色的都市景觀中遊走，對街道既著迷又疏離的關係。然而，班雅明筆下一九三五年的巴黎購物步行街，構築了一個猶如活在夢魘下的迷宮，承載著歐洲人自以為先進的集體烏托邦夢想。班雅明認為，這種有著催眠作用的資本主義文明現代性，正正促進了歐洲法西斯主義的勃起。[13]韓國社會學家Hong-Jung Kim（二〇一八）挪用了班雅明視現代性為夢想／魘的「考古式」論述，與卡斯提爾（Manuel Castells）的「倖存政治」（Politics of Survival），來闡述南韓自冷戰以降所創造的「經濟奇蹟」，同時孕育著一種「倖存／求存者現代性」（survivalist modernity）。[14]Kim認為，在朴正熙的反共軍法統治下，社會隨時進入緊急狀態的危機感從沒在國民生活中消失；以自我保存為中心價值的一種集體夢想／魘不斷被強化，成為普遍的文化及感情結構，也深深主導了大眾的道德價值觀。

香港在七十年代中以後，同樣被打造成一個「經濟奇蹟」，但跟後冷戰南韓所經歷的專制統治不太一樣，英國為了保住這片殖民地，讓它繼續謀取經濟及政治利益，小心翼翼地讓兩方勢力達到互相制衡的效果，並在不得不交還給中國的前途落實後，策略性地給予香港前所未有的言論及資訊自由，讓香港自詡為華人社會中最自由的地方；香港人自七十年代中（被）經營的本土文化認同與優越感，大大加強了英方的談判籌碼。但一九八二年戴卓爾夫人趴倒在北京人民大會堂的臺階上，一九八四年簽署中英聯合聲明決定了香港「大限」，成為自我感覺良好的港人頭上突如其來的金剛圈。中國元素，在電影中成為不斷滋養危機意識的符碼。片中以「大浪灣核電廠」模型爆炸一幕作為相當「重手」（heavy-handed）的劇情轉折，不單是對核爆幅射的具體生態威脅，更是對如孩童兒戲般的政治戲碼，表達龐大恐懼與焦慮。吳昊（一九九九）曾認為「危機意識」是使香港電影在六四之後變得有趣的元素，因為港人的心理騷動，影響了後六四時期港產片的主題、人物及影像構造。[15]但如果以《富貴逼人》系列作為案例，則可見香港作為「危城」的意象，早在八十年代中期已如泰山壓頂，故成就了「有錢有辦法，冇（沒）錢基本法」的名句。

《富貴再逼人》中驃叔驃嬸又搭地鐵（地鐵作為香港現代性符號，在系列中反覆出現），分別遇上臺灣、菲律賓、越南人，電影一方面藉著刻板形象呈現他們來加強笑料及召喚前文提到的族群中心主義，另方面引出驃叔「幾時還我河山？」之嘆。接下來是一段重點描寫中港差異的插敘：大陸男誤認球型把手為跟司機對話的咪（話筒），嚷：「同志，下站下車！」然後大陸女對同伴一臉嫌棄地說：「空氣真汙濁，香港地下鐵真要不得……香港有什麼好，人又多又醜陋，個個都瞎忙活！」驃叔向驃嬸在旁低語：「她瞧不起我們香港人，將來這些人統治我們，沒有一口好飯吃。難怪這麼多人移民。」嫌棄女的西裝男同伴卻反駁：「香港是高度繁榮，人忙是勤快的表現，我們應該客觀一點，香港有香港的進步，祖國有祖國的優點。」驃嬸立馬對他另眼相看：「後面這位先生多英明，將來由他統治，實冇衰（不會差到哪裡去）！」嫌棄女的氣焰從鼻子裡吐出來，繼續反港：「香港的東西那麼貴，是受資本主義的毒害，人又腐化、崇洋、貪錢，一定要重新整頓。」英明先生又矯正她：「香港是真正國際化的大都市，祖國的門戶靠香港人打開。現在我們是一國兩制，香港五十年不變，現狀一定要保持。」驃嬸正在誇他，男女下車，臨走前男的一口痰就吐到驃嬸的腳上。最後當然是驃叔要蹲下來幫驃嬸刷鞋。

這段相當直白的警世場面，不但尖刻地寫出港人的觀察及無奈：中國八十年代內部的意識形態矛盾，對港政策如何，成為中國鷹、鴿兩派對峙鬥爭的籌碼；更厲害地表達了港人面對回歸的憂慮不只是害怕無法維持資本主義的生活方式，與對被前現代化（如在地鐵吐痰）的抗拒，更大的恐懼來自被「瞧不起」及「整頓」，如驃叔恐嚇嗜賭的驃嬸要抓她去「勞改」。不過整個段落的結構是以「英明男」矯正「反港女」，驃嬸反駁驃叔作結；對中國的開明與包容，雖心存顧忌但不無希冀；這些都是來自在中國崛起前就有的香港庶民感情。八十年代作為（後來）被追認的香港黃金時代，它的最開放部分，正是當時對中港關係的多元探討，如今看來，不論是放在香港流行文化鮮有直面政治論述底脈絡下，還是（後來）把香港簡化成反共基地等無視歷史的表述背景下審視，都彌足珍貴。而八十年代香港電影中，各種就中國對港政策的預警，包括既瞧不起但又要這對外窗口，不管其如何受資本主義毒害又腐化，但一定要保持這隻國際化金雞不變，因為它打開祖國的門戶並能持續下金蛋，這些都成為香港往後五十年的夢魘。

圍困陽剛，無力港人

鍾雪萍曾把二十世紀末中國文學中男性主體性的呈現描述為「被圍困的陽剛性」，指出中國男性追求現代性的過程中，面對長年積弱的國家、面對東西方權力的不平等，加上面對中國國家建制對自身文化的打壓，以致長期處於一種恐懼、欠缺，及渴望（獲得更多或修補過去）的處境中，淫浸於一種邊緣男性情意結，導致中國四九年後的文學作品瀰漫一片「陰盛陽衰」風氣。[16]鍾更指出，解放後中共的婦女政策看似跟傳統歪離，但實際上也是對中國文化傳統中性別角色的繼承。中國男性傳統上既陰且陽，霸占大部分性別光譜空間，讓女性在敘事中只能以非性別化——例外——的位置來呈現其主體性，如弒子或垂簾聽政的女皇帝或皇母、女扮男裝的武士或才女等，都是一些需要暫且喬裝成男才能被看見及發聲的主體。四九年後國家提倡的婦女扛起半邊天，也可看成是鼓勵女性成為男性、變得更陽剛化，才能分享權力。

雖然《富貴逼人》系列以「富貴」為主題，但在銀幕時間上占最多篇幅的，不是「富貴」，而是性與性別關係。富貴與性／別，在電影中有什麼關係？香港的現代工程如何重構我們的性／別？驃叔作為片中的第一主角，他與劇情的兩大主線：發達與愛情，是處於一種對立關係。驃叔反對驃嬸嗜賭，但他自己堅守的工作倫理、自己的工作能力並不能提升家人的生活素質；三部電影中讓他一家一次又一次嘗到「富貴」的滋味，都是靠（女人賺來的）橫財。驃叔給炒魷魚，不為別的，是因為他無法忍受他的女上司監製「呂摩投」，硬要跟她抬槓，一起報導新聞時不惜在她身旁不斷扮鬼臉。《富貴逼人》中驃叔在衛星電視臺上班的第一場，不小心撞破了呂摩投與經理的辦公室戀情。自此，驃叔在整個系列中所代表（電影想像）的中國「傳統」價值，除了節儉、勤勞、啞忍、維護家庭統一外，還一而再反對各種性關係：《富貴逼人》中除對兩位上司偷情看不順眼外，更反對大女兒Mia與笑口棗（曾志偉）拍拖；在《富貴再逼人》中是反對Mia在加拿大結交非華裔男子；在《富貴再三逼人》則是反對來弟與阿水（陳山河）同住。他的反對當然也造就了Mia及笑口棗、來弟及阿水這兩對戀人的關係，成為劇情發展的重點。驃叔的反對絲毫沒有改變他們的愛情，反而使他們更親密，占去電影中大量的篇幅。驃叔跟這兩條劇情主線的對立關係，把他長期置於一個劇情的阻礙物、失敗者的角色。他長期無法原諒弟弟「Uncle Six」（姜大偉）在他興高采烈慶祝生日的當下把忌廉（鮮奶油）蛋糕扔在他臉上，以致跟弟弟絕交，早已鋪排他的小氣及無法適應／追不上香港現代性快與狠的缺陷。雖然口口聲聲說重視家庭價值，但作為丈夫、父親、哥哥，他無法理解更莫論滿足妻子、三位女兒及弟弟的需要。

一家人白天爭執著怎樣花獎金，晚上驃叔作夢看見自己家門前幻化成花園，園中有「願望井」一口，丟一個錢幣進去便出現一年輕性感美女在目前，正想親近但美女也向井丟幣，讓年輕肌肉男出現，美女正欲親近他但肌肉男亦丟幣把美女變走，反而趨前要抱著驃叔。最後驃叔連忙丟幣把驃嬸變回來。夢醒，驃叔擁著床上的驃嬸說：「老婆，都是妳最好！」這段本來跟主線看來關係不大的插敘，再一次體現了富貴夢即噩夢，夢想即夢魘的必然魔咒，把殺妻、仇女、恐同情意結共冶一爐，強調了驃叔自我實現的不能，唯有透過不斷幻想驃嬸為無知婦孺的典型、可以隨時唾棄的前現代遺留物，來掩飾他自己作為前現代遺留物的心理鬱結。當然，觀眾也非省油的燈，自會看到每次能讓劇情急轉彎，真正救全家於水深火熱的，是花費龐大心力物力、不論處身何地仍然咬緊牙關、終日鑽研如何一搏的驃嬸。香港的殖民資本主義貶抑陽剛的男性身體，視肌肉男為類近同性戀的一種「變態」，鼓勵唯命是從、斯文啞忍的中介男。這種陰柔男同樣是傳統中國男既陰且陽的一種變奏（儒家「士」文化也是一種中介男），但現代港男必須要透過陰柔、否定陽剛，同時也否定性（包括夢見美女的性幻想），才能攫取有限而安全的權力。

電影中所有男性，從驃叔、笑口棗、毛毛（盧冠廷）以致阿水，雖然各有特色，但作為「失敗者」，卻相當貫徹。笑口棗以為Mia在海灘浮臺上被欺負，游去救她的途中自己遇溺，反而要被Mia抱起救上岸，並替他「人工呼吸」。笑口棗醒來後向Mia說：「我終於救了妳了！」弱男分明是被救卻自述成英雄救美，這句對白除了頗有喜劇效果外，更體現了香港男女性別角色顛倒，但男性為了面子仍然需要活在掌控權力的既有劇本中。不過，不管男性（角色）多失敗，他們仍是被電影預設為香港（普通）人。這些貼近港式生活的弱男位置，成為觀眾投射認同情感的關鍵。（香港弱男，將以下章討論的周星馳為代表。）《富貴再逼人》中驃叔在加拿大失去工作被迫回港，來弟原以為依靠男友阿水可以繼續完成學業，但阿水在凍肉店搬運死豬，氣力不夠反被豬屍壓倒（自叫人想到許氏兄弟酷愛把玩動物屍體及意象的港式喜劇傳統），改為在路旁賣臭豆腐以致被控「非法居留」遞解出境。《富貴再三逼人》中大部分篇幅集中描述來弟及阿水回港後的愛情發展。阿水當臨時演員不斷吊威也（吊鋼絲）被虐打、被炸傷以致包紮成木乃伊的樣子，被驃嬸誤會並打他至滾下樓梯等場面，無疑是周星馳笑料的前科。男性不斷自告奮勇，要操演儒家性別角色中扛起一家之主、養家活兒的責任，但不論是在加國或香港，卻一次又一次地，顯示他的無能。電影正是透過不斷展現無能男的弱勢，勾引片中女性（及男女觀眾）的認同、同情心甚至憐惜。透過呈現對既有意識形態堅守信念，與在現實中無法實踐的龐大落差，觀眾深深認同男性人物的挫敗為香港人尋常面對的無力與挫敗。八十年代中後期至接下來快要橫空出世的港式無厘頭喜劇，將是不斷追加、不斷需要自我重複以召喚認同與愛撫的怨男悲歌。

男不如女，不夠格感

把男性這性別普遍化，確實是製造了遮蔽固有男女性別權力不平等架構的效果，但更重要的是，片中所見，男不如女，而男女，都未是夠格的人；電影要兜售的，正是大家共同分享的，不夠格感。以男人作為普通人的位置，並不足以強化這個（本來就相當弱勢的）權力位置，更多是作為勾引觀眾認同並圍爐取暖的策略。驃叔作為電視臺新聞主播，工作十八年仍被陽剛化的女監製發大信封，面臨被炒魷魚的噩耗。反而，片中呈現的不同女性，從驃嬸、Mia至來弟、招弟，都是在香港殖民現代性的光譜上不斷進步的（有待成功）典型，作為向上爬升的可能與希望。驃嬸中六合彩後，驃叔晚上作夢，讓驃嬸穿上如箭靶的衣服並向她開槍，怎料驃嬸不但存活還搖身一變換上神奇女俠（臺譯：神力女超人）的裝束，拎起手槍向他猛力反攻，連環掃射。驃叔驚醒後連忙向身旁的老婆認錯。Mia的泳術比笑口棗好太多，卻不斷作為笑口棗性化的對象。值得留意的是，是笑口棗需要性化她；片中正是弱雞小男人喬裝大男人的心理需求及展現，而不是被性化的Mia，作為大部分笑料的來源。反而，Mia對於這些追求處之泰然，多多益善。她對自己身體的自在，包括她的泳術、她的英語能力（一家移民後由她負責翻譯）、她在加國閃電式融入多民族交往文化的適應能力等，都使她在性別權力拉扯的呈現中，穩占上風。Mia透過她能參與殖民現代性的能力，超越了片中的男性對手。在香港電影中可見，殖民資本作為權力架構的決定性元素，遠大於性別。

參與現代職場的女性，相較男性，則遇上更苛刻的身體規訓。片中這位女監製被再現成不近人情，只懂跟上司打得火熱的「女魔頭」（她名字「呂摩投」的諧音）。她的性別讓她被置於性的位置，成為片中的反派、喜劇的出氣袋，讓（男性）觀眾作為打工仔朝不保夕、不斷追趕「進步」大潮的恐慌得以宣洩，並協助把這種恐慌移置為面對職場「女強人」挑戰的壓力。同樣被泡製成有道德意涵的笑料，來舒緩觀眾對現代性排斥的身體展演與性關係的緊張與焦慮，笑口棗被懷疑在花園草地上「表演」小便，就被斥為「下流」。（記得李翰祥至尊寶「隨街小便」的笑話嗎？）《富貴逼人》片末，曾經多次向驃叔借錢的老馮竟然上門還債，笑著宣布：「我老婆跟一個男人回來了，他們一起回來住啊！」驃嬸不懂：「你老婆有男人，你還這麼高興？」老馮答：「當然高興了，那個男人很有錢的！」笑口棗朝他臉上扔蛋糕，罵他：「賤格，你還是男人嗎?!」一個弱男罵另一個來建立優越感，向觀眾示範了如何認同又享受這部電影的最佳位置。再一次，以恐同話語置換並釋放對自身性（別）無能——快將如驃叔一樣成為現代廢料——的焦慮。

來弟似乎是既聰明又奮發的新一代，體現了八十年代港女敢愛敢恨、但保守矜持的特質。她在片中從沒質疑男人為養活她全家而拚死幹活，好像視為理所當然。家中年紀最輕的招弟最牙尖嘴利精靈活潑舉一反三，最後自救成功，成為片中非常搶戲／吸睛的角色，揭示了香港現代性打造的快將成功樣板。她是真正能夠「招弟」的那個；她既女且男，她的優勢，重點不在於性別，而在於年輕（於是自然地非性化），思想的成熟遠遠超於身體。從片中最年輕的招弟的角色塑造及在片中的位置，可見八十年代中後期的香港，即使對九七心存憂慮，但整體社會氛圍仍是對港人克服難關的能力充滿信心。夢魘非絕境，富貴但如煙，移民不見得是出路，反而憑藉自強聰明努力，抱緊彼此，期待可以安然度過。那時候的香港，即使面對危機處處，焦慮不休，但大致上仍然是樂觀的。當時中國在改革開放初期，整體氣氛也是樂觀的。直至八九六四。

註釋

① 本章部分內容初稿為〈黃金時代香港的「富貴」與「逼人」〉，《創意搖籃——德寶的童話》，郭靜靈、黃夏柏編，香港：香港電影資料館，二〇〇〇，頁一〇一—一〇九。

② https://movie.douban.com/subject/10554945/。

③ https://www.baike.com/wikiid/8773930331557654085?prd=mobile&view_id=51tx75mrohrqio。

④ 許樂：〈一九八〇年代香港電影之「城」〉，《香港電影的文化歷程：1958-2007》，北京：中國電影出版社，二〇〇九年，頁七四—七五。

⑤ 三部電影的票房分別為：《富貴逼人》二千七百一十四萬一千八百二十四港元；《富貴再逼人》二千五百

八十一萬四千二百六十八港元；《秋天的童話》二千五百五十四萬六千五百五十二港元。

⑥ 羅卡：〈八十年代香港電影市場狀況與潮流走勢〉，《第十五屆香港國際電影節——八十年代香港電影：與西方電影比較研究》修訂本，一九九九，香港：市政局，頁三七。

⑦ 二年級的小辣椒：〈沈殿霞與富貴逼人系列電影：永不褪色的經典喜劇，笑中帶淚〉，《每日頭條》，https://kknews.cc/zh-hk/entertainment/qeao9g8.html。

⑧ 定遠那些事：〈回憶香港電影之富貴逼人系列〉，《每日頭條》，https://kknews.cc/zh-hk/entertainment/8b9moaq.html。

⑨ 北青網：〈《富貴逼人》一家五口，驃叔驃嬸已不在，最漂亮的李麗珍五十一歲了〉，《每日頭條》。https://kknews.cc/zh-hk/entertainment/kmn8jv8.html。電影資料：《最佳拍檔》系列（一九八二—一九八九，曾志偉、徐克、林嶺東等）；《五福星》系列（一九八三—一九九六，洪金寶、曾志偉、馮淬帆等）；《開心鬼》系列（一九八四—一九九一，高志森、杜琪峯、黃百鳴等）；八、九十年代《黃飛鴻》系列（一九八〇—一九九七，劉丹青、徐克、李釗等）；《倩女幽魂》系列（一九八七—一九九一，程小東）；《殭屍先生》系列（一九八五—一九九二，劉觀偉、林正英）；《警察故事》系列（一九八五—一九九六，成龍、唐季禮）。

⑩ 羅卡、石琪：〈訪問陳冠中〉，《第十五屆香港國際電影節——八十年代香港電影：與西方電影比較研究》修訂本，一九九九年，香港：市政局，頁九四。

⑪ Hoi-man Chan, "Popular Culture and Democratic Culture: Outline of a Perspective on the 1991 Legislative Council

Election," in *Hong Kong Tried Democracy: the 1991 Elections in Hong Kong*, ed. Lau Siu-kai and Louie Kin-shuen (Hong Kong: Hong Kong Institute of Asia-Pacific Studies, The Chinese University of Hong Kong, 1993), 355-358.

⑫ Benjamin K. P. Leung, *Perspectives on Hong Kong Society* (Hong Kong: Oxford University Press (China), 1996), 69-72.

⑬ Walter Benjamin, *The Arcades Project*, trans. Howard Eiland and Kevin McLaughlin. Cambridge, MA and London: Harvard University Press, 1999.

⑭ Hong-Jung Kim, "Survivalist Modernity and the Logic of Its Governmentality," *International Journal of Japanese Sociology*, no. 27 (2018): 5-25.

⑮ 吳昊：〈「六四」後香港電影的危機意識〉，《吳昊的亂世電影研究》，一九九九年，香港：次文化堂，頁一二七—一四四。

⑯ Xueping Zhong, *Masculinity Besieged?: Issues of Modernity and Male Subjectivity in Chinese Literature of the Late Twentieth Century* (Durham: Duke University Press, 2000).

第十一章

屎尿屁主體：無厘頭的反撲

本章承接上一章，把香港喜劇類型電影重新脈絡化，探討《富貴逼人》之前及之後的香港喜劇電影發展，並把二十世紀的香港喜劇電影史作為二十世紀香港電影史的一個縮影。

> 粵語電影盛產喜劇片，傳統至今不衰。除了《阿超結婚》（一九五八）、《錢》（一九五九）、《豪門夜宴》（一九五九）及《金山大少》（一九五九）等少數比較嚴謹的作品外，五十年代的喜劇多以鬧劇及滑稽諧笑戲為主，趣味俚俗、製作簡陋，一般難登大雅之堂，卻也正因其市井的格調，倒更貼近普羅大眾的脈搏跳動，與比較中產品味的國語喜劇大異其趣，而其中不乏佳作，如一九五〇年的「經紀拉系列」、《笑星降地球》（一九五二）、《十字街頭》（一九五五）、《璇宮艷史》（一九五七）、《兩傻遊天堂》（一九五八）、「王先生系列」（一九五九）等。粵語喜劇片多賴一班出色的諧星，如梁醒波、新馬師曾、伊秋水、鄧寄塵、譚蘭卿、鄧碧雲等，有趣的是，這批諧星多來自粵劇舞台〔臺〕，卻成為了粵語影壇的中堅份〔分〕子；伶與星的關係極其密切，這一點是粵語影業獨有的現象。①

香港喜劇電影的發展相當獨特，上世紀在亞洲地區擁有龐大的觀眾層，創造了跨本土的閱讀空間，也輸出不少笑匠、表演風格及原創亞類型等，影響深遠；在香港也歷經近半個世紀盛行不衰，唯一直沒有被仔細研究。本章先簡述香港電影在上世紀不同階段留下的不同喜劇話語、構築與特色人物，繼而把在九十年代瘋行的周星馳風格及其無厘頭重新脈絡化，審視無厘頭如何繼承及創新，對時代政治做出獨特迴異的回應。

回溯五十年代香港電影，可見喜劇作為類型片出現大致上沒有脫離中國文藝重視文以載道、教化觀眾的傳統。五十至六十年代初的社會諷喻片，雖然不一定以香港為場景，但香港作為當時華語電影最重要的製作中心，及面向全球的外銷發行基地，為從上海及廣州南來的影人提供了難得的創作條件。香港喜劇電影一方面承接早期中國電影對草根階層的關注及對其生活細節的寫實呈現，另方面受上半世紀歐美默片的笑匠風格影響，並吸收了「二人組」的程式與節奏及社會諷喻片的視野，更開創出混合其他類型片的各種亞類型，如武打喜劇、粵劇喜劇、喜劇鬼片、臥底喜劇、風月笑片、「動物喜劇」、賀歲喜劇等，對世界電影發展有不容忽視的貢獻。在喜劇不再是香港電影一個重要類型的今天，正是爬梳上半個世紀的香港喜劇電影傳統，及其與現實多元關係的最適切時機。

喜劇從來是無權無勢者，紓解與宣洩焦慮及不滿的一種語言。Steve Seidman把笑匠喜劇在好萊塢的興盛追溯為美國夢的「副作用」。[2] 美國笑匠喜劇如卓別林、基頓（Buster Keaton）等的作品，把人與社會制度的搏鬥、個體無助的掙扎化成舉重若輕的笑料，讓觀眾可以在戲院安穩的環境中，暫時認同自我作為異類／怪胎或各種邊緣人的可能身分，從而釋放在美國夢大論述氛圍下，久被壓抑的焦慮情感。《整蠱專家》中周星馳與劉德華手牽著手，一身黑西裝趾高氣揚地爬上樓梯，唱著：「我要努力向上，不枉諸君寄望；我要努力向上，要令朋友滿心歡暢。青年人要努力，休悲愴休悽涼；總之但憑我力量，先要堅定我志向。」只為鋪排他們唱完便立即滾下來的慘烈。香港曾經長期風靡的笑匠喜劇，是否也可以被解讀為香港夢的一種「副作用」？

承載矛盾的類型

喜劇「二人組」（double act，comedy duo），是在歐美喜劇中常見的表演形式，通常由兩個同性別、同年紀、同種族但有相反技能或身形的演員組成搭檔，利用兩人之間的對話與肢體動作進行演出，在個性或行為上製造對立，利用落差來形成戲劇效果，最有名的例子如：由英國演員斯坦．勞萊（Stan Laurel）與美國演員奧利弗．哈台（Oliver Hardy）組成的「勞萊與哈台」（Laurel and Hardy）喜劇雙人組合，在一九二〇年代至一九四〇年代極為走紅；由美國歌手迪安．馬丁（Dean Martin）和喜劇演員傑利．路易斯（Jerry Lewis）組成的「馬丁和路易斯」（Martin and Lewis）二人組，自四十年代後期也大紅，歌影視三棲。好萊塢喜劇風格深深影響了早期的香港、臺灣以及新加坡喜劇電影路線。勞萊與哈台五十年代在臺灣上映時借用閩南語中指阿里不達、張三李四的「王哥柳哥」一詞，片名就翻成「王哥柳哥」，結果讓李行導演一九五九年推出處男作《王哥柳哥遊台灣》（一九五九，李行、田豐、張方霞）而大賣，在臺北市連續放映了二十一天，有些地方戲院更連續上映了五年，自此臺語片颳起王哥柳哥風潮，以致邵氏在一九五九年四月初新加坡趕緊推出首部廈語片《王哥柳哥》（一九五九，周書祥）。以香港與新加坡為基地的國際電懋公司也推出《兩傻大鬧攝影場》（一九五七，易文）、《兩傻大鬧太空》（一九五九，王天林）等。

香港電影的「兩傻」把好萊塢與中國相聲傳統融合；除身形動作的反差外，更多笑料來自語言互貧帶給觀眾的樂趣。國語片笑匠有劉恩甲與蔣光超等；粵語片則有新馬師曾（下稱新馬仔）、鄧寄塵、「東方貓王」鄭君綿等。五十年代「兩傻」新馬仔與鄧寄塵表演的精靈行動與低弱的反差正是喜劇二人組（粵語稱「孖寶」）本土化的佼佼者。但自電懋《南北和》（一九五八，王天林）開展的「南北和」系列中，梁醒波（下稱波叔）與劉恩甲的組合卻出現相當大的質變。首先這對「二人組」身形、智商與技能相當類近，他們的戲劇性對立、他們情節上的互鬥與磨合，主要並非來自型體上的不協調，更多是為了凸顯當時社會語言差異與族群關係中的社會矛盾。喜劇「二人組」的表演形式，於此成為獨特社會問題的一種載體。香港喜劇電影這種機靈回應社會現實的特質，也可以說是對中國相聲傳統的一種繼承與轉化。

《兩傻遊天堂》中作為學生的新馬仔與鄧寄塵，雖然他們自己的髮型及服裝其實跟同學「貓王」（鄭君綿）十分相似，但他們卻在片首多次辱罵貓王的「阿飛裝」為「最賤格」。這種自以為是、高高在上又單一的泛道德觀，即使在最接近邊緣主體的類型片中，仍然相當主導，跟怪胎主角遇到的各種複雜處境及難題形成奇妙的張力。進入六十年代的「南北和」系列以家庭倫理及愛情故事為骨幹，企圖處理大量難民湧入後的多族群社會衝突，呈現廣東人對非廣東文化及「外省」對廣東文化的各種刻板印象，像「孟子說南蠻」、「廣東人都沒出息」、「外省人沒句真話」等等，但不忘安排新一代批判及跨越偏見，成為政治正確、宣揚族群和諧的新香港人，讓「外省」女生丁皓說出「我最喜歡吃霉香鹹魚」；廣東女生白露明說「我情願吃臭豆腐」這樣的話。

七十年代始香港電影中許氏兄弟的互學互鬥，戲劇張力不來自高低智商與技能的反差，或族群矛盾，而是在社會急速轉變過程中，不同價值觀念衝突的具體呈現。這些社會暴力現象，在九十年代進一步成為周星馳作品的題旨，也見於他與吳孟達的搭檔表演中。他們二人隨時互換的霸凌互貶又互靠取暖，成為獅子山下港人熟悉的最親密關係的真實寫照。在這樣的人際關係、愛恨交雜中拉扯長大，做了也許相近的香港夢，又經歷過悲喜難分與笑到氣絕的荒謬和無奈。

資本的笑聲

香港一百五十年獨特的殖民地歷史，配合非常急速壓縮並被認為異常「成功」的資本主義體制，也幫忙造就了喜劇作為幾十年香港電影史上最重要的電影類型之一，產生了不少喜劇泰斗。然而，跟歐美電影比較不同的是，香港喜劇電影中的笑匠，在針對建制提出反叛的同時，又不無弔詭地經常擔當作為教化觀眾的角色。像《半斤八兩》（一九七六，許冠文）中一方面讓李國傑（許冠傑）演活了七十年代青年人愛上位的特性，另方面也以黃若思（許冠文）這名萬能私家偵探社社長當的守財奴老闆，呈現香港社會草根階層人壓人的現實，並借二人間的角力，凸顯代際價值觀的矛盾，批評香港（在這看似黃金時代）製造出來的新人類如何學懶與忘本。當二人躺在舒服的酒店水床上，國傑慨嘆著說：「我覺得這個世界欠我很多似的。」社長立刻反駁：「你來時內褲都沒穿，這個世界欠你什麼呢！」《雞同鴨講》（一九八八，高志森）更進一步批判美式跨國文化對本土的吞噬，重新肯定尊卑有序的儒家人倫關係。

當然，更多的喜劇是為了滿足小人物不勞而獲的發財美夢。八十年代年代新藝城喜劇推出一系列青蛙王子式的都市愛情喜劇，如《追女仔》（一九八一，麥嘉）、《多情種》（一九八四，沈瑩）、《打工皇帝》（一九八五，徐克）；《恭喜發財》（一九八五，石天）、《鴻運當頭》（一九八四，黃志強）、《橫財三千萬》（一九八七，麥嘉）等。「狂歡式的喜劇浪潮將香港市民淹沒其中，帶給他們的是大發橫財、美人相伴、香港人縱橫天下等各種夢幻體驗和想像性滿足；與此同時，在香港的喜劇電影裡面也飽含著合家幸福、團圓美滿等各種喜慶溫馨的對於美好生活的追求信念。〔……〕一幅於自信和自豪中略微有些夜郎自大的城市圖景，以及於勢利和市儈之後重歸於溫情脈脈的人情冷暖。」[3]港式喜劇是否真的建基於自信、自豪與夜郎自大？還是，剛好相反？

周星馳的特異功能

本書企圖闡述，歷史事件都是經過社會文化中長時間醞釀，而且尾巴往往超出人們在意的長，八九六四也是這樣。在八十年代香港電影中偶有提及的鷹鴿之爭、喜劇中不斷處理的階級矛盾焦慮、資本主義的激化、冷戰餘波未了的全球化轉型，這些大概都與八九六四脫不了關係。八九民運期間，港人投注的龐大政治參與（包括感情、資訊、物資、論述和各種集體行動等）④，及迅速經歷的挫敗，把港人對國家民族主義情感及對自身社會面臨的未來持有的希望推至谷底；無厘頭喜劇電影應運而生，成為港人在九十年代最普遍消費的類型。《賭聖》（一九八九，王晶）中周星馳演一位從大陸來港的鄉下青年，身懷特異功能。開場是周星馳拿著內地的五分硬幣想要在香港的自動汽水機買罐裝汽水，一名香港警察走過來奚落他，說他竟然想用人民幣買飲料。周星馳非常誠懇地說我沒有港幣啊同志請幫個忙吧。警察回，我們香港人自己的忙還沒有人幫呢。然後警察調侃說，你去求那個自動售貨機吧，它就會把飲料給你。周星馳立刻向警察表示感謝，然後當然求出了飲料。

在我看來，這樣一個怪誕的內地人形象跟好萊塢電影裡經常出現的具有通靈本領的黑人形象有幾分相似，都是源於創作者這一方對於對方的一種陌生、歧視而又有幾分畏

> 懼的態度、意識或者潛意識。在類似於《賭聖》這樣的香港電影裡面，香港人把「九七」之前對於內地人的這種陌生、歧視和畏懼的意識或者潛意識自覺或者不自覺地轉換成了特異功能這樣一個雖然荒誕不經卻又可以為他們所接受的東西。⑤

《情聖》（一九九一，李力持）電影開頭，周星馳演的程勝在赤柱海灘上出現，如大陸剛游泳偷渡來港的新移民，但迅速被發現原來只是參與專門欺騙遊客的演出，彷彿是在消費港人對大陸偷渡客的歧視，實在嘲諷外國遊客對中國東方主義式的膜拜。介於中西文化差異而從中混水摸魚獲利的位置（「中間人」），為香港被長期殖民下孕育的一種文化構成，在此成為電影自嘲的來源，可以說是港人在調侃自己（借西方凝視下的中國元素資源）在歷史上長期作為「東方代理人」的淺薄文化（詐騙？）身分，及這種「優勢」面對九七的即將失勢。

《國產凌凌漆》（臺灣片名：《凌凌漆大戰金鎗客》，一九九四，周星馳、李力持）可以說是港人直面九七回歸焦慮的顛峰之作。片首打出免責聲明，「鄭重宣布：本片與《鐵金剛》〇〇七『電影系列』絕無關連／如有雷同。實屬巧合」云云，但接下來的片頭字幕與音樂，卻完全是抄襲占士邦電影中持槍男女黑白剪影的動畫片頭設計。這不單是調侃香港電影長期抄襲（但不付版權費所以不能承認）外語片的傳統，更把這部看似表揚愛（中）國的電影，率先抹上一層美國諜影片的色彩，把冷戰的二元對立論述收編為終極調侃的談資。片中一方面塑造凌凌漆（周星馳）為一個愛黨愛國但不被重用、長期在深圳菜市場臥底賣豬肉的「後備特務」，並以他為笑柄（嫖妓沒錢付以豬肉抵還；「身材與智商都不符合標準」；以為訂了五星級麗晶酒店原來是訂了唐樓中的賓館，等），另方面以他被派執行任務、身陷囹圄的過程，暴露香港人對中國的各種恐懼：上司（總司令）如何製造內鬥、翻臉不認人、賊喊捉賊、以手下李香琴的出身（「漢奸走狗賣國賊！」）威脅她效忠、罪狀隨便編（誣衊凌凌漆強姦孕婦小孩）等行徑；監控無處不在，連廁所馬桶都是即時通訊設備；刑場上似乎每一個將被判死罪的犯人都有冤情，連盲人都被誣告「偷看國家機密」；凌凌漆從刑場死裡逃生，竟是靠以一百元人民幣及一包香菸賄賂行刑官。最後凌凌漆甚至教訓金槍人：「虧你還有臉站在忠黨愛國這四個字之前，總之中國一天有你這個大魔頭，老百姓都不會有好日子過，我今日一定要宰了你！」猶如為民除害。港人面對即將被立法及司法制度上看來都格格不入的國家接管統治，唯有藉電影搖身一變為甘願赴湯蹈火，比中國既有官員更愛國、對中國人民更有用，替國家除內奸，協助改革國家的「民族英雄」（片末刀上有「小平贈」字），以抒發面臨隨時作為政治犧牲品的龐大恐懼。這部周星馳初試當（聯合）導演的作品（據說在拍《唐伯虎點秋香》時周星馳已經儼如與李力持合導，但最終電影公映時沒有標示他為導演，一年後的《國產凌凌漆》才寫他倆為合導），可見他充分駕馭喜劇模稜兩可、包容矛盾及歧義的魅力：究竟他是在表達矢志效忠，還是在嘲諷國家制度的荒誕？他是在歌頌民族主義，還是在反抗民族主義的壓迫（如愛上「漢奸」的後裔）？周氏無厘頭，正是一種拒絕被定位框限，故意製造並擁抱歧義的遊戲。

集大成者

周星馳在一九八八年以《霹靂先鋒》（黃栢文）進入電影界，同年主演《最佳女婿》（一九八八，黃華麒）。一九九〇年周星馳主演了一系列小人物電影，如《望夫成龍》（梁家樹）、《一本漫畫闖天涯》（梁家仁）、《龍鳳茶樓》（潘文傑）、《風雨同路》（黃栢文）、《咖喱辣椒》（柯受良）、《小偷阿星》（楚原）、《師兄撞鬼》（劉仕裕）、《無敵幸運星》（陳友）、《江湖最後一個大佬》（沈威）等。但真正讓周星馳一夜成名的是劉鎮偉編導、繼王晶《賭神》（一九八九）的賭片《賭聖》，以四千一百萬港元的票房名列當年最賣座電影，同年王晶迫不及待，立即以周星馳與劉德華合演《賭俠》回應，亦以四千萬港元票房勇奪亞軍。

一九九一年，《整蠱專家》、《龍的傳人》（李修賢）、《新精武門一九九一》（左頌升）、《逃學威龍》（陳嘉上）、《賭俠二之上海灘賭聖》（王晶）、《情聖》；《逃學威龍》再次以近四千四百萬港元票房位居當年冠軍。一九九二年周星馳主演的電影囊括了這一年香港電影十大票房前五位。這五部電影依次為：《審死官》（臺灣上映片名《威龍闖天關》）（杜琪峯）、《家有囍事》（高志森）、《鹿鼎記》（王晶）、《武狀元蘇乞兒》（陳嘉上）、《鹿鼎記II神龍教》（王晶）。其中《審死官》和《家有囍事》票房數字已迫近五千萬港元；一九九二年《逃學威龍二》（陳嘉上）、《漫畫威龍》（左頌昇）也分別占票房第十一和第十三位。一九九三年《唐伯虎點秋香》（李力持）再次奪得當年票房冠軍，《逃學威龍三之龍過雞年》（王晶）、《濟公》（杜琪峯）分別為第八及第十二位，一九九四年《國產零零漆》為當年票房第三位。一九九五年《西遊記第壹佰零壹回之月光寶盒》（劉鎮偉）、《西遊記大結局之仙履奇緣》（劉鎮偉）、《回魂夜》（劉鎮偉）、《百變星君》（葉偉民）都入圍當年票房前十位。一九九六年《食神》（周星馳、李力持）、《大內密探零零發》（周星馳、谷德昭），占票房第二及第三位。周星馳現象可謂籠罩了整個九十年代，不論電影導演是高志森、陳嘉上、王晶、李力持或杜琪峰，只要是周星馳主演就都成為他的形象塑造；觀眾追看他品牌式的惡搞胡鬧，成為一種獨特的觀影快感。

眾所周知，星爺慣常在片場改寫對白、即興演出，甚至不惜哄騙朋友（如慣演如花的李建仁），臨時增加及創造其他角色等。王晶、高志森、李力持、陳嘉上、劉鎮偉等不同導演所製造的無厘頭，在節奏、情節的曲折與荒誕上各有千秋，唯星爺總以自己的無厘頭主導文本，成為一種相當統一的表演風格。可以這樣說：周星馳在所有的電影中都在演「周星星」、「阿星」或「史提芬周」，讓觀眾（誤）以為極其貼近周星馳本人，或一個他想像中的自己。九十年代，不論編導是誰，觀眾似乎都樂意買票入場，只要是周星馳主演。黎肖嫻把無厘頭電影中製造的方言策略稱為「迷魅化」，作為一種在面臨文化危機的當下打造在地主體性認同與情感記憶的手段。[6]觀眾猶如進入迷宮不能自拔，但這迷宮的構成是什麼？為什麼觀眾會欣然進入而不能自主，還需要更多的思考。

周星馳是香港喜劇電影傳統（又超越喜劇）的集大成者，承先啟後；其極其精準的節奏，出道初期刻意延遲或過快的表情反應，技術上師承梁醒波。周星馳與吳孟達的二人組合，繼承又更多樣化了新馬仔與鄧寄塵；電影中自覺式表演帶來的自我反照／反身，以喜劇評價戲劇（或人生），表演化悲憤為搞笑，叫他成為（李萍倩鏡頭下）鮑方的接班人；透過茄喱啡／臨時演員等角色向香港商業電影（及更廣義的資本主義生活）作出批判，與許冠文一脈相承。賭片系列中經常出現的長身大衣搭白領巾造型自然是《英雄本色》的調侃版，也向香港電影長期以來依賴帥哥華服（靚人靚景）的包裝喊話。電影經常嘲諷香港觀眾對日本流行文化的崇拜（如《情聖》中的盲俠）；周星馳常演的騙子角色，不難讓人回想李翰祥的眾多騙術奇觀。《喜劇之王》中從浪漫喜劇急轉直下至臥底副題，指向緊接下來《無間道》系列的出現。

無厘頭

周氏無厘頭，也許不能盡以歐美後現代主義論述解讀之。有別於傳統喜劇理論分析笑點往往來自情節的不協調，追隨周星馳式反敘事式喜劇的鐵粉已經不會對劇情的協調有所期待，應該已經相當習慣於承受敘事過程中任何時候任何事情都會發生，如過山車驚嚇不斷又迴環往復、穿山越嶺式的情節鋪陳或堆砌。但在這些不協調與隨機以外，周星馳在電影中的角色塑造，透過演技與對白，常常給出一種錯位的感情反應，或不反應。跟很多歐美的愛情喜劇電影不一樣，在有愛情線的電影中，熱戀中的周星馳會突然作出戲劇化的反應，經典如：「（攤開雙手）意不意外？開不開心？」的姿態，讓他的角色從親密情感中突然抽離出來，其刻意暴露的「表演性」叫觀眾無法完全代入任何浪漫關係。在最悲情處也常常拒絕流露任何感覺，如所有放出去的飛刀全部回彈扎至自己身上也若無其事無動於衷顧左右而言他。這些感情表達的錯位，是周星馳電影中的賣點與笑點，成為他的喜劇笑匠明星品牌，正所謂周星馳的無厘頭。為什麼香港觀眾這樣喜歡看感情的錯位表達，或不表達？

網上流傳這樣一個故事：周星馳小時候家窮，單親媽媽凌寶兒一人要帶大三個小孩，周星馳故意把母親給他的雞腿扔到地上，母親很氣憤動手打了他。但周星馳多年以後憶述，因為母親很少吃肉，他於是故意把肉弄髒，這樣媽媽才會撿起來吃，周星馳說這是「我最好的一場戲」。不過網上也有人質疑這故事的真偽。⑦無論這事是否有發生，是否真的在周星馳身上發生，還是他在「回憶」中創作或抄襲他人的回憶，這場「戲」與周星馳一貫的表演風格卻非常吻合：感情的錯位、當下拒絕表達、對至愛的關顧移置到個人看來自私任性、外人難以理解的行為上。這些行為經常帶暴力傾向，自殘自虐在所不惜。對時勢的不公、存活的困苦、表達愛的無能，皆化成強烈的憤懣，但情感又同時需要被高度壓抑與瞬間轉移，表達出來成為他的對立面：冷漠無感、淘氣幼稚、插科打諢。

一九九五年的兩部《西遊記》可以說是把周星馳的表演方法與敘事結合得最天衣無縫，把兩者的寓言性合而為一。《西遊記》借中國民間傳說與美日科幻電影中的時空穿梭橋段兩者融合，表達港人雖然自視甚高、本領不少（如至尊寶），但千回百轉仍無法拒絕及重塑命運的無奈。如何介入歷史並使其逆轉過來？至尊寶夢中唸記晶晶與紫霞仙子的次數，出賣了他自己白天以為應該延續的正典敘事，暴露了港人對殖民小島極其政治不正確的眷戀，與拒絕政治表態之間的矛盾。九七大限是至尊寶必須承受的，觀音大使指派的金剛箍；只要稍微對「人世感情」眷戀就會化成更大的傷痛。在接過並戴上金剛箍的那一刻，他唸出全片最經典獨白：「曾經有一份真摯的愛情放在我面前，我沒有珍惜，等我失去的時候我才後悔莫及，人世間最痛苦的事莫過於此。如果上天能夠給我一個再來一次的機會，我會對那個女孩子說三個字：我愛妳。如果非要在這份愛上加上一個期限，我希望是一萬年。」這是一份關於時空錯位、無法留住美好、無法對愛表態、又無法延續限期的宣言。接下來不久，千禧年後香港電影的問題意識，將轉化成如何不背叛自己的過去、良心、朋友，對善惡的理解如何重新定位。存活，成為一個道德議題，也是一個跟自己的欲望，永遠相違背的，一個頭上的符咒。

如果說失憶是香港電影九七症候群的符號置換，這種失憶也不是一種真正的忘卻，而是個人跟不上或拒絕配合歷史的進程，小歷史無法符合大歷史節奏與步履的徵兆，猶如周星馳演的齊天大聖不斷重複回到時間的原點，彷彿電影的線性敘事突然斷線了，歷史在電影的反敘事中內爆，語言也無法發揮正常與正典敘事功能的一種失態與失效。這就是所謂電影的無厘頭。無厘頭在製造笑聲，宣洩香港人政治苦悶的同時，弔詭地製造一種周氏特有的疏離感。若九七是歷史向香港人開的一個玩笑，香港人其中一個迎合或反擊的方法，是透過電影拒絕歷史（敘事）的進程；無厘頭就是拒絕歷史的一種主體位置，一個姿勢。所以無厘頭必須不合邏輯、九唔搭八（指事物之間毫無關係），插科打諢、冇大冇細（沒大沒小）、越級挑戰。

周星馳在《喜劇之王》中同時在戲中挪用《雷雨》及《精武門》這兩個文本，前者為中國左翼文化經典，後者為香港反殖民族主義範本；一方面召喚香港電影半個世紀為弱勢發聲站臺的認同位置，另方面透過尹天仇在城市邊緣對著空蕩蕩的社區會堂，硬生生在路邊招來小混混演《雷雨》，又孤單一人上演、拆毀東亞病夫牌匾等，表達九十年代末中國左翼文化與反殖民族情感在香港的全面失語。要是挪用周星馳式最不合情理、不合時宜、不合比例的語言形式，周星馳的表演方法，正正是香港人從五十年代至九七經歷的，五十年來感情訓練的一種精華縮寫。肯定係，除非唔係。[8]

如劉幗華指出，香港電影喜劇深切倚賴港人的共同自我意識與記憶、當下分享的在地文化話語，包括港人賴以為傲的「吃腦」／「精」文化。[9]《整蠱專家》中的各種法寶與呈現方式，來自香港觀眾熟悉的「叮噹」（「哆啦A夢」）動畫，是六十後香港人的集體童年回憶，也可見後冷戰時代香港受日本流行文化洗禮新一代的長成。周星馳在電影中經常內化了一種「精」、機靈聰敏的自我形象，如《西遊記》中的孫悟空、《唐伯虎點秋香》中的唐伯虎、《審死官》（臺灣片名：《威龍闖天關》）的宋世傑、《算死草》（臺灣片名：《整人狀元》）（一九九七，馬偉豪）的狀師陳夢吉、《逃學威龍》中的臥底警察／貴族學校學生等，這些角色一方面來自港人對自身的文化優越感及自我肯定，但角色在敘事中經歷的連串被虐待、被貶被揍，得不到應有的待遇，也呈現了港人長期龐大的委屈，政治意願的被否定，自詡為華語文化菁英但被殖民宗主國用完即棄等。在種種不自主、難關中靠「吃腦」來倖存，成為無厘頭電影替觀眾紓解壓力的方程式。電影中的騙子、臥底這些呈現皆成為港人九十年代獨有的一種被殖民現代性營構但又同時被否定，一種兩邊不是人的矛盾情感結構。

《百變星君》李澤星（周星馳）一夜之間從富家子淪落為管家（達叔）的私生子，把妹不遂被炸至粉身碎骨，只剩下腦及口，把港人在九十年代經歷的身分危機，對一無所有的恐懼，抑壓著絕望無奈只能「靠使腦吃飯」及「只剩一張嘴」等處境情懷，作出最直白的詮釋，卻竟是以一部科幻喜劇的格局。阿星被植入無敵晶片，據說可以千變萬化，但化身的並非高科技武器而是家常用品如廁所牙膏之流，最後殺敵絕招竟是變成微波爐，充滿港式文化的市井玩味。男人走到這裡早已不是男人，因為港人是否還是人也成為疑問。易服與喬裝，在此被賦予新的意義。是他演的（廢）人，在喬裝（廢）物，還是，他作為廢物，要易服成人？而觀眾經歷的悲喜難分與笑到氣絕，正正來自人與物之間的類近與距離？再一次，《百變星君》把港人的危機感及倖存／求存者（後）現代性異常具象地呈現，以最不尋常的處境，比喻及召喚港人當下的集體情感。

屎尿屁主體

古今中外，喜劇從來愛以性與性別作為笑料，以疏導社會化過程中針對身體、性及性別規訓帶來的壓抑與焦慮。周星馳主演及導演的電影一向被認為欠缺女性角度，並帶有強烈的歧視或仇恨女性成分。谷淑美曾批評影評人及學者傾向把周星馳誤讀成一個「沒性別的普通人」（*a-gendered* **everyman**）⑩，於是把電影中的性別政治天然化及合理化，例如漠視在周星馳常常被造就成英雄的過程中，女主角卻被塑造成奇醜無比、有生理障礙或特別魯笨等。《情聖》中程勝裝盲在路上截車遇上另一名騙子葉圓（毛舜筠），葉一人上演車子被碰瓷勒索的大戲，一人分飾被撞老婦、警察、狗、司機等，最後被程勝拆穿。葉希望與程一起合作，做更大的詐騙，但在過程中有不少葉被程嘲笑甚至虐打，容易被讀成為充滿性別歧視的互動情節。叫人印象深刻的例子當然還有《食神》中刀疤臉加齙牙的莫文蔚、《少林足球》（二〇〇一，周星馳）中起初亂髮、長青春痘、臉上有疤繼而光頭，而且守龍門時站在對方龍門前的趙薇等。《長江七號》中的張雨綺全片被安排穿著貼身的旗袍，來展現她據說是三十五D、二十四、三十五的身材。她演的袁老師，是周鐵的夢中情人與小狄（徐嬌）的救星，溫柔善良充滿愛心如天仙下凡。這些都理所當然可以被讀成是鞏固性別定型，強化父權社會對女性作為賢妻良母，同時又能作為花瓶或「性徵」的想像。這些解讀最大的問題是把「性別位置」擺放在一個跟它的文化脈絡抽離的真空處境中，彷彿「性別」可以是被放置在階級、教育、國族認同等議題外的一塊獨立方塊，而漠視了周星馳電影中經常把各種政治社會問題呈現成互為因果，所以即使橋段誇張但仍能達到叫人感到可信，而且發出會心微笑（或大笑）的效果。

《長江七號》是一部一開始就顛覆性別定型又同時在思考階級的電影。片頭字幕下是一雙在縫補破鞋的手，對比著一輛賓士房車車頭及一輛勞斯萊斯房車車頭上銀色天使的大特寫，然後是那雙縫好的破鞋的特寫，接著我們看見小狄與他一臉的灰。小狄臉上的「髒」與銀色天使的一塵不染、刷得閃亮形成強烈對比，而小狄腳上的破鞋與之前手上的破鞋連成一體，這雙手的特寫製造出來的性別不明與小狄由徐嬌反串製造出來的性別曖昧性也連成一體。然後小狄進校園內，遇上曹主任（李尚正）與袁老師這對打扮非常乾淨、性別清楚明朗的男女，並被曹主任罵他髒。這段電影的引子明顯地揭開了電影對社會上階級歧視的強烈批判：窮人辛苦求存的痕跡在富人當道、向上認同的世界中被罵、被視為「不可欲」、「羞恥」。在這一點上，即使袁老師不斷對小狄流露關懷與同情，但她光鮮亮麗的外表就已說明她的階級與小狄的階級之間有不可逾越的鴻溝。《長江七號》以窮人（小狄與周鐵）被視為「髒」的不合理性，來暴露資本主義邏輯中透過對身體的嚴格管治來加強工人的工具化，及把階級分層與壓迫合理化的暴力。電影開首不久便問了一個問題：小狄因為窮，所以一個人上學，所以會跌倒，所以看來髒，但因為他髒，所以他也應該受到作為窮人，作為「被唾棄物」的對待（「不要走過來！」），對吧？而同時，這「受唾棄物」，正正也是一個反串男角的女生，一個可男可女，無法被固定性別，被社會化、性別化過程管治的（小）身體。當然我們知道，在大部分周星馳主演或導演的電影中，「被唾棄物」往往是電影中最有主體性，最值得觀眾認同、愛與呵護的位置。

全球現代西方化社會隱含的新教倫理、資本主義時刻叫人不得不製造大量對自己身體、未來、階級的焦慮。Alan Dale曾分析美國喜劇電影的核心課題為「自顧不暇的人」（“Comedy is a Man in Trouble”）。「自顧不暇」，源於在基督新教倫理主導的社會文化中，持續的向上認同，不斷攀爬社會階梯，被賦予理所當然的道德意涵，使現代人對於自身狀況的突然「失控」，有前所未有的焦慮；動作喜劇的普及化正是來自舒緩這些壓力的社會需求。「（……）動作喜劇視失足／墮落為一種我們生命中必須與之共存、好笑，但又無可避免的處境。但在基督教神學中，失足／墮落有最壞的含義。基督教對墮落恐懼，想像地獄的深淵永遠在下面，呈現出對肉身存在的一種不斷反抗，包括人類被指派要跟其他動物一樣抗衡地心引力的枷鎖。」[11] Christie Davies指出，在基督新教倫理扎根最深的社會中，也是工業資本主義最興旺的地方，平民的幽默感——或日常搞笑的習慣——不但沒有消逝，反而隨之興盛起來。[12]香港過去一百五十年獨特的殖民地歷史，讓基督新教持續握有大量教育、社會福利的資源，配合非常急速壓縮並被認為異常「成功」的資本主義體制，同時也幫忙造就了喜劇作為在過去三十年香港電影史上最長期賣座的類型。周星馳的電影為觀眾廁身晚期資本主義社會，到處充滿人吃人的掠奪、較技邏輯及催命般的節奏下，提供一道彷彿超然物外、靠著小聰明及埋沒感情，終能倖存甚至成功的逃生門。他在電影中經常跌倒，有時是踩到人家丟的蕉皮、有時是沒有跨過過高的圍欄；在《長江七號》中他更跌死了。他不但無可避免失足／墮落，無法抗衡地心引力，最後還被地心引力殺了，要靠一隻很像狗的小動物打救；這隻狗，正是來自一個沒有地心引力的地方。

周星馳在《長江七號》之前的作品，經常把對階級與被殖民身分（包括對國族、本土）等焦慮移置在關於性別失常的笑話上，讓觀眾認同周星馳身處（各種）制度底層之餘累積的負面情結，發洩在一個看來無關痛癢，自己相對安全的領域上，獲得一種重新的自我肯定：不論你多給人看／揍扁，不論你跌倒多少次，你都不會像如花這樣明顯醜陋／「變態」／不知「羞恥」吧。這種性別的暫時失常主體是為了讓其他階序中（如階級、家庭、國族等）的恆常失權主體經歷一種短暫的充權，能夠享受「我也有點正常」的快感。如花的「明顯反串」不但加強這角色的戲劇性，讓觀眾明顯看見自己與「他」之間的差異，所以可以安心嘲笑「他」。但同時，「他」也提供給觀眾「我的失常也可能是暫時」的想像空間。

失常連線，我們的未來

跌倒與反串，都是身體對管治、被邊界化與工具化提出反抗的表達方式。香港喜劇電影中的失常男人，是否可讀成是在我們特定的政治經濟現實下，男性已經無法再想像自己作為男性主體，甚至無法再想像自己作為一個能夠持續抗衡地心吸力的「正常人」，能讓自己不被看成是「被唾棄物」的暗示？從這角度回看香港喜劇電影中經常出現的笑匠反串醜女，如《兩傻擒兇記》（一九五九，馮志剛）中的鄧寄塵、《南北喜相逢》（一九六四，王天林）中的波叔等，這些看來對女角的低貶，可能要表達的不是對女性的嘲弄，剛相反，正是透過顯現她們的醜與性別失常，來暗示這些角色與笑匠自身的醜、弱勢與各種身體失常（如跌倒、變成生化人等）的相類近性，於是可以有連線及互相代入的可能。周星馳在電影中對女性的態度，也可以被看成是一種自我否定，在已經沒有任何政治資源的處境下，只能表達自己配不上被愛、愛不起、負擔不起任何感情的身分位置？這樣重看香港電影，也許可以啟發我們重新思考，電影詮釋政治脈絡及文化資源的多種可能。

《長江七號》中的四位小主角，有一種與周星馳的前作有點不一樣的反串。除了韓永華飾演的美嬌會引起觀眾的疑心，可能會叫人想起過去的如花之外，徐嬌飾演的小狄、黃蕾飾演的俊生、姚文雪飾演的暴龍，都是可以過關（pass）的反串，就是觀眾如果沒有掌握電影世界以外（extra-diegetic）的資訊，是大概不會知道他們都是跨性別演出。這些小演員的跨性別演出，不單不再是電影嘲笑的對象，反而成了一種理所當然的現實。這些恆常反串大大削減了他們（像如花般）作為丑角的作用。電影公映前宣傳中強調徐嬌要把長髮剪掉來演活小男生，而周星馳又聲稱她十分像小時候的自己，這些都協助把電影中的各種跨性別認同位置正常化。電影的敘事更進一步把美嬌由於身形與性別不符之被欺壓位置，與小狄由於階級與教育不符的被欺壓位置兩者互相指涉、互相聲援，形成了一幅階級弱勢與性別弱勢可能連線的圖像。而這連線也是電影中造就小狄得以翻身的契機，最後讓四位小主角一排站在操場上被罰，成為朋友；《長江七號》再現的小小階級革命，是透過性別弱勢得以連線來啟動的。如此看來，周鐵是注定不配袁老師的，不單是因為袁老師與周鐵的教養、打扮不同，更重要的是袁老師作為一個正典女人的符徵，本身就是一個片中大部分人都無法冀及的階級（她高眺筆直的恆常站姿，彷佛地心引力在她身上是沒有作用的）。片首周鐵的那雙手是沒有性別的，因為他既是小狄的父親也是母親，他作為民工這階級無法享有作為正典性別的主體權力。徐嬌作為周星馳乾女兒與小狄作為周鐵兒子這戲內戲外的跨性別位置，也指向電影要觀眾認同的窮人階級性別失常的必然處境。從這個角度，也許我們可以回看周星馳以前電影中女角的各種古怪呈現。《食神》中的大廚史提芬周（周星馳）本來是「唐朝飲食集團」主席，因為尖酸刻薄，給手下唐牛（谷德昭）出賣，宣布破產。史提芬周流落到廟街，認識了從小在廟街長大、莫文蔚飾的熟食檔老闆娘火雞。靠火雞的拔（雙）刀相助，史提芬周才能泡製出「爆漿瀨尿牛丸」，成功翻身。《少林足球》中趙薇演的阿梅，被少林隊眾師兄弟嘲笑她過時的造型與誇張的化妝，卻堅持為少林隊上陣，並施展出太極手，配上阿星（周星馳）的金剛腿，扭轉大局，為少林隊奪冠，最後還與阿星一起登上《時代》雜誌封面。這些女性角色，正與周星馳來自基層所承受的各種汙名（如髒、廢、破產等）極其接近。一如《情聖》中大家出盡法寶掠奪一百萬，到最後打開皮箱卻讓眾人齊聲一哭，因為「我長這麼大，從來沒見過這麼多錢！」。到頭來，美國來的Jacky、富翁及他的一家，都齊聲說：「我是假的！」「我們也是假的！」這裡的重點是：「我們」。

鑑此，《長江七號》跟周星馳之前的香港作品既同且異：一如《逃學威龍》系列中諷刺（殖民）貴族學校教育的虛偽嚴苛，《長江七號》也以大量篇幅寫貴族學校的不近人情、階級歧視問題；兩者間的互文閱讀讓人不禁提問，今天中國的極速發展、階級的兩極化，是否在重蹈香港的覆轍？周星馳母親祖籍寧波，他特意回到寧波攝製《長江七號》，是故意把自己的學養、他的香港經驗、香港資源回饋「老家」，移植與翻譯香港的在地思考至大陸，成為中國思考自身未來的資源？上世紀九十年代的周星馳常被視為「香港性」、香港本土文化的代言，但「香港性」是什麼？對「香港性」的思考如何能夠為其他華語文化反思自身（問題與出路）作出貢獻？而《長江七號》繼承了《功夫》，與他的香港時期明顯不同的是，這些後九七電影不再局限聚焦於周星馳個體角色的成敗，周星馳在電影中不再是一個落單的，對著海喊叫，為自己打氣的小人物個體（《喜劇之王》），而成為一群弱勢小眾中的其中一位，從《功夫》到《長江七號》更是愈來愈不重要，可有可無、可生可死的那一位。周星馳把九七香港（被）併入中國版圖的歷史命運，轉化成他個人創作的分水嶺，把文化危機翻譯為易地思考的契機，藉此重寫香港可以是什麼，並讓世界看見二十世紀的香港電影作為文化資源，積累與傳承的可能。

與世紀最後的揮手

本章回看戰後香港電影中經歷向下流動的草根階層主人翁，不論是來自華南或上海，運用喜劇元素來抒發鬱悶，把銀幕上的逆境置換成悲欣交集的喜劇處境。香港自五十年代以降孕育了一大批喜劇笑匠，如國語片的韓非、鮑方；粵語片的新馬仔、鄧寄塵、梁醒波等。社會底層不論是以民國或戰後香港為背景，皆呈現「普通人」／小市民掙扎求存、笑中有淚的故事，也反映不同族群、不同政治認同的普羅大眾在五十至七十年代香港社會中磨合的艱難與意志。至七十年代末許氏兄弟的冒起，糅合了電視綜藝節目形態及雜碎語言，開創了既中又西的港式媒體風格，不但標示了「粵語片」過渡自「港產片」的分野，也與同期的香港新浪潮電影一起，宣布香港的主流認同與自我想像，已經被統合成為英美語系譜文化陣營的一員。隨著「自由」世界在香港的意識形態鬥爭大獲全勝，許氏喜劇引發的笑聲，急忙緬懷舊香港之不復返，面向國際金融大都會的「上位／攀升」邏輯與儒家價值的矛盾爭持，作最後的哀鳴。

本章繼而以無比的認真述說九十年代曾經刷新所有票房紀錄、改變了亞洲整體電影敘事風格，以周星馳為首的無厘頭電影語言，如何笑裡藏刀（或藏針），剖析時代的不安，試探城市的欲望，提供逃逸的快感。周星馳的崛起，正值中國市場經濟急迅起飛的年代。城市大量飄泊落單的人口、青年如何適應社會與經濟關係的劇變？他們教育中的集體理想主義、老師與父母一代無法提供資源，準備與支援他們在混亂的新世界中求生。周星馳玩世不恭、靠著小聰明小伎倆大運氣闖天下，又與人保持疏離以倖存的表演與寓言敘事，成了大家的共同語言、模仿對象、希望與認同、寄託與投射。一九九〇年代初大陸錄像廳盛行，讓周星馳電影的盜版錄像帶迅速風靡青少年。

一九九〇年代中後期，香港電影的黃金時代開始退潮。一九九六年首輪港產片的總收入已有下降趨勢，比起一九九五年下降了百分之二十九點九五。好萊塢的大投資大製作加大了向全球擴張的力度，加上一九九七年亞洲金融風暴的衝擊，以及韓國、泰國等地本土電影業的崛起，香港電影在九〇年代後期幾乎全面喪失東南亞市場。與此同時，網絡文化興起，BBS上熱炒舊作《大話西遊》（《西遊記第壹佰零壹回之月光寶盒》及《西遊記大結局之仙履奇緣》之統稱）等，周星馳又搖身一變，成為中國高等院校生的精神偶像，也鋪墊了他九七後北上發展，以合拍片為依歸的道路。這裡說的「合拍片」，不光是中港，也有港美或中港美合資等模式，如《長江七號》就是由周星馳擁有的星輝海外有限公司出品，於寧波拍攝，中國大陸以外地區由哥倫比亞影業發行。

香港電影的二十世紀很長。隨著《長江七號》成為周星馳最後一部主演的作品，隨著周星馳的主要目標觀眾不再在香港，隨著喜劇不再是香港電影的主要類型，香港電影終於半推半就地，走進下一個世紀。接下來，「香港電影」，將繼續重寫它內化了一百多年，來自一個小地方的歷史、政治、思想及感情。

註釋

① 黃愛玲：〈前言〉，《香港影片大全第四卷（一九五三—一九五九）》，郭靜寧編，香港：香港電影資料館，二〇〇三年，https://www.filmarchive.gov.hk/tc/web/hkfa/rp-hk-filmography-series-4-2.html。電影資料：《阿超結婚》（吳回）；《豪門夜宴》（李晨風、李鐵、吳回、羅志雄）；《金山大少》（左几）；《經紀拉》、《經紀拉與飛天南》、《擺錯迷魂陣》（莫康時）；《笑星降地球》（梁鋒）；《十字街頭》（莫康時）；《璇宮艷史》（左几）；《兩傻遊天堂》（楊工良）；《王先生行正桃花運》、《王先生著錯老婆鞋》、《王先生騎正胭脂馬》、《王先生招親》（黃鶴聲）。

② Steve Seidman, *Comedian Comedy: A Tradition in Hollywood Film* (Ann Arbor, Mich.: University of Michigan Press, 1981), 147-148.

③ 許樂：〈一九八〇年代香港電影之「城」〉，《香港電影的文化歷程：1958-2007》，北京：中國電影出版社，二〇〇九年，頁七五。

④ 一九八九年五月二十八日，香港有一百五十萬人上街遊行，聲援北京民運，不論遊行人數還是全民參與率都是空前，是香港歷史上規模最大的一次群眾運動之一（二〇一九年被參與「反修例運動」〔「反對《逃犯條例》修訂草案運動」的簡稱，臺稱：「反送中運動」〕的群眾人數超越）。一九八九年六月四日，北京民運被中國人民解放軍以武力血腥鎮壓，當日香港再有一百萬人上街抗議。

⑤ 許樂：〈國城之間的文化變奏〉，《香港電影的文化歷程：1985-2007》，北京：中國電影出版社，二〇〇九，頁一四〇。

⑥ Linda Lai, "Film and Enigmatization: Nostalgia, Nonsense, and Remembering," in *At Full Speed: Hong Kong Cinema in a Borderless World*, ed. Esther Ching-Mei Yau (Minneapolis: University of Minnesota Press, 2001), 231-250.

⑦ 〈周星馳愛吃雞翅原因　來自「我最好的一場戲」〉，https://www.setn.com/News.aspx?NewsID=184496。

⑧ 也可作：「一定係，除非唔係」、「絕對係，除非唔係」。帶無厘頭風格的港式潮語，為加強肯定但同時在表達自我反諷，大意指「我認為如此，但這也是說了等於沒說的廢話，大可不必理會我」。

⑨ Jenny Kwok Wah Lau, "Besides Fists and Blood: Hong Kong Comedy and Its Master of the Eighties," *Cinema Journal* 37, no. 2 (1998): 18-34.

⑩ Agnes Shuk-mei Ku, "Masculinities in Self-Invention: Critics' Discourses on Kung Fu-Action Movies and Comedies," in *Masculinities and Hong Kong Cinema*, ed. Laikwan Pang and Day Wong (Hong Kong: Hong Kong University Press,

2005), 221-237.

⑪ 筆者譯自 “[……]slapstick sees falling as an amusing inevitability we have to live with as we can. By contrast, in Christian theology, falling has the worst possible connotations, of course. The Christian fear of falling, with the pits of hell always imagined down below, indicates a ceaseless resistance to physical existence, with our enslavement to gravity a symbol for all the animal lapses to which we're given.” Alan Dale, *Comedy is a Man in Trouble: Slapstick in American Movies* (Minneapolis: University of Minnesota Press, 2000), 13.

⑫ Christie Davies, *Jokes and their Relation to Society* (Berlin, New York: Mouton de Gruyter, 1998), 43-62.

參考書目

中文參考書目

《中國電影總目錄》，北京：中國電影資料館，一九六〇年。
《第二屆香港國際電影節特刊——五十年代粵語電影回顧（一九五〇—一九五九）》，香港：市政局，一九七八年。
《第三屆香港國際電影節特刊——戰後香港電影回顧（一九四六—一九六八）》，香港：市政局，一九七九年。
《第四屆香港國際電影節特刊——香港功夫電影研究》，香港：市政局，一九八〇年。
《第五屆香港國際電影節特刊——香港武俠電影研究（一九四五—一九八〇）》（修訂本），香港：市政局，一九九六年。
《第六屆香港國際電影節特刊——六十年代粵語電影回顧（一九六〇—六九）》（修訂本），香港：市政局，一九九六年。
《第七屆香港國際電影節特刊——戰後國、粵語片比較研究：朱石麟、秦劍等作品回顧》，香港：市政局，一九八三年。
《第八屆香港國際電影節特刊——七十年代香港電影研究》（修訂本），香港：市政局，二〇〇二年。
《第九屆香港國際電影節特刊——香港喜劇電影的研究》，香港：市政局，一九八五年。
《第九屆香港國際電影節特刊——香港電影八四及李萍倩紀念特輯》，香港：市政局，一九八五年。
《第十屆香港國際電影節特刊——粵語文藝片回顧一九五〇—一九六九》（修訂本），香港：市政局，一九九七年。

《第十二屆香港國際電影節特刊——香港電影與社會變遷》，香港：市政局，一九八八年。
《第十四屆香港國際電影節特刊——香港電影的中國脈絡》（修訂本），香港：市政局，一九九七年。
《第十五屆香港國際電影節特刊——八十年代香港電影：與西方電影比較研究》(修訂本)，香港：市政局，一九九九年。
《第十六屆香港國際電影節特刊——電影中的海外華人形象》，香港：市政局，一九九二年。
《第十八屆香港國際電影節特刊——香港—上海：電影雙城》，香港：市政局，一九九四年。
《第十九屆香港國際電影節特刊——早期香港中國影象》，香港：市政局，一九九五年。
《第二十屆香港國際電影節特刊——躁動的一代：六十年代粵片新星》，香港：市政局，一九九六年。
《第二十一屆香港國際電影節特刊——光影繽紛五十年》，香港：市政局，一九九七年。
《第二十三屆香港國際電影節特刊——香港電影新浪潮：二十年後的回顧》，香港：臨時市政局，一九九九年。
《香港電影七九～八九（合訂本）》，香港：康樂及文化事務署，二〇〇〇年。
丁亞平編：《電影史學的建構與現代化——李少白與影視所的中國電影史研究》，北京：中國電影出版社，二〇一二年。
小思：《香港故事》，濟南：山東友誼出版社，一九九八年。
王塵無：《王塵無電影評論集》，北京：中國電影出版社，一九九四年。
也斯編：《香港短篇小說選（六十年代）》，香港：天地圖書，一九九八年。
文潔華、羅貴祥編：《雜嘜時代：文化身份、性別、日常生活實踐與香港電影1970s》，香港：牛津大學出版社，二〇〇五年。
巴金：《寒夜》，北京：人民文學出版社，二〇〇五年。

卡維波：〈認真看待色情〉，《第七屆『性／別政治』超薄型國際學術研討會會議「色情無價」論文集》，臺灣中壢：中央大學性／別研究室，二〇〇七年。
白燕：《錦繡青春》，香港偉青書店，一九五六年。
石琪：《石琪影話集（一）》，香港：次文化堂，一九九九年。
石曉楓：〈茅盾《蝕》三部曲中的身體想像與敘述——兼及與張春帆《紫蘭女俠》之比較〉，《政大中文學報》，第二十五期，二〇一六年六月，頁二六八—二七一。
朱楓、朱岩編：《朱石麟與電影》，香港：天地圖書，一九九九年。
江進春：《基督教與新生活運動》，華中師範大學碩士論文，二〇〇七年。
肖三：〈肖三給左聯的信〉，《左翼十年——中國左翼文學文獻史料輯》，賈振勇編，北京：人民出版社，二〇一五年，頁二三—二六。
宇業熒：《永遠的李翰祥紀念專輯》，臺灣：錦繡出版，一九九七年。
呂大樂、黃偉邦編：《階級分析與香港》（九八增訂版），香港：青文書屋，一九九八年。
呂大樂：《那似曾相識的七十年代》，香港：中華書局，二〇一二年。
宋青紅：《新生活運動促進總會婦女指導委員會研究（一九三八—一九四六年）》，上海復旦大學博士論文，二〇一二年。
何思穎：〈有點瘋，但絕不劫〉，《香港電影資料館修復珍藏：瘋劫》小冊子，香港：香港電影資料館，二〇一九年，頁一五—二三。
何思穎：〈慕貞——一窺三十年代香港電影中的女性意識〉，《通訊》，第六六期，香港，香港電影資料館，二〇一三年一一月，頁六—九。

何思穎編：《文藝任務　新聯求索》，香港：香港電影資料館，二〇一一年。

宋美齡：《蔣夫人言論集》，國民出版社編譯，重慶：國民出版社，一九三九年。

汪朝光：〈三十年代初期的國民黨電影檢查制度〉，《電影藝術》第三期，一九九七年，北京，頁六〇—六六。

周承人、李以莊：《香港銀幕左方》，香港：雙原子創意及製作室，二〇二一年。

周承人、李以莊：《早期香港影史第一懸案——黎北海、黎民偉從影個案研究》，香港：電影雙周出版，二〇〇九年。

周承人、李以莊：《早期香港電影史（一八九七—一九四五）》，香港：三聯書店，二〇〇五年。

李少白：〈簡論中國三〇年代「電影文化運動」的興起〉，《當代電影》，一九九四年第三期，頁七七—八四。

李怡：《失敗者回憶錄》（上／下），臺北：印刻，二〇二三年。

李香凝：《似水無形：李小龍的人生哲學》，廖桓偉譯，臺北：大是文化，二〇二一年。

李焯桃：《八十年代香港電影筆記》（上、下），香港：創建出版公司，一九九〇年。

李道新：《中國電影文化史（一九〇五—二〇〇四）》，北京：北京大學出版社，二〇〇四年。

李華：〈唐代、清代女俠形象對比研究〉，《忻州師範學院學報》，第三一卷第一期，二〇一五年二月，頁四—一六。

李翰祥：《三十年細說從頭》（上、下），北京：北京聯合出版公司，二〇一六年。

李翰祥：《銀海千秋》，香港：天地圖書，一九九七年。

李翰祥：《金瓶梅三部曲》，香港：奔馬出版社，一九八五年。

吳昊：《孤城記：論香港電影與俗文學》，香港：次文化堂，二〇〇八年。

吳昊：《吳昊的亂世電影研究》，香港：次文化堂，一九九九年。

吳偉光：〈反思香港的文化身份理論〉，《文化研究@嶺南》，第三十五期，二〇一三年七月。
吳楚帆：《吳楚帆自傳》（上、下冊），香港：偉青書店，一九五六年。
吳國坤：《昨天今天明天：內地與香港電影的政治、藝術與傳統》，香港：中華書局，二〇二一年。
余慕雲：《香港電影八十年》，邱松鶴編，香港：區域市政局，一九九七年。
余慕雲：《香港電影史話卷一——默片時代》，香港，次文化堂，一九九六年。
余慕雲：《香港電影史話卷二——三十年代》，香港，次文化堂，一九九七年。
余慕雲：《香港電影史話卷三——四十年代》，香港，次文化堂，一九九八年。
余慕雲：《香港電影史話卷四——五十年代》（上），香港，次文化堂，二〇〇〇年。
余慕雲：《香港電影史話卷四——五十年代》（下），香港，次文化堂，二〇〇一年。
何春蕤、甯應斌編：《色情無價：認真看待色情》，中壢：中央大學性／別研究室出版，二〇〇八年。
易文：《有生之年——易文年記》，藍天雲編，香港：香港電影資料館，二〇〇九年。
易以聞：《寫實與抒情：從粵語片到新浪潮（一九四九—一九七九）》，香港：三聯書店，二〇一五年。
松丹鈴：〈中共與一九三〇年代「左翼電影」的關係〉，《黨史研究與教學》，二〇一四年第三期，總第二三九期，頁六九—七七。
松丹鈴：〈教育電影還是左翼電影：二〇世紀三〇年代「左翼電影」研究再反思〉，《近代史研究》，二〇一四年第一期，頁一二六—一四二。
金瑞英編：《鄧穎超——一代偉大的女性》，大原：山西人民出版社，一九八九年。
林玉儀編：《香港思潮——本土意識的興起與爭議》，香港：廣宇出版社，二〇一三年。
林年同：《鏡游》，香港：素葉出版社，一九八五年。

林年同：《中國電影美學》，臺北：允晨文化，一九九一年。
卓伯棠：《香港新浪潮電影》，香港：天地圖書，二〇〇三年。
周作人：《知堂乙西文編》，香港：三育圖書文具公司，一九六二年。
周承人、李以莊：《早期香港電影史（一八七七—一九四五）》，香港：三聯書店，二〇〇五年。
周夏編：《中國電影人口述歷史叢書：海上影踪》（上海卷），北京：民族出版社，二〇一一年。
胡平生：《抗戰前十年間的上海娛樂社會（一九二七—一九三七）——以影劇為中心的探索》，臺北市：臺灣學生書局，二〇〇二年。
洪宜嫃：〈新生活運動與婦女組織（一九三四—一九三八）〉，《政大史粹》，二〇〇七年一三期，頁一〇五—一四五。
施耐庵：《水滸傳》，香港：中華書局，一九七〇年。
侶倫：《黑麗拉》，上海、香港：中國圖書出版公司，一九四三年。
侶倫：《無名草》，香港：虹運出版社，一九五〇年。
侶倫：《殘渣》，香港：星榮出版社，一九五二年。
侶倫：《窮巷》，香港：三聯書店，二〇一九年。
香港影評人協會：《香港色情電影發展（研究報告）》，二〇〇〇年。
高小健：《新興電影：一次劃時代的運動》，北京：中國電影出版社，二〇〇五年。
陸弘石：《中國電影史一九〇五—一九四九——早期中國電影的敘述與記憶》，北京，文化藝術出版社，二〇〇五年。
連民安、吳貴龍編：《星光大道：五六十年代香港影壇風貌》，香港：中華書局，二〇一六年。

徐進：〈論清代民事習慣中的兼祧規則——以《民事習慣調查報告錄》為基礎的考察〉，《甘肅政法學院學報》二〇一三年第五期，頁二七—三二。

陳立夫：《中國電影事業新路線》，南京：中國教育電影協會，一九三三年。

陳彩玉：〈方創傑先生與他的時間囊〉，《通訊》，第六六期，香港，香港電影資料館，二〇一三年十一月，頁四—六。

陳清偉：《香港電影工業結構及市場分析》，香港：電影雙周刊出版社，二〇〇〇。

陳樂：〈女俠之情——論民國舊派武俠小說中女俠的情感世界〉，《蘭州教育學院學報》，二〇一八年〇七期，頁一—二。

臺北陳智德：〈新民主主義文藝與戰後香港的文化轉折——從小說《人海淚痕》到電影《危樓春曉》〉，《香港文學與電影》，梁秉鈞、黃淑嫻、沈海燕、鄭政恆編，香港：香港公開大學出版社與香港大學出版社，二〇一二年，頁一〇四—一二〇。

陳智德：《地文誌：追憶香港地方與文學》，臺北：聯經出版公司，二〇一三年。

陳智德編：《三、四〇年代香港詩選》，香港：嶺南大學人文學科研究中心，二〇〇三年。

陳智德編：《香港文學大系一九一九—一九四九．文學史料卷》，香港：商務印書館，二〇一六年。

陳國球編：《香港文學大系一九一九—一九四九．評論卷一》，香港：商務印書館，二〇一六年。

陳國球：〈放逐抒情：從徐遲的抒情論說起〉，《清華中文學報》，二〇一二年八期，頁二二九—二六一。

陳播編：《中國左翼電影運動》，北京：中國電影出版社，一九九三年。

陳適曾、黎思復、鄔慶時：〈「自梳女」與「不落家」〉，《文史春秋》，一九九四年三期，頁四一—四六。

陳學然：《五四在香港——殖民情境、民族主義及本土意識》，香港：中華書局，二〇一四年。

陳樹貞、羅卡：〈陳雲暢談六十年代粵語片界〉，《第二十屆香港國際電影節——躁動的一代：六十年代粵片新星》，羅卡編，香港：市政局，一九九六年，頁一〇七—一一三。

郭緒印主編：《國民黨派系鬥爭史》（上），臺灣：桂冠圖書，一九九三年。

郭盛暉：〈珠江三角洲的自梳女習俗及其演化與成因〉，《神州民俗》，二〇〇九年第六期，總一一六期，二〇〇九年六月，頁三一—三三。

郭靜寧、吳君玉編：《探索一九三〇至一九四〇年代香港電影上篇：時代與影史》，香港：香港電影資料館，二〇二二年。

郭靜寧、吳君玉編：《探索一九三〇至一九四〇年代香港電影下篇：類型．地域．文化》，香港：香港電影資料館，二〇二二年。

郭靜寧編：《香港影片大全第一卷（一九一四—一九四一）（增訂本）》，香港：香港電影資料館，二〇二〇年。

郭靜寧編：《香港影片大全第四卷（一九五三—一九五九）》，香港：香港電影資料館，二〇〇三年。

郭靜寧編：《香港影片大全第五卷（一九六〇—一九六四）》，香港：香港電影資料館，二〇〇五年。

郭靜寧編：《香港影片大全第六卷（一九六五—一九六九）》，香港：香港電影資料館，二〇〇七年。

郭靜寧、沈碧日編：《香港影片大全第七卷（一九七〇—一九七四）》，香港：香港電影資料館，二〇一〇年。

郭靜寧編：《香港影片大全第八卷（一九七五—一九七九）》，香港：香港電影資料館，二〇一四年。一一四—一二一。

郭靜寧編：《香港影人口述歷史叢書之五：摩登色彩——邁進一九六〇年代》，香港：香港電影資料館，二〇〇八年。

郭靜寧、藍天雲編：《香港影人口述歷史叢書之三：楚原》，香港：香港電影資料館，二〇〇六年。
郭靜寧編：《南來香港》（香港影人口述歷史叢書一），香港電影資料館，二〇〇〇年。
盛安琪、劉嶔編：《香港影人口述歷史叢書之六：龍剛》，香港電影資料館，二〇一〇年。
孫紹誼：〈影畫都市：銀幕內外的上海想像〉，《想像的城市——文學、電影和視覺上海（一九二七—一九三七）》，上海：復旦大學出版社，二〇〇九年，頁一〇六—一四二。
夏夢：〈從影一年〉，《我的從影生活》，夏夢、傅奇、石慧等著，香港：長城畫報社，一九五四年，頁一七—四二。
夏蓉：〈新生活運動與取締婦女奇裝異服〉，《社會科學研究》，二〇〇四年第六期，頁一一四—一二一。
麥欣恩：《香港電影與新加坡——冷戰時代星港文化連繫一九五〇—一九六五》，香港：香港大學出版社，二〇一八年。
麥欣恩：〈從冷戰角度回顧電懋公司發展香港／臺灣電影脈絡的前奏：《秋瑾》、《碧血黃花》、《關山行》〉，《臺大中文學報》七二期，二〇二一年三月一日，頁二四五—二九六。
梁秉鈞：〈一九五七，香港〉，《現代中文文學學報》，九卷二期，二〇〇九年，頁一八四—一九五。
梁秉鈞、黃淑嫻編：《香港文學電影片目》，香港：香港嶺南大學，二〇〇五年。
張杰：〈金蘭契研究〉，《中國社會歷史評論》，二〇〇五年第三期，頁一—一三。
張建德：〈李翰祥的犬儒美學〉，《第八屆香港國際電影節——七十年代香港電影研究》修訂版，香港：市政局，二〇〇二年，頁九〇—九八。
張家偉：《英國檔案中的香港前途問題》，香港：香港城市大學出版社，二〇二三年。
張家偉：《六七暴動：香港戰後歷史分水嶺》，香港：香港大學出版社，二〇一二年。

張家偉：《香港六七暴動內情》，香港：太平洋世紀出版社，二〇〇〇年。

張真：〈武俠電影：恣越的身體語言〉，《銀幕艷史：都市文化與上海電影一八九六—一九三七》增訂版，沙丹、趙曉蘭、高丹譯，上海：上海書店出版社，二〇一九年。

張德勝：〈香港社會秩序的基礎：從低度整合到高度自覺？〉，《香港二十一世紀藍圖》，劉兆佳編，香港：中文大學出版社，二〇〇〇年。

張楚勇編：《許鞍華的「越南三部曲」劇本集》，香港：青文書屋，一九八三年。

張徹：《回顧香港電影三十年》，香港：三聯書店，一九八九年。

張徹：《回憶錄．影評集》，黃愛玲編，香港：香港電影資料館，二〇〇二年。

張慶軍、孟國祥：〈蔣介石與基督教〉，《民國檔案》一九九七年，第一期，頁七七—八三。

舒琪等：《阮玲玉神話》，香港：創建出版公司，一九九二年。

許敦樂：《墾光拓影：南方影業半世紀的道路》，香港：簡亦樂出版，二〇〇五年。

許樂：《香港電影的文化歷程：一九五八—二〇〇七》，北京：中國電影出版社，二〇〇九年。

麥志坤：《冷戰與香港：英美關係一九四九—一九五七》，林立偉譯，香港：中華書局，二〇一八年。

程季華、李少白、刑祖文編：《中國電影發展史》（第一、二卷），北京：中國電影出版社，一九八〇年。

黃志偉編：《老上海電影》，上海：文匯出版社，一九九八年。

黃金麟：〈醜怪的裝扮：新生活運動的政略分析〉，《臺灣社會研究季刊》，臺北：臺灣社會研究雜誌社，一九九八年第三〇期，頁一六三—二〇三。

黃淑嫻編：《真實的謊話：易文的都市小故事》，香港：中華書局，二〇一三年。

黃菡黃潮黃禍研究籌委會：《黃菡．黃潮．黃禍資料報告書：香港色情問題研究》，香港：香港中文大學學生會，一九七八年。

黃建業編：《跨世紀臺灣電影實錄一八九八—二〇〇〇》（中冊一九六五—一九八四），臺北：行政院文化建設委員會、財團法人國家電影資料館，二〇〇五年。

黃愛玲編：《中國電影溯源》，香港：香港電影資料館，二〇一一年。

黃愛玲、李培德編：《冷戰與香港電影》，香港：香港電影資料館，二〇〇九年。

黃愛玲編：《現代萬歲——光藝的都市風華》，香港：香港電影資料館，二〇〇六年。

黃愛玲編：《粵港電影因緣》，香港：香港電影資料館，二〇〇五年。

黃愛玲編：《李晨風——評論．導演筆記》，香港：香港電影資料館，二〇〇四年。

黃愛玲編：《香港影人口述歷史叢書之二：理想年代——長城、鳳凰的日子》，香港：香港電影資料館，二〇〇一年。

黃愛玲編：《詩人導演——費穆》，香港：香港電影評論學會，一九九八年。

游靜：《性／別光影：香港電影中的性與性別文化研究》，香港：香港電影評論學會，二〇〇五年。

雁楓：〈談談侶倫的早期散文〉，《讀者良友》一卷一期，一九八四年七月，頁七五—七七。

曾慶雨、許建平：〈不甘失落與不擇手段——潘金蓮自尊與自悲意識分析〉，《商風俗韵——《金瓶梅》中的女人們》，昆明：雲南大學出版社，二〇〇〇年，頁三三—五〇。

傅葆石：〈港星雙城記：國泰電影試論〉，《國泰故事》，黃愛玲編香港：香港電影資料館，二〇〇二年，頁六〇—七五。

傅葆石：〈戰爭傷痕：《清宮秘史》與男性危機〉，《近代中國婦女史研究》二四期，二〇一四年十二月一日，頁二二一—二四四。

傅慧儀編：《香港影片大全第二卷（一九四二—一九四九）》，香港：香港電影資料館，一九九八年。
傅慧儀編：《香港影片大全第三卷（一九五〇—一九五二）》，香港：香港電影資料館，二〇〇〇年。
鄭政恆編，《五〇年代香港詩選》，香港：中華書局，二〇一三年。
蔡洪聲、宋家玲、劉桂清合編：《香港電影80年》，北京廣播學院出版社，二〇〇〇年。
薛后：《香港電影的黃金時代》，香港，獲益出版事業有限公司，二〇〇〇年。
熊秉真、呂妙芬編：《禮教與情慾：前近代中國文化中的後／現代性》，臺北：中央研究院近代史研究所，一九九九年。
葉蔭聰：〈旁觀者的可能：香港電影中的冷戰經驗與「社會主義中國」〉，《文化研究月報》第九十期，二〇〇九年三月二十五日。
賈磊磊：〈中國武俠電影：源流論〉，《電影藝術》，一九九三年第三期，頁二五—三〇。
賈磊磊：《中國武俠電影史》，北京：文化藝術出版社，二〇〇五年。
賈磊磊：《武舞神話：中國武俠電影縱橫》，北京：中國人民大學出版社，二〇一四年。
廖一原、馮凌雲等：〈香港愛國進步電影的發展及其影響〉，《當代電影》第三期，一九九七。
廖金鳳、卓伯棠、傅葆石、容世誠編：《邵氏影視帝國：文化中國的想像》，臺北：麥田出版，二〇〇三年。
鄧逑堃：〈宋美齡—基督教—新生活運動〉，《文史資料選輯》第三二卷第九三輯，文史資料研究委員會《文史資料選輯》編輯部編，中國文史出版社，頁六二—六六。
鄧達智等：《芳芳私相簿：蕭芳芳個人珍藏照片集》，香港：皇冠出版社，一九九七年。
鄭傑光：〈為風暴見證的靈魂——趙滋蕃（文壽）與其作品〉，《中華文藝》第四七期，一九八〇年十二月，頁一三二—一四五。

鄭杰：《李小龍：不朽的東方傳奇》，臺北：大都會文化，二〇一九年。

趙滋蕃：《半下流社會》，香港：亞洲出版社，一九五七年。

趙衛民：〈趙滋蕃的美學思想〉，《海峽兩岸現當代文學論集》，臺北：學生書局，二〇〇四年，頁一三—三一。

趙彥寧：〈誰是三級片皇后？試論後解嚴時代國家權力與色情再現的文化邏輯〉，張志偉譯，《戴著草帽到處旅行：性／別、權力、國家》，臺北：巨流圖書公司，二〇〇一年，頁一二三—一四七。

趙稀方：〈五十年代的美元文化與香港小說〉，《二十一世紀》第九八期，二〇〇六年十二月，頁八七—九六。

鄭樹森：《從諾貝爾到張愛玲》，臺北：印刻，二〇〇七年。

鄭樹森、黃繼持、盧瑋鑾編：《早期香港新文學資料選（一九二七—一九四一年）》，香港：天地圖書，一九九八年。

蔣介石：〈新生活運動之要義（民國二十三年二月十九日在南昌行營擴大紀念周講）〉，《總統蔣公思想言論總集》卷十二，演講，頁七一—七四。

諸葛郎（易文）：《真實的謊話》，香港海濱書屋，一九五一。

劉以鬯編：《香港短篇小說（五〇年代）》，香港：天地圖書，二〇〇二年。

劉紹麟：《香港的殖民地幽靈——從殖民地經驗看今天的香港處境》，香港：守沖社，二〇〇五年，頁一二五—一三三。

蔡洪聲：〈走上現實主義之路〉，《蔡楚生的創作道路》，北京：文化藝術出版社，一九八二年，頁一三—四七。

潘錦麟：〈侶倫與香港文學〉，《考功集（畢業論文選粹）》，香港：嶺南大學，一九九六年，頁二四三—二六九。

魯迅：《魯迅與電影（資料匯編）》，劉思平、邢祖文編，北京：中國電影出版社，一九八一年。

盧偉力：《香港粵語片藝術論集》香港：中華書局，二〇二一年。
盧敦：《瘋子生涯半世紀》，香港：香江出版，一九九二年。
韓少功：《革命後記》，香港：牛津大學出版社，二〇一四年。
鄺保威編著：《導演許鞍華》，香港：甘葉堂，二〇一二年。
鍾寶賢：《香港影視業百年》，香港：三聯書店，二〇〇四年。
魏君子：《光影裡的浪花：香港電影脈絡回憶》，香港：中華書局，二〇一九年。
魏崇新：《說不盡的潘金蓮：潘金蓮形象的嬗變》，臺北：業強出版社，一九九七年。
關文清：《中國銀壇外史》，香港：廣角鏡出版社，一九七六年。羅卡：〈百年孤寂：靜悄悄渡〔度〕過了的香港電影百歲壽辰〉，《HKinema》第二九期，二〇一五年。
羅立群：《中國武俠小說史》，瀋陽：遼寧人民出版社，一九九〇年。
藍天雲編：《我為人人——中聯的時代印記》，香港：香港電影資料館，二〇一一年。
董邊編：《女界文化戰士沈茲九》，北京：中國婦女出版社，一九九一年。
蘇偉貞：《不安、厭世與自我退隱：易文與同化南來文人》，臺灣新北市：印刻，二〇二〇年。
竇應泰：《大導演李翰祥》，哈爾濱：哈爾濱出版社，一九九七年。
顧也魯：《藝海滄桑五十年》，上海：學林出版社，一九八九年。
顧倩：《國民政府電影管理體制（一九二七—一九三七）》，北京：中國廣播電視出版社，二〇一〇年。
饒曙光：《中國喜劇電影史》，北京：中國電影出版社，二〇〇五年。

英文參考書目

Baker, Hugh D. R. "Life in the Cities: The Emergence of Hong Kong Man." *The China Quarterly* 95 (1983): 469-479.

Bao, Weihong. *Fiery Cinema: The Emergence of an Affective Medium* in. *China, 1915–1945*. Minneapolis: University of Minnesota Press, 2015.

Bao, Weihong. "From Pearl White to White Rose Woo: Tracing the Vernacular Body of Nüxia in Chinese Silent Cinema, 1927–1931." *Camera Obscura* 20, no. 3(60) (2005): 193-231.

Baron, Robert A. "Sexual arousal and physical aggression: the inhibiting effects of 'cheesecake' and nudes." *Bulletin of the Psychonomic Society* 3 (1974): 337-339.

Benjamin, Jessica. *Beyond Doer and Done to: Recognition Theory, Intersubjectivity and the Third*. New York and London: Routledge, 2017.

Benjamin, Jessica. *Shadow of the Other: Intersubjectivity and Gender in Psychoanalysis*. New York and London: Routledge, 1997.

Benjamin, Walter. *The Arcades Project*. Translated by Howard Eiland and Kevin McLaughlin. Cambridge, MA and London: Harvard University Press, 1999.

Berry, Chris, and Mary Farquhar. *China on Screen: Cinema and Nation*. New York: Columbia University Press, 2006.

Bolelli, Daniele. *On the Warrior's Path: Fighting, Philosophy, and Martial Arts Mythology*. Berkeley, CA: North Atlantic Books, 2003.

Bordwell, David. *Planet Hong Kong: Popular Cinema and the Art of Entertainment*, Second edition. Madison, Wisconsin: Irvington Way Institute Press, 2011.

Bowman, Paul. *Beyond Bruce Lee: Chasing the Dragon Through Film, Philosophy, and Popular Culture*. New York: Columbia University Press, 2013.

Bowman, Paul. *Theorizing Bruce Lee: Film-Fantasy-Fighting-Philosophy*. Amsterdam: Rodopi, 2010.

Carter, David. *East Asian Cinema*. Harpenden, UK: Kamera/ Oldcastle Books, 2010.

Chan, Stephen, Meaghan Morris, and Siu Leung Li, eds. *Hong Kong Connections: Transnational Imagination in Action Cinema*. Hong Kong: Hong Kong University Press, 2005.

Cheung, Esther M. K. and Chu Yiu-wai. *Between Home and World: a Reader in Hong Kong Cinema*. Hong Kong: Oxford, 2004.

Chiao, Hsiung Ping. "Bruce Lee: His Influence on the Evolution of the Kung Fu Genre." *Journal of Popular Film and Television* 9, no. 1 (1981): 30-42.

Chin, Angelina. *Bound to Emancipate: Working Women and Urban Citizenship in Early Twentieth-Century China and Hong Kong*. Lanham, MD: Rowman and Littlefield, 2012.

Dale, Alan. *Comedy is a Man in Trouble: Slapstick in American Movies*. Minneapolis: University of Minnesota Press, 2000.

Davies, Christie. *Jokes and their Relation to Society*. Berlin, New York: Mouton de Gruyter, 1998.

Ding, Naifei. *Obscene Things: Sexual Politics in Jin Ping Mei*. Durham: Duke University Press, 2002.

Donnerstein, Edward. et al. *The Question of Pornography: Research Findings and Policy Implications*. New York: Free Press, 1987.

Dworkin, Andrew. *Pornography: Men Possessing Women*. New York: Perigee, 1981.

Fu, Poshek. *Hong Kong Media and Asia's Cold War*. New York: Oxford University Press, 2023.

Fu, Poshek, and Man-Fung Yip, eds. *The Cold War and Asian Cinemas*. New York and London: Routledge, 2019.

Fu, Poshek, ed. *China Forever: The Shaw Brothers and Diasporic Cinema*. Champaign, IL: University of Illinois Press, 2008.

Fu, Poshek. *Between Shanghai and Hong Kong: The Politics of Chinese Cinemas*. Stanford, California: Stanford University Press, 2003.

Fu, Poshek and David Desser, eds. *The Cinema of Hong Kong: History, Arts, Identity*. Cambridge, UK: Cambridge University Press, 2000.

Griffin, Susan. *Pornography and Silence: Culture's Revenge against Nature*. New York: Harper and Row, 1981.

Griffin, Susan. *Rape: The Power of Consciousness*. New York: Harper and Row, 1979.

Henriot, Christian. *Shanghai, 1927-1937: Municipal Power, Locality, and Modernization*. Translated by Noël Castelino. Berkeley: University of California Press, 1993.

Henriot, Christian, and Wen-hsin Yeh, ed. *In the Shadow of the Rising Sun: Shanghai under Japanese Occupation*. Cambridge, UK; New York: Cambridge University Press, 2004.

High, Casey. "Warriors, hunters, and Bruce Lee: Gendered agency and the transformation of Amazonian Masculinity." *American Ethnologist* 37, no. 4 (2010): 753-770.

Howitt, Dennis and Cumberbatch, Guy (Home Office Research and Planning Unit, UK). *Pornography: Its Impacts and Influences: a Review of the Available Research Evidence on the Effects of Pornography*. London: HMSO, 1990.

Hu, Brian. "'Bruce Lee' after Bruce Lee: A life in conjectures." *Journal of Chinese Cinemas* 2, no. 2 (2008): 123-135.

Hunt, Lynn, ed. *The Invention of Pornography: Obscenity and the Origins of Modernity 1500-1800*. New York: Zone Books, 1993.

Hunt, Leon. *Kung Fu Cult Masters*. London, England: Wallflower Press, 2003.

Jameson, Frederic. *Signatures of the Visible*. New York and London: Routledge, 1992.

Jarvie, I.C. *Window on Hong Kong: A Sociological Study of the Hong Kong Film Industry and Its Audience*. Hong Kong: Centre of Asian Studies, University of Hong Kong, 1977.

Kim, Hong-Jung. "Survivalist Modernity and the Logic of Its Governmentality." *International Journal of Japanese Sociology*, no. 27 (2018): 5-25.

Kipnis, Laura. *Bound and Gagged: Pornography and the Politics of Fantasy in America*. Durham: Duke University Press, 1999.

Kendrick, Walter. *The Secret Museum: Pornography in Modern Culture*. New York: Viking Penguin, 1987.

Kreng, John. *Fight Choreography: The Art of Non-Verbal Dialogue*. Boston, MA: Thomson Course Technology, 2008.

Kuhn, Annette. "Women's Genres." In *The Film Cultures Reader*, edited by Graeme Turner, 20-27. London & New York: Routledge, 2002.

Kwok, Reginald Yin-Wang, Ming K. Chan and Alvin Y. So, eds. *The Hong Kong-Guangdong Link: Partnership in Flux*, Hong Kong: Hong Kong University Press, 1995.

Lau, Jenny Kwok Wah. "Besides Fists and Blood: Hong Kong Comedy and Its Master of the Eighties." *Cinema Journal* 37, no, 2 (1998): 18-34.

Lau Siu-kai and Louie Kin-shuen, eds. *Hong Kong Tried Democracy: the 1991 Elections in Hong Kong*. Hong Kong: Hong Kong Institute of Asia-Pacific Studies, The Chinese University of Hong Kong, 1993.

Lau, Siu-kai. *Society and Politics in Hong Kong*. Hong Kong: Chinese University Press, 1982.

Lau, Siu-kai, and Hsin-chi Kuan. *The Ethos of Hong Kong Chinese*. Hong Kong: Chinese University Press, 1988.

Lee, Bruce. "An Actor: The Sum Total." In *Bruce Lee: Artist of Life*, edited by John Little, 218-219. Boston, MA: Tuttle Publishing, 1999.

Lee, Bruce. "Jeet Kune Do and the Art of Cultivating Optimism (1967-1970)." ⊠In *Bruce Lee, Letters of the Dragon: An Anthology of Bruce Lee's Correspondence with Family, Friends, and Fans 1958-1973*, edited by John Little, 85-140. North Clarendon, VT: Tuttle Publishing, 2016.

Lee, Leo Ou-fan. *Shanghai Modern: The Flowering of a New Urban Culture in China, 1930-1945*. Cambridge, MA: Harvard University Press, 1999.

Lee, Sangjoon. *Cinema and the Cultural Cold War*. Ithaca, NY: Cornell University Press, 2020.

Leung, Benjamin K. P. *Perspectives on Hong Kong Society*. Hong Kong: Oxford University Press (China), 1996.

Li, Siu Leung. "Kung Fu: Negotiating Nationalism and Modernity." *Cultural Studies* 15, no. 3-4 (2001): 515-542.

Liu, James J. Y. *The Chinese Knight-Errant*. Chicago: University of Chicago Press, 1967.

Lo, Kwai-cheung. *Chinese Face/Off: The Transnational Popular Culture of Hong Kong*. Champaign, IL: University of Illinois Press, 2005.

Louie, Kam. *Theorising Chinese Masculinity: Society and Gender in China*. Cambridge, UK: Cambridge University Press, 2002.

Lu, Sheldon Hsiao-peng, ed. *Transnational Chinese Cinemas: Identity, Nationhood, Gender*. Honolulu: University of Hawaii Press, 1997.

MacKinnon, Catharine A. *Feminism Unmodified: Discourses on Life and Law.* Cambridge, MA: Harvard University Press, 1987.

Maeda, Daryl Joji. "Nomad of the Transpacific: Bruce Lee as Method." *American Quarterly* 69, no. 3 (September 2017): 741-761.

Maier, Gonzalo. "Bruce Lee en Chile: ironía y parodia en Fuenzalida de Nona Fernández." *Symposium: A Quarterly Journal in Modern Literatures* 71, no. 1 (2017): 38-49.

Marcus, Maria. *A Taste for Pain: On Masochism and Female Sexuality*. New York: St. Martin's Press, 1981.

Martin, Fran and Ari Larissa Heinrich, eds. *Embodied Modernities: Corporeality, Representation, and Chinese Cultures*. Honolulu: University of Hawaii Press, 2006.

McMahon, Keith. *Misers, Shrews, and Polygamists: Sexuality and Male-Female Relations in Eighteenth-Century Chinese Fiction*. Durham: Duke University Press, 1995.

Modleski, Tania. *Loving with a Vengenance: Mass Produced Fantasies for Women*. Hamden Connecticut: Shoe Strong Press, 1982.

Morgan, Robin. "Theory and Practice: Pornography and Rape." In *Take Back the Night*, edited by Laura Lederer, 134-140. New York: William Morrow, 1980.

Nishime, LeiLani. "Reviving Bruce: Negotiating Asian Masculinity Through Bruce Lee Paratexts in Giant Robot and Angry Asian Man." *Critical Studies in Media Communication* 34, no. 2 (2017): 120-129.

O'Toole, Laurence. *Pornocopia: Porn, Sex, Technology and Desire*. London: Serpent's Tail, 1998.

Pang, Laikwan, and Day Wong, eds. *Masculinities and Hong Kong Cinema*. Hong Kong: Hong Kong University Press, 2005.

Pellerin, Eric. "Bruce Lee as director and the star as author." *Global Media and China* 4, no. 3 (2019): 339-347.

Polly, Matthew. *Bruce Lee: A Life*. New York: Simon & Schuster, 2018.

Prashad, Vijay. "Bruce Lee and the Anti-imperialism of Kung Fu: A Polycultural Adventure." *Positions* 11, no. 1 (Spring 2003): 51-90.

Rayns, Tony, and Scott Meek. *Electric Shadows: 45 Years of Chinese Cinema*. London: British Film Institute, 1980.

Roberts, Priscilla, and John M. Carroll eds., *Hong Kong in the Cold War*. Hong Kong: Hong Kong University Press, 2016.

Roy, David. "Chang Chu-po's Commentary on the Chin P'ing Mei." In *Chinese Narrative: Critical and Theoretical Essays*, edited by Andrew H. Plaks, 115-123. Princeton: Princeton University Press, 1977.

Segal, Lynne, and Mary McIntosh, ed. *Sex Exposed: Sexuality and the Pornography Debate*. London: Virago, 1992.

Seidman, Steve. *Comedian Comedy: A Tradition in Hollywood Film*. Ann Arbor, Mich.: University of Michigan Press, 1981.

Shaviro, Steven. *The Cinematic Body*. Minneapolis: University of Minnesota Press, 1993.

Simmons, Paul, and the Editors of *Kung Fu Monthly*. *The Power of Bruce Lee: An Illustrated Analysis of Bruce Lee's Fighting Systems*. Tullamarine: Castle Books, 1979.

Silverman, Kaja. *The Acoustic Mirror: The Female Voice in Psychoanalysis and Cinema*. Bloomington: Indiana University Press. 1988.

Sin, William. "Bruce Lee and the Trolley Problem: An Analysis from an Asian Martial Arts Tradition." *Sport, Ethics and Philosophy* 16, no. 1 (4 January 2021): 81-95.

Soble, Alan. *Pornography: Marxism, Feminism, and the Future of Sexuality*. New Haven and London: Yale University Press, 1989.

Sommer, Matthew H. *Sex, Law and Society in Late Imperial China*. Standford: Standford University Press, 2000.

Song, Geng. *The Fragile Scholar: Power and Masculinity in Chinese Culture*. Hong Kong: Hong Kong University Press, 2004.

Sontag, Susan. *Styles of Radical Will*. New York: Dell, 1978.

Steenberg, Lindsay. "Bruce Lee as gladiator: Celebrity, vernacular stoicism and cinema." *Global Media and China* 4, no. 3 (2019) 348-361.

Stokes, Lisa Odham, and Michael Hoover. *City on Fire: Hong Kong Cinema*. New York: Verso. 1999.

Tang, Xiaobing. *Chinese Modern: The Heroic and the Quotidian*. Durham: Duke University Press, 2000.

Teo, Stephen. *Hong Kong Cinema: The Extra Dimensions*. London: British Film Institute, 1997.

Thomson Jr., James C. *While China Faced West: American Reformers in Nationalist China, 1928-1937*. Cambridge, MA: Harvard University Press, 1969.

Vitiello, Giovanni. *The libertine's friend : homosexuality and masculinity in late imperial China*. Chicago: University of Chicago Press, 2011.

Wakeman, Frederic Jr. *Policing Shanghai, 1927-1937*. Berkeley: University of California Press, 1996.

Williams, Linda ed. *Porn Studies*. Durham: Duke University Press, 2004.

Williams, Linda. *Hard Core: Power, Pleasure and the Frenzy of the Visible*. Berkeley and Los Angeles: University of California Press, 1989.

Wong, Wayne. "Nothingness in motion: Theorizing Bruce Lee's action aesthetics." *Global Media and China* 4, no. 3 (2019): 362-380.

Yau, Ching. *Filming Margins: Tang Shu Shuen, a Forgotten Hong Kong Woman Director*. Hong Kong: Hong Kong University

Press, 2004.

Yau, Esther Ching-Mei ed. *At Full Speed: Hong Kong Cinema in a Borderless World*. Minneapolis: University of Minnesota Press, 2001.

Yeh, Emilie Yueh-yu, ed. *Early Film Culture in Hong Kong, Taiwan, and Republican China*. Ann Arbor: University of Michigan Press, 2018.

Yeh, Wen-hsin. "Shanghai Modernity: Commerce and Culture in a Republican City." *The China Quarterly*, no. 150, Special Issue: Reappraising Republic China, (June 1997): 375-394.

Yeh, Wen-hsin. *Shanghai Splendor: Economic Sentiments and the Making of Modern China, 1843-1949*. Berkeley: University of California Press, 2007.

Yep, Ray and Tai-lok Lui. "Revisiting the golden era of MacLehose and the dynamics of social reforms." *China Information* 24, no. 3 (2010): 249-272.

Yu, Sabrina Qiong. *Jet Li: Chinese masculinity and transnational film stardom*. Edinburgh, UK: Edinburgh University Press, 2012.

Zhang, Yingjin. *The City in Modern Chinese Literature and Film: Configurations of Space, Time, and Gender*. Stanford, California: Stanford University Press, 1996.

Zhang, Yingjin, ed. *Cinema and Urban Culture in Shanghai, 1922-1943*. Stanford, California: Stanford University Press, 1999.

Zhang, Zhen. *An Amorous History of the Silver Screen: Shanghai Cinema 1896-1937*. Chicago: University of Chicago Press, 2005.

Zhong, Xueping. *Masculinity Besieged?: Issues of Modernity and Male Subjectivity in Chinese Literature of the Late Twentieth Century*. Durham: Duke University Press, 2000.

Zillmann, Dolf and Jennings Bryant, eds. *Pornography: Research Advances and Policy Considerations*. Hillsdale, N.J.: L. Erlbaum Associates, 1989.

聯經評論
天堂春夢：二十世紀香港電影史論

2024年4月初版　　定價：新臺幣600元

著者	游		靜
叢書主編	孟	繁	珍
校對	金	文	蕙
	黃	素	芬
內文排版	菩	薩	蠻
封面設計	兒		日

出版者	聯經出版事業股份有限公司
地址	新北市汐止區大同路一段369號1樓
叢書主編電話	(02)86925588轉5318
台北聯經書房	台北市新生南路三段94號
電話	(02)23620308
印刷者	世和印製企業有限公司
總經銷	聯合發行股份有限公司
發行所	新北市新店區寶橋路235巷6弄6號2樓
電話	(02)29178022

副總編輯	陳	逸	華
總編輯	涂	豐	恩
總經理	陳	芝	宇
社長	羅	國	俊
發行人	林	載	爵

行政院新聞局出版事業登記證局版臺業字第0130號

本書如有缺頁，破損，倒裝請寄回台北聯經書房更換。　ISBN 978-957-08-7296-5 (平裝)
聯經網址：www.linkingbooks.com.tw
電子信箱：linking@udngroup.com

國家圖書館出版品預行編目資料

天堂春夢：二十世紀香港電影史論/游靜著．初版．新北市．
聯經．2024年4月．528面．14.8×21公分（聯經評論）
ISBN 978-957-08-7296-5（平裝）

1.CST：電影史　2.CST：影評　3.CST：香港

987.092　　113001786